Sperlich
Journalist mit Mandat
Sozialdemokratische Reichstagsabgeordnete und
ihre Arbeit in der Parteipresse
1867 bis 1918

Beiträge zur Geschichte des Parlamentarismus und der politischen Parteien · Band 72

Herausgegeben von der
Kommission für Geschichte des Parlamentarismus
und der politischen Parteien

Droste Verlag Düsseldorf

Waltraud Sperlich

Journalist mit Mandat

Sozialdemokratische Reichstagsabgeordnete und ihre Arbeit in der Parteipresse 1867 bis 1918

Droste Verlag Düsseldorf

CIP-Kurztitelaufnahme der Deutschen Bibliothek

Sperlich, Waltraud:
Journalist mit Mandat: sozialdemokr. Reichstagsabgeordnete u. ihre Arbeit in d. Parteipresse 1867 bis 1918
Waltraud Sperlich. – Düsseldorf: Droste, 1983.
(Beiträge zur Geschichte des Parlamentarismus und der politischen Parteien; Bd. 72)
ISBN 3-7700-5120-3
NE: GT

Die Kommission für Geschichte des Parlamentarismus und der politischen Parteien e. V., Bonn, wird institutionell gefördert durch den Minister für Wissenschaft und Forschung des Landes Nordrhein-Westfalen.

Verlag:
Droste Verlag GmbH, Düsseldorf, 1983

Satz: Froitzheim KG, Bonn
Druck und Einband: Verlagsdruckerei Schmidt GmbH, Neustadt/Aisch
ISBN 3-7700-5120-3

Für Redaktionen

Junger Parteigenosse, Kaufmann, gute Vorbildung, lange erfolgreich für die Parteipresse tätig, schneidiger Leitartikler, tüchtiger Redner sucht, gestützt auf beste Empfehlungen, Stellung bei einem Parteiblatt. Ansprüche bescheiden.

Anzeige aus dem *Vorwärts* vom 6. 3. 1892

Inhaltsverzeichnis

Drittes Kapitel
Journalist mit Mandat

Einleitung

I. Vorbemerkung

Schon während der Schulzeit wurde d. Verf. bei Berufswahl-Diskussionen mehrmals geraten, „doch zur Zeitung zu gehen", da die Lehrer in der schwäbischen Heimat eine signifikante Eignung für den Beruf des Journalisten ausgemacht zu haben glaubten: „S'Mädle schwätzt so viel."

Mit einer schiefliegenden Motivstruktur trat d. Verf. nach dem Abitur ein zweijähriges Volontariat bei einer schwäbischen Kleinstadt-Zeitung an und mußte feststellen, daß sich die Arbeitsrealität nicht mit den idealistischen Vorstellungen vom Beruf des Journalisten deckte. In Gesprächen mit Redaktionskollegen trat offen die Diskrepanz zwischen Rollenselbstdeutung und tatsächlicher Arbeitswirklichkeit zum Vorschein: Die Redakteure fühlten sich als *die* Akteure auf der lokalpolitischen Bühne, als *die* Tonangebenden auf dem kommunalpolitischen Parkett, obwohl sie faktisch an den politischen Entscheidungsprozessen nicht beteiligt waren.

Der praktischen Auseinandersetzung mit dem Journalismus und den Journalisten folgte die theoretische. Während des Studiums der Kommunikationswissenschaft (Zeitungswissenschaft) verlegte d. Verf. ihr wissenschaftliches Interesse auf Fragen der journalistischen Berufsforschung.[1]

Bei der Auswertung von Aussagen der journalistischen „Vorväter" zur Rollenselbstdeutung stieß d. Verf. immer wieder auf das Klischee des „wirkenden Politikers",[2] obwohl auch diese Redakteure – von wenigen Ausnahmen abgesehen[3] – nie praktische Politik innerhalb einer Partei oder im parlamentarischen Rahmen betrieben haben. Auch erhellten die Lebensbeschreibungen der frühen Journalisten den von Hirschfeld[4] als déformation professionelle bezeichneten Zustand: Die Diskrepanz zwischen einer hohen Sprachfähigkeit und der Unfähigkeit zur Verbalisierung der eigenen Lage.

---

1 Siehe dazu Magisterarbeit d. Verf.: Der Beruf des Journalisten und Redakteurs im Spiegel von Autobiographien und Memoiren. München 1975.
2 Vgl. dazu Silex, S. 9: „Die Journalistengeneration, mit der ich angetreten bin, wollte Politik machen".
3 Von 67 im Rahmen der Magisterarbeit untersuchten Journalisten, fanden fünf *nach* ihrer redaktionellen Tätigkeit den Weg in die aktive Politik.
4 Hirschfeld, Dieter, Bemerkungen zur Soziologie der journalistischen Intelligenz, in: Solidarität gegen Abhängigkeit. Mediengewerkschaft. Hrsg. von Ulrich Paetzold und Hendrik Schmidt, S. 52 ff.

Nach dem Universitätsstudium schwenkte d. Verf. wieder ins praktische Lager über. Während der Ausbildung an der Deutschen Journalistenschule, München, stand auch die Kultivierung der déformation professionelle auf dem Lehrplan: die Überschätzung der politischen Wirksamkeit der Journalisten, ungeachtet der tatsächlichen Arbeitswirklichkeit.[5]

Während der journalistischen Lehrzeit und der anschließenden praktischen Berufsausübung erwuchs das Forschungsinteresse, die heutige
„unpassende" Rollenselbstdeutung einmal passend zu machen, d. h. den
Journalisten nachzuspüren, die tatsächlich neben ihrer redaktionellen
Tätigkeit politisch aktiv waren.

Von der Annahme ausgehend, das heutige journalistische Berufsverständnis resultiere aus der speziellen Geschichte dieses Berufes, verlegte
sich d. Verf. auf frühe Vertreter der Rollenkombination Politiker-Journalist. Als festzumachende Politiker des letzten Jahrhunderts boten sich die
Reichstagsabgeordneten an; begonnen wurde mit der Untersuchung des
Berufsprofils der sozialdemokratischen Fraktion. Festgestellt wurde, daß
von den insgesamt 215 Parlamentariern, die die Sozialdemokratie von
1867 bis 1918 im Reichstag vertraten, 114 Journalisten mit Mandat waren.
Weitere sozialdemokratische Abgeordnete hatten vor oder nach ihrer Zeit
im Parlament redaktionell gearbeitet.

Gesucht wurde dann nach Aussagen dieser politisch tätigen Journalisten zu der Art und Weise ihrer redaktionellen Tätigkeit, ihrer journalistischen Laufbahn, zu Berufsmotivation, Berufsverständnis etc. Ergebnis ist
die Darstellung der Arbeitsverhältnisse innerhalb der SPD-Parteipresse
und die Selbstdarstellung ihrer Vertreter. Ziel dieser Arbeit konnte nur
sein, Materialien zu einer Sozialgeschichte des Parteijournalismus zu
liefern.

D. Verf. dankt an dieser Stelle der Fazit-Stiftung, Frankfurt, die durch
ein Forschungsstipendium diese Arbeit ermöglichte, den Mitarbeitern
des Instituts für Zeitungsforschung, Dortmund, und des Archives der
Sozialen Demokratie, Bonn, für ihre Unterstützung, sowie Prof. Dr. Otto B.
Roegele für die Betreuung dieser Arbeit.

II. Journalist und Politiker als Rollenkombination

1. Zur Problematik

„Der journalistische Beruf ist erst wenig erforscht. Das liegt hauptsächlich daran, daß er schwer erforschbar ist."[6] Diese lakonische Bemerkung
Engelsings kann als Erklärung dafür hergenommen werden, daß die

---

5 Vgl. dazu Praktischer Journalismus. Ein Lehr- und Lesebuch, hrsg. von der Deutschen
  Journalistenschule.
6 Engelsing, Massenpublikum, S. 39.

wissenschaftliche Beschäftigung mit dem Beruf des Journalisten selten die historische Dimension berührt.[7]

Kann man heute mittels Befragung feststellen, was in den Köpfen der Journalisten vorgeht, so steht einer historischen Berufsforschung meist die déformation professionelle im Wege: „Die Journalisten befassen sich mit allem – nur ihre eigenen Angelegenheiten übergehen sie meist mit Schweigen."[8]

In neueren Studien zum Beruf des Journalisten wird immer wieder auf die Diskrepanz zwischen Rollenselbstdeutung und faktischer Arbeitswirklichkeit hingewiesen.[9]

Ausgehend von dem Forschungsinteresse, die heutige „unpassende" Rollenselbstdeutung des Journalisten als politisch Agierendem aus der Geschichte dieses Berufes abzuleiten, wurde nach Journalisten gesucht, deren redaktionelle Tätigkeit ein Sprungbrett zum „Zwillingsberuf"[10] Politiker darstellte, und nach Politikern, die während oder nach ihrer politischen Tätigkeit journalistisch arbeiteten.

Um den Begriff „Politiker" für das letzte Jahrhundert faßbar zu machen, wurde er reduziert auf den des Parlamentariers und weiter eingeengt auf Mitglieder des Reichstages. Aus dieser Einschränkung ergab sich die Begrenzung des zu untersuchenden Zeitraumes: 1867 kamen die ersten, nach allgemeinem und gleichem Wahlrecht gewählten Volksvertreter zum konstituierenden Reichstag innerhalb des Norddeutschen Bundes zusammen. Der Norddeutsche Bund bildete die Grundlage des zweiten Deutschen Reiches, so wie es bis 1918 bestand.

Die ersten Mitglieder des Reichstages, die auf journalistische Tätigkeit hin untersucht wurden, waren die sozialdemokratischen Abgeordneten in den Jahren 1867 bis 1918. Zumeist aus dem Handwerker- und Arbeiterlager kommend, waren diese Parlamentarier aus der Unmöglichkeit einer Verbindung zwischen Mandatsausübung und Lohnarbeit[11] gezwungen, anderen Erwerbstätigkeiten nachzugehen. Diäten für die parlamentarische Tätigkeit wurden erst ab 1906 gezahlt; bis dahin erhielten die sozialdemokratischen Abgeordneten eine Aufwandsentschädigung[12] – die aber nicht zur wirtschaftlichen Absicherung ausreichte[13] – aus der Parteikasse.

---

7 Vgl. dazu Baumert, Dieter Paul, Die Entstehung des deutschen Journalismus. Eine sozialgeschichtliche Studie. München/Leipzig 1928 und Brunöhler, Kurt, Der Redakteur der mittleren und größeren Tageszeitungen im Reichsgebiet von 1800 bis 1848. Leipzig 1933.
8 Bringmann, Karl, Vorwort zu der Schriftenreihe „Journalismus". Bd. 1, 1960.
9 Vgl. dazu Fabris, Hans-Heinz, Das Selbstbild von Redakteuren bei Tageszeitungen, in: Arbeitsberichte des Instituts für Publizistik und Kommunikationstheorie der Universität Salzburg, hrsg. von Günter Kieslich, Heft 2.
10 Engelsing, Massenpublikum, S. 157: „Die Zwillingsbrüder der Journalisten, die Politiker..."
11 Die Verbindung von Lohnarbeit und Abgeordnetentätigkeit war nur einmal von einem Zentrumsabgeordneten des badischen Landtags versucht worden, bis diesem sein Arbeitgeber kündigte. Vgl. dazu Michels, S. 486.
12 Nach Bebel setzte die parteiinterne Diätenregelung 1874 ein. Bebel, Aus meinem Leben, Bd. 2, S. 159.
13 Vgl. dazu Blos, Denkwürdigkeiten, Bd. 1, S. 230.

114 der insgesamt 215 sozialdemokratischen Abgeordneten waren während ihrer Zeit im Reichstag redaktionell und journalistisch tätig;[14] eine Reihe weiterer Abgeordneter war vor der Wahl in den Reichstag oder nach dem Ausscheiden aus dem Parlament in der Parteipresse beschäftigt gewesen.[15] Die große Anzahl schreibender Abgeordneter in der sozialdemokratischen Fraktion ergab die weitere Einschränkung des Themas: SPD-Reichstagsabgeordnete und ihre Arbeit in der Parteipresse.

Aufgabe dieser Arbeit soll es nun sein, weniger die politische Karriere des einzelnen Abgeordneten, sondern ihre journalistische Laufbahn zu verfolgen. Aussagen aus Biographien, Memoiren, Briefen, Tagebüchern, Parteitags- und Fraktionsprotokollen, Reichstagsreden bilden die Basis für die Beschreibung ihrer speziellen journalistischen Arbeitswelt.

Hält auch Carlo Schmid die Professionsverflechtung für unzulässig: „Der Politiker, der sich der Presse bedient, um seine Meinungen zu verbreiten, ist damit noch kein Journalist; der Journalist, der die Spalten seiner Zeitung mit Betrachtungen über politische Vorgänge füllt und Forderungen erhebt, ist damit noch kein Politiker"[16], so ist sie doch eine geschichtliche Realität in der Entwicklung des sozialdemokratischen Parteijournalismus.

2. Zur Methodik

Die vorliegende Untersuchung liegt im Schnittfeld kommunikationswissenschaftlicher und historischer Forschung: Das Erkenntnisinteresse zielt auf den kommunikationswissenschaftlichen Bereich, der Forschungsgegenstand liegt im historischen Sektor.

Der Kommunikationswissenschaft kann man keine allgemeine und nur für sie typische Methode zuordnen, hat sie historische Forschung zum Gegenstand. In der vorliegenden Arbeit wird nach der historiographischen Methode verfahren, wie sie in der historischen Forschung in der Regel Anwendung findet. Dem Vorwurf einer besonderen Gewichtung untypischer Tatbestände, da nur einzelne Aussagen dargestellt werden, kann mit der Versicherung begegnet werden, daß nur Äußerungen Eingang in die Arbeit fanden, die von einer Vielzahl anderer bestätigt werden.

Zwei Teilaspekte kommunikationswissenschaftlicher Forschung werden in der vorliegenden Arbeit behandelt: die Geschichte der sozialdemokratischen Presse und Berufsforschung in bezug auf Parteijournalisten.

Die speziellen Bedingungen journalistischer und parlamentarischer Arbeit innerhalb der sozialdemokratischen Partei sollen im ersten Kapitel dieser Studie dargestellt werden.

---

14 Siehe Biographien, S. 150 ff.
15 Siehe Biographien, S. 150 ff.
16 Schmid, Carlo, Politiker und Journalist, in: *Neue Gesellschaft*, 11 Jg., 1964, Heft 4.

Im zweiten Kapitel der vorliegenden Arbeit melden sich die Abgeordneten zu den Themenschwerpunkten „Der redaktionelle Tätigkeitsbereich" und „Berufsverständnis" selbst zu Wort. Abschließend wird auf die Problematik, die sich aus der Rollenkombination Abgeordneter-Journalist in der sozialdemokratischen Parteigeschichte immer wieder ergab, eingegangen.

Im Anhang befinden sich weiter Materialien zu dem Berufsprofil der Reichstagsfraktion der sozialdemokratischen Partei; besonders gewichtet wurden aber auch da die journalistische und redaktionelle Tätigkeit und die Arbeit auf dem Verleger/Herausgeber-Sektor.

3. Zur Quellenlage

In den letzten Jahren ist eine Vielzahl von Studien erschienen, die sich mit Problemen der deutschen Arbeiterbewegung im letzten Jahrhundert befassen. Was lange Zeit als Domäne der Wissenschaftler aus der DDR galt – die Beschäftigung mit der „jungen" SPD – begann, dank der üppigen Quellenlage in Westeuropa,[17] auch die bundesdeutschen Forscher zu interessieren.

Besonders das aufkommende wissenschaftliche Interesse für das weite Gebiet der Sozialgeschichte[18] rückte die Primärquellen in das Zentrum der Beachtung. Steinberg behauptet allerdings noch 1967, daß bis dahin „wichtige Quellengruppen, wie die umfangreichen Nachlässe führender Sozialdemokraten, nicht oder nur mangelhaft berücksichtigt worden sind"[19].

Weiter hinterließen die Vorväter der Sozialdemokratie ihre Lebensbeschreibung in Form von Memoiren. Initiiert wurde diese Form der Mitgliederaufklärung durch den evangelischen Pfarrer und SPD-Abgeordneten Paul Göhre[20]; er ließ die Memoiren von Arbeitern und Sozialdemokraten im bürgerlichen Diederichs-Verlag in Jena erscheinen.

Durch Göhres Herausgeber-Leistung existieren also die für die Sozialgeschichte so wichtigen Lebensbeschreibungen der „Kleinen"[21]; insgesamt aber überwiegen in der sozialdemokratischen Memoirenliteratur die

---

17 Die Nachlässe (Briefe, Tagebücher, Aufzeichnungen) führender und „kleiner" Sozialdemokraten sind zum einen im Internationalen Institut für Sozialgeschichte, Amsterdam, einsehbar; zum anderen hat das Archiv der Sozialen Demokratie (AdSD) in Bonn akribisch die Nachlässe von mehr oder minder bedeutenden Sozialdemokraten gesammelt und verfügt seit September 1980 auch über die Amsterdamer Quellen per Mikrofilm. Bemerkenswert ist weiter die umfangreiche Sammlung sozialdemokratischer Parteizeitungen aus dem letzten Jahrhundert.
18 Engelsing konstatiert, daß früher unter den Begriff Sozialgeschichte immer nur die Geschichte der Arbeiterbewegung fiel. Mittlerweile versuche sie aber „quer durch die Bereiche verschiedener Fächer zu dringen", hat „ihren Gesichtskreis ausgedehnt und ihre Tendenz vervielfältigt." (Engelsing, Massenpublikum, S. 13 ff.).
19 Steinberg, Sozialismus, S. 9.
20 Siehe Biographie Göhre, S. 177.
21 „In jeder Biographie, nicht nur der ‚Großen' in der Geschichte, sondern gerade der ‚kleinen', ‚unbekannten' Menschen, wird Sozialgeschichte beispielhaft individuell oder gruppentypisch sichtbar." Werner Conze, in: Moderne deutsche Sozialgeschichte, hrsg. von Hans-Ulrich Wehler, S. 25.

Lebensbeschreibungen der Aufsteiger. Geltungsbedürfnis, der Wunsch, sich gedruckt zu sehen, der Gestus des „Seht, ich habe es geschafft" lassen sich häufig als Motive des Schreibens feststellen. Die Memoiren dokumentieren neben dem Weg nach oben[22] des Verfassers aber auch journalistische Arbeitswirklichkeit im letzten Jahrhundert.

Die Partei selbst veranlaßte ihre herausragenden Mitglieder häufig, ihr Leben in dieser Art Vorbilds-Lektüre zu beschreiben; selbst aus jüngerer Zeit liegen Beispiele für diesen Tatbestand vor. In der Personalia-Abteilung[23] des AdSD in Bonn befindet sich ein Brief Ollenhauers an Heine, der den Förderungswillen der Partei in bezug auf Memoirenliteratur unterstreicht: „Dr. Otto Landsberg[24] (...) möchte sich gern für die Partei betätigen. Er denkt an Arbeiten als Bibliothekar oder an schriftstellerische Arbeiten. Zweifellos ist seine materielle Lage sehr schlecht, so daß auch die Finanzierung seines Lebensunterhaltes eine wesentliche Rolle spielt. Für beide Teile am sinnvollsten erscheint, wenn wir Otto Landsberg bewegen könnten, seine Erinnerungen zu schreiben und wir einen unserer Verlage finden könnten, der bereit ist, diese Arbeit vorzufinanzieren."[25]

Als weitere Quellen wurden benutzt: Fraktions- und Parteitagsprotokolle, Parteizeitungen und Zeitschriften sowie Regional- und Lokalstudien zur Geschichte der sozialdemokratischen Partei, um den unbekannteren Abgeordneten nachzuspüren.

Trotz der reichhaltigen Quellenlage mußte die Erfahrung gemacht werden, daß über den einen Journalisten mit Mandat fast nichts zu erfahren war, außer daß er irgendwann und irgendwo redaktionell tätig war, und über einen anderen fast zuviel.[26] Lag es zwar in der Forschungskonzeption, alle ermittelten 215 sozialdemokratischen Reichstagsabgeordneten auf eine eventuelle journalistische Tätigkeit zu überprüfen, so ließ die Quellensituation doch keine umfassende Studie zu. Engelsings Seufzer ob der Forschungsmühen, die journalistische Berufsforschung auferlegt — „Es ist umständlich, Material über die Geschichte des Journalistentums zu sammeln. Es bietet sich in keinem Archiv an."[27] –, kann nur beigepflichtet werden.

---

22 Ein „unwissenschaftliches" Zitat zu den Fragen: Wer schreibt Memoiren? Warum werden Memoiren geschrieben? „I tell my life's story for that humble reason which has inspired every user of that form: to prove the world I am a great man." Rhinehart, S. 7.

23 Der Personalia-Bestand im AdSD, Bonn umfaßt kleinere Nachlässe diverser Sozialdemokraten, sowie Zeitungsausschnitte, Briefe etc., die die Arbeit herausragender Mitglieder der Partei betreffen.

24 Siehe Biographie Landsberg, S. 194.

25 Ollenhauer an Heine, Ende 1948. Der Brief befindet sich in der Personalia-Akte Landsberg im AdSD, Bonn. Ob Landsberg seine Memoiren tatsächlich geschrieben hatte, konnte nicht ermittelt werden.

26 Die Rubrik „Parteinachrichten" in den diversen Parteizeitungen erwies sich als wahre Fundgrube für die Feststellung einer redaktionellen Tätigkeit der Abgeordneten. Stellungswechsel wurden gemeldet sowie anhängige Pressverfahren gegen die jeweiligen Redakteure.

27 Engelsing, Massenpublikum, S. 39.

Sein wissenschaftlicher Ausweg aus dem Forschungs-Dilemma bot sich auch d. Verf. an: „Suchen heißt bereits konzipieren"[28], d. h. die Suche nach Material war bereits Bestandteil der Konzeption.

Forschungsziel war, festzustellen, wer von den 215 sozialdemokratischen Reichstagsabgeordneten irgendwann einmal einer journalistischen Tätigkeit nachging,[29] und was diese Journalisten mit Mandat über ihre redaktionelle Arbeit und über die Problematik der Rollenkopplung zu sagen wußten.

Stellen aus Briefen, Tagebüchern, Protokollen etc. werden in der Originalschreibweise zitiert, ohne Korrektur orthographischer und grammatikalischer Fehler und von Interpunktionsfehlern.

4. Der kommunikationswissenschaftliche (zeitungswissenschaftliche) Aspekt der Fragestellung

Die Beschäftigung mit großen Politikern hat in der Publizistik- und Zeitungswissenschaft Tradition; das Erkenntnisinteresse zielte auf die Beurteilung der publizistischen Rolle des Politikers.

Vor allem Dovifats wissenschaftliches Interesse galt dem „Lebenswagnis und Lebensopfer bedeutender publizistischer Persönlichkeiten"[30]. Zu ihnen zählte er Politiker und Staatsmänner wie Lassalle, Bebel, Bismarck, Gandhi, Churchill u. a.. Nach Dovifat sind diese Politiker mittels publizistischer Mittel politisch Agierende und zeichnen sich durch den Sendungswillen aus, „die Dinge zu ändern"[31].

Politik und Journalismus bedingen sich in diesem zeitungswissenschaftlichen Modell gegenseitig. Nach Dovifat muß ein Staatsmann zwingend über publizistisches Talent verfügen: „Publizistische Begabung und Leistung ist die nahezu unentbehrliche Voraussetzung politischer Arbeit in der Demokratie"[32] – und der Journalist sollte seine Erfahrungen in der praktischen Politik gemacht haben.[33]

In seiner Sichtweise bleibt aber der Journalist der „Nur"-Vermittler, ist nur das „Medium für die Substanz"[34], die vom politischen Publizisten kommt, der „aus eigener Substanz"[35] heraus wirkt. Für den Publizisten Dovifatscher Definition ist der Journalist nur das Vehikel, die großen Gedanken unter das Volk zu bringen. Folglich richtete sich das Forschungsinteresse in dieser Phase der deutschen Publizistik (und Zei-

---

28 Ebenda.
29 Siehe dazu die Biographien der behandelten Reichstagsabgeordneten, S. 150 ff.
30 Dovifat, Emil, Handbuch der Publizistik, Bd. 1, S. 51.
31 Dovifat, Emil, Die publizistische Persönlichkeit. Charakter, Begabung, Schicksal, in: Gazette 2/1956 S. 157–173.
32 Ebenda.
33 „Praktische politische Erfahrung in Verwaltungen und politischen Organisationen jeder Art ist notwendig und wegen der unmittelbaren Anschauung, die nur sie geben kann, unentbehrlich." Emil Dovifat in: Zeitungslehre, Bd. 1, S. 67.
34 Dovifat, Emil, Die publizistische Persönlichkeit, S. 157 ff.
35 Ebenda.

tungswissenschaft) nicht auf das „kleine" Gewerbe des normalen Berufs-journalismus.

Groth führt in seiner „Grundlegung der Zeitungswissenschaft"[36] zur theoretischen Konzeption des Begriffes Vermittlung den „Ausgangspart-ner" (in der neueren Kommunikationswissenschaft: Kommunikator) ein: „Ausgangspartner sind diejenigen, die aus eigenem, wenn auch mit ihnen geliefertem Material ein (...) bestimmtes Idealgut herstellen oder besitzen oder es der Schriftleitung übermitteln."[37]

Ausgangspartner können nach Groth Journalisten und Nichtjournali-sten, Einzelpersonen und Kollektive, Sozialgebilde verschiedener Art sein. Der Ausgangspartner ist nicht nur als redaktionsexterner Kommuni-kator zu begreifen; auch der produzierende Journalist innerhalb eines Zeitungsbetriebes wird von Groth als Ausgangspartner verstanden, wo in einem Artikel „nicht bloß die stilistische Abfassung, die Formulierung des Inhaltes, sondern wo der Gedankeninhalt, Wesentliches des Gedanken-inhaltes von ihm stammt."[38]

„Externe" wie „interne" Ausgangspartner zeichnen sich durch ihren Mitteilungsdrang aus, sie „wollen etwas mitteilen"[39]. Groth unterlegt dem Mitteilungsdrang der Ausgangspartner vier Motivmöglichkeiten; für ihn gibt es den zweckfreien Mitteilungsdrang, einen selbstisch motivier-ten, weiter den Drang zur Beratung und Belehrung und den Hang, Propaganda und Werbung zu betreiben.[40]

Zur Problematik der Rollenkopplung Politiker-Journalist abgefragt, konstatiert Groth zum einen, daß Politiker oft in der Rolle eines Aus-gangspartners anzutreffen sind;[41] zum anderen sind in seiner idealtypi-schen Charakterstudie des richtigen, echten Journalisten viele Elemente aus dem Politiker-Eigenschaftskatalog enthalten: „Der geborene politi-sche Journalist ist auch der geborene politische Führer."[42]

Streben nach politischer Tätigkeit ist demnach dem journalistischen Beruf immanent. Die faktische Rollenkopplung Journalist-Politiker (Jour-nalisten als Abgeordnete, Parlamentarier, Minister u. ä.) behandelt er als eine Möglichkeit, das soziale Ansehen des *journalistischen* Berufes zu heben: „Der Journalismus entwickelt in seinen Angehörigen (...) intelek-tuelle und charakterliche Eigenschaften, die sich in leitenden Stellen des Staates sehr nützlich betätigen können, und es empfiehlt sich in der Tat der Staatsleitung, davon öfteren und stärkeren Gebrauch zu machen, als es noch heute auch in den demokratischen Ländern der Fall ist. Aber allzu hohe Erwartungen, daß auf diesem Weg der journalistische Beruf als

---

36 Groth, Otto, Die unerkannte Kulturmacht, 6 Bde.
37 Groth, Otto, a. a. O., Bd. 1, S. 601.
38 Ebenda, S. 602.
39 Groth, Otto, a. a. O., Bd. 2, S. 322.
40 Ebenda, S. 343 ff.
41 „Ständige Mitarbeiter sind z. B. Politiker, die sich zur Aussprache ihrer Auffassungen (...) eines Periodikums regelmäßig bedienen." Groth, Otto, a. a. O., Bd. 4, S. 27.
42 Ebenda, S. 426.

16

solcher zu einer Erhöhung und Festigung seiner sozialen Position gelangen könnte, soll man an das Einrücken einzelner Kollegen in Staatsämter nicht knüpfen. "[43]

Reizvoller Aspekt am Rande: Groth war selbst einmal Redakteur einer Parteizeitung.[44]

5. Forschungsstand

Sind in den letzten Jahren auch zahlreiche Arbeiten zur Geschichte der Arbeiterbewegung erschienen, ist man auch mittlerweile relativ gut informiert über Partei- und Gewerkschaftsspitze im letzten Jahrhundert, kann man auch über die SPD-Reichstagsfraktion und ihre wichtigsten Vertreter einiges nachlesen, so blieb die Beschäftigung mit der Presse der sozialdemokratischen Partei – bis auf wenige Ausnahmen[45] – auf Bibliographien und Sammlungen beschränkt.[46]

War die wissenschaftliche Beschäftigung mit der Parteipresse schon sporadisch, so fehlt ein Themenbereich fast ganz: Untersuchungen über den Parteizeitungsredakteur. Ludwig Kantorowicz hat in seiner 1922 erschienenen Dissertation[47] zwar den Parteijournalismus, aber nur peripher seine Vertreter behandelt. Ausgangsfragen für die Untersuchung dieses Personenkreises waren: „Welche Faktoren wirken auf die Bildung der sozialdemokratischen Zeitung (als Zeitungsinhalt) ein, wie gestaltet sich besonders das Verhältnis zwischen der Masse der Parteimitglieder (als Leser der Parteipresse) und ihren Führern, soweit sie Redakteure sozialdemokratischer Parteizeitungen sind. "[48]

Die Betrachtung der Parteipresse bringt ihn zu folgenden, durch wenig Quellenmaterial abgesicherten Ergebnissen: „Der sozialdemokratische Redakteur ist vor allem ein politischer Führer. "[49] Die eigentliche journalistische Arbeit wird der politischen hintangestellt;[50] aus diesem Umstand folgert er kausalverkehrt, daß „das journalistische Talent in der sozialdemokratischen Presse zur Seltenheit gehörte".[51]

---

43 Ebenda, S. 665 ff.
44 Groth, Otto, a. a. O., Bd. 1, S. 277.
45 Vgl. dazu die Arbeiten Kurt Koszyks: Anfänge und frühe Entwicklung der sozialdemokratischen Presse im Ruhrgebiet (1875–1908), und Zwischen Kaiserreich und Diktatur. Die sozialdemokratische Presse von 1914–1933.
46 Vgl. dazu Eberlein, Alfred, Die Presse der Arbeiterklasse und der sozialen Bewegungen, 4 Bde., und Koszyk, Kurt, Die Presse der deutschen Sozialdemokratie. Eine Bibliographie.
47 Kantorowicz, Ludwig, Die sozialdemokratische Presse Deutschlands. Eine soziologische Studie.
48 Ebenda, S. 97.
49 Ebenda, S. 98.
50 Der Redakteur sei in erster Linie Politiker und als solcher erst Journalist. Kantorowicz, Ludwig, a. a. O., S. 99.
51 Ebenda, S. 106.

Die Feststellung, daß Parteiredakteure keine guten Journalisten waren, trifft auch Engelsing.[52] In dem anderen Punkt widerspricht er Kantorowicz; für Engelsing waren die sozialdemokratischen Redakteure „keine Führer, sondern Gefolgsmänner, die sich für höhere Stellen in Partei und Gewerkschaft qualifizieren wollten"[53].

Die Möglichkeit der Journalist-Politiker-Kombination wird in einer neueren Fallstudie von Hans Heinz Fabris an der Person des österreichischen Bundeskanzlers Kreisky unter dem Aspekt gesehen: Kreisky wirkt als Politiker vor allem wegen seiner journalistischen Attitüden.[54]

6. Politik als Beruf

In seinem 1919 erschienenen Aufsatz subsumiert Max Weber unter den Begriff des Berufspolitikers den Journalisten und den Parteibeamten.[55] Ist der bezahlte Parteibeamte für Weber das Produkt einer speziellen Parteientwicklung,[56] so sieht er im Journalisten den Typus des Berufspolitikers, der „auf eine immerhin schon erhebliche Vergangenheit zurückblickt"[57].

Für Weber ist der Journalist Berufspolitiker; der Journalismus ist das Arbeitsvorfeld für einen Aufstieg in eine politische Führerstellung. Möglich erscheint ihm die logische Konsequenz seiner Ausführungen – der Journalist als politisch Geschulter und Informierter bietet die besten Voraussetzungen bei der Übernahme eines politischen Amtes – nur innerhalb der sozialdemokratischen Partei.[58] Zur Lage innerhalb der bürgerlichen Parteien konstatiert er: „Presseeinfluß und also Pressebeziehungen benötigte jeder Politiker von Bedeutung. Aber daß Parteiführer aus den Reihen der Presse hervorgingen, war – man sollte es nicht erwarten – durchaus die Ausnahme."[59] Und er bedauert, daß die „journalistische Laufbahn (...) nicht – man muß vielleicht abwarten, ob: nicht mehr oder: noch nicht – ein normaler Weg des Aufstiegs politischer Führer"[60] ist.

---

52 Engelsing, Rolf, Massenpublikum, S. 237: „Die sozialdemokratischen Regionalblätter waren Serienerzeugnisse. Sie waren nicht nach einer Grundform individuell entworfen sondern einheitlich ausgerichtet. (...) Schrieb der bürgerliche Redakteur hin und wieder aus führenden Blättern ab, so schrieb der sozialdemokratische Redakteur regelmäßig dem *Vorwärts* nach." „Das Mißtrauen gegen den intellektuellen Genossen, der eine eigene Kultur besaß und sie auch beanspruchte, ging in der Provinz in der Partei aber leicht soweit, daß sie unbegabtere Journalisten den begabteren vorzog." (S. 242)
53 Ebenda, S. 239.
54 Fabris, Hans Heinz, Der Politiker als Kommunikator, in: Zur Theorie der politischen Kommunikation, hrsg. von Wolfgang R. Langenbucher, S. 116: „Als ‚verhinderter Journalist' verfügt er (Kreisky) über ein gemeinsames Zeichensystem mit den Publizisten. (...) Als blendender Formulierer hat er häufig die Rolle des politischen Mandatsträgers mit jener des politischen Kommunikators getauscht."
55 Weber, Max, Politik als Beruf, in: Gesammelte politische Schriften, S. 396–450.
56 Ebenda, S. 419: Partei wird als Interessentenbetrieb gesehen.
57 Ebenda, S. 418.
58 Ebenda, S. 416.
59 Ebenda.
60 Ebenda, S. 417.

Der Aufstieg des Journalisten zum politischen Führer ist für Weber ein theoretisch logischer, wenn auch in der Praxis ein selten beschrittener Weg. Eine Rollenkombination, d. h. beide Tätigkeiten gleichzeitig auszuüben, erscheint ihm aber nicht möglich:

Durch die Steigerung der Intensität und der Aktualität innerhalb des Zeitungsbetriebes ist der Journalist „unabkömmlich" geworden; auch verursacht wirtschaftliche Abhängigkeit Berufsgebundenheit.[61]

Sind die Journalisten Berufspolitiker in den Ausführungen von Weber, so sind es die Parlamentarier nicht mehr: „Nicht mehr die Parlamentsfraktion schafft die maßgeblichen Programme (...), sondern Versammlungen der organisierten Parteimitglieder wählen die Kandidaten aus und delegieren Mitglieder in die Versammlungen höherer Ordnung."[62] Zeiterscheinung sei, daß „,hauptberufliche' Politiker außerhalb der Parlamente (...) den Betrieb in die Hand nehmen"[63].

Hielte man sich streng an Webers Aussagen, so läge d. Verf. schon mit der Formulierung Journalist-Politiker falsch, spricht sie die mögliche Rollenkombination Redakteur-Parlamentarier an. Denn ein Redakteur im politischen Ressort einer Zeitung ist schon Politiker, ein Parlamentarier ist es längst nicht mehr.

Im Rahmen dieser Arbeit soll aufgezeigt werden, daß Redakteure wie Parlamentarier sich als politisch Agierende sahen und sich mit diesem Selbstverständnis als potenziert Wirkende in der Rollenkopplung betrachteten.

---

61 Ebenda.
62 Ebenda, S. 422.
63 Ebenda.

Erstes Kapitel

Bedingungen

I. Die sozialdemokratische Presse

1. Geschichtliche Entwicklung

Als Kampfmittel hatten die Arbeitervereine ihre Presse in den sechziger Jahren des vergangenen Jahrhunderts installiert. 1864 wurde von Schweitzer[1] das erste Arbeiterblatt, der *Social-Demokrat* ins Leben gerufen, ein halbes Jahr nach Lassalles Tod. Lassalle hatte auf nationaler Ebene die Arbeiter im Allgemeinen deutschen Arbeiterverein (ADAV; Gründung am 23. 5. 1863 in Leipzig) organisiert und die Gründung einer Zeitung initiiert.[2] Die Forderung nach einem eigenen Parteiorgan war zwangsläufig, waren doch die in Deutschland existierenden bürgerlichen Zeitungen den sozialdemokratischen Agitatoren verschlossen.[3] Lassalle hatte mit seinen Angriffen auf die bürgerliche Presse diese nicht gerade für die neue Bewegung eingenommen. 1863 erklärte er in einer Rede in Solingen: „Unser Hauptfeind, (...) das ist heutzutage die Presse! (...) Ihre Lügenhaftigkeit, ihre Verkommenheit, ihre Unsittlichkeit werden von nichts anderem überboten als vielleicht von ihrer Unwissenheit."[4] Und er stellte die Forderung, auf ein Gesetz hinzuarbeiten, „welches jeder Zeitung verbietet, irgendeine Annonce zu bringen, und diese ausschließlich und allein den vom Staate oder von den Gemeinden publizierten Amtsblättern zuweist."[5] Obwohl sich Lassalle mit Plänen zur Gründung einer Arbeiterzeitung trug, hält er sie eigentlich für überflüssig: „Im Arbeiterstande lebt ein konsequentes und eigenes Selbstdenken, welches ihn unabhängig macht von allen Zeitungsschreibern der Welt."[6]

---

1 Siehe Biographie, S. 218. Schweitzer war Eigentümer und Redakteur des *Social-Demokrat*. Von 1864 bis 1871 war er Präsident des ADAV. Vgl. dazu Mayer, Gustav, Johann Baptist von Schweitzer.
2 Liebknecht an Marx am 3. 6. 1864: „Mit Lassalle stehe ich so: Er bot mir die Redaktion einer neu zu gründenden Arbeiterzeitung an. Ich erklärte mich bereit unter der Bedingung, daß du und überhaupt die alten Parteileute mitwirkten. Er antwortete, daß er nichts Sehnlicher wünsche – und die Sache zerschlug sich.", in: Wilhelm Liebknecht. Briefwechsel mit Karl Marx und Friedrich Engels, S. 33.
3 Sozialdemokraten waren zwar Mitarbeiter an bürgerlichen Blättern, nur konnten sie in diesen Zeitungen nicht ihre politischen Anschauungen darlegen. Liebknecht beispielsweise war Mitarbeiter der *Frankfurter Zeitung* (Bebel, August, Aus meinem Leben, Bd. 1, S. 126), ebenso Vollmar (siehe Nachlaß Vollmar im AdSD, Bonn. Abrechnungen Sonnemanns für gelieferte Artikel in den Jahren 1873–1875).
4 Lassalle, Ferdinand, Reden und Schriften, S. 354 ff.
5 Ebenda, S. 367.
6 Ebenda, S. 350.

Lassalle vertrat die Auffassung, daß die mündliche Agitation gegenüber der schriftlichen die wirkungsvollere sei. Als unermüdlicher Redner zieht er 1863/64 durch Deutschland,[7] benützt aber das schriftliche Medium – seine Reden werden, in Broschüren abgedruckt, unter die Arbeiter gebracht –, um die Wirkung zu vervielfältigen.[8]

Das lassalleanische Erbe der rhetorikbezogenen Agitationspraxis macht dem neugegründeten Organ die ADAV den Weg schwer. Zwar jubelt der *Social-Demokrat*, der seit Dezember 1864 dreimal in der Woche und seit 1865 täglich erscheint, anläßlich des einjährigen Bestehens der Zeitung: „Immer höher, immer mächtiger und freier gehen die Wogen der deutschen Arbeiterbewegung. Voll und rein haben wir das Banner der Partei entfaltet."[9] Im Anschluß an den euphorischen Jahresrückblick folgt aber der dringende Appell an die Arbeiter, sich doch mehr um dieses „Banner" zu scharen, denn ein großes Problem für das Zentralorgan waren die fehlenden Abonnenten. In Berlin, wo die Zeitung erschien, brachte man es auf kaum hundert Käufer, die Auflage für ganz Deutschland betrug im Mai 1866 erst 420 Stück.[10] Das Unternehmen war ein Zuschußbetrieb,[11] obwohl das Blatt gut geschrieben war[12] und selten in eine indoktrinierende Lehrmeisterrolle verfiel.[13]

Der *Social-Demokrat* war als Vereinsorgan, später als „Organ der social-demokratischen Partei" in die Organisation integriert; die zentrale Stellung des Blattes innerhalb der Partei wurde durch die Doppelfunktion Schweitzers als Redakteur und Präsident des ADAV weiter gefestigt. Die schlechte Ertragslage des *Social-Demokrat*, die lassalleanische Intention der Preisgabe jeder direkten Zeitungsagiation[14] und Schweitzers Diktator-Attitüden müssen wohl Gründe dafür gewesen sein, daß sich der ADAV mit einem Hauptorgan begnügte und Zeitungsneugründungen bekämpfte.[15]

Als Schweitzer im Zuge der Auseinandersetzungen mit dem ADAV 1871 von seinem Posten als Präsident des Vereins zurücktrat, stellte auch

---

7 Vgl. dazu Na'aman, Shlomo, Lassalle.
8 Bebel an Engels am 19. 5. 1873: „Sie dürfen nicht vergessen, daß die Lassalleschen Schriften tatsächlich (...) durch ihre populäre Sprache die Grundlage der sozialistischen Anschauung der Massen bilden. Sie sind zehnfach, zwanzigfach mehr wie irgendeine andere sozialistische Schrift in Deutschland verbreitet.", in: August Bebels Briefwechsel mit Friedrich Engels, S. 15.
9 *Social-Demokrat*, 3. 1. 1866, S. 1.
10 Vgl. dazu Bernstein, Eduard, Die Geschichte der Berliner Arbeiterbewegung, Bd. 1, S. 132 ff.
11 Mayer, Gustav, Johann Baptist von Schweitzer, S. 407.
12 Bebel über Schweitzer: „Als Journalist und Agitator hatte er die Fähigkeit, die schwierigsten Fragen und Themen dem einfachsten Arbeiter klar zu machen. (...) Er veröffentlichte im Laufe seiner journalistischen Tätigkeit (...) eine Reihe populär-wissenschaftlicher Abhandlungen, die mit zu dem Besten gehören, was die sozialistische Literatur besitzt.", in: Bebel, August, Aus meinem Leben, Bd. 2, S. 1.
13 „Dies, Arbeiter, sind Gedanken, die Euch beschäftigen müssen. (...) Wie Ihr diesen Vorgang beurteilen wollt, bleibt Euch überlassen.", in: *Social-Demokrat*, 30. 8. 1865.
14 Vgl. dazu Na'aman, Shlomo, Lassalle, S. 667.
15 Als sich 1870 die örtlichen Mitglieder des ADAV in Augsburg und München weigern, die von ihnen herausgegebene Zeitung *Agitator* auf Weisung von oben hin eingehen zu lassen, werden sie aus dem Verein ausgeschlossen. Vgl. dazu Mehring, Franz, Geschichte der deutschen Sozialdemokratie, Bd. 2, S. 357.

der *Social-Demokrat* sein Erscheinen ein. Für die Zuschüsse, die Schweitzer als Eigentümer in das Blatt gesteckt hatte, wurde er im Mai 1871 von der Generalversammlung des ADAV mit 800 Talern abgefunden.[16]

Ab 1. Juli 1871 erschien der *Neue Social-Demokrat;* er war Eigentum der Partei, Hasselmann[17] und Hasenclever[18] wurden als Redakteure eingesetzt. Das neue Zentralorgan fiel durch einen gröberen und polemischeren Tonfall auf – und hatte Erfolg damit. In Berlin hatte diese Zeitung schon im Herbst 1871 1500 Abonnenten; die Gesamtauflage stieg von 5000 im Jahre 1871 auf mehr als 13 000 Besteller im Verlauf des Jahres 1873.[19]

Der rasche Erfolg des Blattes initiierte auch den Wirkungsanspruch, den die Partei ihrem Blatt zumaß: „Durch die immer größere Verbreitung unseres Blattes aber wird die Partei selbstverständlich auch immer mächtiger."[20] Von Zeitungsneugründungen will der ADAV auch weiterhin nichts wissen; der Vorstand stellt sich den Wünschen nach lokalen Parteizeitungen mit dem Argument der schlechten Finanzlage der Partei entgegen.[21] Außerdem verfüge der Verein ja über ein weitverbreitetes Zentralorgan, das andere Zeitungen überflüssig mache.[22]

Ein anderes Verhältnis zur Presse hatten die beiden Gründer des Eisenacher Vorläufers der sozialdemokratischen Partei (am 7. 8. 1869 konstituiert sich die Sozial-Demokratische Arbeiterpartei in Eisenach), August Bebel und Wilhelm Liebknecht.

Schon vor der Gründung der SDAP waren Bebel und vor allem Liebknecht journalistisch tätig.[23] Mit Konstituierung der Partei wird Ende 1869 das Zentralorgan *Volksstaat* ins Leben gerufen; Liebknecht wird Chefredakteur. Bis 1874 bleibt der *Volksstaat* ein Zuschußunternehmen – sehr zum Mißfallen der Partei, denn man sah in der Parteipresse auch eine Einnahmequelle.[24]

Liebknecht schreibt in den ersten Jahren nach der Gründung des Zentralorgans wiederholt an Engels mit der Bitte um Geld – und Artikel;[25]

---

16 Vgl. dazu Mayer, Gustav, Johann Baptist v. Schweitzer, S. 409.
17 Siehe Biographie, S. 181.
18 Siehe Biographie, S. 180.
19 *Neuer Social-Demokrat,* 24. 12. 1871: „Schon besitzt das Parteiorgan 5200 Abonnenten, schon wirft es Überschüsse ab." *Neuer Social-Demokrat,* 27. 6. 1873: „Die Abonnentenzahl (...) beträgt nunmehr fast elftausend; gewiß ein Zeugnis, daß die Parteigenossen sowohl, als die Redaktion ihre Schuldigkeit getan haben."
20 *Neuer Social-Demokrat,* 24. 12. 1871.
21 *Neuer Social-Demokrat,* 24. 12. 1871: „Von vielen Seiten ist der Wunsch geäußert worden, daß es an der Zeit wäre, die sozialistischen Lehren auch durch die Agitation in jenen Gauen zu verbreiten, wo sie bis jetzt noch wenig oder garnicht unter die Arbeiterklasse hineingetragen sind. Gern ist die Parteileitung bereit, solchen gerechten Wünschen Rechnung zu tragen, doch tritt immer die leidige Geldfrage dazwischen und muß deshalb von solchem guten Vorhaben wieder Abstand genommen werden."
22 *Neuer Social-Demokrat,* 26. 9. 1873.
23 Siehe Biographien, S. 153, 197.
24 Protokoll Vereinstag der SDAP 1874 in Coburg, S. 23: „Der Stand des Zentralorgans *Der Volksstaat* könnte besser sein als er ist. Zwar deckt er völlig seine Kosten, allein wir verlangen von diesem Parteiorgan mehr: es soll eine Einnahmequelle für die Partei werden."
25 „Hast Du überflüssiges Geld, so schicke unserer Zeitung etwas: wir können es gar nöthig brauchen. (...) Schicke doch wieder einen Artikel." Liebknecht an Engels, in: Liebknechts Briefwechsel mit Marx und Engels, S. 92.

die schlechte Ertragslage des *Volksstaat* hält ihn allerdings nicht ab, Zeitungsneugründungen zu planen und vor allem das Entstehen einer sozialdemokratischen Lokalpresse zu initiieren.[26] Bebel wie Liebknecht setzen auf die Macht der Presse und trauen ihr eine große Wirkungsmöglichkeit zu.[27] Über seine Intentionen sagt Liebknecht auf dem Vereinstag 1870: „Die erhabene und heilige Aufgabe eines ächten Arbeiterorgans sei vielmehr, den Arbeiter denken zu lehren. Deshalb müsse der Inhalt möglichst hoch gehalten sein, das Blatt möglichst viel belehrende Aufsätze umfassen. Seien die Aufsätze manchmal etwas schwer verständlich, nun, so müssen die Arbeiter eben ihr Hirn anstrengen."[28]

Bebel betont in seinen Memoiren die Wirkungsmotivation, die zur Gründung des *Demokratischen Wochenblattes* im Jahre 1868 führte: „Wir hatten bis dahin kein Organ zur Verfügung gehabt, in dem wir unsere Absichten vertreten konnten, damit war auch keine Möglichkeit gegeben, die politische und soziale Aufklärung unserer Anhänger genügend zu betreiben, und das tat vor allem not. Auch waren wir den Angriffen unserer Gegner gegenüber waffenlos. Freilich legte uns das Blatt große Opfer auf, aber sie wurden gern gebracht, denn es war das wichtigste Kampfmittel das wir hatten."[29]

Ist für die Lassalleaner die Redepublizistik vorrangiges Agitationsmittel, so räumen die Eisenacher der Presse den Primat ein. Der ADAV beschränkt sich auf ein Zentralorgan, die SDAP veranlaßt Zeitungsgründungen in Fürth, Gera, Hof, Eisenach, Chemnitz, Dresden, Crimmitschau, Braunschweig, München, Mainz und Stuttgart.[30]

Bis zur Einigung der beiden Parteien auf dem Gothaer Kongreß 1875 stand das Thema „Parteipresse" auf allen Vereinstagen der Eisenacher zur Diskussion an.[31]

Die Eisenacher hatten dank ihrer „Pressegläubigkeit"[32] bis 1875 14 Zeitungen mit einer Gesamtauflage von etwa 28 000 Stück ins Leben

---

26 Liebknecht an Engels am 5. 4. 1870: „Nach Ostern gehe ich nochmals nach Berlin; wir wollen sehen, ob sich dort ein billiges Tagesblatt gründen läßt.", in: Liebknechts Briefwechsel mit Marx und Engels, S. 97.
   Engels schreibt daraufhin am 13. 4. 1870 an Marx: „Er hat sein Leipziger Blättchen *(Volksstaat)* noch nicht sicher etabliert und will schon in Berlin ein Tageblatt gründen.", in: Marx/Engels Werke, Bd. 32, S. 472.
27 Bebel auf dem Gründungsparteitag 1869 in Eisenach: „Durch das Organ können sich die Parteigenossen weit besser aufklären als wenn sie ein- oder mehrere male in einer Volksversammlung eine Rede hören – denn diese Volksversammlungen haben keine nachhaltige Wirkung, sie können nur anregend wirken." (Protokoll, S. 40).
28 Protokoll Vereinstag der SDAP 1870 in Stuttgart, S. 27.
29 Bebel, August, Aus meinem Leben, Bd. 1, S. 177.
30 Vgl. dazu Groth, Otto, Die Zeitung, Bd. 2, S. 403 ff. und die Bibliographien Eberleins und Koszyks zur sozialdemokratischen Presse.
31 Auf dem Vereinstag 1872 in Mainz wurde der Stil des *Volksstaat* kritisiert (Protokoll S. 23); in Eisenach 1873 wird der Vorwurf diskutiert, das Zentralorgan gebrauche zu viele Fremdwörter in seinen Artikeln (Protokoll S. 35 ff.); in Coburg 1874 geht es um die Schwierigkeiten, die bei Zeitungsneugründungen auftreten (Protokoll S. 84).
32 „Das beste Agitationsmittel ist die Presse, und ein gutes Lokalblatt der beste ständige Agitator.", in: Protokoll Vereinstag der SDAP 1874 in Coburg, S. 84.

gerufen; d. h. diese Partei hatte sich stärker als der ADAV mit dem Problem der Redakteursrekrutierung zu befassen.[33]

Im Mai 1875 vereinigten sich die Lassalleaner und Eisenacher zur Sozialistischen Arbeiterpartei Deutschlands. Paragraph 14 des Organisationsstatuts bestimmte den *Neuen Social-Demokrat* und den *Volksstaat* als offizielle Organe der neuen Partei. Weiter wurde in das Statut die Bestimmung aufgenommen, daß der Parteikongreß die Redakteure, die ständigen Mitarbeiter und die Expedienten für diese Zeitungen zu wählen hatte und die Höhe der Gehälter für diese Angestellten bestimmen konnte (§ 15). Der Vorstand wurde ermächtigt, bei Pflichtverletzung die Beschäftigten der Parteipresse entlassen zu können. Der bisherigen Eisenacher Verfahrensweise widersprechend wurde die Neuregelung in das Statut aufgenommen,[34] daß bei Gründung eines lokalen Parteiblattes die Zustimmung von Vorstand, Kontrollkommission und Ausschuß der Partei eingeholt werden mußte.[35]

Schon auf dem Einigungskongreß 1875 wird die Möglichkeit der Zusammenlegung beider Parteiorgane zu einem Zentralorgan erwogen.[36] Aber erst ein Jahr später, am 1. 10. 1876, wird der *Vorwärts* aus der Taufe gehoben. Die Standortfrage hatte auf dem Parteitag 1876 zu harten Auseinandersetzungen geführt. Die ehemaligen Lassalleaner waren für den Erscheinungsort Berlin,[37] die Eisenacher für Leipzig, schon Liebknecht zuliebe, der partout „sein" Leipzig nicht verlassen wollte. Hasselmann[38] sollte mit Liebknecht die Redaktion des neuen Zentralorgans übernehmen; er führte aber aus, daß, wenn die Wahl auf Leipzig fiele, er den Posten nicht übernehmen könnte: „Er habe seinen Wählern sein Ehrenwort gegeben, stets an den Verhandlungen des Reichstags theil zu nehmen, er könne deshalb nicht nach Leipzig übersiedeln."[39] Trotz des

---

33 Protokoll Vereinstag der SDAP 1874 in Coburg, S. 84: „Zu einem Lokalblatt gehören drei Existenzbedingungen: 1. eine günstige Lokalität, 2. ein tüchtiger Redakteur und 3. eine tüchtige Verwaltung."
Vgl. dazu auch: Liebknecht an Geib, 1872: „Ja, wenn noch die geistigen Kräfte in der Partei dick gesät wären. Aber wo sind die Leute, die einen halbwegs vernünftigen Artikel schreiben können.", in: Wilhelm Liebknecht. Briefwechsel mit deutschen Sozialdemokraten.

34 Protokoll Vereinstag der SDAP 1873 in Eisenach, S. 38. Der Parteikongreß lehnte einen Antrag ab, daß die Zustimmung des Parteiausschusses zu einer Zeitungsneugründung notwendig sei. Weiter wurde auch ein Antrag abgelehnt, die neu entstandenen regionalen Parteiblätter der Aufsicht durch den Ausschuß zu unterstellen: „Die Parteiblätter müssen eine gewisse Unabhängigkeit haben. (...) Innerhalb des Parteiprogramms soll sich jedes Lokalblatt frei bewegen dürfen."

35 Protokoll Vereinigungskongreß 1875 in Gotha, S. 67.

36 Liebknecht betont auf dem Parteikongreß 1875, daß er „ein entschiedener Freund eines einzigen offiziellen Organs (sei). Hierüber sei auch keine Meinungsverschiedenheit in der Partei. Es handelt sich nur darum, wann und wie das offizielle Organ herzustellen sei. Jetzt ist's noch unmöglich". (Protokoll, S. 67.)

37 „Berlin sei für uns so wichtig, wie Paris für Frankreich. Dort tage der Reichstag. Wenn dort die Leitung der Partei nicht sein könne, müsse wenigstens die Leitung der Presse dort sein." und „Es frage sich, soll das Organ nur die inneren Parteiangelegenheiten vertreten, oder nach Außen hin speciell die Interessen der Partei wahren? Es halte das letztere für richtig und deshalb müsse das Hauptorgan der Partei am wesentlichsten politischen Kampfplatze, in Berlin erscheinen.", in: Protokoll Parteitag 1876 in Gotha, S. 72.

38 Siehe Biographie, S. 181.

39 Protokoll Parteitag 1876 in Gotha, S. 84.

vehementen Eintretens vieler Redner für Berlin, fiel bei der Abstimmung die Entscheidung für Leipzig – ein Indiz dafür, wie schnell sich die Eisenacher in der neuen Partei durchgesetzt hatten.

Der Rechenschaftsbericht zum Parteitag 1876 führt 23 Parteizeitungen plus ein Unterhaltungsblatt an mit insgesamt 100 000 Abonnenten. Acht der 23 Parteiblätter erscheinen sechsmal wöchentlich, acht dreimal die Woche, vier zweimal und drei einmal wöchentlich.[40]

1877 hatte sich die Zahl der Parteizeitungen auf 41 erhöht; weiter werden im Rechenschaftsbericht die Zeischrift *Neue Welt* und 14 Gewerkschaftsblätter aufgeführt, „welche (...) mehr oder minder ebenfalls im Geiste des Socialismus gehalten sind"[41]. 13 der 41 Zeitungen erschienen täglich. Die *Neue Welt* hatte 35 000 Abonnenten; über 100 000 Bezieher verteilen sich auf die übrigen Blätter. Der *Vorwärts* brachte es auf 12 000 Abonnenten, das waren weniger, als es der *Neue Social-Demokrat* allein vor seiner Auflösung hatte. Aber die Eisenacher Fraktion innerhalb der neuen Partei setzte mehr auf die Breitenarbeit der Presse, als auf eine überstarke Stellung des Zentralorgans.

Auf dem Parteitag 1877 macht Vollmar[42] den Vorschlag, ein parteieigenes Korrespondenzbüro zu gründen: „Vollmar ist der Meinung, es sei in unserer Presse nicht alles so, wie es sein sollte; es mangle ganz bedeutend an Originalität der Artikel über ausländische Verhältnisse. (...) Ist aber ein Redacteur vorhanden, welcher aus fremden Blättern Zusammenstellungen als autographierte Correspondenz herausgibt, so ist dem Übelstande abgeholfen."[43] Bebel ist mit dem Vorhaben Vollmars einverstanden: „Unsere Redacteure seien jetzt theilweise auf Scheerenarbeit angewiesen, würden sie aber in der vorgeschlagenen Weise entlastet, so würden sie bedeutend mehr Selbständigeres leisten können."[44]

Der Antrag Vollmars geht durch; als Erscheinungsort der Korrespondenz wird Berlin gewählt. Das Büro wird aber nie eingerichtet, weil mit Erlaß des Sozialistengesetzes alle sozialdemokratischen Presseaktivitäten fast gänzlich unterbunden werden.[45]

Ein weiterer Antrag, der die Parteipresse betraf, wurde allerdings auf dem letzten legalen Parteitag „abgeschmettert": Die Reichstagsabgeordneten sollten selbst die Parlamentsberichterstattung übernehmen und ihre Artikel den lokalen Parteizeitungen zukommen lassen. Bebel zu dem Antrag: „Die Abfassung der Reichstagsberichte durch die Abgeordneten sei nicht durchzuführen, weil die Letzteren die Arbeit nicht bewältigen könnten."[46]

---

40 Ebenda, S. 18.
41 Protokoll Parteitag 1877 in Gotha, S. 25.
42 Siehe Biographie, S. 228. Vollmar wurde später der Führer der bayerischen Sozialdemokraten und vertrat als einer der ersten Sozialdemokraten den Willen zur parlamentarischen Mitarbeit.
43 Protokoll Parteitag 1877 in Gotha, S. 62.
44 Ebenda, S. 63.
45 Vgl. dazu Apitzsch, Friedrich, Die deutsche Tagespresse unter dem Einfluß des Sozialistengesetzes.
46 Protokoll Parteitag 1877 in Gotha, S. 63.

1878 trat das für die Sozialdemokratie und ihre Presse so einschneidende Sozialistengesetz in Kraft. Zwei Attentate im Mai und Juni dieses Jahres auf Kaiser Wilhelm I., mit denen die Partei nichts zu tun hatte, benutzte Bismarck, um das „Gesetz gegen die gemeingefährlichen Bestrebungen der Sozialdemokratie" im Reichstag durchzubringen. Verboten wurden alle Vereine, „welche durch sozialdemokratische, sozialistische oder kommunistische Bestrebungen den Umsturz der bestehenden Staats- oder Gesellschaftsordnung bezwecken"[47]. Verboten wurden weiter alle Druckschriften, „in welchen sozialdemokratische (...) Bestrebungen in einer den öffentlichen Frieden, insbesondere die Eintracht der Bevölkerungsklassen gefährdenden Weise zu Tage treten"[48].

Das Gesetz zielte allerdings nicht auf die Tätigkeit der sozialdemokratischen Abgeordneten im Reichstag. Sie konnten weiterhin ihr Mandat ausüben – und um ein Mandat kämpfen. Das Versammlungsverbot bezog sich nicht auf Versammlungen zum Zweck einer ausgeschriebenen Wahl zum Reichstag.[49]

Auer[50] schildert die Stimmung der Parteiführer und -anhänger nach der Verabschiedung des Gesetzes: „Es hieße nun der Wahrheit nicht die Ehre geben, wollten wir leugnen, das weite Kreise der verfolgten Partei anfangs dem Gesetz ziemlich ratlos gegenüberstanden. Das Gefühl absoluter Rechtlosigkeit, das sich der Anhänger der Partei zunächst bemächtigte, drückte natürlich jede Initiative nieder. Dazu kam, daß ein Teil der Genossen, welche bis dahin als Führer der Partei eine Rolle gespielt hatten, der Situation nicht gewachsen waren. An die Fersen der bekannteren Führer hatten sich überall Polizeiagenten geheftet, und es war ihnen infolgedessen unmöglich, einen Schritt zu tun, der nicht polizeilicher Kontrolle unterlag."[51]

Nach Inkrafttreten des Sozialistengesetzes mußten fast alle Zeitungen der Partei ihr Erscheinen einstellen. Die Genossenschaftsdruckereien versuchten anfänglich noch, sich durch Neugründungen unpolitischer Zeitungen über Wasser zu halten. Doch auch diese Tarnzeitungen wurden bald verboten. 16 Genossenschaftsdruckereien mußten nach Erlaß des Sozialistengesetzes ihre Arbeit aufgeben. 2500 Arbeiter und Kleinmeister verloren durch die Geschäftsauflösungen ihre Existenz.[52] Nur zwei Tageszeitungen überlebten die Zeit des Ausnahmezustandes: der *Offenburger Volksfreund*[53] und die *Fränkische Tagespost*[54] in Nürnberg.

Zwischen 1878 und 1890 kamen etwa 1500 Sozialdemokraten zeitweilig ins Gefängnis, 900 wurden aus ihren Wohnorten ausgewiesen.[55]

---

47 Zitiert nach Tormin, Walter, Geschichte der deutschen Parteien seit 1848, S. 92: Paragraph 1 des Sozialistengesetzes.
48 Ebenda. Paragraph 11 des Gesetzes.
49 Ebenda. Paragraph 28 des Gesetzes.
50 Siehe Biographie, S. 151.
51 Auer, Ignaz, Nach zehn Jahren, S. 94.
52 Groth, Otto, Die Zeitung, Bd. 2, S. 405.
53 Siehe Biographie Ernst Adolf Geck, S. 173.
54 Siehe Biographie Karl Grillenberger, S. 178.
55 Tormin, Walter, Geschichte der deutschen Parteien, S. 92.

Mit den sozialdemokratischen Journalisten gingen auch die Parteizeitungen ins Exil: Carl Hirsch gründet 1878 in Brüssel die *Laterne,* Johann Most[56] gibt am 3. 1. 1879 in London die erste Nummer der *Freiheit* heraus.

Most schildert seine Beweggründe, die ihn zur Gründung einer Exilzeitung veranlaßten: „Die deutschländische Reaktion hatte damals, gleich mir, Hunderte von aktiven Sozialisten von Haus und Herd vertrieben, materiell ruiniert, moralisch totgeschlagen. Gleich der *Berliner Freien Presse,* deren Redakteur ich war, verfielen Dutzende von Tages- und Wochenblättern amtlicher Vernichtung. (...) Wohlan, damals (...) entschloß ich mich, mitten in dieser miserablen Situation einen, wenn auch nur literarischen Donnerkeil fahren zu lassen. Ich gründete die *Freiheit.*"[57]

Der Donnerkeil schlug ein. Man schmuggelte das Blatt nach Deutschland – da es schnell auf die Liste der verbotenen Zeitungen gekommen war, mußte man immer abenteuerlichere Wege finden –, und die Leser waren begeistert.[58] Nicht begeistert waren die Parteiführer,[59] die in der ersten Zeit nach dem Inkrafttreten des Gesetzes eine Anpassungstaktik des Um-keinen-Preis-auffallen-Wollens verfolgten. Außerdem war der deutschen Parteileitung an einer Parteizeitung, auf die sie nicht unmittelbar Einfluß nehmen konnte – denn das war ja die Praxis des Partei-Presse-Verhältnisses bis 1878 gewesen –, nicht viel gelegen.[60] Dieser Aspekt ist auf dem Wydener Kongreß 1880 in dem Gründe-Katalog aufgeführt, der den Ausschluß Mosts aus der Partei erklärte: „Unter keinen Umständen kann es aber gebilligt werden, daß man in London die *Freiheit* herausgab, ohne auch nur mit einem Worte die in Deutschland gebliebenen Führer der Partei zu befragen. (...) Die Partei konnte diese Auflehnung gegen die Parteidisziplin nicht dulden."[61]

Die Entwicklung der Mostschen *Freiheit* hin zum Anarchismus setzte erst nach dem Ausschluß Mosts aus der Partei ein. Vorher waren Stil und Agitation der *Freiheit* die der früheren Parteizeitungen gewesen, was auch der Historiker der deutschen Sozialdemokratie, Franz Mehring, betont: „Most wollte die *Freiheit* mit derselben Tinte schreiben, mit der einst der *Volksstaat* und der *Vorwärts* geschrieben worden war."[62]

Daß die Parteileitung eine so ablehnende Haltung den beiden Exilzeitungen, *Laterne* und *Freiheit,* gegenüber einnahm, entschuldigt Mehring: „Allein die leitenden Parteikreise in Deutschland wollten überhaupt nichts von beiden Blättern wissen. Sie richteten ihr Hauptaugenmerk darauf, den unnatürlichen Haß, der in den neutralen Schichten der

---

56 Siehe Biographie, S. 202.
57 Most in der *Freiheit,* Jg. 1896, New York. Zitiert nach Rocker, Rudolf, Johann Most, S. 64.
58 Rocker, Rudolf, Johann Most, S. 66: „... immerhin erhielten die Herausgeber bald von den verschiedensten Seiten Nachricht, daß die Zeitung gut angekommen und mit großer Begeisterung begrüßt wurde."
59 Die Parteiführung hatte während des Sozialistengesetzes die Reichstagsfraktion übernommen, da sie als einzige Körperschaft der Partei legal existieren konnte.
60 Vgl. dazu Bebel, August, Aus meinem Leben, Bd. 3, S. 44.
61 Protokoll Parteikongreß 1880 in Wyden, S. 21.
62 Mehring, Franz, Geschichte der deutschen Sozialdemokratie, Bd. 3, S. 162.

Nation gegen die Sozialdemokratie herangezüchtet worden war, durch kluge Zurückhaltung zu entwaffnen, und fürchteten, daß er aus der rücksichtslosen Sprache ausländischer Blätter neue Nahrung saugen würde."[63]

Bei dieser Diskrepanz der Taktik der Partei im Reich, die sich nach den strafrechtlich noch zulässigen Möglichkeiten zu richten hatte, und der zunehmenden Radikalität und Kritik der *Freiheit,* mußte die Parteiführung einen Weg finden, der *Freiheit* – sie hatte mittlerweile die Funktion und Autorität eines Quasi-Zentralorganes übernommen – Leser und Anhänger zu entziehen. Unter den Bedingungen des Ausnahmegesetzes hieß das, eine Zeitung zu gründen, die ebenfalls illegal im Ausland erscheinen mußte, auf die aber die Parteileitung Einfluß ausüben konnte.

Am 21. 10. 1879 schreiben Fritzsche[64] und Liebknecht an Engels: „Während der letzten Reichstags-Session wurde von den sozialdemokratischen Abgeordneten die Gründung einer im Auslande erscheinenden Zeitung beschlossen. Die Gründe, welche zu diesem Beschlusse führten, lagen nicht nur etwa darin, daß wir in Deutschland unter dem Sozialistengesetz nicht frei und offen Farbe bekennen dürfen, die *Freiheit* in London und die *Laterne* hätten zum größeren Theile diesem Übel Abhilfe geschafft; der zwingendste Grund war uns folgender. Die Angriffe Mosts in seiner *Freiheit* und des Genossen Carl Hirsch in seiner *Laterne* hatten uns gezeigt, daß Personen, welche außerhalb eines bestimmten Wirkungskreises stehen, nicht in allen Fällen ein richtiges Urtheil über das haben können, was innerhalb desselben nothwendig geschehen muß. (...) Dazu kam die gewiß zutreffende Voraussicht, daß uns keinerlei Einfluß auf die Haltung der genannten Zeitungen hatten durch den wir sie hätten veranlassen können diejenige Taktik zu beobachten die wir, die doch mitten im Kampfe stehen, für nothwendig erachten."[65]

Die deutsche Sozialdemokratie wählte Zürich als Erscheinungsort des neuen Parteiblattes, nicht zuletzt deshalb, weil dort der Geldgeber beheimatet war.[66] Der Züricher *Sozialdemokrat* war formal ein Privatunternehmen, finanziert mit den Geldern eines vermögenden Parteiangehörigen.[67]

Hatte die Parteileitung durch das Einsetzen einer Redaktionskommission[68] gemeint, umfassend Einfluß auf das neue Exilorgan nehmen zu können, hatte Bebel diese Intentionen gegenüber dem ersten Redakteur,

---

63 Ebenda.
64 Siehe Biographie, S. 172.
65 Fritzsche und Liebknecht an Engels am 21. 10. 1879, in: Liebknechts Briefwechsel mit Marx und Engels, S. 272 ff.
66 Geldgeber war Höchberg. Vgl. dazu Bebel, August, Aus meinem Leben, Bd. 3, S. 47.
67 Marx und Engels kritisieren dieses Vorgehen; sie sind der Meinung, daß so der ihnen nicht genehme Höchberg zuviel Einflußmöglichkeiten auf das Blatt erhält. Vgl. dazu Zirkularbrief von Marx und Engels an Bebel, Liebknecht, Bracke u. a. vom 17./18. 9. 1879, in: Marx/Engels Werke, Bd. 34, S. 394 ff.
68 Liebknecht und Fritzsche an Engels am 21. 10. 1879: „... daß diese drei (Bebel, Fritzsche, Liebknecht) auch als Redaktions-Kommission für das Organ fungieren solle, welche die prinzipielle und taktische Haltung derselben zu überwachen habe.", in: Liebknechts Briefwechsel mit Marx und Engels, S. 273.

Vollmar, ausdrücklich betont,[69] so zeigte sich aber in der Folgezeit, daß sich das Blatt von den Einflußversuchen des Mehrheitsblocks innerhalb der Fraktion freimachte und einen der Mehrheitspolitik zuwiderlaufenden Kurs einschlug.

Schon der Standort des neuen Zentralorgans bedingte die Auflösung der traditionellen Bindung der Abgeordneten an das Blatt.[70] Der *Sozialdemokrat* konnte so die Rolle eines Kontrolleurs und Funktionen einer innerparteilichen Opposition übernehmen;[71] anders als die Parteiorgane vor dem Sozialistengesetz, die die Gegensätze in der Partei egalisierten und harmonisierten.[72]

Am 28. September 1879 erscheint die Probenummer des neuen Zentralorgans in Zürich mit dem Untertitel „Internationales Organ der Sozialdemokratie deutscher Zunge". Was eigentlich als Zuschußbetrieb konzipiert war,[73] entwickelte sich ziemlich schnell zu einem sich selbst tragenden Geschäftsunternehmen.[74] Bis zum Freiberger Geheimbundprozeß im Jahre 1886 konnte der *Sozialdemokrat* in Deutschland abonniert werden. In dem Prozeß wurde vom Reichsgericht jede Beziehung zum *Sozialdemokrat* für strafbar erklärt. Das Blatt, das bis dahin schon auf den abenteuerlichsten Wegen nach Deutschland eingeschmuggelt worden war,[76] wurde ab 1886 illegal im Reich verteilt.

1888 weist der schweizerische Bundesrat den *Sozialdemokrat* mit seinen Angestellten aus der Schweiz aus; vom 1. 10. 1888 bis 27. 9. 1890 erscheint das Parteiorgan in London.

Trotz der ständigen Auseinandersetzungen mit dem Mehrheitsblock in der Fraktion[77] war der *Sozialdemokrat* formal abhängig von der Parteileitung, d. h. von der Reichstagsfraktion. Das Blatt war der selbstverständliche Ort für alle offiziellen Verlautbarungen der Partei; es veröffentlichte die Rechenschaftsberichte über die Reichstagstätigkeit der Abgeordneten und besorgte die Kongreßberichterstattung. Wichtig war das Exilorgan für die Integration der Parteiangehörigen, denen ja während des Sozialistengesetzes jede Parteiversammlung untersagt war.

---

69 Bebel, August, Aus meinem Leben, Bd. 3, S. 53 und Nachlaß Vollmar im AdSD, Bonn.
70 Vgl. Protokoll Parteitag 1876 in Gotha, S. 74: „Die Chefredacteure seien auch nöthig im Reichstag." und „Auch dürfe der Umstand, daß die Redacteure des künftigen Parteiorgans aller Wahrscheinlichkeit nach Reichstagsabgeordnete sein werden, nicht unerwähnt bleiben." (S. 75).
71 Gerber, Claus-Peter/Stosberg, Manfred, Die Massenmedien, S. 31 ff. Engels war an dieser Entwicklung maßgeblich beteiligt. Siehe dazu: Eduard Bernsteins Briefwechsel mit Friedrich Engels.
72 Besonders die Zeitungen, die Liebknecht redigierte (*Volksstaat* und *Vorwärts*). Vgl. die Kritik an „all dergleichen Blödsinn" besonders im Briefwechsel von Marx und Engels, in: Marx/Engels Werke, Bd. 34, S. 12, 18, 50, 57 und Bernstein Briefwechsel, S. 93: „... nur muß man Liebknechts Neigung zum Vertuschen nicht nachgeben."
73 Bernstein Briefwechsel, S. 39 und Bebel, August, Aus meinem Leben, Bd. 3, S. 47 ff.
74 Bernstein Briefwechsel, S. 75. Bernstein an Engels im Februar 1882: „Das Abonnement auf den *Sozialdemokrat* hebt sich noch immer von Woche zu Woche. Wir sind jetzt im fünften Tausend. (...) Und unsere Abonnenten zahlen, trotzdem die Verhältnisse so schlechte sind und das Blatt ja recht teuer."
75 Vgl. dazu Koszyk, Kurt, Deutsche Presse im 19. Jahrhundert, S. 199.
76 Vgl. dazu Belli, Josef, Die rote Feldpost und Engelberg, Ernst, Revolutionäre Politik.
77 Siehe dazu 3. Kapitel, S. 119.

Engels apostrophierte den *Sozialdemokrat* als „wichtigsten Machtposten"[78] innerhalb der Partei; Bernstein[79] betonte die Regierungsansprüche des Blattes,[80] die aber nicht auf praktische Machtausübung zielten, sondern mehr auf die Durchsetzung marxistischer Denkmodelle innerhalb der Partei. Steinberg stellt in seiner Untersuchung allerdings fest, daß dieses Ziel nicht erreicht wurde; von einer befriedigenden theoretischen Durchbildung der Parteianhänger konnte trotz der guten Arbeit des *Sozialdemokrat* keine Rede sein.[81]

Obwohl in Deutschland sozialdemokratische Zeitungen unter dem Sozialistengesetz verboten waren, kam es immer wieder zu Neugründungen von kaschierten Parteiblättern. Vor allem der SPD-Reichstagsabgeordnete Viereck[82] war Rekordhalter in Sachen Zeitungsgründung; von München aus gab er für ganz Deutschland eine Reihe von Presseerzeugnissen heraus,[83] die sich aber eines milden Tones befleißigen mußten, sollte es nicht zu Verboten kommen.

Auf dem Kongreß in Wyden im Jahre 1880 hatte die Parteileitung allen in Deutschland erscheinenden Quasi-Parteiblättern ihre Unterstützung versagt: „Es gibt keine Lokal-Partei-Blätter mehr. Die Blätter, die existieren und etwa von Parteigenossen redigiert und herausgegeben werden, können nicht im Sinne der Partei schreiben; es sind reine Privatunternehmungen und haben für sich selbst zu sorgen."[84]

Als 1890 das Sozialistengesetz fiel, zeigte es sich, daß der Ausnahmezustand die Partei nicht geschwächt – was Bismarck ja erreichen wollte –, sondern sie gestärkt hatte. Einen Großteil der Konsolidierung der Partei während der zwölf Jahre Illegalität hatte der *Sozialdemokrat* geleistet, indem er die durch das Gesetz verunsicherten Parteimitglieder „bei der Stange hielt" und ihnen mit einer eingängigen Kampfideologie den Rücken für die Untergrundarbeit stärkte. Wie sehr gerade die Basis der Partei an ihrem Exilorgan hing, zeigt sich in den folgenden Jahren bei den Pressediskussionen innerhalb der Parteitage. Bei der immer wieder auftretenden Kritik an dem neuen Zentralorgan *Vorwärts* wird der alte *Sozialdemokrat* als Beispiel dafür angeführt, wie eine richtige Parteizeitung auszusehen habe.[85]

Auf dem ersten Parteitag nach dem Fall des Sozialistengesetzes 1890 gibt Bebel die Zahl der wieder erscheinenden sozialdemokratischen Zeitungen mit „über hundert"[86] an. Der Rechenschaftsbericht zum Parteitag 1891 registriert 69 Parteizeitungen,[87] von denen 27 wöchentlich sechsmal erscheinen. Weiter werden 55 Gewerkschaftszeitungen aufge-

---

78 Bernstein Briefwechsel, S. 271.
79 Siehe Biographie, S. 154.
80 Bernstein Briefwechsel, S. 273: „Jedenfalls ist es ganz richtig, daß wir jeden Schein vermeiden müssen, als wollten wir vom Ausland aus ‚regieren'."
81 Steinberg, Hans-Josef, Sozialismus, S. 40.
82 Siehe Biographie, S. 227.
83 Vgl. dazu Heß, Ulrich, Louis Viereck.
84 Protokoll Parteikongreß 1880 in Wyden, S. 17.
85 Vgl. Protokoll Parteitag 1891 in Erfurt, S. 291 ff.
86 Protokoll Parteitag 1890 in Halle, S. 124.
87 Protokoll Parteitag 1891 in Erfurt, S. 47 ff.

führt.[88] 1896 zählt man 73 sozialdemokratische Zeitungen und 50 Gewerkschaftsblätter.[89]

Da sich die Parteipresse bis zur Jahrhundertwende nicht analog der rasch anwachsenden Mitgliederzahl entwickelt, ändert die Parteileitung ihre Mahnerhaltung hinsichtlich Zeitungsneugründungen[90] und sagt ihre Unterstützung bei Pressevorhaben• zu: „Deshalb ist es Pflicht der Gesammtpartei, den Genossen da Beihilfe zu leisten, wo die Vorbedingungen einer gesunden Entwickelung der Presse gegeben sind und die Genossen aus eigener Kraft die erforderlichen Mittel aufzubringen nicht im stande sind."[91]

Die Diskussionen zum Thema „Parteipresse" nehmen auf den Parteitagen ab 1890 einen so breiten Raum ein, daß man 1896 beschließt, die Pressprobleme nicht mehr auf dem Parteitag, sondern in einer speziellen Presskonferenz zu erörtern.[92] Aber trotz den seit 1896 regelmäßig stattfindenden Presskonferenzen bleibt die Presse und die Kritik an ihr Lieblingsthema der Parteitage.

Einen schweren Stand hatte vor allem das neue Zentralorgan *Vorwärts*, das dem *Volksblatt* der Berliner Parteiorganisation 1890 aus finanziellen Gründen übergestülpt wurde.[93]

Auf den Parteitagen nach 1890 kritisieren die Parteimitglieder immer wieder die Unzulänglichkeit des *Vorwärts*, die in seiner Zwitterrolle begründet schien; es wurde bemängelt, daß er weder die Aufgabe eines Zentralorganes erfülle, noch seiner anderen Funktion – Lokalzeitung für die Berliner Parteimitglieder zu sein – gerecht werde.[94] Weiter fand man den Stil des Zentralorganes nicht gut,[95] verdammte die „Luxusausstattung"[96] der Redaktionsräume und feilschte um die Gehälter der Angestellten des *Vorwärts*.[97]

Schon 1890 hatte die Parteileitung ihre geschäftlichen Intentionen in bezug auf die Parteipresse bekanntgegeben: „Unsere Zeitungen werden in Zukunft wesentlich dazu dienen müssen, in pekuniärer Hinsicht das Rückgrat der Partei zu bilden."[98] Bebel wendet sich vor allem gegen die Vorbehalte den Annoncen gegenüber, die von Lassalle als schändliche Praktik gebrandmarkt worden waren.[99] An den österreichischen Soziali-

---

88 Ebenda.
89 Protokoll Parteitag 1896 in Gotha, S. 27.
90 Protokoll Parteitag 1890 in Halle, S. 232. Empfehlung der Parteileitung: „Bei Gründung von neuen Parteiblättern möglichst Vorsicht walten zu lassen und solche Unternehmungen unter keinen Umständen zu gründen, bevor sie nicht genau erwogen und sich überzeugt haben, daß die Möglichkeit der Existenz aus eigenen Mitteln gegeben..."
91 Protokoll Parteitag 1890 in Mainz, S. 23.
92 Protokoll Parteitag 1896 in Gotha, S. 114.
93 Vgl. dazu Protokoll Parteitag 1890 in Halle, S. 126: „Mit einem Blatt nach Art des *Vorwärts* (das frühere Zentralorgan bis 1878) würden wir unseren Zweck nicht erreichen, so sondern wahrscheinlich damit der Partei nur ein nicht unterhebliches Defizit aufladen."
94 Vgl. dazu Protokoll Parteitag 1891 in Erfurt, S. 291.
95 Protokoll Parteitag 1896 in Gotha, S. 98.
96 Protokoll Parteitag 1894 in Frankfurt, S. 77.
97 Vgl. die Gehälter-Diskussionen auf den Parteitagen 1892 in Berlin (Protokoll, S. 100 ff.), 1894 in Frankfurt (Protokoll, S. 68 ff.), 1900 in Mainz (Protokoll, S. 113 ff.).
98 Protokoll Parteitag 1890 in Halle, S. 127.
99 Vgl. dazu Lassalles Rede „Die Feste, die Presse und der Frankfurter Abgeordnetentag", in: Reden und Schriften, S. 367.

stenführer Adler schreibt Bebel im März 1895: „Ihr werdet aber, abgesehen von noch zu geringen Absatz, das Blatt (die Wiener *Arbeiter-Zeitung*) nur unter den größten Opfern, wenn überhaupt halten können, wenn es Euch nicht gelingt, mehr Annoncen zu bekommen. Ob der Mangel an Eurer Verwaltung oder an der Abneigung des Publikums oder an der Tugendhaftigkeit der Parteigenossen liegt, die keinem Geschäftsmann eine Annonce gönnen und am liebsten keine aufgenommen sehen möchten, weiß ich nicht; vielleicht wirken auch mehrere Ursachen zusammen. Das Blatt haltet Ihr mit dem Verkauf allein nicht, kommt Euch nicht die Einnahme der Annoncen zu Hilfe. Die Erfahrung haben wir hier und überall gemacht."[100]

Bebel, der eigentlich dem Lager der Gesinnungspublizisten zuzurechnen ist,[101] stellt in einem weiteren Brief an Adler fest: „Eine gute Verwaltung ist sogar mehr wert wie eine gute Redaktion – so paradox das klingen mag. Eine gute Verwaltung kann selbst ein mangelhaft redigiertes Blatt auf die Strümpfe bringen, wohingegen bei einer schlechten Verwaltung die beste Redaktion ein Blatt nicht rettet."[102]

Diese Haltung des Parteiführers und die Sparsamkeit des Vorstandes führen dazu, daß die Forderungen nach optimaler personeller Besetzung der Redaktion des Zentralorganes immer wieder abprallen. Man führt aus, daß eigentlich genug Redakteure beim *Vorwärts* angestellt sind, nur – so wird auf dem Parteitag 1893 festgestellt – sitzen drei der *Vorwärts*-Redakteure als Abgeordnete mehr im Reichstag als in der Redaktion.[103] Schon ein Jahr vorher hatte der Parteivorstand versucht, das Problem der Personalunion Redakteur-Abgeordneter am *Vorwärts* dirigistisch zu lösen. Als sich der Parteijournalist Lütgenau[104] um eine Anstellung am Zentralorgan bewirbt, wird er mit der Bedingung des Vorstandes konfrontiert, während seiner Tätigkeit am *Vorwärts* kein Mandat zu übernehmen.[105]

Diese Anforderungen werden auch an Schoenlank[106] gestellt, als er 1892 in die Redaktion des *Vorwärts* übernommen wird. Ein Jahr später übernimmt er entgegen der Absprache eine Reichstagskandidatur und scheidet aus dem *Vorwärts* aus.[107]

Den Wünschen nach einer besseren Besetzung der *Vorwärts*-Redaktion hält der Vorstand auch das Argument entgegen, daß es in der Partei an geeigneten Nachwuchskräften fehle: „Wir sind allerdings der Anschauung, daß der Nachwuchs an geistigen Kräften nicht gleichen Schritt mit der ganzen Entwicklung der Partei gehalten hat. Entweder war der Mann, der in der Redaktion des *Vorwärts* am Platze gewesen wäre, schon

---

100 Bebel an Adler am 18. 3. 1895, in: Adler Briefwechsel, S. 174.
101 Vgl. dazu 2. Kapitel, S. 88.
102 Adler Briefwechsel, S. 222. Bebel an Adler am 18. 11. 1896.
103 Vgl. dazu Protokoll Parteitag 1893 in Köln, S. 114 ff.
104 Siehe Biographie, S. 199.
105 Vgl. Protokoll Parteitag 1893 in Köln, S. 130.
106 Siehe Biographie, S. 215.
107 Zu den Auseinandersetzungen Schoenlanks mit dem Vorstand wegen seiner Reichstagskandidatur siehe 3. Kapitel, S. 131 ff.

anderswo in der Parteipresse in fester Stellung engagiert, dann durften wir ihn da nicht fortnehmen. (...) Oder wir standen Bewerbern gegenüber, welche auch den einfachsten Anforderungen nicht entsprachen. (...) Wir haben gerade in der letzten Zeit mit dem verbummelten Studententhum, mit dem verlotterten Journalistenthum unsere üblen Erfahrungen gemacht."[108]

Die Gründung der Parteischule im Jahre 1906 ist wohl als Reaktion auf den sich immer stärker bemerkbar machenden Mangel an qualifizierten Redakteuren zu werten. Wurde als Sinn der Parteischule auch global die Weiterbildung junger Parteigenossen angegeben, so zeigt sich doch an Lehrplan[109] und Weiterverwendung der ausgebildeten Parteimitglieder[110], daß die Schule auf eine Redakteursausbildung zielte.

Was beim *Vorwärts* nach Vorstandsaussagen ein beklagenswerter Zustand war – die Redakteure mit Mandat[111] –, sah generell die Parteileitung ganz gern, weil die Doppelberufler der Partei Ausgaben ersparten. Auf dem Parteitag 1891 wurde von Delegierten der Antrag auf Errichtung eines „literarischen Bureaus" gestellt, das während der Reichstags-Sessionen „möglichst rasch kurze, treffende, in unserem Sinn gehaltene Berichte liefert, damit diese Blätter (Provinzzeitungen der Partei) nicht mehr auf die verschwommenen Berichte der Bourgeoisberichterstatter angewiesen sind."[112]

Das Vorstandsmitglied Singer[113] hält die Einrichtung eines solchen Büros für überflüssig: „Was Dreesbach (einer der Antragssteller) durch ein besonderes literarisches Bureau geschaffen haben will, wird für eine ganze Reihe von Parteiblättern schon jetzt besorgt. Denn von unseren 35 Abgeordneten haben mindestens 28 ein lebhaftes Interesse für einen Reichstagsbericht und sind Korrespondenten der verschiedenen Parteiblätter."[114]

Obwohl bis 1907 die Zahl der sozialdemokratischen Abgeordneten ständig stieg,[115] schien doch ihr „lebhaftes Interesse" an einer Berichterstattertätigkeit abzunehmen, da sich 1907 die Partei dann doch entschloß

---

108 Protokoll Parteitag 1893 in Köln, S. 132 ff.
109 „Zeitungstechnik" und „Schriftlicher Gedankenausdruck" waren wichtige Fächer in der Parteischule. Vgl. dazu Protokoll Parteitag 1907 in Essen, S. 90 ff.
110 In der Rubrik „Aus der Partei" in der *Schwäbischen Tagwacht*, Stuttgart, 7.5. 1907: „Wir machen ferner den Parteiorganisationen und Preßkommissionen die Mitteilung, daß unter den Schülern, die Ende Juli die Parteischule verlassen, sich noch eine Anzahl befindet, die bereit und befähigt ist, die Stelle eines zweiten oder dritten Redakteurs (...) zu übernehmen."
111 „Über (...) zahlreiche andere wichtige Tagesereignisse ist nur unzulänglich oder auch gar nicht im *Vorwärts* berichtet. (...) Die Hauptschuld liegt an dem Umstande, daß die Mehrzahl der Redakteure durch ihr Reichstagsmandat dem Blatte entzogen werden.", in: Protokoll Parteitag 1893 in Köln, S. 121.
112 Protokoll Parteitag 1891 in Erfurt, S. 302.
113 Siehe Biographie, S. 220.
114 Protokoll Parteitag 1891 in Erfurt, S. 303.
115 Schon die Reichstagswahl von 1890 machte die SPD der Stimmenzahl nach zur stärksten Partei. Sie gewann zwar weiter an Stimmen, während der Zuwachs an Mandaten infolge des Wahlrechts geringer blieb: 1893 verfügte die SPD über 44 Sitze im Reichstag, 1898 über 56 und 1903 über 81. 1907 gewann die SPD 250 000 Stimmen dazu, verlor aber fast die Hälfte der Mandate und erreichte nur noch 43 Sitze.

– nach Anhörung der Parteiredakteure[116] – ein eigenes Pressebüro einzurichten, das nicht zuletzt auch für die Parlamentsberichterstattung zuständig sein sollte. Auf dem Essener Parteitag 1907 stellt die Partei dieses Nachrichtenbüro vor, dessen weitere Aufgaben die Herausgabe der Partei-Korrespondenz war und die „Erlangung wichtiger Nachrichten politischer, sozialer und wirtschaftlicher Natur", sowie die „Sammlung gesetzgeberischen und statistischen Materials, das für die Parteipresse von Wichtigkeit ist."[117]

„Chef" des Nachrichtenbüros war der Parteivorstand: Er hatte sich um die Einrichtungen zu kümmern, war verantwortlich für die Personalpolitik (Einstellungen und Entlassungen von Redakteuren) und kontrollierte mit einem Beirat, der aus fünf Parteiredakteuren bestand, die Arbeit des Pressebüros.

Das Nachrichtenbüro, das am 15. 7. 1908 als „Sozialdemokratisches Pressebureau" seine Arbeit aufnahm, löste den Vorwärts ab, der seit 1896 – einem Beschluß der Presskonferenz entsprechend – an fast sämtliche Parteiblätter seine politischen und gewerkschaftlichen Artikel sowie einen Abdruck der „Parteinachrichten" zu verschicken hatte.[118] Diese Praxis – fast sämtliche Parteizeitungen übernahmen die Vorwärts-Artikel – hatte zu einer oft und viel beklagten Uniformität in der Parteipresse geführt.[119] Von dem parteieigenen Nachrichtenbüro wurde nun erwartet, daß es diesem Übelstande abhalf – was sichtlich nicht geschah, denn ab 1908 nimmt der Kritikpunkt „Uniformität der Parteipresse" einen noch größeren Raum auf den Parteitagen ein.[120] Man sah sich wohl in seinen Erwartungen getäuscht.[121]

Man kann die Gründung eines parteieigenen Pressebüros wohl auch als Reflex auf die verlorenen Wahlen im Jahre 1907 sehen.[122] Die SPD hatte in ihrer Presse immer den wichtigsten Wahlhelfer gesehen[123] – und plötzlich zog dieses Instrument nicht mehr wie gewünscht. Um die Parteipresse effektiver zu gestalten, wurde – wie schon früher geschehen – der bürgerliche Zeitungsbetrieb als Vorbild genommen;[124] in diesem Fall übernahm man die Einrichtung eines Pressebüros, das vor allem die Provinzpresse konkurrenzfähig machen sollte.

---

116 Protokoll Parteitag 1907 in Essen, S. 48. Bericht des Parteivorstandes: „Eine Konferenz der Redakteure haben wir gleich nach den Reichstagswahlen einberufen. In dieser Konferenz erklärte sich der Parteivorstand bereit, die Gründung einer Zentralstelle für die Presse in Aussicht zu nehmen."
117 Protokoll Parteitag 1907 in Essen, S. 164 ff.
118 Vgl. dazu Protokoll Parteitag 1897 in Hamburg, S. 22.
119 Ein Beispiel dafür: Calwer, Richard, Die socialdemokratische Presse, in: Sozialistische Monatshefte, September 1901, S. 699–704.
120 Vgl. Debatte auf dem Parteitag 1913 in Jena, S. 256 ff.
121 Auf dem Parteitag 1913 in Jena machte man das Pressebüro für die neue alte Uniformität verantwortlich (Protokoll, S. 256 ff.).
122 Bei den Hottentotten-Wahlen 1907 verlor die SPD von ihren 81 Sitzen 38.
123 Vgl. dazu Molkenbuhr, Hermann (siehe Biographie, S. 201), Die Aufgaben der Parteipresse (undatiertes Manuskript) im Nachlaß Molkenbuhr im AdSD, Bonn: „Die Aufgaben der Parteipresse bestehen in erster Linie darin, neue Anhänger für die sozialdemokratische Partei zu werben."
124 Vgl. dazu Protokoll Parteitag 1904 in Bremen, S. 183: „Die Neue Welt müßte vielseitiger und aktueller sein und bessere Illustrationen bringen. Wir haben bürgerliche Unterhaltungsblätter, die uns da als Vorbild dienen können."

Zum anderen darf man der Parteileitung unterstellen, daß sie durch Schaffung des Nachrichtenbüros die Einflußmöglichkeit auf die sozialdemokratische Presse sichern wollte. Meinungsuniformität[125] war in den Jahren der großen theoretischen Auseinandersetzungen innerhalb der Partei das Machtmittel, die Flügelkämpfe unter Kontrolle zu halten. Seit den großen ideologischen Auseinandersetzungen – es ging um „Revisionismus",[126] „Agrarfrage"[127] und „Budgetbewilligung"[128] – war die Parteipresse immer mehr zur Plattform der innerparteilichen Streitigkeiten geworden. Die einzelnen Gruppierungen innerhalb der Partei „besorgten" sich ihre eigenen Organe und schlugen sich munter-polemisch per Feder. Die Kampfpresse zielte nicht mehr auf einen außerhalb der Partei stehenden „Feind" – der zu bekämpfende „Feind" saß in den eigenen Reihen.

Diese Erscheinung – die Parteipresse als Bühne innerparteilicher Richtungskämpfe – wurde auf den Parteitagen von Parteileitung und Basis immer wieder aufs heftigste kritisiert.[129] Das Zentralorgan *Vorwärts* konnte während dieser Auseinandersetzungen der ihm zugeordneten Rolle – das „führende Organ"[130] zu sein – nicht gerecht werden. Das lag wohl bis 1900 in der Person des Chefredakteurs Liebknecht begründet, dessen Harmonisierungsbestrebungen schon früher aufgefallen waren und der sich zu ihnen auch auf dem Parteitag 1891 bekennt: „Mein Grundsatz ist: innerhalb der Partei gibt es für mich keine Partei. (...) Unparteiischer kann kein Mensch sein, und wenn die Herren von der Opposition loyal sein wollen, so werden sie zugeben, daß der *Vorwärts* mit Objektivität und Unparteilichkeit gehandelt hat."[131]

Unparteilich sollte das Zentralorgan nach Bebels Ansicht aber gerade nicht sein;[132] der *Vorwärts* hatte die offiziell vorgegebene Parteilinie zu

---

125 Journalistische Meinungsfreiheit war durch das demokratische Postulat der Parteipresse grundsätzlich zugesichert. Vgl. dazu 2. Kapitel, S. 108.
126 Begründer des Revisionismus-Gedankens war Eduard Bernstein. Seine Kritik an der Parteiideologie erwuchs aus der von ihm beobachteten Diskrepanz zwischen Theorie und der weitgehend sozialreformerischen Praxis der Partei. Sie mündete in der Forderung, die Sozialdemokratie solle sich zu dem bekennen, was sie in Wirklichkeit sei, nämlich eine Reformpartei und keine revolutionäre. Die linke Gruppierung in der Partei lehnte den Revisionismus als Reformismus ab. Auch Bebel hielt formal an der radikalen Theorie fest.
127 Vollmar und andere süddeutsche Sozialdemokraten forderten auf dem Parteitag 1895 eine Revision der Agrarpolitik der Partei. Ihr Antrag enthielt ein Agrarprogramm, das den Schutz der kleineren und mittleren Bauern vorsah. Der Antrag wurde abgelehnt, da der Schutz der Bauern mit der marxistischen Lehre nicht vereinbar war (Verelendungstheorie).
128 1894 stimmte die bayerische sozialdemokratische Fraktion im Landtag im Widerspruch zur Politik der Gesamtpartei zum ersten Mal für den Staatshaushalt. Auch die badische Landtagsfraktion bewilligte entgegen den Direktiven des Parteitags das Budget und stimmte weiter im Landtag mehreren Gesetzen zu.
129 Protokoll Parteitag 1901 in Lübeck, S. 171 ff., 1902 in München, S. 128 ff., 1904 in Bremen, S. 42. Mahnung des Parteivorstandes, „diese Streitigkeiten ruhen zu lassen. (...) Der Kampf gegen unsere Feinde fordert die Geschlossenheit unserer eigenen Reihen".
130 Bebel, August, Das offizielle Parteiorgan, Leitartikel im *Berliner Volksblatt* vom 13. 9. 1890 (Nachlaß Vollmar im AdSD, Bonn): „Einheitlichkeit der Kampfesweise (ist) eine wesentliche Bedingung des Erfolges. Diese Einheitlichkeit brauchen wir und deshalb ist ein führendes Organ nothwendig."
131 Protokoll Parteitag 1891 in Erfurt, S. 128.
132 Vgl. dazu S. 92 ff.

befolgen und sollte bei internen Konflikten im Sinne von Parteitagsbe-schlüssen zu ihnen Stellung nehmen. Als Bebel 1905 wieder einen fal-schen Kurs des *Vorwärts* ausgemacht zu haben glaubte,[133] veranlaßte er die Entlassung der *Vorwärts*-Redakteure.[134]

Einbindung der Presse in die Partei und Kontrolle der ideologischen Standpunkte der Parteiblätter bleiben für Bebel die dominierenden Auf-gaben, vor allem in den Zeiten der erbitterten Flügelkämpfe, die die Parteieinheit gefährdeten. Auf einer Konferenz im Jahre 1906, in der über eine mögliche Verselbständigung der Bremer Filiale des Hamburger Auer-Verlages debattiert wird, macht Bebel noch einmal seinen dirigisti-schen Standpunkt klar: „Ihr wollt weiter unter der Firma stehen, aber völlig selbständig sein. Dazu haben wir keine Lust, um keinen Preis der Welt. Ich halte es für Unsinn, daß wir in Berlin Gelder hergeben sollen, wo wir keinen Einblick in die Verhältnisse haben."[135]

Auf dem Parteitag 1902 weist der Redakteur Adolf Braun launig auf die Presseüberwachung durch den Vorstand hin: „Auf Grund des Organisa-tionsstatuts hat der Parteivorstand die Pflicht, die Presse zu überwachen, und die Redacteure, wenigstens so schlechte wie ich, bekommen von Zeit zu Zeit solche Briefe (vom Vorstand) zugeschickt. Wir wissen aber nicht, ob es sich da um Briefe handelt, die auf Grund des Organisationsstatuts vom Parteivorstande gesandt werden, oder nur um freundliche Rippen-stöße eines nicht ganz unbekannten Parteisekretärs[136]."[137]

Neben dem Zentralorgan *Vorwärts* besaß die Partei die wissenschaft-liche Revue *Neue Zeit,* die Karl Kautsky 1882/83 mit ins Leben gerufen hatte und die nach dem Fall des Sozialistengesetzes von der Partei übernommen wurde.[138]

Die *Neue Zeit* hatte nie genügend Abonnenten und wies bei jeder Jahresbilanz ein beträchtliches Defizit auf.[139] Das geringe Leserinteresse lag zum einen an dem streng wissenschaftlichen Stil, in dem die Zeit-

---

133 Die Redakteure vertraten den revisionistischen Kurs, der per Parteitagsbeschluß als nicht vertretbare Reformbestrebung abgelehnt wurde.
134 Vgl. dazu von Elm, Adolph, Der Vorwärtskonflikt und die Partei, in: *Sozialistische Monatshefte,* Januar 1906, S. 26–35. Die Kündigung ging innerhalb der Parteistatuten legal vor sich, da Parteivorstand und Presskommission sich gemeinsam zu dem Schritt entschlossen – nur scheint auf diese Körperschaften Bebel ganz massiv eingewirkt zu haben. Der *Vorwärts*-Konflikt wird auf dem Parteitag 1905 in Jena hinter den Kulissen ausgetragen, im Rahmen einer Kommissionsberatung. Schon auf dem Parteitag 1903 in Dresden wurde die Kontroverse zwischen Bebel und dem *Vorwärts* deutlich. (Protokolle, S. 269 ff.)
135 Protokoll-Fragment vom 13. 5. 1906 im Nachlaß Henke im AdSD, Bonn.
136 Gemeint ist Ignaz Auer (siehe Biographie, S. 151). Zu Auers Beeinflussungsmethoden siehe 3. Kapitel, S. 139.
137 Protokoll Parteitag 1902 in München, S. 117.
138 Engels schreibt am 23. 2. 1891 an Kautsky: „Daß in der Fraktion Stimmen laut geworden, man solle die *Neue Zeit* unter Zensur stellen, ist ja sehr schön. (...) Es ist in der Tat ein brillanter Gedanke, die deutsche sozialistische Wissenschaft nach ihrer Befreiung vom Bismarckschen Sozialistengesetz unter ein neues, von den sozialdemokratischen Parteibehörden selbst zu fabrizierendes und auszuführendes Sozialistengesetz zu stel-len.", in: Marx/Engels Werke, Bd. 38, S. 41.
139 Protokoll Parteitag 1902 in München, S. 119 ff.

schrift gehalten war,[140] zum anderen am Fehlen renommierter Mitarbeiter. Da der Chefredakteur Kautsky, Vertreter der marxorthodoxen Parteiideologie, in seinem Blatt keine Artikel, die nicht auf dieser ideologischen Linie basierten, veröffentlichte, wanderten viele prominente Parteijournalisten zu anderen Zeitschriften ab.[141] Durch die Beiträge prominenter Parlamentarier erhielten vor allem die *Sozialistischen Monatshefte* innerhalb der Partei einen halboffiziellen Status.[142]

Zu Kriegsbeginn verfügte die sozialdemokratische Partei über 94 Zeitungen, von denen 90 sechsmal die Woche erschienen;[143] die Zahl der Abonnenten belief sich 1913 auf etwa anderthalb Millionen.[144] Weitere Pressetypen waren innerhalb der Parteipresse aufgetaucht: 1892 gründete Clara Zetkin in Stuttgart die Frauenzeitschrift *Die Gleichheit*, deren Auflage im Geschäftsbericht zum Parteitag 1913 mit 112 000 angegeben wird und die mit Gewinn arbeitete.[145] Den höchsten Abonnentenstand unter den Zeitschriften hatte das Unterhaltungs- und Witzblatt *Der wahre Jacob* mit 371 000 im Jahre 1913.[146]

Auch die Gewerkschaftspresse, die die SPD zu ihrer Parteipresse zählte,[147] entwickelte sich in den Jahren 1890 bis 1914 recht üppig.[148] Jede Berufsgruppe verfügte über ihr eigenes Blatt, als Quasi-Zentralorgan fungierte seit 1890 das *Correspondenzblatt der Generalkommission der Gewerkschaften Deutschlands.*[149]

Mit Ausbruch des Krieges 1914 geriet die Parteipresse in ihre größte wirtschaftliche und ideelle Krise.[150] Mit der Bewilligung der Kriegskredite und der Zustimmung zum „Burgfrieden"[151] durch die Mehrheit der

---

140 Vgl. dazu Protokoll Parteitag 1902 in München, S. 131: „Die Artikel (der *Sozialistischen Monatshefte*) werden von den Arbeitern besser verstanden, als die Artikel in der *Neuen Zeit*, die zu theoretisch sind."
141 Vor allem zu Heinrich Brauns (siehe Biographie, S. 158) *Sozialpolitisches Centralblatt* und Südekums (siehe Biographie, S. 224) Zeitschrift *Kommunale Praxis*.
142 In Ablehnung aller revisionistischen Strömungen in der Partei weigert sich Bebel, dem „Revisionistenblatt" einen offiziellen Status einzuräumen: „Die *Sozialistischen Monatshefte* stehen außerhalb der Partei, sie haben außerhalb der Partei stehen wollen, sie haben nicht den Versuch gemacht, sich in den Parteirahmen einzufügen.", in: Protokoll Parteitag 1902 in München, S. 125.
143 Vgl. Protokoll Parteitag 1913 in Jena, S. 28 und Kantorowicz, Ludwig, Die sozialdemokratische Presse, S. 14.
144 Protokoll Parteitag 1913 in Jena, S. 29 ff.
145 Ebenda, S. 32. Die *Neue Zeit* hatte nur 10 500 Abonnenten. 1913 weist die *Gleichheit* einen Überschuß von 12 022 Mark aus.
146 Ebenda, S. 31.
147 In den Geschäftsberichten zu den Parteitagen werden bis 1902 unter der Rubrik „Parteipresse" auch die Gewerkschaftszeitungen aufgezählt.
148 Vgl. dazu Eberlein, Alfred, Die Presse der Arbeiterklasse.
149 Vgl. dazu Koszyk, Kurt, Deutsche Presse im 19. Jahrhundert, S. 208. Koszyk meint, daß die Gewerkschaften nie ein Zentralorgan besaßen, obwohl die Bemühungen dazu da waren.
150 1914 und 1915 hatte die Parteipresse den größten Abonnentenschwund in ihrer Geschichte zu verzeichnen. Ab 1915 nimmt die Auflage wieder zu; eine Reihe von Parteizeitungen hatte im Kriege eine höhere Auflage als vor 1914.
151 Die Regierung gab zu Beginn des Krieges ihre noch bestehende Kampfmaßnahmen gegen die Sozialdemokratie (Verbot sozialdemokratischer Publikationen in der Armee, Verbot der Anstellung sozialdemokratischer Arbeiter in Gemeindebetrieben) auf. Zwischen den Parteien wurde auf Betreiben Bethmanns der „Burgfriede" ausgehandelt: Man wollte die inneren Gegensätze vertagen, bis die äußere Not überwunden war.

Fraktion im Reichstag, bahnte sich die Parteispaltung an. Innerhalb der Fraktion hatte sich vor der Abstimmung über die Kriegskredite eine Opposition, bestehend aus 14 Abgeordneten, gebildet,[152] die gegen eine Bewilligung der Kredite waren. Für die Abstimmung beschlossen die Abgeordneten Fraktionszwang, dem sich zu diesem Zeitpunkt auch noch der linke Flügel der Partei fügte. Bei einer erneuten Abstimmung im Dezember 1915 stimmten erstmalig 20 SPD-Abgeordnete im Plenum gegen die Kriegskredite.[153]

Als im März 1916 neue Kreditforderungen, die in den Gesamtetat eingearbeitet worden waren, zur Bewilligung anstanden, beschloß die Fraktion – die bisher immer den Reichshaushalt abgelehnt hatte – die Zustimmung. Die Minderheit stimmte gegen den Etat und wurde deswegen aus der Fraktion ausgeschlossen. Die Fraktionsminderheit gründete mit ihren Anhängern im April 1917 die „Unabhängige Sozialdemokratische Partei Deutschlands" (USPD), die Mehrheit fand sich in der MSPD zusammen. Die Parteiorganisationen im Lande spalteten sich ebenfalls. Schon vor der realen Spaltung war die Meinung innerhalb der Parteipresse zweigeteilt: pro Fraktionsmehrheit oder -minderheit.[154] Die Auseinandersetzungen um die Machtposten auf dem Pressesektor fanden ihren Höhepunkt in der Okkupation des *Vorwärts* durch die Fraktionsmehrheit.

Bis 1914 hatte man auf sämtlichen Parteitagen die indifferente Rolle des Zentralorgans kritisiert.[155] Mit Kriegsausbruch aber schwenkte der *Vorwärts* auf eine konsequente Linie ein; er ging in Opposition zu der von der Mehrheit der Fraktion vertretenen Politik.[156] Damit nahm er deutlich eine Kollision mit dem Parteivorstand in Kauf, der sich ja vor die Fraktionsmehrheit gestellt hatte. Im Herbst 1916 übernahm der Vorstand das Zentralorgan mit einer Art „Gewaltstreich"[157], entließ die oppositionellen Redakteure und setzte ihm genehme Journalisten in die Redaktion des *Vorwärts*.

Nach der Parteispaltung wurde auch Karl Kautsky als Chefredakteur der *Neuen Zeit* entlassen.[158] Es entbehrt nicht der Tragik, daß der alte Mann der Marx-Orthodoxie das Blatt, das er über dreißig Jahre redigiert hatte, an *die* Sozialdemokraten abgeben mußte, die er lange Zeit bekämpft hatte, an die „Anpassler"...

---

152 Die Fraktion bestand aus insgesamt 110 Abgeordneten.
153 Vgl. Protokoll Reichskonferenz 1916.
154 Vgl. dazu 3. Kapitel, S. 141.
155 Protokoll Parteitag 1901 in Lübeck, S. 137. Bebel: „... da hat der *Vorwärts* wieder geschwiegen. (...) Und es ist eine verdammte Pflicht und Schuldigkeit des Zentralorgans als solches, daß es an solchen Vorgängen in der Partei, die von Wichtigkeit sind, nicht ruhig vorübergeht, von solchen Strömungen Notiz nimmt, sie zur Kenntnis der Gesammtpartei und dann der Berliner Genossen bringt."
156 Ausführlich zur Berichterstattung des *Vorwärts* zu Beginn des Weltkrieges: Schoen, Curt, Der *Vorwärts* und die Kriegserklärung.
157 Zu den Versuchen des Parteivorstandes, schon vor 1916 Einfluß auf die *Vorwärts*-Redaktion zu bekommen und dem „Gewaltstreich" im Herbst 1916 vgl. Groth, Otto, Die Zeitung, Bd. 2, S. 416 ff.
158 Protokoll Parteitag der MSPD 1917 in Würzburg. Ebert zur Entlassung Kautskys: Man habe es ihm in „kameradschaftlicher Weise" mitgeteilt (S. 308).

2. Die Rolle der Presskommissionen

Auf dem Erfurter Parteitag 1891 beschlossen die Delegierten die Einrichtung einer ständigen Presskommission für den *Vorwärts*, um den Berliner Parteigenossen einen Einfluß auf das Blatt einzuräumen, das neben seiner Funktion als Zentralorgan ja auch Lokalblatt für die Berliner Genossen war.

Welche Aufgaben und Befugnisse die Presskommission hatte, wurde in Erfurt noch sehr diffus dargestellt;[159] erst auf dem Parteitag 1897 in Hamburg wurde folgende Einfügung in das Organisationsstatut beschlossen, die den Aufgabenbereich der Berliner Presskommission genauer festsetzte: „Zur Kontrolle der prinzipiellen und taktischen Haltung des Zentralorgans, sowie der Verwaltung desselben, wählen die Parteigenossen Berlins und der Vororte eine Preßkommission, welche aus höchstens zwei Mitgliedern für jeden beteiligten Reichstagswahlkreis bestehen darf. Einwände der Preßkommission sind dem Parteivorstand zur Erledigung zu unterbreiten. Von Anstellungen und Entlassungen im Personal der Redaktion und Expedition ist der Preßkommission vor der Entscheidung Mitteilung zu machen und ihre Ansicht einzuholen."[160]

1912 wurde der Presskommission gegenüber dem Parteivorstand Gleichberechtigung eingeräumt, weil es durch die fehlende Kompetenzabgrenzung immer wieder zu Differenzen zwischen Presskommission und Parteivorstand gekommen war.[161]

Das Organisationsstatut wurde dahingehend abgeändert, daß der Presskommission gleichberechtigt neben dem Parteivorstand über alle Angelegenheiten des Zentralorgans, insbesondere über Anstellung und Entlassungen des Personals der Redaktion und Expedition, das Mitspracherecht eingeräumt wurde.[162] Für eine Klärung etwaiger Differenzen wurde eine Kontrollkommission eingesetzt: „Bei Meinungsverschiedenheiten zwischen dem Parteivorstand und der Presskommission entscheiden die Kontrollkommission, der Parteivorstand und die Preßkommission in der Art, mit gleichen Rechten, daß jedes dieser drei Organe eine Stimme hat."[163]

Nach Einsetzung der Presskommission für das Berliner Blatt konstituierten sich in ganz Deutschland lokale Presskommissionen aus dem Bedürfnis der Parteibasis heraus, Mitspracherecht und Einfluß auf das jeweilige Parteiblatt zu bekommen.

---

159 Vgl. Protokoll Parteitag 1891 in Erfurt, S. 231. Aufgabe der Presskommission sollte sein, den lokalen Teil des *Vorwärts* zu „kontrollieren".
160 Protokoll Parteitag 1897 in Hamburg, S. 176.
161 Protokoll Parteitag 1903 in Dresden, S. 266. Bebel: „Ich hatte ihm Vorwürfe gemacht wegen der Taktik, die der *Vorwärts* in den ganzen Bernstein-Fragen beobachtet hatte, da antwortete mir Gradnauer (Redakteur des *Vorwärts*; siehe Biographie, S. 177): Sie sind im Irrtum wenn Sie glauben, daß die Redaktion auf eigene Verantwortung gehandelt hatte; wir haben mit der Preßkommission über die Sache gesprochen und die hat uns recht gegeben."
162 Protokoll Parteitag 1912 in Chemnitz, S. 556 ff.
163 Ebenda.

Die Mitglieder der Berliner Presskommission wurden jedes Jahr auf der Generalversammlung der Partei gewählt; auch im Wahlrhythmus in der Region setzte sich der jährliche Turnus durch. Der ständige Wechsel des Presskommissions-Personals war „Zankapfel" im Verhältnis Presskommission und Redaktion. In einem 1901 erschienenen Artikel stellt der Abgeordnete und Parteijournalist Richard Calwer[164] die Nachteile dar, die durch die jährliche Neubesetzung der Presskommission erwuchsen: „Daraus allein resultiert schon die Thatsache, daß die Mitglieder der Presscommission gar nicht im stande sind, sich in die nicht so ganz leichten geschäftlichen und redactionellen Verhältnisse einer Zeitung einzuarbeiten. Sicherlich kann ein intelligenter Arbeiter nach einigen Jahren praktischer Erfahrung vom Presswesen etwas verstehen. Die nötige Kenntnis besitzen diejenigen Genossen, die in die Presscommission neu hineingewählt werden, in der Regel noch nicht. Wohl aber sind sie von ihrem eigenen Können und ihren Kenntnissen sehr überzeugt."[166]

Das Mitspracherecht der Presskommission bei Zeitungsangelegenheiten läßt Calwer für den geschäftlichen Bereich gerade noch zu: „Der Geschäftsführer ist noch besser daran, weil er in den Cassenverhältnissen der Zeitung einen sehr wirkungsvollen Bundesgenossen gegen die Beschlüsse und Anregungen der Presskommission hat".[156] Im redaktionellen Bereich hingegen wirke sich die Arbeit der Presskommission geradezu fatal aus, weil es auch z. B. bei Neueinstellungen von Redakteuren nur um die Frage der Rentabilität ginge, d. h. nicht nach Qualität werde Ausschau gehalten, sondern nach dem billigsten Mann.[167]

Die Parteibasis war sparsam. Also achtete man bei der Einstellung von Redakteuren – und das war ja fast die wichtigste Befugnis der Presskommissionen – besonders darauf, sich mit dem neuen Mann nicht nur einen Zeitungsschreiber, sondern einen Mann für alles einzukaufen. Ein Parteiredakteur schildert ein Vorstellungsgespräch mit Mitgliedern einer Presskommission wie folgt: „Ich bewarb mich vor kurzem in einer mitteldeutschen Stadt. Sie zählte 180 000 Einwohner. Engere Wahl. Vorstellung. Eine ganze Stunde wurde ich verhört. Den breitesten Raum nahm dabei das Verhör ein, ob ich in Versammlungen reden könne und über welche Themen. Dann kam das moralische Gebiet. Und schließlich auch – aber nur ganz nebensächlich die Frage: ob ich denn auch den Posten richtig ausfüllen könne."[168]

1906 konstatiert Calwer den weiteren Entwicklungsgang im Verhältnis Presskommission und Redaktion: „Aus dem viel begehrten Literaten wurde der von den Presskommissionen abhängige Parteiangestellte."[169] In seinem Artikel geht Calwer soweit, daß er das Entstehen des Vereins

164 Siehe Biographie, S. 161.
165 Calwer, Richard, Die socialdemokratische Presse, in: *Sozialistische Monatshefte*, September 1901, S. 702.
166 Ebenda.
167 Ebenda, S. 703 ff.
168 Rabold, Emil, Zur Ausbildung der Redakteure, in: *MdVA*, Nr. 122, März 1914, S. 1–3.
169 Calwer, Richard, Disziplin und Meinungsfreiheit, in: *Sozialistische Monatshefte*, Januar 1906, S. 37.

Arbeiterpresse im Jahre 1900 als Reaktion auf die immer rigider werdende Praxis der Presskommissionen wertet: „Das veränderte Verhältnis
zwischen Presskommissionen und Parteiangestellten machte diesen
Zusammenschluß notwendig, sollte nicht die soziale Position der Redakteure ganz und gar in das Belieben der einzelnen, überdies vielfach von
Jahr zu Jahr in ihrem Mitgliederbestande wechselnden Presskommissionen gestellt sein."[170]

Auf den Parteitagen kam es des öfteren zu Klagen, wie sehr doch die
Presskommissionen mit ihrem Hang zur Sparsamkeit den Parteiredakteu-
ren das Leben schwer machten.[171] Vor allem in Fragen zu möglichen
Gehaltserhöhungen stellten sich die Press-Genossen stur; hatte der Vor-
stand schon mehr Geld für die Redakteure bewilligt, legte meistens die
Presskommission mit Rückendeckung durch die Kontrollkommission ihr
Veto ein.[172] Folge war, daß das Gehalt nicht erhöht wurde und der
betroffene Redakteur nur den Calwerschen Stoßseufzer tun konnte:
„Arbeiter sind als Arbeitgeber nicht die angenehmsten Vorgesetzten."[173]

Der seltene Fall eines guten Einvernehmens zwischen Presskommission und Redaktion trat beim *Vorwärts* 1915 ein. Als sich das Zentralorgan
immer mehr zum Sprachrohr der Fraktionsminderheit machte, mangelte
es nicht an Versuchen seitens des Parteivorstandes, die oppositionellen
Redakteure zu entlassen. Das Vorhaben scheiterte aber an dem Widerstand der Berliner Presskommission, die sich vor die *Vorwärts*-Redak-
teure gestellt hatte.[174]

Zusammenfassend kann man konstatieren, daß das Verhältnis Presskommission zu Redaktion durch die diametralen Interessen der beiden
Institutionen belastet wurde: Die einen sahen es als ihre vorrangige
Aufgabe an, ihre Sparsamkeitsgrundsätze auch in Sachen Redaktion
anzulegen; die anderen sahen den Wert ihrer Arbeit verkannt, fühlten

---

170 Ebenda.
171 Vgl. Protokoll Parteitag 1906 in Lübeck, S. 196 ff.: „Die Preßkommissionen sind ein Kind
     der Parteiverhältnisse an den einzelnen Orten. Hätten diese Orte einen auskömmlichen
     Redaktionsetat, dann hätten die Prätentionen gewisser Redakteure ihre Berechtigung. An
     einzelnen Orten aber befinden sich die Parteiblätter in äußerster Not und das Sparen am
     Redaktionsetat ist die Hauptaufgabe der Preßkommissionen."
172 Vgl. dazu Protokoll Parteitag 1901 in Lübeck, S. 32 ff.
173 Calwer, Richard, a.a.O., S. 36.
     Vgl. dazu auch: Engels an Bebel am 12. 11. 1892: „Ich habe mich längst überzeugt, daß
     man hier auf eine der Schranken stößt, die die bisherigen Lebensverhältnisse der Arbeiter
     ihrem Gesichtskreis ziehen. Dieselben Leute, die es ganz natürlich finden, wenn ihr
     Abgott Lassalle als vollständiger Sybarit aus seinen eigenen Mitteln lebt, klagen Lieb-
     knecht an, wenn er als von ihnen bezahlter Redakteur kaum den dritten Teil des Geldes
     braucht, obwohl ihnen das Blatt das Fünf- und Sechsfache abwirft. Abhängig zu sein,
     selbst von einer Arbeiterpartei, ist ein hartes Los." (Bebel Briefwechsel, S. 616.)
174 Vgl. Protokoll Parteitag 1917 in Würzburg, S. 24: „Als dann die ersten Anschuldigungen
     der sogenannten Oppositionen erhoben wurden, machte er *(Vorwärts)* sich zum Spra-
     chrohr jedes Parteikrakeels. Alle Anwürfe gegen Parteileitung und Fraktion fanden im
     Vorwärts ihre Ablagerungsstätte und Verteidigung. Jede andere Meinung wurde von der
     Redaktion systematisch unterdrückt und jeder Versuch zur Aenderung dieses skandalö-
     sen Verhaltens des Zentralorgans scheiterte, weil die – in ihrem Mitgliederbestand ewig
     wechselnde — Preßkommission das parteischädigende Treiben der Redaktion deckte."
     Vgl. auch Groth, Otto, Die Zeitung, Bd. 2, S. 416 ff. und Scheidemann, Philipp, Memoiren
     eines Sozialdemokraten, Bd. 1, S. 268.

sich zu „Söldnern" degradiert, denen man die entsprechende Entlohnung für ihren Kampf an der Front vorenthielt.

Unter dem Aspekt des Demokratiepostulats der Partei war die Einrichtung einer Mitsprachebastion in der Parteipresse zwingend; die Parteiredakteure allerdings taten sich schwer mit der Kontrolle von oben – durch den Parteivorstand – und der Einmischung durch die Basis in ihre Arbeit.

3. Der Parteiredakteur

Mit dem Erscheinen des neuen Pressetypus Parteipresse rückte auch ein neuer Typus von Journalist in die Redaktionsstuben ein: „Am spätesten wurden Angehörige der unteren Volksschichten Journalisten."[175]

Sich in einer Parteizeitungsredaktion einzunisten, war in den frühen Jahren der Arbeiterbewegung relativ einfach. Man schrieb für eines der wie Pilze aus dem Boden schießenden Parteiblätter einen kämpferischen Versammlungsbericht – diese Berichte konnten nur parteiisch und leidenschaftlich sein, „weil die Lage der unteren Volksschichten nicht dazu angetan war, ruhige Darsteller hervorzubringen"[176] –, und schon wurde dem rührigen Berichterstatter ein Redaktionsstuhl angeboten. Was von den vielen Arbeiterschreibern als Aufstiegschance wahrgenommen wurde, erwies sich in der Realität als ebenso jämmerliche Broterwerbsmöglichkeit wie die dafür aufgegebene. Doch dem Beruf des Journalisten hing eine Machtaura an – tradiert aus den Vormärztagen –, so daß sich die junge Partei einem Ansturm von Möchtegern-Redakteuren gegenüber sah.[177]

Diese vielen neuen Parteiredakteure gaben sich auch mit dem sprichwörtlichen Butterbrot als Bezahlung zufrieden, sahen sie doch ihre neue Tätigkeit nicht als Beruf, sondern als Kampf für ihre große Sache.

In ihrer Meinung über die eigene Wichtigkeit wurden die Parteiredakteure durch die ständigen Verlautbarungen der Parteioberen über die Wichtigkeit der Parteipresse bestärkt. Nur: „funktionierte" die Presse – d. h. die Abonnentenzahlen stimmten –, akklamierte man selten den Redakteuren für ihre gute Arbeit; blieb aber eine Zeitung in den roten Zahlen, waren die Schuldigen für diesen Übelstand schnell ausgemacht: die Redakteure.

Das Gefühl für die Diskrepanz zwischen genereller Pressewertschätzung und der Mißachtung der personellen Träger der Zeitungsunternehmungen kommt in manchen Artikeln in den Parteiblättern zum Ausdruck. So bringt der *Neue Social-Demokrat* am 7. 3. 1875 einen Bericht über die Arbeitsverhältnisse der Redakteure in England, wo all das aufgeführt wird, was der Schreiber sichtlich in Deutschland vermißt: das Gefühl der

---

175 Engelsing, Rolf, Massenpublikum, S. 230.
176 Ebenda.
177 Vgl. Protokoll Parteitag 1893 in Köln, S. 126: „Früher, zur Zeit des *Volksstaat* haben wir sie (die Parteiredakteure) immer gefunden, weil jeder in der ganzen Partei, der etwas schreiben konnte, für den *Volksstaat* schrieb."

Hochachtung, das die Redakteure Englands selbst in den „höchsten Kreisen" genießen. Weiter wird der englische Redakteur als notwendiger Ratgeber der Politiker und Parlamentarier geschildert; und nicht zuletzt erwähnt der deutsche Parteijournalist das üppige Gehalt seiner englischen Kollegen, das diese als wichtige Männer verdientermaßen bekommen.[178]

Da die Parteiredakteure als Eignungsnachweis eine Rednerbegabung zu belegen hatten – Redakteure wurden als Parteiagitatoren per Mund und per Feder eingestuft[179] –, lagen ihre Redaktionspflichten nicht nur auf dem schreibenden Sektor. Die Partei schickte sie auch als Redner über Land, was auf den Parteitagen immer zu Klagen wegen Überbelastung führte.[180]

Parteileitung wie Parteibasis sahen ihre Redakteure in erster Linie als Politiker. So boten sie sich geradezu an, wenn die Partei nach geeigneten Kandidaten für Landtags- und Reichstagswahlen suchte. Die Redakteure waren bekannt, konnten reden und wurden ohnehin schon von der Partei bezahlt, also konnten sie dieser weiteren Parteipflicht auch Genüge leisten.

So sehr die Redakteure auch über ihre Überlastung klagten, so gern griffen sie zu, wenn sich ihnen die Chance eines Mandatgewinns bot. Gerade die Väter des Parteijournalismus sahen in ihrer Tätigkeit als Redakteur eine Quasi-Ausbildung zum Parlamentarier; die Redaktion als Abgeordneten-Schulung machte Schule. Als die Parteileitung in den neunziger Jahren des letzten Jahrhunderts zu der Einsicht kam, daß die journalistischen Mandatsträger die anfallende Arbeit in der Redaktion nicht nach der Parteierwartung erfüllen konnten und deshalb anzustellenden Redakteuren eine Mandatsentsagung auferlegte, handelten die Redakteure doch dieser Absprache zuwider.[181] Denn wie bei den bürgerlichen Parteien besaß auch innerhalb der Sozialdemokratie der Mandatsträger ein beachtliches Prestige. Und da ein Parteiredakteur durch seine Pressearbeit selten Ruhm ernten konnte, waren diese Aufstiegsattitüden nur verständlich.

Es dauerte noch eine geraume Zeit, bis sich unter den Parteiredakteuren eine Gruppe formierte, die in erster Linie Berufsjournalisten sein wollten und nicht mehr zu jeder Zeit abrufbare Parteipolitiker.[182]

In dem Geschäftsbericht zu dem Parteitag 1877 wird die Zahl der Redakteure mit 44 angegeben;[183] insgesamt verfügte die Partei zu dieser Zeit über 41 Parteizeitungen – die Redaktionsstuben waren also nicht gerade üppig besetzt.

---

178 *Neuer Social-Demokrat*, Nr. 29, 7. 3. 1875.
179 Vgl. Protokoll Parteitag 1876 in Gotha, S. 17. Der Geschäftsbericht führt 54 vollbesoldete und 14 zum Teil besoldete Agitatoren auf, die im Dienste der Partei stehen. Es sind durchwegs Redakteure und Expedienten von Parteizeitungen, „der Rede vollständig mächtige".
180 Vgl. Protokoll Parteitag 1877 in Gotha, S. 49. Liebknecht: „Es sei eine ganz falsche Ansicht, daß die Redacteure auch stets agitatorisch wirken sollten."
181 Vgl. dazu Protokoll Parteitag 1893 in Köln, S. 130 ff. Fall Schoenlank.
182 Vgl. dazu Calwers Aussagen auf dem Parteitag 1901 in Lübeck (Protokoll, S. 197).
183 Protokoll Parteitag 1877 in Gotha, S. 26.

Weiter werden in diesem Geschäftsbericht die früheren Berufe der Parteiredakteure aufgelistet, um die Vorwürfe des Gegners zu entkräften, „die geistige Führung der Socialdemokratie befinde sich durchgehends in Händen von verbummelten Genies aus den sogenannten besseren Ständen"[184]. Von den aufgeführten 44 Redakteuren sind oder waren: „zwölf Literaten mit fast durchgehends academischer Bildung, elf Schriftsetzer, vier Kaufleute, drei Schlosser, ein Maurer, ein Lohgerber, ein Riemendreher, ein Mechaniker, ein Cigarrenarbeiter, ein Zimmermann, ein Böttcher, ein Schuhmacher, ein Goldarbeiter, ein Buchhändler, zwei Schneider, ein Lehrer, ein Zeichner."[185] Womit die Arbeiterpresse den Beweis führte, eine Handwerkerpresse zu sein...

Sie alle wurden arbeitslos und die Zeitungsträume der vielen Arbeiter und Handwerksburschen gegenstandslos, als die Sozialdemokratie 1878 unter das Ausnahmegesetz fiel und in Deutschland die sozialdemokratischen Zeitungen verboten wurden. Für das Exilorgan in Zürich benötigte man jeweils nur einen Redakteur.[186] Rückblickend stellte die Partei aber euphorisch fest, die „große kämpfende Masse"[187] in Deutschland habe während der Zeit des Sozialistengesetzes für den *Sozialdemokrat* geschrieben, Bernstein sei nur „Strohredakteur"[188] gewesen. Diese Aussage gibt natürlich nicht die Realität der Pressearbeit in der Zeit von 1879 bis 1890 wieder, sondern mehr die Vorliebe der Partei für Heldengesänge.

Als es nach 1890 der Sozialdemokratie wieder gestattet wurde, ihre Zeitungsgeschäftigkeit aufzunehmen, trat das Problem der Redakteurs-Rekrutierung in den Vordergrund. Die Partei verfügte zwar über genügend Willige, nicht aber über Fähige. Da die Kritik an der Parteipresse auf den Parteitagen immer lauter und ausufernder wurde – man setzte ja bald spezielle Presskonferenzen an, weil der Tagesordnungspunkt „Presse" den Parteitag zur Marathonsitzung werden ließ –, rückte auch der „Verantwortliche" an den kritisierten Mißständen in den Blickpunkt des Interesses: der Parteiredakteur. Die Basis geißelte die schlechten Pressemänner; der Vorstand überlegte sich Konzepte, wie man zu besseren Parteiredakteuren kommen könnte.

1906 wurde eine Parteischule gegründet, die zur Aufgabe hatte, „dem fühlbar gewordenen Mangel an Kräften, die in genügendem Maße das für die Aufklärung der breiten Massen erforderliche Maß von Wissen und theoretischer Schulung besitzen"[189], abzuhelfen. Daß diese Parteischule vor allem die Aus- und Weiterbildung von Parteiredakteuren zu übernehmen hatte, zeigte sich an der Gewichtigkeit des Fachs Zeitungstechnik, wo „schriftlicher Gedankenausdruck"[190] geübt wurde.

---

184 Ebenda.
185 Ebenda.
186 Von September 1879 bis Januar 1881 war Vollmar Redakteur des *Sozialdemokrat,* von 1881 bis 1890 Eduard Bernstein.
187 Protokoll Parteitag 1899 in Hannover, S. 151.
188 Ebenda.
189 Protokoll Parteitag 1907 in Essen, S. 90.
190 Ebenda, S. 91.

„Schriftliche Gedanken" galten – war der Produzent Parteimitglied – als Eigentum der Partei. Deshalb verbot[191] oder rügte[192] die Partei die Mitarbeit von sozialdemokratischen Journalisten an bürgerlichen Blättern. Engels bezeichnete schon 1875 die ausschließliche Vereinnahmung der Schriftsteller für die eigene Presse als Ungeschicklichkeit.[193]

Auf dem Dresdener Parteitag 1903 steht der Stein des Anstoßes – „Mitarbeit von Genossen an der bürgerlichen Presse" – an erster Stelle auf der Tagesordnung. Es kommt zu erregten Debatten; zum einen wird dieses journalistische „Fremdgehen" als Verrat an der Partei bezeichnet, zum anderen will man dem Journalisten das gleiche Recht einräumen wie jedem Proletarier, nämlich da seine Arbeitskraft zu verwerten, wo es ihm beliebt.[194] Als „Lösung" dieser strittigen Frage erläßt der Parteitag eine Resolution, die eine eingeschränkte Mitarbeit an bürgerlichen Zeitungen zuläßt. Sozialdemokratische Journalisten können weiter für Organe der Kunst, Technik und Wissenschaft schreiben; nicht vereinbar mit den Interessen der Partei sei jedoch eine Mitarbeit an bürgerlichen Blättern, in denen an der Sozialdemokratie „gehässige" und „hämische" Kritik geübt würde.[195] Eine wohl überflüssige Feststellung, denn die *Germania* oder die *Kreuzzeitung* hätte wohl kaum einen Sozialdemokraten angestellt.

1904 werden im Geschäftsbereich zum Parteitag 151 bei der Parteipresse beschäftigte Redakteure aufgeführt,[196] 1914 zählt das Jahrbuch des Vereins Arbeiterpresse 241 Parteiredakteure auf und weist die Vorbildung bzw. die früher ausgeübten Berufe der sozialdemokratischen Journalisten nach: 52 waren Schriftsetzer und Lithographen, 24 Buchdrucker, 16 Schlosser, 13 Tischler, zehn Maler, acht Buchbinder, acht Handlungsgehilfen, sieben Zigarrenarbeiter, sechs Maurer, fünf Bergleute, fünf Bildhauer, fünf Schneider, vier Lehrer, vier Büroangestellte, drei Kaufleute usw.[197] Wo sind die Akademiker geblieben?

1900 gründeten die Parteiredakteure und -journalisten den „Verein Arbeiterpresse". Diese Berufsvereinigung entstand einmal aus der Notwendigkeit heraus, eine eigene Interessenvertretung zu haben, da die Mitgliedschaft im bürgerlichen Berufsverband unerwünscht und fast

---

191 Engels an Bracke am 11. 10. 1875: „Zweitens erzählte Sonnemann, den Marx bei der Durchreise sah, er habe Vahlteich (siehe Biographie, S. 226) eine Korrespondenz für die *Frankfurter Zeitung* angeboten, aber der Ausschuß habe Vahlteich die Annahme verboten.", in: Marx/Engels Werke, Bd. 34, S. 156.

192 Auf dem Parteitag 1903 in Dresden war die Mitarbeit von Genossen an der bürgerlichen Presse *der* Themenpunkt auf der Tagesordnung. Das Schreiben für bürgerliche Blätter wurde zwar nicht gänzlich untersagt, der Parteivorstand betonte aber, daß er diese Mitarbeit nicht gern sehe.

193 Engels an Bracke am 11. 10. 1875: „Dabei diese Ungeschicklichkeit. Sie hätten eher dafür sorgen sollen, daß die *Frankfurter Zeitung* überall in Deutschland von den Unsern bedient würde.", in: Marx/Engels Werke, Bd. 34, S. 156.

194 Mehring widerspricht dieser viel geäußerten Anschauung. Mehring, Franz, Eine Partei- und Preßfrage, in: *Neue Zeit*, Bd. 2 1902/03, S. 641. Er vertritt den Standpunkt, daß die Presse kein Gewerbe im üblichen Sinne sei, deswegen dürfe kein Schriftsteller sie zur Broterwerb-Institution „herabsetzen".

195 Protokoll Parteitag 1903 in Dresden, S. 263.

196 Protokoll Parteitag 1904 in Bremen, S. 24.

197 Zitiert nach Kantorowicz, Ludwig, Die sozialdemokratische Presse Deutschlands, S. 104.

unmöglich war.[198] Zum anderen hatte sich – nach Calwer[199] – das Verhältnis der Redakteure zu der Kontroll- und Arbeitgeberinstitution Presskommission so nachteilig entwickelt, daß sich die Redakteure gezwungen sahen, ihren Forderungen durch eine eigene „Gewerkschaft" mehr Gewicht zu verschaffen. Nach Calwer war dieser Verein notwendig geworden, „sollte nicht die soziale Position der Redakteure ganz und gar in das Belieben der einzelnen, überdies vielfach von Jahr zu Jahr in ihrem Mitgliederbestande wechselnden Presskommissionen gestellt sein".[200]

Der „Verein Arbeiterpresse" erarbeitete in der Folgezeit Gehaltsskalen für die Parteiredakteure, legte Mindestgehälter fest, setzte sich für die freien Pressemitarbeiter ein, gründete eine Versorgungskasse für die Angehörigen verstorbener Parteiredakteure und widmete in dem Vereinsorgan *Mitteilungen des Vereins Arbeiterpresse* der Aus- und Fortbildung von Redakteuren einen breiten Raum. Kein Geringerer als der spätere Gründer des ersten deutschen Instituts für Zeitungskunde, Karl Bücher, wurde auf dem Gebiet der Journalistenausbildung immer wieder als Fachmann zitiert.[201]

II. Sozialdemokratie und Parlament

Neben der eigenen Presse war das Parlament – und ganz bevorzugt der Reichstag – nach Aussagen der Parteipolitiker der wichtigste Ort, sozialdemokratisches Gedankengut unter das Volk zu bringen. Traditionell nahm die Parlamentsberichterstattung einen breiten Raum in der bürgerlichen Presse ein; es war üblich, daß ganze Passagen von Reden wörtlich abgedruckt wurden – ein wichtiger Tatbestand für die sozialdemokratische Vorstellung von einer Anhängerrekrutierung per Parlament. Bebel sieht seine Aufgabe als Parlamentarier darin, mit der Prestige-Institution Reichstag im Rücken für die Partei zu werben: „Indem wir diese Anträge stellten und Reden zu ihren Gunsten hielten, die, wenn auch noch so verstümmelt, in den Berichten der Zeitungen von Millionen gelesen wurden, würden wir im höchsten Grade agitatorisch und propagandistisch wirken."[202]

Schon Lassalle hatte die auf das Parlament bezogenen Intentionen der Arbeiterbewegung formuliert: „Organisieren Sie sich als ein allgemeiner Arbeiterverein, zu dem Zweck einer gesetzlichen und friedlichen, aber unermüdlichen, unablässigen Agitation für die Einführung des allgemei-

---

198 In den *Mitteilungen des Reichsverbandes der deutschen Presse*, Nr. 9, 1912, wird ein (!) sozialdemokratisches Mitglied im württembergischen Schriftsteller- und Journalistenverband registriert. Die Verbandspolitik des „Bundes deutscher Redakteure", später des „Reichsverbandes der deutschen Presse" richtete sich deutlich gegen Vertreter der sozialdemokratischen Parteipresse. Vgl. *Mitteilungen des Bundes Deutscher Redakteure*, Nr. 4, Nr. 5–6, Nr. 10, 1910.
199 Calwer, Richard, Disziplin und Meinungsfreiheit, in: *Sozialistische Monatshefte*, Januar 1906, S. 36 ff.
200 Ebenda, S. 37.
201 Vgl. dazu *MdVA*, Nr. 122, 1914; Nr. 132, 1915; Nr. 136, 1915; Nr. 148, 1916.
202 Bebel, August, Aus meinem Leben, Bd. 2, S. 164.

nen und direkten Wahlrechts," denn „die Vertretung des Arbeiterstandes in den gesetzgebenden Körpern Deutschlands – dies ist es allein, was in politischer Hinsicht seine legitimen Interessen befriedigen kann."[203]

Dem Staatsenthusiasmus Lassalles stand der deutliche Antiparlamentarismus des jungen Wilhelm Liebknecht gegenüber. 1870 teilt Liebknecht in einem Brief an Engels seine Ansicht über den Wert des Parlaments mit: „Wir halten es unter unserer Würde, und gegen unsren Vortheil in einer so gemeinen, plumpen Komödie mitzuspielen. Du überschätzt den Norddeutschen Parlamentarismus. Protestiren, ich meine die Komödie denunziren, kann ich aber außerhalb des Reichstags besser als drin, wo die Geschäftsordnung jede freie Bewegung hindert."[204]

Liebknecht ging in seiner Ablehnung des Parlaments nicht so weit wie Johann Jacoby, der 1874 für die Eisenacher ein Reichstagsmandat gewonnen hatte, es aber ablehnte, als Abgeordneter ins Parlament zu ziehen: „Soll Deutschland in Zukunft vor einer preußischen Militär- und Junkerherrschaft bewahrt bleiben, so müssen ganz andere Hebel in Bewegung gesetzt werden als ohnmächtige Proteste und Resolutionen. Das von Bismarck berufene Parlament ist ein leeres Gaukelspiel, an dem ich mich nicht beteiligen mag."[205]

Die Eisenacher betonten zwar auf ihrem Vereinstag 1874, daß der Reichstag nicht als Hauptfeld der Agitation zu betrachten sei,[206] legten aber in einer Resolution fest: Die Partei „betheiligt sich an den Reichstagswahlen und durch ihre Vertreter an den Reichstagsverhandlungen wesentlich nur zu agitatorischen Zwecken"[207].

Erst 1884 erreichte die sozialdemokratische Abteilung im Reichstag Fraktionsstärke[208] und hatte von da an die Möglichkeit, auch Anträge zu stellen. Zu dieser Zeit war aber die Sozialdemokratie in ihrer Ideologie noch weit entfernt von einer Hinwendung zur konstruktiven Mitarbeit im Parlament. Obwohl das Parlament als Einrichtung einer Staatsform, die von der Partei abgelehnt wurde, eigentlich keinen Stellenwert außer dem eines Propagandaforums haben konnte, genoß der Reichstagsabgeordnete innerhalb der Partei ein höheres Ansehen als der Inhaber eines Führungsamtes in der Parteiorganisation. Schon die Aufstellung als Kandidat für die Reichstagswahlen kam einer besonderen Auszeichnung gleich. Karriere machte weniger, wer innerhalb der Partei aufstieg, als der, der sich um einen Sitz im Reichstag bewarb und ihn auch gewann.

---

203 Lassalle, Ferdinand, Offenes Antwortschreiben vom 1. 3. 1863, in: Gesammelte Reden und Schriften, Bd. 3, S. 90.
204 Liebknechts Briefwechsel mit Marx und Engels, S. 98 ff.
205 Johann Jacoby. Briefwechsel 1850–1877, S. 418 ff.
206 Protokoll Vereinstag der SDAP 1874 in Coburg, S. 34.
207 Ebenda, S. 35. Vgl. auch Protokoll Vereinstag der SDAP 1870 in Stuttgart, S. 13. Bebels Parlaments-Credo: „Ebenso einfach wie bei den Wahlen, wird die Stellung unserer Abgeordneten im Reichstage sein. Sie haben die Tribüne jener Körperschaft zu benutzen als Tribüne, von der aus sie zum Volke sprechen. Man ist gewohnt einem dort gesprochenen Wort mehr Bedeutung beizulegen, als irgend einem andern; mögen sie darum fort und fort im Reichstag unsere Grundsätze predigen..."
208 Nach den Geschäftsverordnungen des Reichstages benötigte ein Antrag 15 Unterschriften; aus dieser Praxis leitete sich der Fraktionsbegriff ab.

Mit diesem Elitebewußtsein ausgestattet, sahen sich die Mitglieder der SPD-Fraktion als ein besonderes Führungsgremium innerhalb der Partei.

Der angenommene Status wurde zum realen während der Zeit des Sozialistengesetzes. Da existierte die Reichstagsfraktion als einzige Körperschaft der Partei legal in Deutschland; so fiel ihr – von den Parteitagen im Ausland ausdrücklich bestätigt[209] – die Führung und Leitung der Partei zu.

Vor allem der rechte Flügel der Fraktion wuchs zu dieser Zeit mehr und mehr in das Parlament und in den parlamentarischen Betrieb hinein; anläßlich der Dampfersubventionsdebatte[210] zeigten sich schon Kooperationsansätze, die vom Züricher Exilorgan und der radikalisierten Parteibasis auf das heftigste kritisiert wurden.[211]

Die reformistischen Gehversuche der Parlamentarier – in Einzelfragen war eine Reihe der Abgeordneten durchaus bereit, sich mit dem abgelehnten Staat zu arrangieren – setzen sich nach Fall des Sozialistengesetzes verstärkt fort, werden aber drastisch von Parteiführer Bebel abgewehrt.[212] Aber das Parlament prägte seine Mitglieder; es war auch schwierig, im Umgang mit dem täglichen parlamentarischen Kleinkram konsequent an der vorgegebenen revolutionären Marschlinie festzuhalten.

Mit der wachsenden Fraktionsstärke – 1912 hat die Sozialdemokratie 110 Abgeordnete im Reichstag – wächst auch die Mitarbeit im Parlament. Sozialdemokraten arbeiten in Ausschüssen mit, streben nach Parlamentsämtern[213] – das Parlament „erschuf" den Typus des Realpolitikers auch in der sozialdemokratischen Partei.[214]

Die immer stärker werdende Phalanx der Pragmatiker in der Fraktion trägt 1914 die überholte „Staatsfeindlichkeit" der Partei zu Grabe: indem das alte Prinzip, niemals dem Staatsetat zuzustimmen, bei der Kriegskreditbewilligung gebrochen wird. Die Mehrheit der Fraktion signalisierte so ihren Mitarbeits-Willen an der Staatspolitik. Der „Feldherr" Bebel, der früher die Staats-„Liebediener" immer wieder auf den revolutionären Parteikurs zurück gepfiffen hatte, war 1913 gestorben. Er hatte zwar auch immer den Willen der Partei zur parlamentarischen Mitarbeit bestärkt, aber mit einer anderen Zielsetzung. Für Bebel waren Abgeordnetenwah-

---

209 Vgl. Protokolle der Parteikongresse 1880 in Wyden, 1883 in Kopenhagen und 1887 in St. Gallen.

210 In der Debatte ging es um die Bewertung von Regierungsvorlagen zur Subvention von Postschiffahrtslinien nach Übersee, d. h. um das Problem der von der Sozialdemokratie abgelehnten Kolonialpolitik. Die Mehrheit der Abgeordneten war bei den ersten Lesungen durchaus bereit, der Vorlage zuzustimmen.

211 Vgl. dazu Steinberg, Hans-Josef, Sozialismus, S. 30 ff.

212 Vgl. dazu Protokoll Parteitag 1891 in Erfurt: Bebels Angriffe gegen Vollmar. Protokoll Parteitag 1903 in Dresden: Bebel rechnet mit allen Gemäßigten in der Partei ab. Bei Fehlverhalten von Parteimitgliedern droht er mit Parteiausschluß.
Bebel Briefwechsel, S. 466 ff.: „Es bestätigt sich wieder einmal die Erfahrung: als außerhalb der Partei stehend erklärt werden (...) heißt bei der Masse unserer Leute politischer Tod."

213 Es ging vor allem um den Anspruch der Reformisten, den Posten des Vizepräsidenten im Reichstag zu besetzen. Vgl. dazu: Bernstein, Eduard, Was folgt aus dem Ergebnis der Reichstagswahlen, in: *Sozialistische Monatshefte*, 1903, S. 478 ff.

214 Zum Beispiel Ebert und Noske.

len und Mitarbeit im bürgerlichen Parlament unter bestimmten Prämissen Mittel auf dem Wege zur Revolution. Seine Strategie zielte nicht auf ein Hineinwachsen in das bestehende System, sondern auf die Aushöhlung von dessen Grundlagen. Die neuen Realpolitiker mit ihrem Pragmatismus verschoben diese Taktik: mittels den vorhandenen parlamentarischen Wirkungsmöglichkeiten sollte auf eine friedliche Umwandlung der kapitalistischen Gesellschaft hingearbeitet werden.

Findet man in der Fraktion alle Spielarten von antiparlamentarischen zu proparlamentarischen Konzeptionen, so war man sich einig in der Abhängigkeit von der Parteikasse. Schon auf dem Gothaer Parteitag 1876 wurde die Zahlung von Tagegeldern an die Abgeordneten beschlossen,[215] da aus Reichsmitteln keine Diäten an die Parlamentarier gezahlt wurden. Erst 1906 entschloß man sich zur Aufhebung des Artikels 32 der Reichsverfassung, der die Diätenlosigkeit seit 1871 bestimmt hatte.

Die Tagegelder, die aus der Parteikasse an die Abgeordneten gezahlt wurden, waren eine Art Spesen und stellten keine wirtschaftliche Absicherung für den Mandatsinhaber dar.[216] Da neben der Parlamentstätigkeit die Ausübung des erlernten Berufes kaum möglich war, schien sich die Mitarbeit an der Parteipresse als die gängigste Lösung des Existenzproblems anzubieten. Und die Artikel der Reichstagsmitglieder wurden von den Parteizeitungen gern abgenommen.[217] Das Prestige des bekannten Namens und der besonderen Stellung machte die Abgeordneten zu begehrten Mitarbeitern. Auf mehreren Parteitagen wurde es auch als Pflicht der Parlamentarier deklariert, für die Parteipresse zu schreiben.[218]

Nicht nur den Artikel 32 der Reichsverfassung umliefen die Sozialdemokraten. Auch der Paragraph 29 – „Die Mitglieder des Reichstages sind Vertreter des gesamten Volkes und an Aufträge und Instruktionen nicht gebunden" – konnte wegen der Parteiideologie für die sozialdemokratischen Abgeordneten keine Gültigkeit besitzen. Gerade in den parlamentarischen Anfangsjahren reklamierte die Parteibasis immer wieder das verloren geglaubte Recht, der Fraktion Weisungen zu erteilen.[219] Auch die in der Parteigeschichte auftretenden innerparteilichen Auseinandersetzungen zwischen Parlamentariern und Parteibasis sind auf die Wurzel des von der Parteibasis intendierten imperativen Mandats zurückzuführen. In Konfliktfällen berief sich die Organisation auf ihr Recht, gegenüber der Politik der Fraktion kritische Anmerkungen zu machen und Alternativen zu entwickeln; man erwartete von den Abgeordneten, daß

---

215 Vgl. Protokoll Parteitag 1876 in Gotha, S. 102 ff.
216 Ebenda, S. 103. Bebel: „Es sei hier dagegen opponirt worden, daß man außerhalb Berlins wohnenden Beamten täglich 6 Mark Diäten gebe. Er sei der Ansicht, daß die Beamten dabei Geld zusetzen müßten."
217 Brief von Tony Breitscheid an Wilhelm Dittmann (siehe Arbeits-Biographie S. 165) o. D. im Nachlaß Dittmann im AdSD, Bonn: „Darf ich dann den Artikel mit den Worten einleiten: Von einem Reichstagsabgeordneten wird uns geschrieben...?"
218 Vgl. Protokoll Parteitag 1902 in München, S. 133.
219 Vgl. dazu Erklärung der Frankfurter Genossen gegen die Reichstagsfraktion vom Mai 1885 im Nachlaß Kampffmeyer im AdSD, Bonn: „...daß die Abgeordneten nicht ihre eigenen Wünsche, sondern die Beschlüsse der Partei zu vertreten haben" und „die sogenannten Führer weiter nichts sein sollen als nur uns verantwortliche Abgeordnete."

sie die Parteimeinung vertraten und sich nicht auf die Entscheidungsfreiheit beriefen.

Der Fraktionszwang, der erst durch den Konflikt im Kriege unterlaufen wurde, ergab sich aus den Maßstäben der Solidarität, die die Partei – Basis wie Vorstand – an die Abgeordneten anlegte. So hatten die Parteitage oft Korrektivfunktion, was die Haltung der Parlamentarier anging. Wie die Vertreter der Parteipresse, so sahen sich auch die Abgeordneten auf den Parteitagen einer permanenten Kritik ausgesetzt; die Auseinandersetzungen zu dem Problem „parlamentarische Taktik" waren Kernstück der Parteitagsdiskussionen.

Das sozialdemokratische Reichstagsmitglied hatte zwar per Reichsverfassung das Recht (und die Pflicht!) des freien Mandats, sah sich aber dem Parteianspruch gegenüber, diese Verpflichtung mit den Intentionen der Parteimitglieder auf Mitentscheidung zu kombinieren.

In der Schwierigkeit der Kombination der zuwiderlaufenden Ansprüche lag das Dilemma der Inhaber des „höchsten Ehrenamts"[220], das die Partei zu vergeben hatte: Sie konnten sich nicht auf Wählerwillen oder ihr Gewissen berufen, sondern waren an die Direktiven der Partei gebunden.

Die proklamierte Bindung der Parlamentarier an die Zustimmung von Parteitagen, Vorständen und Führungsgremien wurde durch eine Reihe von Reichstagsabgeordneten, die sich in der Fraktion kontrovers zu den Anschauungen der Gesamtpartei entschieden, in der Geschichte der Partei immer wieder aufgelöst.[221] Am folgenschwersten wirkte sich die Lösung der Fraktion von der Meinung eines großen Teiles der Mitglieder im Kriege aus: Gegen den Willen einer wachsenden Opposition in der Partei setzte die Fraktionsmehrheit die „Burgfrieden"-Politik fort, löste sich mit dieser Politik von der Basis ab – und sprengte schließlich die Partei.[222]

III. Der verantwortliche Redakteur als Mandatsinhaber in der Verfassungsgeschichte

Der Artikel 30 der Reichsverfassung von 1871 sicherte den Mandatsträgern eine ehrenvolle Ausnahmestellung zu: „Kein Mitglied des Reichstages darf zu irgendeiner Zeit wegen seiner Abstimmung oder wegen der in Ausübung seines Berufes getanen Äußerungen gerichtlich oder disziplinarisch verfolgt oder sonst außerhalb der Versammlung zur Verantwortung gezogen werden."

---

220 Protokoll Parteitag 1905 in Jena, S. 171.
221 Siehe dazu den Konflikt während der Dampfersubventions-Debatte; auf Länderebene waren es die Budgetbewilligungen in Baden und Bayern.
222 Protokoll einer Berliner Parteiversammlung 1915 im Nachlaß Giebel im AdSD, Bonn. Redner: „Die Massen müssen aufstehen und sagen, wie beseitigen wir die Fraktionsmehrheit? Wie können wir sie sofort von ihrem Posten entfernen?" Da die Mehrheit unkündbar und nicht mehr beeinflußbar im Parlament saß, bildete die Basis Gegenorganisationen, die sich 1917 in der USPD zusammenschlossen.

Das Reichspressegesetz von 1874 schuf als besonderes Rechtsgebilde das des verantwortlichen Redakteurs, um die Strafrechtspflege in der Presse zu erleichtern. Jedes Druckerzeugnis mußte seinen verantwortlichen Redakteur benennen, der – wurden strafbare Artikel veröffentlicht – als „Täter" zur Verantwortung gezogen wurde, auch wenn er den betreffenden Artikel nicht verfaßt hatte.

Der naheliegende Schluß, unter Immunitätsschutz stehende Abgeordnete als verantwortliche Redakteure einzusetzen, wurde offensichtlich erst nach dem 1. Weltkrieg gezogen. So war der kommunistische Abgeordnete Schneller im Jahre 1928 der verantwortliche Redakteur für 27 Zeitungen; der völkische Abgeordnete Strasser trat bei elf Zeitungen als verantwortlicher Redakteur im Impressum auf.[223]

Die sozialdemokratische Presse antwortete auf die Einrichtung des verantwortlichen Redakteurs mit der Schaffung des „Sitzredakteur"-Postens – eine Figur, die bald in der gesamten deutschen Presse üblich wurde.[224] Der Redakteur war eigentlich nur dazu abgestellt, die Strafen, die wegen bestimmter Veröffentlichungen ausgesprochen wurden, im Gefängnis „abzusitzen".

Daß sich die Sozialdemokraten selten eines „immunen" Abgeordneten als verantwortlichen Redakteur bedienten, lag an der nur teilweisen Immunität, die die Parlamentarier genossen. Der Reichstag tagte bis 1918 in Sessionen, d. h. Mitte des Jahres schloß normalerweise die Session, und damit wurde auch die „Schonzeit" für straffällig gewordene „Immune" hinfällig. War ein Abgeordneter, der gleichzeitig als verantwortlicher Redakteur zeichnete, während einer Session hinlänglich geschützt,[225] so war er es nach Tagungsende des Reichstags nicht mehr. Stand eine Strafverfolgung an, so traf sie den Parlamentarier in der sessionsfreien Zeit.

Die Sozialdemokraten waren in puncto Strafverfolgung und Festungshaft „gebrannte" Kinder;[226] sie setzten alles daran, ihre Führer – und damit auch die Fraktionsangehörigen – von einer Strafverfolgung auszuschließen; die „Matadoren" wurden ja im Kampf gebraucht. Das bedeutete, daß die Parteiführer nie – bis auf wenige Ausnahmen[227] – als verantwortliche Redakteure zeichneten, weil diese als Vertreter der von der Obrigkeit immer argwöhnisch überwachten Parteipresse laufend mit einem Fuß im Gefängnis standen.

Der sozialdemokratische „Sitz"-Redakteur hatte innerhalb der Redaktion so gut wie keine Kompetenzen; wirklich verantwortlich für Inhalt

223 Vgl. Thiele, Hans Achim, Verantwortlicher Redakteur, S. 23.
224 Vgl. Groth, Otto, Die unerkannte Kulturmacht, Bd. 4, S. 44.
225 Die Immunität eines Reichstagsabgeordneten konnte auch während einer Session aufgehoben werden, wenn die Strafverfolgungsbehörde einen dementsprechenden Antrag stellte. Vgl. dazu Thiele, Hans Achim, Verantwortlicher Redakteur, S. 24.
226 Der Präsident des ADAV, Schweitzer, saß diverse Male im Gefängnis; 1872 wurden Bebel und Liebknecht zu zwei Jahren Festungshaft verurteilt. Vgl. Volksstaat, 28. 3. 1872.
227 Siehe Biographien S. 150 ff.

und Haltung des jeweiligen Parteiblattes war der Chefredakteur, der aber für die staatlichen Gerichtsbarkeiten unsichtbar blieb.[228]

Erst als nach 1918 die Immunität eines Reichstagsabgeordneten nicht mehr auf ein halbes Jahr befristet war, sondern der Mandatsträger Strafverfolgungsschutz in seiner gesamten Amtszeit genoß, trat der Abgeordnete des öfteren als verantwortlicher Redakteur für Presseerzeugnisse in Erscheinung.[229]

Dieser Umstand wuchs sich bald zum Übelstand aus,[230] so daß bereits schon 1922 ein Gesetzesänderungsantrag dem Reichstag vorgelegt wurde, der darauf zielte, den Abgeordneten eine Funktion als verantwortlicher Redakteur zu untersagen.[231] Aber erst 1931 wurde das Gesetz zur Änderung des Reichsgesetzes über die Presse erlassen, das den unter dem Schutz der Immunität stehenden Parlamentariern verbot, als verantwortliche Redakteure zu zeichnen.[232]

228 Liebknecht als Chefredakteur des *Volksstaats* und später des *Vorwärts* zeichnete nie als verantwortlicher Redakteur die Zentralorgane.
229 Auch die Diskussionen zu dieser Ämterkopplung setzen erst nach 1918 ein. Vgl. *MdVA* Nr. 256, August 1926, S. 3–4; *MdVA* Nr. 260, Dezember 1926, S. 1–3; *MdVA* Nr. 273, Januar 1928 S. 8; *MdVA* Nr. 285, Januar 1929, S. 1–3.
230 Vgl. Seite 51.
231 Vgl. Thiele Hans Achim, Verantwortlicher Redakteur, S. 24 ff.
232 Ebenda, S. 76 ff. und Groth, Ott, Die unerkannte Kulturmacht Bd. 4, S. 44 ff.

Zweites Kapitel
Das journalistische Arbeitsfeld

I. Die journalistische Laufbahn

1. Zugangswege zum Redakteursberuf

Von den hier untersuchten Reichstagsabgeordneten gingen in dem Zeitraum 1867 bis 1918[1] nachweisbar[2] 122 der insgesamt 215 Parlamentarier einer festen redaktionellen Tätigkeit nach. 13 der Mandatsträger arbeiteten ausschließlich als freie Mitarbeiter der Parteipresse; die journalistische Arbeit war aber auch bei der Mehrzahl der nichtangestellten Journalisten Haupterwerbsquelle[3]. 114 der insgesamt 215 Abgeordneten übten ihre journalistische Tätigkeit als Mitglieder der Fraktion im Reichstag aus.

Von den 122 redaktionell beschäftigten Abgeordneten waren 27 Akademiker, darunter fünf Juristen. Vier der Parlamentarier waren als Studienabbrecher zur Pressearbeit gekommen. Vier waren vor ihrer redaktionellen Tätigkeit Lehrer gewesen, sieben hatten eine kaufmännische Lehre absolviert.

66 der Abgeordneten hatten vor ihrer journalistischen Laufbahn ein Handwerk erlernt und waren als Handwerker tätig gewesen; 19 allein kamen aus dem metallverarbeitenden Gewerbe, neun waren als Buchdrucker und Schriftsetzer tätig gewesen.

Neun der Parlamentarier waren vor ihrer Anstellung als Redakteur Arbeiter, sieben davon in der Zigarrenfabrikation tätig.

Bei zwei der hier untersuchten Abgeordneten ließ sich der ursprüngliche Beruf nicht mehr feststellen.[4]

2. Erste Kontakte mit dem Journalismus

„Bekam ich eine Zeitung in die Hand, so las ich, was mir verständlich war, die lokalen Mitteilungen, Nachrichten über Unglücksfälle und klei-

---

1 Rittinghausen beispielsweise war vor dem untersuchten Zeitraum redaktionell tätig gewesen. Siehe Biographie S. 209.
2 Es ist anzunehmen, daß mehr Abgeordnete, als in dieser Arbeit aufgelistet, für die Parteipresse tätig waren.
3 Nur Singer und Vollmar (durch seine Heirat) verfügten über ein Vermögen. Abgeordnete, wie Bebel zum Beispiel, die wegen ihrer politischen Tätigkeit ihre handwerkliche Erwerbsarbeit aufgegeben hatten, konnten nur mit der Tagesschriftstellerei eine Einnahmequelle finden.
4 Bueb ist im Handbuch der Reichstage als Journalist ausgewiesen (Hirsch, Max, MdR, S. 283) und Ewald als Privatier (Hirsch, Max, MdR, S. 307).

nere Geschichten unterhaltender Art. Von politischen Artikeln wandte ich mich, wenn ich sie zu lesen begann, bald wieder ab. Ich verstand sie schon wegen ihrer mit Fremdwörter gespickten, eigenen Sprache nicht."[5]

Dieses selektive Leseverhalten, das Keil[6] bezüglich Erzeugnissen der Parteipresse schildert, ist charakteristisch für die jungen Arbeiter und Handwerker in den siebziger und achtziger Jahren des letzten Jahrhunderts. Sie verfügten noch nicht über das informatorische Rüstzeug, die politischen Aussagen der Parteiblätter – die vor allem in den Gründerjahren der Arbeiterpresse sehr wissenschaftlich-theoretisch waren – zu verstehen.[7]

War der Zeitungsinhalt auch schwer verständlich, so reizte doch der Ton, eine kämpferische, aggressive Sprache die Proletarier, diese Blätter immer wieder zur Hand zu nehmen. „Den Inhalt anderer Artikel verstand ich nicht sogleich. Aber mit dem Herzen war ich schon bei den Männern, die so mutig und unerschrocken Mißstände aufdeckten und so überzeugend und sachlich für die Rechte der Arbeiter eintraten, und mit Begeisterung verschlang ich alles, was über ihre Tätigkeit in den Zeitungen berichtet wurde."[8]

Durch die Lektüre von Parteizeitungen finden viele den Anstoß zum Parteibeitritt[9] – und auch den Mut, selbst Artikel zu verfassen und den jeweiligen Arbeiterzeitungen zuzuschicken. Der Vorstoß in das Schriftstellergewerbe wird von den jungen Handwerkern und Arbeitern als Bravourakt empfunden, begleitet von Selbstzweifeln wegen der vermeintlich fehlenden Qualifikation.[10]

Der erste eigene Bericht in einer Zeitung! In sämtlichen Memoiren wird dieses Ereignis als ein besonderes, einschneidendes geschildert; daß es geschildert wird und mit welchem Stolz die Gefühle nach-beschrieben werden, die der jeweilige Verfasser bei Erscheinen des Artikels hatte, dokumentiert die subjektive Wertbeimessung: Ein Anfang ist gemacht, dem Aufstieg steht nichts mehr im Wege.

---

5 Keil, Wilhelm, Erlebnisse, Bd. 1, S. 35.
6 Siehe Biographie Keil, S. 191.
7 Pressedebatten auf den Parteitagen, z. B. in Coburg 1874, wo sich der Chefredakteur des *Volksstaat*, Liebknecht, gegen den Vorwurf verteidigen mußte, die Zeitung sei zu wissenschaftlich gehalten, der Inhalt wegen der vielen Fremdwörter unverständlich. Protokoll Vereinstag Coburg 1874, S. 72 ff.
Vgl. auch Protokoll Parteitag Köln 1893, S. 123 ff.
8 Severing, Carl, Mein Lebensweg, Bd. 1, S. 21 ff.
9 Ger, A. (d. i. Karl Alwin Gerisch), Erzgebirgisches Volk, S. 147 ff.: Beim Lesen des *Volksstaats*, 1872 – „Von Spalte zu Spalte steigerte sich meine Erregung; noch nie in meinem Leben hatte mich etwas so im tiefsten Innern gepackt, wie die Lektüre dieses Zeitungsblattes. (...) Mir war zumute, als ob viele Kammern meines Gehirnes mit einem Male aufsprangen, mein geistiger Horizont unendlich weiter wurde. (...) Als ich alles zu Ende gelesen, überkam mich (...) eine feierliche, wahrhaft religiöse Stimmung."
10 Keil, Wilhelm, Erlebnisse, Bd. 1, S. 77. Beim Verfassen seines ersten Artikels: „Ich setzte mich also hin und begann meine Stilübungen. Es fiel mir schwer genug. Das erste, das zweite, und wohl auch das dritte Konzept wurde zerknüllt und weggeworfen. Vielleicht war es das vierte, das mich halbwegs befriedigte. Es hatte aber eine Reihe Abende gekostet, bis es so weit war."
Ebenda, S. 152 „Wie dürftig war mein geistiges Rüstzeug. Nicht einmal in der Rechtschreibung fühlte ich mich kapitelfest."

54

„Leicht fiel mir die Arbeit nicht, aber sie mußte doch wohl halbwegs gelungen sein. Denn, nachdem ich mein Manuskript abgeliefert hatte, fand ich zwei Tage später den mit meinem Zeichen W. K. versehenen Artikel an der Spitze der *Volksstimme*. (Parteizeitung in Mannheim. d. Verf.) Er hatte fast keinerlei Korrektur erfahren. Das hatte ich wirklich nicht erwartet. Ich stand im 21. Lebensjahr und war als Handwerkgeselle zum Leitartikler avanciert. Unbegrenzte Zukunftsaussichten für mich..."[11]

So sieht Wilhelm Keil das Initialereignis seiner politischen Karriere; Bruhns[12], der ein selbst verfaßtes Rätsel an ein Hamburger Parteiblatt geschickt hatte, erwähnt in seiner politischen Biographie die Tatsache, daß es auch wirklich gedruckt wurde, als *die* Besonderheit am Anfang seiner politischen Laufbahn.[13]

Selbst als Autor mit einem Artikel in die Redaktionsräume einer Parteizeitung vorzudringen, war für die Arbeiter und Handwerker im untersuchten Zeitraum ein unüblicher Weg. Den Keilschen Mut bewiesen nur die Akademiker in der Partei. Für den Proletarier sah der Weg zum Redakteursberuf wohl so aus: Eintritt in die Partei, eine erste Rede vor einer Versammlung, die Anklang findet. Darauf das Angebot des örtlichen Parteizeitungsredakteurs, für das lokale Parteiorgan ein paar Versammlungsberichte zu schreiben – ohne Honorar –, denn nach geltender Parteimeinung mußte der, der da reden konnte, wohl auch schreiben können.

Ging der örtliche Arbeiterverein – später die Parteiorganisation – daran, das obligatorische Parteiblatt zu gründen,[14] werden die Mitglieder – und wieder allen voran die rhetorisch Begabtesten – zur redaktionellen Mitarbeit herangezogen. „Als in Kassel der Versuch gemacht wurde, trotz Sozialistengesetz und trotz unserer erbarmungswürdigen Armut ein sozialdemokratisches Blatt herauszugeben, war ich natürlich vom ersten Tage an dabei."[15] Was für Scheidemann[16] natürliche Pflicht ist, beschreibt auch Bock lakonisch: „Die Arbeit des Redakteurs, des Setzers und der Drucker wurde in den Feierstunden ohne jede Entschädigung

11 Keil, Wilhelm, Erlebnisse, Bd. 1, S. 95.
12 Siehe Biographie Bruhns S. 159.
13 Bruhns, Julius, Es klingt im Sturm, S. 22: „... und siehe da es wurde angenommen und stand nach ein paar Wochen – ich konnte die Zeit garnicht abwarten – im Blatt! Da sah ich mich zum erstenmal gedruckt! Das Wonnegefühl, das mich erfaßte, kann nur der sich vorstellen, der selbst einmal in solcher Lage gewesen ist."
    Vgl. auch Ger, A., Erinnerungen, S. 158: „Das war ein Gefühl, sich zum erstenmal gedruckt zu sehen."
14 In den siebziger Jahren setzten die Ortsvereine der Partei alles daran, ihr eigenes Parteiblatt zu bekommen. Eine eigene Zeitung war zum einen Ausdruck für die Rührigkeit der jeweiligen lokalen Vereinigung, zum anderen wurde sie als Mittel zur Mitgliederwerbung angesehen. Auf den Vereinstagen der SDAP wird allerdings immer wieder davor gewarnt, Zeitungen ohne die nötigen Mittel, Kenntnisse und Personal ins Leben zu rufen. Vgl. Vereinstag Coburg 1874, S. 84 ff. Trotzdem kommt es zu vielen Zeitungsgründungen; eine Reihe dieser Zeitungen existierte aber nur kurz.
15 Scheidemann, Philipp, Memoiren eines Sozialdemokraten, Bd. 1, S. 50.
16 Siehe Biographie Scheidemann S. 212.

aus Begeisterung für den Sozialismus geleistet. (...) Wer von den Genossen anwesend war, mußte die Arbeit leisten."[17]

Als die Arbeiterpresse die personelle Wildwuchs-Phase überwunden hat und auch der redaktionelle Bereich organisiert wird, werden Arbeiter und Handwerker als Redakteure fest eingestellt. Wird dem aus der unteren Schicht kommenden Memoirenschreiber die erste feste Anstellung als Redakteur angeboten, reagiert der Betroffene mit der Befürchtung, wegen seines Bildungsdefizits der neuen Aufgabe nicht gewachsen zu sein. „Wiederum machte ich alle Bedenken geltend, die gegen meine Anstellung als Redakteur sprachen; ich sagte, ich verstehe aber auch gar nichts von der Geschichte, bin ein viel zu langsamer und ungewandter Schreiber und würde der Sache gewiß mehr schaden als nützen. Kurzum, ich wollte nicht. Da kam ich aber schön an. Alle fielen über mich her und erklärten (...) ich sei noch so jung und könnte das, was da verstanden werden müßte, ganz gewiß bald lernen; und es wäre doch eine Schande für Offenbach, wenn wir keinen Menschen unter uns hätten, der die Redaktion übernehmen könnte. (...) Ich ging nach Haus, um zur Ruhe zu kommen, doch zum Schlafen kam ich nicht recht. Ich machte mir allerhand Gedanken und war lange nicht entschlossen, dem Rufe zu folgen. Endlich schlief ich ein mit der Absicht, zu sehen ob ich's fertigbrächte."[18]

Ebenso unsicher reagiert Keil – obwohl er schon längere Zeit als freier Artikelschreiber tätig war –, als ihm von der örtlichen Parteiorganisation eine feste Anstellung als Redakteur an der *Schwäbischen Tagwacht,* Stuttgart angeboten wird.[19]

Geht man nun davon aus, daß in Lebensbeschreibungen und Memoiren Erinnerungen einen Säuberungsfilter durchlaufen – das Positive und Große bleibt, das Negative und Ungute wird aussortiert[20] –, fällt bei den hier vorliegenden Proletariermemoiren die besondere Gewichtung und die ausführliche Beschreibung des Ereignisses „Wie ich Redakteur wurde" auf. Die Arbeiter und Handwerker der untersuchten Personengruppe werten ihre sporadische Mitarbeit an Parteizeitungen als Indiz für ihren fortschreitenden Politisierungs- und Bildungsprozeß. Das Erreichen einer Festanstellung als Redakteur innerhalb der Parteipresse wird als besondere Auszeichnung empfunden; dieser Aufstieg wird in den Lebensbeschreibungen ebenso emphatisch geschildert wie später auch die Wahl zum Reichstagsabgeordneten.[21] Wird auch immer das Gefühl, nicht qualifiziert genug zu sein, beschrieben, und ein inaktivistisches

17 Bock, Wilhelm, Im Dienste der Freiheit, S. 23.
18 Ulrich, Carl, Erinnerungen des ersten hessischen Staatspräsidenten, S. 34.
19 Keil, Wilhelm, Erlebnisse, Bd. 1, S. 152: „Der Redakteur mußte nach meinen Vorstellungen über ein umfassendes Wissen verfügen. (...) Wenn ich versagte, stand ich wieder vor einem Nichts. Aber ich schrieb doch schon seit mehr als einem Jahr regelmäßig für die *Schwäbische Tagwacht.* Wie hätte man mir die Stelle anbieten können, wenn man mich nicht für geeignet gehalten hätte?"
20 Vgl. Neumann, Bernd, Identität und Rollenzwang. S. 12 ff.
21 Ulrich, Carl, Wie ich Redakteur wurde, in *Offenbacher Abendblatt* vom 11. 8. 1900: „Von der Drehbank weg, gewissermaßen über Nacht, war aus dem kaum 22 Jahre alten Eisendreher ein ‚Redakteur' geworden. Das war eine Umwandlung, die mir selbst höchst sonderbar vorkam."

Moment bei diesem Berufswechsel – man ließ sich ja förmlich „breitschlagen"‚[22] eine Redakteurstelle zu übernehmen –, so fühlen sich die Arbeiterredakteure letztendlich doch als Ausgezeichnete: Die Partei hat ihnen ein Ehrenamt angetragen, nun gilt es – parteipflichtgemäß –, sich auf diesem Posten auch zu bewähren.

Im Gegensatz zu ihren proletarischen Kollegen nahmen die sozialdemokratischen Akademiker den Kontakt zur Presse selbst auf. Mit einem anderen Selbstbewußtsein ausgestattet, gelang es ihnen schnell, innerhalb einer Redaktion Fuß zu fassen und zu einer leitenden Position aufzusteigen.[23] Ein nachgewiesener Universitätsbesuch war als Qualifikation für den Redakteursberuf gleichbedeutend einer besonderen rhetorischen Leistung. Und da die Partei – bei dem berufenen Mangel an guten Journalisten[24] – immer auf der Suche nach talentierten Schreibern war, rannten die Akademiker offene Redaktionstüren ein.

Das „Eindringen" Schoenlanks in die *Süddeutsche Post* in München Anfang der achtziger Jahre spielte sich nach der Beschreibung eines Redaktionskollegen folgendermaßen ab: Schoenlank erschien eines Vormittags außerhalb der festgesetzten Sprechstunde im Redaktionsbüro, stellte sich als Dr. Bruno Schoenlank vor und erklärte, daß er sich zu den Prinzipien der sozialdemokratischen Partei bekenne und den Wunsch habe, sich in ihr nützlich zu machen.[25] Der Verleger und Redakteur Viereck[26] gab ihm daraufhin eine Anzahl von Korrekturfahnen zum Lesen und Schoenlank unterzog sich dieser Aufgabe, ohne eine Miene zu verziehen. Nach der Erledigung dieser Arbeit verlangte er eine weitere. Am nächsten Vormittag fand er sich pünktlich um acht Uhr an dem für ihn eingeräumten Schreibtisch ein „und dort blieb er sitzen"[27].

Vollmar[28] geht bei der Suche nach einer Anstellung ähnlich direkt vor; er „besetzt" zwar nicht einen leerstehenden Schreibtisch, sondern wünscht brieflich eine Stelle – gleich in der Redaktion des Zentralorgans der Partei, dem *Vorwärts*.[29]

Auffallend ist in den Lebensbeschreibungen und Memoiren der Akademiker unter den untersuchten sozialdemokratischen Reichstagsabgeordneten die Betonung einer schon im Jugendalter festgestellten Neigung

---

22 Scheidemann, Philipp, Memoiren, Bd. 1, S. 59.
23 Vgl. u. a. Biographie Blos, S. 155; Quarck, S. 206; Schoenlank S. 215; Heinrich Braun, S. 158.
24 Vgl. die Klagen über mangelnden journalistischen Nachwuchs auf den Parteitagen 1892 in Berlin (Protokoll S. 120), 1893 in Köln (Protokoll S. 126), 1896 in Gotha (Protokoll S. 67) und 1907 in Essen (Protokoll S. 223).
25 Max Kegel schildert diese Begebenheit in einem Gedenkartikel zum 10. Todestag Bruno Schoenlanks in der *Bremer Bürgerzeitung,* 30. und 31. 10. 1911.
26 Siehe Biographie Viereck, S. 227.
27 Max Kegel in Gedenkartikel, a.a.O.
28 siehe Arbeits-Biographie Vollmar S. 228.
29 Wilhelm Liebknecht. Briefwechsel mit deutschen Sozialdemokraten, S. 706 ff. Es muß eine diesbezügliche Anfrage Vollmars vorgelegen haben, denn Wilhelm Liebknecht schreibt am 11. 9. 1876 an Vollmar: „Hochgeehrter Parteigenosse! Im Augenblick ist, so viel mir bekannt, keine Stelle offen. Sie dürfen überzeugt sein, daß wir die erste Gelegenheit benützen werden, um die Partei ihre Kräfte zu sichern. Sehr lieb wäre es mir – und zugleich Ihrem Zweck förderlich – wenn Sie mir für den *Vorwärts* eine Reihe von Artikel lieferten." Schon Anfang 1877 bekommt Vollmar eine feste Anstellung als Redakteur, zwar nicht am *Vorwärts,* sondern an dem in Parteikreisen hoch angesehenen Dresdner *Volksboten.*

zur journalistischen und literarischen Betätigung. Liebknecht[30] hatte vor seiner journalistischen Laufbahn „in verborgenen und zum Glück verborgen gebliebenen Schubladen (...) etliche Dutzend Pfund Gedichte, darunter auch herzzerreißende Trauerspiele"[31] gesammelt, die er selber verfaßt hatte.

Blos[32] verfaßte als Schüler seinen ersten Zeitungsartikel für eine deutschsprachige Zeitung „in irgendeiner Wildnis Nordamerikas"[33]. Ihn befriedigt zwar dieser Bericht nicht, „für die Wildnis aber war er jedenfalls großartig"[34]. Heinrich Braun[35] gibt als 13jähriger Schüler in Leipzig seine erste Zeitschrift mit dem Titel *Germania* für seine Mitschüler heraus.[36]

Erste Kontakte zur Presse nahmen die Akademiker in den meisten Fällen eigeninitiativ auf; die Handwerker und Arbeiter unter den untersuchten Autoren schreiben zwar hie und da vor ihrer redaktionellen Tätigkeit Artikel für die Partei- und Gewerkschaftspresse, liebäugelten sicher in ihrer vorredaktionellen Phase mit dem für sie prestigebeladenen Redakteursstuhl, aber sie bekunden unisono Überraschung und Angst, als das Angebot, eine feste Redakteursstellung zu übernehmen, an sie herangetragen wird. Die Akademiker kamen einfach oder baten, die Arbeiter und Handwerker ließen bitten.

3. Dauer der redaktionellen Tätigkeit

Von den insgesamt 122 redaktionell tätigen Abgeordneten waren in dem untersuchten Zeitraum 32 mehr als 20 Jahre in Redaktionen von Parteizeitungen beschäftigt.

41 arbeiteten mehr als zehn Jahre als festangestellte Redakteure;[37] 23 der Parlamentarier waren über fünf Jahre in der Parteipresse tätig und 21 waren weniger als fünf Jahre als Redakteure tätig.

Bei fünf der hier untersuchten Abgeordneten läßt sich die Dauer ihrer redaktionellen Tätigkeit nicht genau ausmachen.[38]

4. Berufsmotivation

Wie man als Arbeiter oder Handwerker zu einer Redakteursstelle in einem Parteiblatt kam, beschreibt Noske[39] in seinen Lebenserinnerungen

---

30 Siehe Biographie Wilhelm Liebknecht, S. 197.
31 Liebknecht, Wilhelm, Erinnerungen eines Soldaten, S. 98.
32 Siehe Biographie Blos, S. 155.
33 Blos, Wilhelm Denkwürdigkeiten eines Sozialdemokraten, Bd. 1, S. 39.
34 Ebenda.
35 Siehe Biographie Heinrich Braun, S. 158.
36 Braun-Vogelstein, Julie, Ein Menschenleben. Heinrich Braun und sein Schicksal, S. 14.
37 Eine Reihe der hier untersuchten Abgeordneten war nach 1918 weiter redaktionell tätig, z. B. Oskar Geck, Quessel, Schöpflin. Siehe Biographien, S. 174, 207, 216.
  Auch Lütgenau (siehe Biographie S. 199) war länger als hier angegeben Redakteur. Er wurde aber 1898 aus der Partei ausgeschlossen und schied damit auch als Angestellter aus der Parteipresse aus.
38 Baudert, Bueb, Haupt, Kaden und Kapell. Siehe Biographien, S. 152, 160, 182, 189, 190.
39 Siehe Biographie, Noske S. 204.

ganz lapidar: „Nachdem (...) das Blatt über die Zeiten allerärgster finanzieller Bedrängnis hinweggekommen war, konnte die Anstellung eines zweiten Redakteurs erwogen werden. Dazu wurde ich auserkoren."[40]

Zum Redakteur fühlte man sich nicht berufen, man wurde dazu gemacht. Die örtlichen Parteivorsitzenden, später die Mitglieder der Presskommissionen, beschlossen, wer als sichtlich rührigster unter den Parteigenossen seinen erlernten Beruf an den Nagel zu hängen hatte und quasi über Nacht in eine neue Tätigkeit sich einarbeiten mußte.[41] Für die meisten der „Auserkorenen" kam der Stellungsbefehl unvermutet – so betonen es die Betroffenen zumindest in ihren Lebensbeschreibungen.[42] Einige geben zwar zu, daß es in ihrer Jugend ein insgeheimer Wunschtraum war, an einer Zeitung mitzuarbeiten[43] – kennzeichnen aber dieses Verlangen als Anmaßung; empfanden sie sich doch als viel zu ungebildet, den Redakteursberuf auch wirklich anzustreben.[44]

Daß Parteiangehörige nur per Beschluß „motiviert" wurden – d. h. sie bewarben sich nicht um eine Anstellung, sondern wurden gegen ihren eigentlichen Willen in den neuen Beruf gedrängt – beweist auch die Besetzung der Redakteursstelle am Züricher *Sozialdemokrat*. Nachdem Vollmar[45] aus der Redaktion ausgeschieden war, wird von der Partei als „Notlösung" der redaktionell völlig unerfahrene Bernstein[46] in den Redaktionssessel beordert.[47] In jammervollen Briefen an seinen Mentor Engels schildert er sein Gefühl der Unzulänglichkeit, des Überfordertseins[48] – kurzum: Er fühlt sich völlig fehl am Platze, aber der Anspruch, der Parteipflicht nachzukommen, nagelt ihn fest.

Bei nahezu allen der hier untersuchten Autoren, die keinen Besuch einer höheren Schule nachweisen konnten und die einen bestimmten Lebensabschnitt als bildungsdefizitär in ihren Memoiren beschreiben, kommt als Motiv für die Ergreifung des Redakteurberufs ausschließlich die Parteidirektive zum Ausdruck.

Wirtschaftliche Gründe überwiegen in dem Motivkatalog der Akademiker unter den sozialdemokratischen Reichstagsabgeordneten. So kann

---

40 Noske, Gustav, Erlebtes aus Aufstieg, S. 14 ff.
41 Vgl. Ulrich, Carl im *Offenbacher Abendblatt*, 11. 8. 1900: „Von der Drehbank weg, gewissermaßen über Nacht, war aus dem (...) Eisendreher ein ‚Redakteur' geworden."
42 Ulrich, Carl, Erinnerungen, S. 31: „Diese Wahl (zum Redakteur. d. Verf.) fiel auf mich, ohne daß ich eine Ahnung davon hatte, daß man mich in Vorschlag bringen wollte."
43 Vgl. Bruhns, Julius, Es klingt..., S. 21. Mit sechzehn bekommt er das sozialdemokratische *Hamburg-Altonaer Volksblatt* in die Hände: „Wie gern hätte ich an diesem Blatt mitgearbeitet. Oft habe ich kleine polemische Artikel gegen irgendwelche gegnerischen Äußerungen verfaßt, aber nie gewagt, sie einzusenden, denn beim Nachlesen erschienen sie mir immer und gewiß mit Recht als viel zu ungeschickt in Form und Inhalt."
44 Keil, Wilhelm, Erlebnisse, Bd. 1, S. 152: „Der Redakteur mußte nach meinen Vorstellungen über ein umfassendes Wissen verfügen. Wie dürftig aber war mein geistiges Rüstzeug!"
45 Siehe Biographie Vollmar, S. 228.
46 Siehe Biographie Bernstein, S. 154.
47 Eigentlich war der Redakteur und Journalist Hirsch dazu ausersehen worden, den *Sozialdemokrat* in Zürich zu redigieren, er wollte aber sein Exil in London nicht verlassen. Zu dem Gerangel um die Nachfolge Vollmars vgl. Horst Bartel, Wolfgang Schröder, Gustav Seeber, Heinz Wolter, Der Sozialdemokrat 1879–1890, S. 55 ff.
48 Eduard Bernsteins Briefwechsel mit Friedrich Engels, S. 24, Brief vom 3. 4. 1881: „Nachdem ich jetzt fast drei Monate die Redaktion geführt habe, bin ich mir vollständig darüber klar, daß ich der Aufgabe, der ich mich unterzogen habe, in keiner Weise gewachsen bin. Ich kannte zwar die Lücken meines Wissens schon früher..."

man davon ausgehen, daß Vollmar sich wohl nur wegen seiner finanziellen Schwierigkeiten um die Redaktionsstelle am Züricher *Sozialdemokrat* beworben hatte.[49]

Waren die mit einem akademischen Grad ausgestatteten Sozialdemokraten nicht in freien Berufen tätig – Ärzte und Rechtsanwälte hatten eigene Praxen –, so blieb ihnen eigentlich nur die Partei als Erwerbsquelle, da die Parteizugehörigkeit ihnen eine Universitätslaufbahn und bürgerliche Anstellungen verschloß. Heinrich Braun brachten seine offen artikulierten sozialistischen Anschauungen um seine fast sicher geglaubte Dozentenstelle[50], David[51] muß auf Druck hin seine Stelle als Gymnasiallehrer aufgeben[52], Quarck[53] wird nach seinem Parteibeitritt von dem bürgerlichen Verband der kaufmännischen Vereine gezwungen, seine Stellung in der Redaktion des Verbandsorgans zu kündigen.[54]

Durch ihr Bekenntnis zur Partei von einer ausbildungs-adäquaten Berufsausübung ausgeschlossen, blieb den Akademikern unter den Sozialdemokraten als Alternative nur die journalistische Laufbahn, die nicht an Lizenzen gebunden war. Da eine Anstellung bei der bürgerlichen Presse auch so gut wie ausgeschlossen war, kam nur die Partei als Arbeitgeber in Frage.[55] Sie lebten nicht nur für die Partei, sondern auch von der Partei. So kommt in ihren Lebensbeschreibungen selten die idealisierende Eigentypisierung vom geborenen Journalisten zum Tragen,[56] vielmehr wird der Zwang der politischen und wirtschaftlichen Umstände als Grund für die Berufswahl angegeben.

In den vorliegenden Memoiren findet man – typisch für dieses Beschreibungsgenre – die Selbstdarstellungen der Autoren als schon im Kindes- und Jugendalter „besondere" Menschen. Sie waren entweder

---

49 Nachlaß Vollmar auf Mikrofilm im AdSD, Bonn, Brief von Vollmar an seine spätere Frau Julia Kjellberg vom 13. 1. 1885, Nr. 2750.
und August Bebels Briefwechsel mit Friedrich Engels, S. 77 ff. Bebel an Engels, 18. 11. 1879: „Ich kann ferner versichern, daß V(ollmar) wütend war, daß man ihn, der sich damals in sehr prekärer Lage befand, mit definitiver Antwort hinhielt..."
50 Braun-Vogelstein, Julie, Ein Menschenleben. Tübingen 1932 S. 83 ff.
51 Siehe Biographie David, S. 163.
52 Das Kriegstagebuch des Reichstagsabgeordneten Eduard David 1914–1918, S. XIV. Auf Anfrage seines Gymnasialdirektors bestätigt er, daß er für die SPD tätig sei und wurde deshalb ganz aus der Liste der hessischen Lehramtsassessoren gestrichen.
53 Siehe Biographie Quarck S. 206.
54 Bebel Briefwechsel, S. 804, Bebel an Engels am 17. 7. 1895: „Quarck wird genötigt, aus dem Verband der kaufmännischen Vereine auszutreten und die Redaktion der kaufm(ännischen) Presse niederzulegen, sonst verliert er die Referentenstelle in der Kommission und vielleicht noch etwas mehr."
55 Wilhelm Liebknecht. Briefwechsel mit Karl Marx und Friedrich Engels, S. 474, Quarck an Kautsky am 14. 1. 1886: „Ich habe alle meine schriftstellerischen Hoffnungen der nächsten Monate auf die Übersetzung gebaut, die mich wieder ein Stück weiter über bedrängte materielle Verhältnisse (...) (bringen) sollte." (Marx-Übersetzung für Parteiverlag. d. Verf.) Habicht, Robert, Noch eine Erinnerung an Eduard David in der *Volkszeitung*, Beilage Groß-Mainz vom 6. 1. 1931. Habicht berichtet, daß David um Entgelt aus der Parteikasse bat, als er vom Schuldienst suspendiert wurde.
56 Vgl. Magisterarbeit d. Verf., Der Beruf des Journalisten und Redakteurs im Spiegel von Autobiographien und Memoiren. Die in dieser Arbeit untersuchten bürgerlichen Journalisten stellen ihre Berufseignung anhand spezieller Ereignisse in ihrer Jugendzeit dar.

ganz besonders gut in der Schule oder genial schlecht,[57] eine Bezugsperson in ihrer Nähe ahnte schon die kommende Größe,[58] durch eine besondere Befähigung machten sie schon früh auf sich aufmerksam;[59] die Autoren dokumentieren Indizien für die sich schon früh abzeichnende, außerordentliche Rolle, erbringen retrospektiv Nachweise für die Zwangsläufigkeit ihres Aufstiegs.

Findet sich zwar in keiner der hier vorliegenden Lebensbeschreibungen die Darstellung, von früh an der geborene Journalist gewesen zu sein, so werden doch in der nachträglichen Charakter- und Entwicklungsanalyse Eigenschaften festgestellt, die als Merkmale eines typischen Journalisten gelten.[60] „Ich habe bis in mein Mannesalter hinein nie an mein Leben geglaubt und darum mit einer gewissen Resignation, die aber nicht sehr tragisch war, in den Tag hinein gelebt. Viel hat zu letzterem beigetragen, daß ich sehr leicht auffaßte und über ein ungewöhnlich gutes Gedächtnis verfügte."[61]

Die Vorstellung einer publizistischen Wirkungsmöglichkeit kommt zwar in der Definition des Berufsverständnisses zum Tragen,[62] wird aber als Motiv für das Ergreifen des Redakteurberufs rückschauend kaum angegeben.

Nur Bebel[63] betont in seinen Erinnerungen, daß er mit einer bestimmten Wirkungsabsicht „eifrigster Mitarbeiter"[64] einer im Jahre 1867 gegründeten Arbeiterzeitung wurde. „Wir hatten bis dahin kein Organ zur Verfügung gehabt, in dem wir unsere Ansichten vertreten konnten, damit war auch keine Möglichkeit gegeben, die politische und soziale Aufklärung unserer Mitglieder genügend zu betreiben. Auch waren wir den Angriffen unserer Gegner gegenüber waffenlos."[65]

---

57 Bock, Wilhelm, Im Dienste der Freiheit, S. 8: „Ich war ein guter Schüler, in der Oberschulklasse in Geschichte und Geographie der beste."
   Noske, Gustav, Erlebtes, S. 2: „Da ich kein Musterschüler war, sondern nur ohne sitzen zu bleiben die acht Schulklassen durchlief, habe ich wiederholt aus dem Munde meines letzten Klassenlehrers gehört, daß ganz gewiß im Leben nie etwas Gescheites aus mir werden würde. Es hat mehrere Jahrzehnte gedauert, bis mir der Leiter der Schule einen Rechenschaftsbericht übersandte, in dem ich als der berühmteste Schüler der Anstalt bezeichnet wurde."

58 Bruhns, Julius, Es klingt, S. 18 ff. „Und freundlich ernst sagte er (der Lehrer. d. Verf.) mir eines Tages, als ich ihm mit gewissem Stolz erklärte, ich wolle auch einmal sozialdemokratischer Reichstagsabgeordneter werden: ‚Du wirst gewiß einmal deiner Partei Ehre machen.'"

59 Ebenda. S. 12 „Meine Gewandtheit im Lesen verschaffte mir bald eine andere, für meine frühzeitige Entwicklung bedeutsame Arbeit: ich mußte in der Arbeitsstube den Zigarrenmachern vorlesen."

60 Vgl. Groth, Otto, Die unerkannte Kulturmacht, Bd. 4, S. 366 ff.

61 Bernstein, Eduard, Entwicklungsgang eines Sozialisten, Leipzig 1930, S. I.
   Vgl. auch Most, John, Memoiren. Erlebtes, S. 7 „Am leichtesten ist die Sache betreffs der Schilderung von Zuständen und Ereignissen, (...) namentlich wenn man sich eines guten Gedächtnisses erfreut, wie ich mir schmeicheln darf, von der Natur mit einem solchen begnadet worden zu sein."

62 Vgl. dazu Dittmann, Wilhelm, Erinnerungen. Manuskript im Nachlaß Dittmann im AdSD, Bonn, S. 30 „Als leitender politischer Redakteur des Solinger Parteiblattes übte ich journalistisch und organisatorisch (...) einen großen politischen Einfluß aus."

63 Siehe Biographie Bebel S. 153.

64 Bebel, August, Aus meinem Leben, Bd. 1, S. 177.

65 Ebenda.

Zusammenfassend kann festgestellt werden, daß bei den Motivangaben in den Memoiren der ehemaligen Arbeiter und Handwerker der Ruf der Partei angegeben wird; dem nachzukommen wurde als Pflicht jedes echten Parteigenossen apostrophiert.[66] Für das Bewerben um eine Redakteursstelle waren für die Akademiker unter den hier untersuchten Reichstagsabgeordneten wirtschaftliche Gründe ausschlaggebend; durch den Parteibeitritt vergaben sie sich eine bürgerliche Berufslaufbahn, Erwerbsquellen mußten in Parteibetrieben gefunden werden, und da bot sich eigentlich nur die Arbeit für ein Parteiblatt an.

II. Der redaktionelle Tätigkeitsbereich

1. Arbeitsweise, Art der Tätigkeit und Arbeitszeit

„Die ‚Redaktionsräume‘ wurden dadurch hergestellt, daß ein Pappdeckel auf einen Setzkasten gelegt, die Schere aus der Schublade des Ladentisches und ein Kleistertopf von der Druckmaschine genommen wurde. Das Falzen der Zeitungen, sowie die gesamte Expedition wurde auf dem Ladentisch erledigt, an dem wir auch frühstückten."[67]

Klingt in den vorliegenden Memoiren immer Nostalgie durch, wenn die Anfänge der Arbeiterpresse beschrieben werden, so steht doch fest, daß die ersten Parteiblätter unter abenteuerlichen Umständen und in dubiosen Lokalitäten gemacht wurden, weil Geld und erfahrene Arbeitskräfte rar waren: „Für die Druckerei, Redaktion und Expedition wurde – der Wohlfeilheit halber – ein vormaliger Pferdestall gemietet."[68]

In den Anfangsjahren der Parteipresse war der Redakteur Mädchen für alles: „Ich war Redakteur, Expedient, Arbeiter- und Parteisekretär, Inseratensammler und Einkassierer."[69]

Friedrich Ebert[70] – ein Jahr lang Lokalredakteur der *Bremer Bürgerzeitung*, oblag in dieser Zeit auch die Expedition des Parteiblattes;[71] Scheidemann mußte neben seinen Redakteurspflichten auch für die Verbreitung des Blattes sorgen: „Ich nahm dann den Rucksack auf den Buckel, setzte mich auf das Rad und strampelte von Ort zu Ort."[72]

---

66 Protokoll Parteitag 1913 in Jena, S. 273, Aussage Daniel Stücklens (siehe Biographie Stücklen S. 223): „Ich habe schon, als das Pressebureau geschaffen wurde, in das ich gegen meinen Willen hineinkam – ich wurde dazu gedrängt und werde mit Vergnügen wieder herausgehen – darauf hingewiesen. . ."

67 Scheidemann, Philipp, Memoiren, Bd. 1, S. 50. Vgl. auch Diederich, Franz, 25 Jahre *Arbeiterzeitung*, 1. 10. 1915: „Wo Redaktion und Expedition durch einen zwei Meter hohen Bretterverschlag von Satz- und Druckraum geschieden waren. . . Wo ein paar Bretter über Böcke gelegt den Redaktionstisch ausmachten."

68 Johann Most. Ein Sozialist in Deutschland, S. 80. Vgl. auch Diederich Franz, a. a. O.: „Unsere *Westfälische Freie Presse* hauste (. . .) in einem groben Rohsteinbau. An den Wänden innen ließ sich ablesen, daß der Bau einmal Schmiede gewesen war. Das Raumviereck mit seinem vorsintflutlichen Kanonenofen in der Mitte barg den ganzen Betrieb."

69 Scheidemann, Philipp, Memoiren, S. 61.

70 Siehe Biographie Ebert, S. 166.

71 Vgl.: Ebert, Friedrich, Schriften, Aufzeichnungen, Reden, Bd. 1, S. 38.

72 Scheidemann, Philipp, Memoiren, S. 61.

An die Verwendung von Korrespondenzbüro-Depeschen war angesichts der schlechten finanziellen Lage der Parteiblätter nicht zu denken. Der Redakteur mußte sich die Informationen selbst beschaffen; er war zum einen sein eigener Reporter, zum anderen sein eigenes „Pressebüro": „In der Regel wurden die Artikel für den *Volksfreund* der *Voss. Zeitung* entnommen, die auch fast den ganzen übrigen Stoff stellen mußte. Außer der Tante Voß wurde noch die *Frankfurter Zeitung* gehalten, aus der wir uns die „Originalberichte" aus dem Reichstag machten. Einige sozialdemokratische Blätter waren uns gratis überwiesen worden, da diese aber ihre „Originalberichte" zumeist auch den beiden genannten Zeitungen entnommen hatten, kamen sie als Quellen für uns weniger in Betracht."[73]

Lütgenau[74] klärt auch die Leser über die Gründe der „Scherenarbeit" auf: „Der Mangel an Geldüberfluß ist in der Provinzialpresse ein chronischer, ein Stab von tüchtigen Mitarbeitern kann deshalb nicht gehalten werden, und da die Redakteure, auch wenn sie noch so tüchtig sind, keine Universalgenies sind, so können sie eben nur das leisten, was bei Fleiß und Hingabe zu leisten menschenmöglich ist. Das Fehlende muß einigen mit einem größeren Redaktionsetat arbeitenden Blättern entnommen werden, das ist die vielfach perhorreszirte, aber doch ganz unvermeidliche und bei Licht besehen gar nicht schädliche ‚Scherenarbeit'."[75]

Nach den Gründerjahren mit den überdimensionalen Leimtöpfen und riesigen Scheren geht man – wenn auch zögernd – in den Parteiblattredaktionen zu einer zeitgemäßeren Arbeitsweise über. Man war auf wenigstens ein Depeschenbüro abonniert,[76] bekam vom *Vorwärts* die politischen und gewerkschaftlichen Notizen zugeschickt[77] – was die Zeitung nicht unbedingt farbiger machte – und griff zur Selbsthilfe bei der Beschaffung von Originalberichten. Die Redakteure Adolf Braun, Nürnberg, Max Quarck[78], Frankfurt, Carl Ulrich[79], Offenbach und Wilhelm Keil[80], Stuttgart taten sich 1904 zusammen, um sich die Korrespondenten- und Korrespondenzkosten zu teilen.[81]

---

73 Ebenda, S. 51.
74 Siehe Biographie Lütgenau, S. 199.
75 Lütgenau, Franz in der *Rheinisch-Westfälischen Arbeiterzeitung,* Dortmund vom 9. 9. 1895.
76 Vgl. Keil, Wilhelm, Erlebnisse eines Sozialdemokraten, Bd. 1, S. 156. Bei der *Schwäbischen Tagwacht,* Stuttgart. „Von den beiden übers Reich verbreiteten Depeschenbüros war das liberal schillernde Heroldbüro abonniert."
77 Vgl. Protokoll Parteitag 1897 in: Hamburg, S. 22: „Einem Beschluß der Preßkonferenz entsprechend, versendet die Redaktion (des *Vorwärts* d. Verf.) an fast sämmtliche täglich erscheinende und an eine Reihe von dreimal wöchentlich erscheinenden Parteiblättern den bis 8 Uhr Abends im Satze fertig gestellten Text der politischen und gewerkschaftlichen Notizen und der Parteinachrichten."
78 Siehe Biographie Quarck, S. 206.
79 Siehe Biographie Ulrich, S. 226.
80 Siehe Biographie Keil, S. 191.
81 Im Nachlaß Keil im AdSD, Bonn, befindet sich ein Brief Brauns an Keil vom 12. 10. 1904: „Aber andererseits sind wir alle finanziell nicht so gestellt, daß wir uns eigene Korrespondenten leisten können. (...) Mein Plan wäre nun der, dass Hildebrand (sozialdemokratischer Journalist. d. Verf.) für unsere beiden Zeitungen schriebe und zwar täglich eine Berliner Korrespondenz sende..."
Vgl. dazu Stampfer, Friedrich, Erfahrungen und Bekenntnisse. S. 92 ff.

1908 gründet die Partei ein eigenes Pressebüro; diese Einrichtung, die eigentlich dazu beitragen sollte, die Parteipresse aktueller und informativer zu gestalten, steckt nach kurzer Zeit im gleichen Dilemma wie ihre Kunden: Es fehlen die Mittel und die Leute, das Nachrichtenbüro so zu betreiben, wie es erwünscht wird.[82]

Ausnahmeerscheinung und damit Bahnbereiter zu einer Parteizeitung modernen Typs war Bruno Schoenlank[83]. Als er im September 1894 die Chefredaktion der arbeitsmäßig antiquierten *Leipziger Volkszeitung* übernimmt, setzt er alles daran, diese Zeitung an Aktualität, Reichhaltigkeit und literarischer Qualität gleich den großen bürgerlichen Zeitungen auszustatten, wenn sie nicht gar zu übertrumpfen.[84]

Er macht in Leipzig die nötigen Mittel locker, um seine Vorstellungen von einem gut funktionierenden Zeitungsbetrieb in die Tat umzusetzen. Die Zeitung verfügt bald über ein Netz eigener Korrespondenten in den Hauptstädten Westeuropas; er führt das Telefon zur schnellen Nachrichtenübermittelung ein, das bis dahin in kaum einer sozialdemokratischen Redaktionsstube benutzt wurde, wirbt lokale Parteimitglieder zur Mitarbeit an – die er auch journalistisch schult[85] –, um von dem langweiligen Artikeldienst des *Vorwärts,* regionale Parteiangelegenheiten betreffend, unabhängig zu werden.

Dem Stiefkind der sozialdemokratischen Presse, dem Feuilleton,[86] wendet er seine besondere Aufmerksamkeit zu; die *Leipziger Volkszeitung* veröffentlicht Romane hervorragender Autoren, verfügt über einen eigenen Theaterkritiker – das entsprach nun ganz und gar nicht den Gepflogenheiten der Parteiblätter –, der an hervorragender Stelle und auf großzügig bemessenem Raum über das aktuelle Theatergeschehen informiert.[87]

Schoenlank gibt der Zeitung auch optisch ein neues Gesicht: Sie ist übersichtlicher gegliedert als die anderen sozialdemokratischen Pres-

---

82 Vgl. Protokoll Parteitag 1913 in Jena, S. 273. Redakteur des Nachrichtenbüros, Daniel Stücklen: „Soll das Pressebureau besser funktionieren, dann müssen in allen politischen Zentren in Inland und Ausland fest besoldete Berichterstatter angestellt werden. Aber das würde mit enormen Kosten verknüpft sein, und vor allem wird ja immer wieder verlangt, daß es möglichst wenig kosten soll."
83 Siehe Biographie Schoenlank, S. 215.
84 Vgl. Block, Hans, Der Reformator der sozialdemokratischen Presse, Sondernummer der *Leipziger Volkszeitung* zum 25. Todestage von Bruno Schoenlank, 30.10.1926.
85 Vgl. Keil Wilhelm, Erlebnisse S. 140. Schoenlank schreibt an Keil, ob er bereit sei: „... über wichtige Vorgänge im Badischen knapp, sehr knapp für die Volkszeitung zu berichten. Umfang: Eine Postkarte, anderthalb Briefseiten. Bei sehr wichtigen Dingen telegraphieren Sie. Aber sehr kurz, scharf berichten, die Spreu vom Weizen sondern."
86 Vgl. dazu Wilhelm Liebknecht. Briefwechsel mit deutschen Sozialdemokraten, S. 267. Brief von Liebknecht an Bracke vom 17.11.1869: „Mit dem Roman verschont uns. Er paßt nicht in unser Blatt. Wenn wir ein Feuilleton im *Volksstaat* einrichten wollen, so können wir historische Sachen, den Bauernkrieg, die Ereignisse von 1848 bis 1849 darin besprechen – kurz: etwas, was die Leute belehrt." und Liebknecht, Wilhelm, Brief aus Berlin, in: *Neue Zeit,* Jg. 9, 1890/91, I, S. 710: „Und der Kampf schließt die Kunst aus. Man kann nicht zween Herren dienen: nicht gleichzeitig dem Kriegsgott und den Musen." Vollmar richtete 1890 ein vertrauliches Schreiben an die Redaktionen der Parteipresse, in dem er Anregungen zu Einrichtung und Ausbau des Feuilletons in Parteizeitungen gab. Er kritisierte, daß die Parteiredakteure das Feuilleton nur als gewöhnlichen Unterhaltsteil der Zeitung ansahen. In: Kampffmeyer, Paul, Georg von Vollmar, S. 116.
87 Vgl. Mayer, Paul, Bruno Schoenlank, 1859–1901, S. 68.

seerzeugnisse dieser Zeit, dazu kommen Schaubilder und politische Karikaturen. Weitere Neuerungen – bis dahin in der Parteipresse ohne Vorbild – sind die satirische Wochenplauderei und eine Leserbrief-Rubrik. Der Erfolg dieser neuen Parteizeitung gab ihm recht; schon im ersten Monat nach der Umwandlung wurde eine Bezieherzahl von 21 000 erreicht, was einer Steigerung um 75 Prozent gleichkam.[88]

Nur zögernd finden sich Nachahmer. Südekum[89], der bei Schoenlank in die Lehre gegangen war,[90] versucht die *Fränkische Tagespost* in Nürnberg nach dem Leipziger Modell den Erfordernissen der Zeit anzupassen;[91] Keil gestaltet nach der Jahrhundertwende die *Schwäbische Tagwacht* in Stuttgart nach dem Leipziger Vorbild um und versucht, auch – soweit es ihm der Redaktionsetat gestattet – eigene Korrespondenten zu engagieren.[92]

Doch das bleiben Ausnahmeerscheinungen. Die Klagen über die nicht ausreichend besetzten Redaktionen der Parteiblätter sind 1918 die gleichen wie in den Gründerjahren der Arbeiterpresse. Was Wilhelm Liebknecht[93] 1877 beklagt: „Und wenn nur die Redaktion wieder in Ordnung wäre! Ein reiner Taubenschlag. Heut der fort und morgen der."[94] und: „Seit Gründung des Blatts ist die Redaktion keine 8 Tage vollzählig gewesen"[95], konstatiert Davidsohn[96] 41 Jahre später: „Rein quantiativ ist das Gros unserer Parteiredaktionen viel zu dünn besetzt, so dünn, daß die Mehrzahl der Redakteure (...) längst zur Korrigier- und Streichmaschine geworden ist. Manche kommen nur noch sehr selten dazu, etwas ‚Eigenes' zu schreiben."[97]

Dürfte bei dem Problem der ständigen Unterbesetzung der Parteiredaktionen die Hauptarbeit der Redakteure das Redigieren, das Sammeln und „Ausschneiden" von Berichten gewesen sein,[98] so beschreiben doch die hier untersuchten Autoren ihre Tätigkeit als eine produzierende: „Wie fast alle jungen Redakteure hatte auch ich das Befürfnis, möglichst

---

88 Gegen Ende der neunziger Jahre erhöhte sich die Auflage auf fast 30 000. Neben dem *Vorwärts* war die *Leipziger Volkszeitung* die meistgelesene Parteizeitung geworden.
89 Siehe Biographie Südekum, S. 224.
90 Südekum war von 1896 bis 1898 zweiter politischer Redakteur der *Leipziger Volkszeitung* nach Stampfer, Friedrich, Erfahrungen, S. 39.
91 Vgl. Scheidemann, Philipp, Memoiren, S. 79: „Mein Vorgänger war Dr. Südekum gewesen, dem Oertel (siehe Biographie Oertel, S. 204), offenbar schon sehr krank, einen für die damalige Zeit erheblichen Redaktionsetat bewilligt hatte, so daß Korrespondenzen direkt aus Wien, Paris und anderen Weltstädten bezogen werden konnten."
92 Vgl. Keil, Wilhelm, Erlebnisse, S. 196: „Die typographische Gestaltung der Zeitung wurde weiter modernisiert. Das wichtigste und neueste Ereignis kam in auffallendem Druck auf die erste Seite und wurde sofort kommentiert." Ebenda, S. 195 ff.: „Zur weiteren Ausgestaltung der *Tagwacht* engagierte ich nun eigene Berichterstatter in Zürich, Wien, Rom und Paris. (...) Zur Begrenzung der Honorarausgabe mußte ich freilich diese Mitarbeiter auf einen bestimmten Umfang ihrer Beiträge beschränken."
93 Siehe Biographie Wilhelm Liebknecht, S. 197.
94 Wilhelm Liebknecht. Briefwechsel mit Marx und Engels, S. 212, Brief an Engels vom 9. 4. 1877.
95 Ebenda, S. 222 ff., Brief an Engels vom 14. 6. 1877.
96 Seihe Biographie Davidsohn, S. 164.
97 Davidsohn, Georg, Chef vom Dienst? in, MdVA, Nr. 172, 1. 7. 1918.
98 Nur Wilhelm Liebknecht erwähnt einmal seine „mechanische" Tätigkeit in der Redaktion des *Social-Demokrat* in: Wilhelm Liebknecht. Briefwechsel mit Marx und Engels, S. 41, Brief an Marx vom Februar 1865.

viel Original für das Blatt zu liefern. Ich schrieb fast täglich einen Leitartikel und täglich eine politische Übersicht."[99] Vollmar behauptet sogar, den *Dresdener Volksboten* nur mit eigenen Artikeln gefüllt zu haben: „Ich schrieb, was das Zeug hielt: Leitartikel, Uebersichten, Entrefilets, übersetzte aus fremdsprachlichen Zeitungen (...) besorgte das Feuilleton, spielte den Theater- und Konzertkritiker, verfaßte literarische Bücherbesprechungen, kurz ich suchte das Blatt möglichst vielseitig und originell zu gestalten und dabei den Anschein zu erwecken, als ob es einen ganzen Stab von Mitarbeitern und weitverzweigte Verbindungen habe."[100]

Der Fetisch Leitartikel geistert durch alle Beschreibungen der redaktionellen Tätigkeit − wird er doch von den meisten der hier untersuchten Autoren neben den Eigendarstellungen als erfolgreicher Redner als besonderer Beweis ihrer politischen Wirksamkeit gewertet.

Fast sämtliche der hier untersuchten Autoren schildern sich als rastlose Leitartikelschreiber[101] − zieht man jedoch die Aussagen von Zeitgenossen und Parteimitglieder zum Thema Leitartikel zu Rate, so scheint es doch um diese idealisierte Rubik in der Parteipresse nicht zum Besten gestanden haben. So schreibt Blos[102] 1873 an Liebknecht: „Daß Sie einen Leitartikel haben ist gut. Während früher der massenhafte Stoffandrang uns überfluthete, ist jetzt tiefe Ebbe. Ich stöbere oft überall umher, um ein Stückchen politische Übersicht zu finden, wenn es fehlt."[103] Calwer[104] behauptet sogar in einer kritischen Betrachtung der Parteipresse 1901, daß in den meisten sozialdemokratischen Blättern nicht einmal der Leitartikel von dem jeweiligen Redakteur selbst verfaßt werde, er wird ebenso wie die Nachrichten und Meldungen anderer Zeitungen entnommen.[105]

Um wenigstens das Zentralorgan *Vorwärts* täglich mit einem originalen Leitartikel zu versehen, wird 1891 eine interne Vereinbarung ausgehandelt, die die Leitartikelschreiber bestimmt; Bebel gehört dazu.[106]

Den Eigenbeschreibungen nach waren die Parteiredakteure in allen Abschnitten des untersuchten Zeitraums ein mobiles Völkchen; immer für die Partei unterwegs, wurde die Zeitung überall gemacht − nur nicht

99 Blos, Wilhelm, Denkwürdigkeiten, Bd. 1, S. 78 ff.
100 Kampffmeyer, Paul, Vollmar, S. 14. Er zitiert Vollmar aus einer Festschrift, die zum Parteitag 1903 in Dresden erschienen ist.
101 Vgl. auch Noske, Gustav, Erlebtes, S. 15. Er beginnt seine Redakteurslaufbahn mit dem Schreiben eines Leitartikels: „Am Nachmittag des Tages, an dem ich diesen Platz einnahm (den Redakteursstuhl. d. Verf.), schrieb ich meinen ersten Leitartikel."
102 Siehe Biographie Blos, S. 155.
103 Wilhelm Liebknecht. Briefwechsel mit deutschen Sozialdemokraten, S. 519, Blos an Liebknecht am 20. 9. 1873. In seinen Memoiren betont Blos dagegen: „Ich schrieb fast täglich einen Leitartikel.", in Blos, Wilhelm, Denkwürdigkeiten, Bd. 1, S. 78 ff.
    Bebel schreibt an Liebknecht am 22. 8. 1891, Blos könne keine scharfen und korrekte Leitartikel schreiben. Zitiert nach Ratz, Ursula, Georg Ledebour, S. 36.
104 Siehe Biographie Calwer, S. 161.
105 Calwer, Richard, Die socialdemokratische Presse, in: *Sozialistische Monatshefte,* September 1901, Nr. 9, S. 700.
106 Bebel Briefwechsel, S. 434 ff. Bebel an Engels am 29. 9. 1891: „Wir sind übereingekommen, daß Auer und ich wöchentlich einen Leitartikel leisten (...), zwei Schoenlank schreibt und den sechsten der Alte (Wilhelm Liebknecht. d. Verf.)."

in den Redaktionsräumen: „Drei Tage Agitation in Oberhessen, drei Tage im Kreise Solingen – auf den Eisenbahnfahrten, natürlich vierter Klasse, machte ich das Gießener Blatt, einen Tag hielt ich mir in der Woche frei, um die Redaktion einigermaßen ordnungsmäßig abzuschließen."[107] Keil schreibt „in der Küche meiner Schwiegereltern am ungedeckten Tisch"[108]; Liebknecht wird als ein in jeder Situation Schreibender beschrieben: „... im Eisenbahnabteil, in einem mit laut schwatzenden Menschen gefüllten Zimmer – ja, einmal habe ich ihn beobachtet, wie er als Leiter einer durchaus nicht ruhig sich verhaltenden Versammlung vor sich hin an einem Artikel arbeitete."[109]

Selbst die Gefängniszelle – die die Parteiredakteure wegen polemischer Äußerungen des öfteren zu beziehen hatten – wird zum redaktionellen Arbeitsplatz umfunktioniert: „So redigierte ich den *Volksstaat* vom Gefängnis aus, was bei dem Charakter dieses wöchentlich dreimal erscheinenden Blattes, das mit den Tagesblättern nicht zu konkurrieren brauchte, ganz gut möglich war."[110] Genüßlich repetieren die hier untersuchten Autoren die Tricks und die Kniffe, die sie anwandten, um die im Gefängnis geschriebenen Artikel hinausschmuggeln zu können.[111]

Nicht nur unter allen Umständen, auch zu jeder Tages- und Nachtzeit arbeiteten die Parteiredakteure für ihr Blatt — so „umfassend" beschreiben jedenfalls die hier untersuchten Autoren ihren Arbeitstag.[112] Sonn- und Feiertage existieren für den sozialdemokratischen Redakteur ebenfalls nicht mehr.[113] Zusätzlich leistet er für die Partei außerredaktionelle Arbeit[114] – Folge: In den Briefen wird die Überarbeitung beklagt,[115] in den Memoiren retrospektiv die Arbeitskraft der frühen Jahre bestaunt.[116]

---

107 Scheidemann, Philipp, Memoiren, S. 152.
108 Keil, Wilhelm, Erlebnisse, S. 160.
109 Bernstein, Eduard, Aus den Jahren meines Exils, S. 136 ff.
110 Blos, Wilhelm, Denkwürdigkeiten, Bd. 1, S. 162.
111 Vgl. Keil, Wilhelm, Erlebnisse, Bd. 1, S. 173: „... so erschienen während dieser drei Wochen (Haft. d. Verf.) doch eine Anzahl Aufsätze in der *Schwäbischen Tagwacht*, die in meiner Zelle geboren waren. Das hatte auch der sehr gestrenge Gefängnisvorstand Klein nicht verhindern können..."
Vgl. auch Johann Most, Ein Sozialist, S. 104 ff. Most erreicht, daß der Gefängnisdirektor seine Rechtsauslegung des Gesetzes auf Beschäftigung der Gefangenen ihren Verhältnissen und Fähigkeiten entsprechend, anerkennt und erhält die Genehmigung, in seiner Zelle schriftstellerisch tätig zu sein – ja, er erhält alle benötigten Unterlagen – aus der Reichstagsbibliothek!
112 Heinrich Braun in einem Brief an seinen Freund Natorp: „Ich redigiere jetzt *Archiv* und *Sozialpolitisches Centralblatt* ganz allein und bin in den letzten Wochen bereits bei Arbeitagen von achtunddreißig Stunden angelangt, in denen ich nicht schlief und mir kaum Zeit zum Essen nahm." zitiert von Braun-Vogelstein, Julie, in: Ein Menschenleben, S. 124.
113 Ulrich, Carl, Erinnerungen, S. 27: „... und als ich (...) die Redaktion des Blattes übernommen, gab es Samstags und Sonntags keine Ruhe mehr."
114 Ebert, Friedrich, Schriften, Bd. 1, S. 38. Als Lokalredakteur war er zusätzlich Expediteur der *Bremer Bürgerzeitung* und „stand in der Nacht zwischen zwei und halb drei Uhr auf."
115 Wilhelm Liebknecht. Briefwechsel mit Marx und Engels, S. 42, Brief an Marx vom Februar 1865: „... er traf mich, als ich an der wahnsinnigsten Kopfgicht litt, und in Folge von Überarbeitung wahnsinnig gereizt war. (...) Zum Schluß bitte ich dich noch zu berücksichtigen (...) daß ich täglich 12 Stunden wie ein Vieh arbeiten muß, um zu leben."
116 Keil, Wilhelm, Erlebnisse, S. 172: „Trotz meiner sehr starken Belastung als Redakteur blieb ich von der Agitationstätigkeit nicht verschont. Die Gewerkschaften wie die Partei nahmen mich in Anspruch."

Eine Untersuchung[117] des Vereins Arbeiterpresse im Jahre 1904 zu den Verhältnissen in Parteiredaktionen gibt auch Aufschluß über die vertraglich festgelegte Arbeitszeit bei den einzelnen Parteiblättern: An zwei von insgesamt 44 Parteiblättern wird die tägliche Arbeitszeit mit zehn Stunden angegeben,[118] in 13 Parteiredaktionen ist der Arbeitstag im Schnitt sechs Stunden lang,[119] bei den restlichen sozialdemokratischen Zeitungen arbeiten die Redakteure durchschnittlich sieben bis acht Stunden am Tag.[120]

Da diese Angaben über die Länge der täglichen Arbeitszeit in einer Parteiredaktion auf den Eigenaussagen der betroffenen Redakteure beruhen,[121] kann konstatiert werden, daß die Beschreibungen der Memoirenautoren wohl nicht so sehr auf den Berufs-Alltag zielen. Die Autoren sehen sich als permanent Arbeitende für die Partei; Redaktionsarbeit ist zwar ihre Erwerbsquelle, wird aber rückschauend unter das globale „Dienst an der Partei" subsumiert, außerredaktionelle Tätigkeiten werden der eigentlichen Arbeitszeit zugeschlagen, so daß sich in den Memoiren die Beschreibungen von einem überlangen Arbeitstag niederschlagen. Sie waren wohl rund um die Uhr für ihre Partei tätig – beschrieben wird diese Aufopferung mit der faßbaren Redaktionsarbeit.

2. Arbeitsbedingungen und Arbeitsentgelt

Mit einem Berufsverständnis ausgestattet, das die Erwerbstätigkeit in den Redaktionen als Dienst für die Partei ausgab, erwähnen die hier untersuchten Autoren in ihren Memoiren konsequenterweise nicht die Art ihrer Anstellungsverträge.

Wiewohl Angestellte ihrer Partei, basierten ihre Anstellungsverträge bis zur Jahrhundertwende ausschließlich auf mündlichen Vereinbarungen;[122] erst der 1900 gegründete Verein Arbeiterpresse instruiert seine Mitglieder dahingehend, auf schriftliche Anstellungsverträge Wert zu legen. In einer Untersuchung der Arbeitsbedingungen an Parteizeitungen stellt der Verein 1904 fest, daß erst in 16 von 44 untersuchten sozialdemokratischen Verlagshäusern mit den angestellten Redakteuren

117 Die Ergebnisse der Untersuchung in MdVA Nr. 42, 14. 9. 1904.
118 Das waren die Volkswacht in Breslau und die Pfälzische Post in Ludwigshafen.
119 So z. B. beim Braunschweiger Volksfreund, der Sächsischen Arbeiterzeitung, Dresden und der Volksstimme, Magdeburg.
120 Vorwärts, Berlin, Bremer Bürgerzeitung, Hamburger Echo, Fränkische Tagespost, Nürnberg.
121 Der Verein Arbeiterpresse ermittelte diese Aussagen per Fragebogen, die den betreffenden Redakteuren zur Beantwortung zugeschickt wurden. Für einige größere Parteiblätter fehlen die Angaben, so z. B. für die Schwäbische Tagwacht, Stuttgart.
122 In den Gründerjahren der Arbeiterpresse wurden wohl nicht einmal mündlich Vertragsbestimmungen festgelegt. Vgl. dazu Müller, Theodor, Die Geschichte der Breslauer Sozialdemokratie, Bd. 2, S. 338. Müller zitiert den Verleger der Schlesischen Nachrichten, Breslau, der auf Anfrage feststellt: „Es ist zwischen dem Schriftsteller Geiser (siehe Biographie Geiser, S. 175) und mir als Verleger (...) weder mündlich noch schriftlich ein Vertrag abgeschlossen worden."

schriftliche Verträge ausgehandelt worden waren.[123] Zeitungen wie das Zentralorgan *Vorwärts* und die *Leipziger Volkszeitung* hatten die Verträge mit ihren Redakteuren nicht schriftlich fixiert; der *Vorwärts* vereinbarte nicht einmal eine Kündigungsfrist.[124]

Die Parteiverlage genehmigten ihren angestellten Redakteuren durchschnittlich zwei Wochen Jahresurlaub; ganz wenige Redakteure kommen in den Genuß von vier Wochen Urlaub, einige müssen sich auch mit einer Woche begnügen.[125]

Festangestellte Redakteure wie freie Journalisten sind in Parteidiensten besonderen Arbeitsbedingungen ausgesetzt: „Arbeiter sind als Arbeitgeber nicht die angenehmsten Vorgesetzten. Das ist psychologisch begreiflich, wenn auch im allgemeinen bedauerlich. Der Arbeiter, mit dem in seinem Arbeitsverhältnis nicht gerade glimpflich umgegangen wird, kennt kein anderes Vorgehen Angestellten gegenüber und ist geneigt, als Arbeitgeber gegen Angestellte genau so zu verfahren, wie gegen ihn vorgegangen wird. Eine gewisse Rücksichts- und Formlosigkeit macht sich also im Verkehr mit den Redakteuren ganz von selbst geltend, die man vorerst noch mit in Kauf nehmen muß."[126]

Nicht nur die Einfluß- und Kontrollmöglichkeit der Parteibasis durch die Institution Preßkommission bedingt ein besonderes Arbeitsklima in den Parteiredaktionen; der Parteiredakteur ist ja auch der Kritik von oben ausgesetzt,[127] bekommt genaue Direktiven zur Redaktionsführung vom Parteivorstand.[128] Die Arbeit in den Parteiredaktionen wird durch ungenügende Ausstattung der Räume,[129] durch veraltete Technik[130] und durch

---

123 Die Statistik ist veröffentlicht, in: *MdVA* Nr. 42, 14. 9. 1904.

124 Ebenda.

125 Anspruch auf vier Wochen Urlaub hatten die Redakteure der *Neuen Zeit,* der Redakteur der *Arbeiter-Zeitung,* Dortmund, die Redakteure der *Magdeburger Volksstimme,* der Chefredakteur des *Vorwärts* und der *Sächsischen Arbeiterzeitung,* Dresden. Nur eine Woche Jahresurlaub bekamen die Redakteure der Elberfelder *Freien Presse,* der Erfurter *Tribüne* der Hofer *Oberfränkischen Volkszeitung* und des *Lübecker Volksboten,* in: *MdVA,* Nr. 42, 14. 9. 1904.

126 Calwer, Richard, Disziplin und Meinungsfreiheit, in: *Sozialistische Monatshefte,* Nr. 1, Januar 1906.

127 Hermann Müller schickt im Namen des Parteivorstandes ein vertrauliches Schreiben am 14. 10. 1910 an die Redaktion der *Bremer Bürgerzeitung:* „Der Parteivorstand hat sich in seiner vorigen Sitzung mit dem Leitartikel der Bremer Bürgerzeitung (...) befaßt und ich bin beauftragt, Ihnen mitzuteilen, dass der Parteivorstand die Veröffentlichung dieses Artikels für geradezu unverantwortlich hält." Dieses Schreiben befindet sich im Nachlaß Henke im AdSD, Bonn.

128 Vgl. Bebel Briefwechsel. Brief an Engels vom 4. 12. 1880: „Wenn das Blatt (Züricher *Sozialdemokrat.* d. Verf.) nicht besser war, so lag das mit an der Persönlichkeit des Redakteurs. Andernteils darf nicht verschwiegen werden, dass V(ollmar) anfangs etwas sehr gebundene Marschroute hatte und diese etwas zu ängstlich innehielt, und dass die Unsicherheit der Haltung wesentlich auf die sich widersprechenden Elemente in der Leitung (hier in Deutschland) zurückzuführen war."

129 Vgl. Bruhns, Julius, Es klingt..., S. 86: „...saß ich mit meiner Lokalredaktion im vorderen Zimmer mit der Expedition zusammen, in einem großen, kahlen Raum, der so dürftig wie eine Gefängniszelle ausgestattet war."

130 Bernstein Briefwechsel, S. 274, Brief an Engels vom 20. 6. 1884: „Und bei der Kleinheit unserer Druckerei bin ich der reine Sklave der Setzer. Letzte Woche z. B. hieß es schon am Donnerstag, als eben das fertige Blatt die Maschine verließ: Wir brauchen morgen Manuskript. Ich mußte also Briefschreiben, alles, liegen lassen und Manuskript produzieren."

zusätzlich aufgebürdete Pflichten noch erschwert.[131] Hinzu kam noch der Umstand, daß der sozialdemokratische Parteiredakteur immer mit einem Fuß im Gefängnis stand;[132] Bebel erwähnt dieses Damoklesschwert als berufsimmanent: „Diese Verurteilungen erregten schließlich in der Partei kaum noch Aufsehen; wer Redakteur oder Agitator war, mußte mit dem Gefängnis als einem unumgänglichen Attribut seiner Stellung rechnen."[133]

Nicht nur die Staatsgewalten rüttelten am Redakteursstuhl; Meinungseigenwilligkeiten ideologischer Natur hatten Berufseinschränkung und Kündigung zur Folge. Als Bernstein[134] – in den neunziger Jahren festangestellter Korrespondent des *Vorwärts* in London – in seinen Artikeln immer offener revisionistische Töne anschlägt, wird er erst gescholten,[135] dann wird ihm ohne sein Wissen ein anderer *Vorwärts*-Korrespondent in London zur Seite gestellt.[136] Seine feste Mitarbeiterstelle an der wissenschaftlichen Revue *Neue Zeit* verliert er im Zuge der ideologischen Meinungszwistigkeiten ganz.[137]

Die *Neue Zeit* und ihr Chefredakteur Karl Kautsky, Gralshüter der marx-orthodoxen Parteiideologie, erschwert und verleidet schließlich den nicht ganz linientreuen Parteigenossen die Mitarbeit. Kautsky fügt mißliebigen Artikeln kommentierende Fußnoten hinzu,[138] streicht ganze Passagen, ohne bei dem Autor rückzufragen, oder verweigert ganz die Veröffentlichung. Immer mehr der so behandelten Autoren geben freiwillig ihre Mitarbeiterschaft bei der *Neuen Zeit* auf und wandern zur Konkurrenzzeitschrift, den *Sozialistischen Monatsheften*, ab.[139]

Ebenso autokratisch springt die Redaktion des Zentralorgans *Vorwärts* mit ihren freien Mitarbeitern um: Angeforderte Artikel werden doch nicht

---

131 Vgl. Bernstein, Eduard, Die Geschichte der Berliner Arbeiterbewegung, Bd. 1, S. 306. Bernstein zitiert den Bericht eines Redaktionsbesuchers in der *Berliner Freien Presse* vom 8. 9. 1876: „An die Expedition stößt das Redaktionsbureau. Da es gerade Mittag, also ‚Sprechstunde' ist, in welcher die Herren Redakteure zahlreichen Besuchern aus allen Ständen erbetene Auskunft erteilen..."
132 Brief von Eduard David an Georg von Vollmar aus dem Jahre 1895: „Freilich hängen sich mir nun eine Reihe von Pressprozessen an die Fersen – 4 auf einmal." Nachlaß Vollmar im AdSD, Bonn, Nr. 435.
133 Bebel, August, Aus meinem Leben, Bd. 2, S. 373.
134 Siehe Biographie Bernstein, S. 154.
135 Vgl. Bebel Briefwechsel. Brief an Engels vom 14. 9. 1892, S. 585 ff.: „Er (Bernstein. d. Verf.) soll namentlich auch seine Korrespondenzen ändern und sich mehr auf die rasche Meldung von Tatsachen werfen (...) als auf die Einsendung langer Artikel."
136 Bernstein Briefwechsel. Brief an Engels vom 12. 8. 1894, S. 406. Bernstein beschreibt sein Erstaunen, auf einen neuen Korrespondenten des *Vorwärts* gestoßen zu sein und repetiert seine Anfrage an den *Vorwärts,* „ob es im Einverständnis mit ihnen geschehen, daß Arndt sich (...) als Korrespondent des *Vorwärts* bezeichnet habe, damit ich wisse, woran ich sei."
137 Vgl. Adler Briefwechsel, Brief von Kautsky an Adler vom 4. 11. 1898, S. 271: „Du siehst, es handelt sich für mich nicht um den Ausschluß Edes (Bernstein. d. Verf.) aus der Partei, auch nicht aus der N.Z. (*Neue Zeit.* d. Verf.), aber um das Aufgeben seiner ständigen Mitarbeiterschaft. (...) Und auf Dauer halte ich auch nicht einen Mitarbeiter aus, der mir blos Artikel schickt, die mich zum Widerspruch reizen."
138 Protokoll Parteitag 1902 in München, S. 121, Wolfgang Heine (siehe Biographie Heine, S. 183): „Wenn der Redaktion der *Neuen Zeit* etwas zugesandt wird, was ihr nicht ganz richtig erscheint, so wird sofort das Schwänzchen, die Meinung der Redaktion, angehängt."
139 Protokoll Parteitag 1902 in München, *Neue Zeit*-Debatte, S. 121 ff.

veröffentlicht,[140] es wird willkürlich gestrichen und gekürzt;[141] nur wer sich der Protektion des Chefredakteurs Wilhelm Liebknecht rühmen kann, der hat ein gutes Aus- und Einkommen als freier Mitarbeiter.[142]

Den sozialdemokratischen Journalisten bleibt auch die Möglichkeit verschlossen, ihre Artikel der bürgerlichen Presse anzubieten. Auf dem Parteitag 1903 in Dresden werden die „Abtrünnigen" kräftig gerügt[143] und ein Beschluß gefaßt, der als mögliche Konsequenz bei einer weiteren Mitarbeit an bürgerlichen Zeitungen den Parteiausschluß androht.[144]

Der einzige, dem es gelang, wenigstens für eine Zeitlang die Phalanx der sozialdemokratischen Einflußgremien auszuschalten, war Bruno Schoenlank, Chefredakteur der erfolgreichen und einflußreichen *Leipziger Volkszeitung*. Bei der Übernahme des Chefredakteursposten bestand er auf Vollmachten, die bis dahin keinem Parteiredakteur zugestanden worden waren. Er hatte die alleinige Entscheidungsbefugnis bei der Auswahl seiner Mitarbeiter – ein großes Zugeständnis der örtlichen Parteileitung – und war auch nicht der Einflußnahme durch die Presskommission ausgesetzt.[145]

Normalerweise waren die Arbeitsbedingungen bei Parteizeitungen nicht die rosigsten; „eine unfruchtbare Stellung für jeden, der Initiative hat"[146], so negativ sah Engels die Arbeitsumstände für die Parteiredakteure in Deutschland. Zu den Einflußrangeleien, denen sich ein sozialdemokratischer Redakteur ausgesetzt sah, kam noch der ewige Zank und Streit um die Gehaltsfrage. Auf fast jedem Parteitag wurden die hohen Gehälter der Redakteure von der Parteibasis moniert[147] – „abhängig zu sein, selbst von einer Arbeiterpartei, ist ein hartes Los."[148]

---

140 Vgl. Brief von Eduard David an Georg von Vollmar vom 12.9.1895: „Der *Vorwärts* hat die Aufnahme meiner Artikelserie zum Agrar-Programm abgelehnt. Ich habe sie heute zurückerhalten und muß sie nun einzeln im *Offenbacher Abendblatt* und in der *Leipz. Volks-Ztg* unterbringen so gut es geht. Die Gründe die der V. für sein Verhalten anführt, (...) augenblicklich hätte die Agrarfrage an Interesse verloren..." Nachlaß Vollmar im AdSD, Bonn, Nr. 435.

141 Protokoll Parteitag 1898 in Stuttgart, S. 214. Stadthagen (siehe Biographie Stadthagen, S. 221) „Und in welcher Weise werden die Streichungen in meinen Artikeln vorgenommen. Dafür ein Beispiel: Ich zitirte in einem Artikel das Wort des hannoverischen Königs ‚Damen von einer gewissen Leistungsfähigkeit und Professoren sind für Geld immer zu haben'. Am folgenden Tage lese ich dafür das Wort ‚Huren'."

142 Vgl. Bebel Briefwechsel. Brief an Engels vom 21.1.1892, S. 498: „...respektiert er (Liebknecht. d. Verf.) doch nicht einmal wichtigere Abmachungen, zu deren Respektierung er verpflichtet ist. So hat er uns wieder seinen Schwiegersohn (Geiser. d. Verf. Siehe Biographie Geiser, S. 175) als Mitarbeiter in den *Vorw(ärts)* geschmuggelt..." Dazu auch: Ratz, Ursula, Ledebour, S. 45. Ledebour (siehe Biographie Ledebour, S. 194) war in der „günstigen Position (...), sich als bevorzugter Schützling des ‚Alten' (Liebknecht. d. Verf.) jederzeit in den Spalten des *Vorwärts* Gehör verschaffen zu können."

143 Vgl. Protokoll 1903 in Dresden, S. 158 ff. Gerügt wurden Calwer, Heinrich Braun, Quarck und Göhre.

144 Ebenda.

145 Vgl. Mayer, Paul, Bruno Schoenlank, S. 65 ff.

146 Bebel Briefwechsel. Engels an Bebel am 19.11.1892, S. 617. Engels schlägt vor: „Ihr müsst absolut eine Presse in der Partei haben, die vom Vorstand und selbst Parteitag nicht direkt abhängig ist, d.h. die in der Lage ist (...) ungeniert Opposition zu machen und innerhalb der Grenzen des Parteianstandes auch Programm und Taktik frei der Kritik zu unterwerfen."

147 Vgl. Diskussionen auf den Parteitagen 1876 in Gotha (Protokoll S. 95 ff.), 1892 in Berlin (S. 100 ff.), 1894 in Frankfurt (S. 68 ff.), 1910 in Magdeburg (S. 472 ff.).

148 Bebel Briefwechsel. Engels an Bebel am 19.11.1892, S. 616.

Werden die vertraglichen Bestimmungen, denen ihre Anstellung in Parteiredaktionen unterlag, in den vorliegenden Lebensbeschreibungen mit kaum einer Silbe erwähnt, so kann man in punkto Gehalt von einer Äußerungsfreudigkeit reden, die die untersuchten Autoren bei der Offenlegung ihrer Verdienstentwicklung an den Tag legen. Nachträgliche Rechtfertigung, nochmaliges Beteuern des Seht-mal-mit-wie-wenig-wir-auskommen-mußten, da sich die Redakteure in allen Phasen der Geschichte der Parteipresse wegen ihrer angeblich zu hohen Gehälter gegenüber der Parteibasis zu rechtfertigen hatten.

Die Arbeiter und Handwerker unter den Parteigenossen empfanden die Gehälter, die an die Parteiredakteure gezahlt wurden, immer zu hoch,[149] die Redakteure erklärten sich als unterbezahlt,[150] was gemessen an den üblichen Geldern, die bei bürgerlichen Zeitungen gezahlt wurden, wohl auch stimmte.[151]

Das Gehalt für die Redakteure des Zentralorgans wird auf dem Parteitag bestimmt – 1876 einigte man sich nach langem Hin und Her auf 65 Taler Monatslohn für Liebknecht[152] – die Höhe des Arbeitsentgelts für die anderen Redakteure setzten die örtlichen Parteiorganisationen fest. Der Verein Arbeiterpresse stellt kurz nach seiner Gründung die Forderung nach regional gestaffelten Minimallöhnen auf; 1904 wird das geforderte Mindestgehalt mit 1800 Mark im Jahr beziffert;[153] ein Berliner Maurer verdiente im gleichen Jahr etwa 1900 Mark, ein Metallarbeiter in Berlin um die 1600 Mark und ein Bergarbeiter im Ruhrgebiet etwa 1300 Mark.[154]

In den Gründerjahren der Arbeiterpresse ist es um den Verdienst der Parteiredakteure ganz schlecht bestellt: „Wir stehn finanziell noch sehr schlecht. Kapital hatten wir nie, und das Blatt war bloß dadurch zu halten, daß wir uns die äußersten Opfer auferlegten. Jetzt endlich sind wir so weit, daß wir keine frischen Schulden machen, allein dies wird bloß dadurch ermöglicht, daß die Redaktion auf Hungerlohn gesetzt ist."[155]

Daß Liebknecht seine finanzielle Misere am *Volksstaat* noch untertreibt,

---

149 Vgl. Protokoll Parteitag 1892 in Berlin, S. 113: „Was die Besoldung der Redakteure des *Vorwärts* betrifft, so meine ich auch, daß wir daran denken müssen, daß wir eine proletarische Partei sind und den Charakter der proletarischen Partei hoch halten müssen."

150 Vgl. Calwer, Richard, Die socialdemokratische Presse, in: *Sozialistische Monatshefte*, Nr. 9, September 1901, S. 702 ff.: „Für die Redaction dagegen wird immer ein Minimum ausgeworfen. (...) So kommt es ganz von selbst, dass sowohl die Bezahlung, wie die Stellung der Redacteure (...) durchaus unbefriedigend ist."

151 Bebel vergleicht auf dem Parteitag 1892 in Berlin das Gehalt Liebknechts – das mit 7200 Mark als überhöht kritisiert wurde – mit den Gehältern der bürgerlichen Presse (Protokoll S. 92 ff.): „Ein konservatives Blatt zahle seinem Chefredakteur 24 000, liberale 18–15 000, jedenfalls werde nirgends unter 10 000 Mark gezahlt."

152 Protokoll Parteitag 1876 in Gotha, S. 95 ff. Liebknecht verschlechterte sich durch diesen Beschluß um 220 Taler im Jahr; beim *Volksstaat* hatte er 1000 Taler im Jahr bezogen.

153 Vgl. *MdVA*, Nr. 42, 14. 9. 1904.

154 Vgl. dazu Herweg, Rudolf, Notizen aus der Sozial-, Wirtschafts- und Gewerkschaftsgeschichte.

155 Liebknecht. Briefwechsel mit deutschen Sozialdemokraten, Brief an Johann Philipp Bekker vom 24. 1. 1872.

beweist ein Bittbrief an Engels einen Monat später: „Ich bin in gräulicher Geldklemme(...), (in) ein paar Wochen beginnt der Prozeß, und bis dahin muß ich wenigstens meine seit Neujahr fällige Miethe bezahlt haben (...). In der Volksstaatskasse ist Ebbe, und, obgleich mein Gehalt erhöht worden, kann ich nur gerade das zum täglichen Leben Nothwendige erhalten..."[156]

Ignaz Auer gar wurde in Dresden als Redakteur des *Volksboten* 1873 so schlecht bezahlt, daß er sich zeitweise noch als Dachdecker verdingte.[157] Bei Scheidemann hörte das „fette Leben" – er hatte als Setzer recht gut verdient – auf, als er in die Dienste der Partei trat: „...denn ich mußte mich mit einem monatlichen Einkommen von 120 Mark begnügen."[158] Von seinem „lumpigen Einkommen" mußte er auch noch die Miete für die Redaktionsräume, Heizung, Beleuchtung und Reinigung zahlen. „Sehr schmerzlich war für meine Frau, daß von den 120 Mark nur 80 Mark wirklich garantiert waren. Diesen Betrag monatlich zuzuschießen hatte der Parteivorstand sich verpflichtet. Die fehlenden 40 Mark sollte ich aus dem Blatt, abgesehen von den Kosten für Druck und Expedition, ebenfall herauswirtschaften."[159]

Noske[160] berichtet von anderen Transaktionen bei der Übernahme einer Redakteursstelle: „Meine Anstellung konnte nur durchgesetzt werden, nachdem der Redakteur Huth auf 20 Mark von seinem Gehalt verzichtete, so daß mir für meine Tätigkeit als Redakteur (...) 100 Mark Monatsgehalt zufielen."[161]

Blos verdiente Anfang der siebziger Jahre 24 Mark in der Woche als Redakteur des *Braunschweiger Volksfreund:* „Damit fand ich mich zurecht so gut es eben ging; übrigens waren die Lebensmittel vor der agrarischen Epoche noch sehr billig."[162] Der *Volksstaat* ruft ihn 1873, bietet ihm aber nur 90 Mark Monatsgehalt: „Bracke meinte, es sei ‚ein furchtbar ehrenvoller Posten', zu dem ich als junger Mann von 23 Jahren da berufen werde. Ich nahm an."[163] Fünf Jahre später verdient er als Redakteur des *Hamburg-Altonaer Volksblattes* 195 Mark im Monat: „Die Bezahlung war nicht übermäßig."[164]

Das Sozialistengesetz brachte 1878 durch die sich in der Folge häufenden Zeitungsverbote die Parteiredakteure um ihre Existenzgrundlage; Bebel fragt bei Engels an, ob er Liebknecht als deutschen Korrespondenten an englischen Zeitungen unterbringen kann,[165] Blos hält sich mit

156 Liebknecht. Briefwechsel mit Marx und Engels, Brief an Engels vom 15. 2. 1872.
157 Bernstein, Eduard, Ignaz Auer, S. 23.
158 Scheidemann, Philipp, Memoiren, S. 60.
159 Ebenda.
160 Siehe Biographie Noske, S. 204.
161 Noske, Gustav, Erlebtes, S. 15.
162 Blos, Wilhelm, Denkwürdigkeiten, Bd. 1, S. 165.
163 Ebenda, S. 142.
164 Ebenda, S. 197.
165 Bebel Briefwechsel. Brief an Engels vom 11. 2. 1881, S. 104: „Könntet Ihr für L(ie)b(knecht) nicht eine leidlich bezahlte Korrespondenz in eine englische Zeitung schaffen, in die er schreiben kann, ohne sich etwas zu vergeben. L(ie)b(knecht) wird, wenn er aus dem Gefängnis kommt, mehr seinen Erwerb in dieser Richtung suchen müssen, da ihm die Bezahlung unserer Blätter allein nicht ausreichend Lebensunterhalt gewährt."

unjournalistischen Gelegenheitsarbeiten über Wasser,[166] baut sich aber nach und nach eine solide Existenzgrundlage als freier Mitarbeiter für neu entstandene Parteiblätter auf.[167] Nach dem Fall des Sozialistengesetzes verfügt er über so viele Abnehmer innerhalb der Parteipresse, daß er weiterhin als freier Autor tätig bleiben kann.[168]

Für die Parteiredakteure, die vor ihrer redaktionellen Tätigkeit Handwerker und Arbeiter waren, bedeutete das Sozialistengesetz mit seinen Auswirkungen zwar ebenfalls einen empfindlichen Existenzeinschnitt; nur sahen sie sich in der Lage, in ihrem erlernten Beruf wieder unterzukommen.[162] Diese Möglichkeit hatten die Akademiker unter den Parteiredakteuren nicht; ihnen blieb als Erwerbsquelle nur die journalistische Arbeit. In der Zeit von 1878 bis 1890 waren die Stellen rar – die Parteizeitungen waren ja bis auf einige Ausnahmen verboten worden –, und die Bezahlung war schlecht.[170]

Nach dem Fall des Sozialistengesetzes im Jahre 1890 werden überall im Reich neue sozialdemokratische Zeitungen gegründet – die örtlichen Parteiorganisationen werben um die Spitzenkräfte des Parteijournalismus – und greifen für ihre Verhältnisse tief in die Tasche, um einen Top-Redakteur an ihr Blatt zu bekommen: „Die Kölner Genossen haben Carl Hirsch[171] für ihr Blatt (*Rheinische Zeitung.* d. Verf.) mit 5500 M(ark) engagiert. Ich bin überrascht, daß H(irsch) von der *Frankfurt(er) Zeit(ung)* wegging und Köln annahm, und bin recht neugierig, wie er das Blatt redigiert. Fast noch überraschender ist das seitens der Kölner bewilligte Honorar, dessen Höhe in der Provinzialpresse unerhört ist. Hamburg zahlt nur 3600 M(ark) im Maximum."[172]

Schoenlanks Jahresgehalt als Chefredakteur der *Leipziger Volkszeitung* beläuft sich auf 6000 Mark,[173] Keil gibt sein Chefredakteursgehalt mit 250 Mark im Monat an,[174] aber „nach kurzer Frist wurde es weiter erhöht".[175]

166 Blos, Wilhelm, Denkwürdigkeiten, Bd. 2, S. 15. Blos arbeitet unter anderem als Expedient in Bremen.
167 Ebenda: „Nach und nach gelang es mir, durch allerlei literarische Arbeit meine Einnahme zu verbessern."
168 Ebenda, S. 69: „Meine pekuniären Verhältnisse verbesserten sich von da ab beständig, da viel Mitarbeiterschaft für andere sozialistische Blätter dazukam. Mit dem Fall des Sozialistengesetzes gestaltete sich mein Einkommen so, daß es für meine Bedürfnisse ziemlich genügte."
169 Ignaz Auer beispielsweise betrieb von 1881 bis 1886 ein Möbelgeschäft in Schwerin, Dreesbach (siehe Biographie, S. 165), eröffnete 1878 in Mannheim ein Spezerei-Geschäft, der ehemalige Gerber Georg Schumacher (siehe Biographie Schumacher, S. 217) arbeitete ab 1879 als Lederhändler in Solingen.
170 Vgl. Nachruf auf Schoenlank im *Süddeutschen Postillon,* München, 6. 11. 1901. Darin heißt es, daß Schoenlank für seine Mitarbeit an der *Süddeutschen Post* zuerst gar kein Honorar erhielt, weil Viereck ihn für wohlhabend gehalten habe, dann ein so geringes Gehalt, daß er „bitter Not gelitten" habe.
171 Carl Hirsch war u. a. Redakteur der *Laterne,* Brüssel und war als Redakteur für den Züricher *Sozialdemokrat* im Gespräch.
172 Bebel Briefwechsel. Brief an Engels vom 15. 1. 1894, S. 746 ff.
173 Vgl. Protokoll Parteitag 1894 in Frankfurt, S. 71.
174 Keil, Wilhelm, Erlebnisse, Bd. 1, S. 194.
175 Ebenda.

Generell aber lagen die Gehälter, die an Parteiredakteure gezahlt wurden, weit unter denen der angeführten Spitzenjournalisten. Für die Redakteure, die ihrer Herkunft nach Arbeiter und Handwerker waren, bedeutete auch die am schlechtesten bezahlte Stelle in einer Redaktion eine soziale Besserstellung; die akademisch vorgebildeten Parteiredakteure jedoch waren ihren bürgerlichen Kollegen gegenüber deutlich schlechter gestellt.

Noch schlechter war es um die Bezahlung der freien Mitarbeiter bei den Parteiblättern bestellt. Bekamen die „Novizen" des journalistischen Berufes in den seltensten Fällen Honorare für ihre Beiträge[176] – „mein Lohn bestand in der Genugtuung darüber, mitarbeiten zu dürfen"[177] –, so wurde oft auch von „gestandenen" Journalisten erwartet, daß sie ihre Artikel unentgeltlich an die Parteiblätter abgaben.[178] Wurden die freien Mitarbeiter bezahlt, so war in der sozialdemokratischen Presse die Honorierung nach dem Umfang des Artikels – also Zeilengeld – üblich; die große *Leipziger Volkszeitung* zahlte 10 Pfennig pro Zeile,[179] ein kleineres Parteiblatt wie die *Schwäbische Tagwacht* in Stuttgart sieben Pfennig.[180] Dieser Zwang zur „Akkordarbeit" in Sachen Schreiben wurde von den freien Mitarbeitern immer wieder beklagt.[181]

Die prompte Bezahlung der veröffentlichten Artikel scheint nicht zu den Gepflogenheiten der Parteiblätter gehört zu haben; David[182] erwähnt das *Offenbacher Abendblatt* als Ausnahmeerscheinung in Sachen sofortiger Bezahlung der freien Mitarbeiter.[183] Auch der Verleger und Chefredakteur Heinrich Braun[184] wird als einzigartig in der sozialdemokratischen Presse beschrieben, weil er seine Mitarbeiter großzügig und

---

176 Ebenda, S. 95. Keil als freier Mitarbeiter der Mannheimer *Volksstimme*: „Selbstverständlich gab es für diese Mitarbeit, auch für den selbständigen Artikel kein Honorar. Ich begnügte mich sehr gern mit der Ehre, die Erzeugnisse meiner Feder im Parteiblatt gedruckt zu sehe."
177 Severing, Carl, Lebensweg, Bd. 1, S. 26. „Auch die Portokosten gingen zu meinen Lasten."
178 Liebknecht. Briefwechsel mit deutschen Sozialdemokraten. Liebknecht an Johann Philipp Becker am 24. 1. 1872: „Sehr lieb wäre mir dann und wann ein von dir gezeichneter Bericht. Daß wir nicht zahlen können, weißt Du ..." Protokoll Parteitag 1902 in München, S. 127. Eduard David: „Auch an den *Sozialistischen Monatsheften* ist die Mitarbeit lange Zeit hindurch unentgeltlich gewesen ..."
179 Keil, Wilhelm, Erlebnisse, Bd. 1, S. 141.
180 Ebenda.
181 Davidsohn, Georg, Chef vom Dienst?, in: MdVA, Nr. 172, 1. 7. 1918: „Und was unsere Mitarbeiter betrifft, so sollte die sozialdemokratische Preßorganisation auch deren Lage heben, daß sie endlich davon befreit würden, das elende Handwerk der Zeilenreißerei betreiben (...) zu müssen. (...) Wann endlich werden wir so weit sein, daß alle ständigen Mitarbeiter im Gehalt fixiert sind?"
182 Siehe Biographie David, S. 163.
183 David, Eduard, Wie ich Carl Ulrich kennen lernte, in: *Offenbacher Abendblatt*, 30. 1. 1928: „Ich sollte jede Woche einen kleinen Artikel schreiben und dafür fünf Mark erhalten. Das war nicht viel, aber den damaligen Verhältnissen in der lokalen Parteipresse entsprechend. In einer Hinsicht aber entsprach dieses Honorar den damaligen Verhältnissen glücklicherweise nicht. Es wurde nämlich prompt bezahlt."
184 Siehe Biographie Heinrich Braun, S. 158.

umwendend bezahlte.[185] In der Regel waren wohl ungenügende und unpünktliche Entlohnungen das Los der freien Parteijournalisten. „Wenn ein sozialdemokratischer Redakteur seinen Posten verlor und nicht gleich einen anderen bekam, wurde er ‚freier Schriftsteller', d. h. ein journalistischer Gelegenheitsarbeiter und Hungerleider schlimmster Art."[186]

Im Krieg 1914 bis 1918 führte das Verbandsorgan des Vereins Arbeiterpresse eine stehende Rubrik an der Spitze des Blattes ein, in der die Parteizeitungen laufend ermahnt wurden, ausstehende Honorare an die freien Mitarbeiter zu zahlen: „Aber so schlecht ist die Situation keines einzigen Blattes, daß es nicht in der Lage wäre, längst fällige Mitarbeiterhonorare zu bezahlen! Diese Saumseligkeit ist einfach unanständig ..."[187]

Steigt ein Parteiredakteur innerhalb der Parteiorganisation auf, bringt er es zu Posten und Mandaten, so dürfte sein Einkommen gesichert gewesen sein. Vor allem ein Reichstagsmandat macht aus dem Parteijournalisten einen begehrten Mitarbeiter. In der obersten Hierarchie-Etage der Partei und der Gewerkschaften zog man sich die lukrativsten Mitarbeiterstellungen an Land. Schoenlank vermerkt in seinem Tagebuch 1897,[188] daß Bebel als fester Mitarbeiter der Neuen Zeit ein jährliches Gehalt von 3600 Mark beziehe und „er schreibt so gut wie nichts".[189] Kautsky bestreitet auf dem Parteitag 1902 in München jegliche Zahlungen an Bebel: „Er hat nie einen Pfennig Gehalt bezogen, ja er hat sogar niemals einen Pfennig Honorar für seine Artikel bekommen."[190] Aber Bebel hatte 1890 an seinen Freund Adler, den österreichischen Sozialistenführer geschrieben: „Die N.Z. (Neue Zeit. d. Verf.), bei der ich gegen festen Gehalt engagiert bin, hat seit mehr als 4 Wochen keine Zeile von mir erhalten ..."[191]

Bebel wird für seinen Freund Adler auch bei Dietz[192], dem Verleger der Neuen Zeit vorstellig: „Ich habe nun Dietz geschrieben, daß er Deine Artikel extra gut honorieren möge u. ich denke er wird dies sicher thun."[193]

---

185 Stampfer, Friedrich, Erfahrungen, S. 84: „Vielen hat er durch die Zuwendung reichlicher Honorare geholfen. Als seine letzte Gründung Die neue Gesellschaft längst an Geldmangel eingegangen war, erhielten die erstaunten Mitarbeiter, die ans Bezahltwerden längst nicht mehr (...) gedacht hatten, eines Tages die außenstehenden Beträge auf Heller und Pfennig zugeschickt."
186 Stampfer, Friedrich, Erfahrungen, S. 72.
  Vgl. dazu auch Brief von Hermann Wendel an A. Henke vom 14. 8. 1907 im Nachlaß Henke im AdSD, Bonn: „Ich möchte von der Bremer Bürgerzeitung einen ‚Schuß' von 50 Mk haben. Die Gründe dafür sind zugleich die Gründe, weshalb ich sie so lange ohne eine Zeile ließ."
187 MdVA, Nr. 129, 11. 11. 1914.
188 Das Tagebuch befindet sich im Nachlaß Schoenlank im AdSD, Bonn. Es wurde bearbeitet und herausgegeben von Paul Mayer.
189 Mayer, Paul, Bruno Schoenlank, S. 117.
190 Protokoll Parteitag 1902 in München, S. 257.
191 Adler Briefwechsel. Bebel an Adler am 20. 12. 1890.
192 Siehe Biographie Dietz, S. 164.
193 Adler Briefwechsel. Bebel an Adler am 4. 10. 1892, S. 103.

Auer bekommt eine Extrahonorierung von 125 Mark im Monat für seine Tätigkeit am *Vorwärts,* zuzüglich seines Parteisekretärgehaltes;[194] die zusätzliche Einnahme des Gewerkschaftsführers Legien[195] von 38 Mark im Monat, die er als Redakteur des *Correspondenzblattes* erhält, kritisiert Bebel heftig auf dem Parteitag 1894 in Frankfurt.[196] Die Bemessung dessen, was ein in den Diensten der Partei oder Gewerkschaft stehender Genosse zusätzlich verdienen durfte, unterlag wohl auch zweierlei Maß.

Reich werden konnte man als hauptberuflicher Parteiredakteur sicher nicht. *Den* Journalisten der sozialdemokratischen Partei, Wilhelm Liebknecht, im Dienste der Parteipresse seit über 30 Jahren, setzte die Parteibasis auf dem Parteitag 1892 in Berlin der entwürdigenden Situation aus, sein Gehalt verteidigen zu müssen: „Was ich einnehme, brauche ich für meine Familie. Mein Gehalt wird Manchem hoch erscheinen, aber ich kann unmöglich mit weniger auskommen. (...) Ich bin selbst so arm wie einer von Ihnen; ich habe einen Theil meines Lebens proletarischer gelebt, als vielleicht der Aermste von Ihnen, und für meine Person lebe ich wie ein Proletarier und habe Proletarierbedürfnisse."[197]

Noch als alter Mann muß Liebknecht Parteifreunde um Geld für „Extra-Touren" angehen: „Und apropos 1. Mai und Wien eine ‚delikate Frage'. Habt Ihr denn Geld genug, mir meine Reise zu bezahlen? Ich habe es nicht. (...) Und der Aufenthalt in Wien ist verteufelt theuer."[198]

3. Verhältnis zu den Kollegen

Ihre Kollegen in der Redaktion und in der Parteipresse beschreiben die hier untersuchten Autoren in ihren Lebensbeschreibungen nicht als Mitarbeiter, als Mitarbeitende im gleichen Beruf, sondern als politische Freunde oder Feinde: „Das öffentliche Leben bringt es einmal mit sich, daß oft die intimste Freundschaft, die man heute zu Jemandem hegt, morgen in bitterste Feindschaft – oft Bagatellsachen halber – umschlägt, oder auch das Umgekehrte mag eintreten."[199]

In den Redaktionen der sozialdemokratischen Parteiblätter ging es rauh zu: Mitarbeiter werden „hinausgebissen"[200], die Chefredakteure

---

194 Protokoll Parteitag 1894 in Frankfurt, S. 68: „Wir sind davon überzeugt, daß die innige Verbindung zwischen Partei-Vorstand und Zentralorgan unumgänglich nothwendig sei. Da nun aber die hierauf bezügliche Thätigkeit Auers außerhalb der Geschäftsstunden des Parteisekretärs fällt (...), so versteht es sich ganz von selbst, daß diese besondere Thätigkeit auch besonders honorirt werden mußte."
195 Siehe Biographie Legien, S. 195.
196 Protokoll Parteitag 1894 in Frankfurt, S. 83.
197 Protokoll Parteitag 1892 in Berlin S. 122.
198 Adler Briefwechsel. Liebknecht an Adler am 19. 3. 1899, S. 303.
199 Most, John, Memoiren, S. 6 ff.
200 Vgl. Bebel Briefwechsel. Brief an Engels vom 21. 1. 1892, S. 499: „Wie lange Sch(oenlank) am V(orwärts) aushält, ist auch fraglich; mit L(ie)b(knecht) ist schlecht zusammenarbeiten, und dazu kommt, daß er auf Sch(oenlank) schon schlecht zu sprechen ist und von vornherein Neigung hat, ihn hinauszubeissen. Zu meiner Frau meinte er: Sch(oenlank) werde wohl nicht über den 1. April in Stellung am V(orwärts) bleiben."

führten ein autokratisches Regiment,[201] der Umgangston scheint rüde gewesen zu sein.[202]

In den retrospektiven Beschreibungen der früheren Kollegen kommt immer wieder ein „bissiges" Element zum Tragen: „Wenn er in der Redaktion erschien, kam er jedenfalls zu spät. Entweder hatte ihn der Regen oder der Schnee, die Hitze oder die Kälte am rechtzeitigen Erscheinen gehindert."[203] Weiter werden die Kollegen als Denunzianten,[204] als ehrgeizige Rivalen[205] beschrieben und ihnen allenfalls eine „ausreichende"[206] journalistische Begabung bescheinigt: „Übrigens hielt jeder einzelne von uns sich für viel gescheiter als alle anderen zusammen."[207]

In den Briefen und Tagebüchern kommen die Animositäten noch unverhohlener zum Ausdruck; Schoenlank beschreibt Südekum[208], den politischen Redakteur der *Leipziger Volkszeitung*, folgendermaßen: „S(üdekum) ist seicht, feig, Poseur, Streber, aber tölpelhafter, deckt seine Karten auf, verplappert sich. Unzuverlässiger Kantonist, Mann im Smoking mit Reserveleutnantston, ohne tiefere Kenntnisse. Blagueur."[209] Bebel wiederum bescheinigt Schoenlank, „kein Charakter zu sein"[210], als der österreichische Sozialistenführer Adler Auskunft über ihn einholt, weil er ihn als möglichen Korrespondenten für seine Wiener Zeitung im Auge hat.

Kautsky bezeichnet Schoenlank als „biedere(n) Bruno"[211], von Ledebours[212] journalistischem Stil sagt er: „Da er ein gescheiter Kerl ist, kommt er auf so manchen originellen Gedanken; da ihm aber eine solide

---

201 Beyer, Georg, Paul Lensch (siehe Biographie Lensch, S. 196), in *MdVA*, Nr. 260, 1. 12. 1926: „Und ein angenehmer Kollege war er ganz gewiß nicht! Seine Burschikosität in der akademischen Verbrämung, sein Wille zum Kommando (...) brachte ihn nacheinander in Konflikt mit seinen Mitarbeitern. (...) Die Wände der alten Redaktion (...) erzitterten vor Redaktionskrachs."

202 Vgl. Stampfer, Friedrich, Erfahrungen, S. 68 ff. Er schildert Schoenlank als unberechenbar und sehr reizbar.

203 Scheidemann, Phillip, Memoiren, Bd. 1, S. 174, betr. Ledebour.

204 Blos, Wilhelm, Denkwürdigkeiten, Bd. 1., S. 252: „So schrieb ein Redaktionsmitglied oft so scharf und provozierend, daß ich, wie er auch erwartete, die betreffenden Stellen streichen mußte. Dann fischte er die Korrekturen aus dem Papierkorb und sandte sie an führende Persönlichkeiten der Partei mit dem Bemerken, daß er ja gerne schärfer schreiben würde, daß ich es aber verhindere."

205 Scheidemann, Philipp, a.a.O., S. 74. In der Abwesenheit Scheidemanns aus der Redaktion, hält sich sein Stellvertreter nicht an die Direktiven, schreibt eigene Artikel, „er wollte (...) durch eigene Arbeit imponieren", die Scheidemann als verantwortlichen Redakteur wegen Pressvergehen auf die Anklagebank bringen.

206 Keil, Wilhelm, Erlebnisse, Bd. 1, S. 198.

207 Scheidemann, Philipp, a.a.O., S. 51.

208 Siehe Biographie Südekum, S. 224.

209 Mayer, Paul, Bruno Schoenlank, S. 137, Schoenlanks Tagebucheintragung vom 16. 11. 97.

210 Adler Briefwechsel. Bebel an Adler am 7. 11. 1893, S. 126. Bebel weiter: „Gleichwohl glaube ich könnt Ihr, mangels eines Besseren, ihn anstellen. Er weiß jedenfalls, welche Art von Correspondenz Ihr braucht und bei seiner Kunst der Anschmiegungsfähigkeit wird er Euch nach Wunsch bedienen. Mißbraucht er die Stellung so sind wir ja da und ich verspreche Dir den Posten des Aufsehers ohne Gehalt zu übernehmen und sobald ich Unrath merke Euch zu schreiben."

211 Adler Briefwechsel. Kautsky an Adler am 15. 10. 1892, S. 106 ff.

212 Siehe Biographie Ledebour, S. 194.

Grundlage fehlt, verliert sich die Originalität nicht selten bei ihm in Klugscheißerei, ja mitunter in direkter Konfusion und Albernheit. "[213]

Von einem guten kollegialen Verhältnis ist paradoxerweise nur dann die Rede, wenn die hier untersuchten Autoren die Art ihrer Kontakte zu bürgerlichen Journalisten beschreiben. Keil schildert die Situation in der Journalistenecke des württembergischen Landtags: „Es herrschte ein gutes kollegiales Verhältnis. War einer vorübergehend abwesend, so stand ihm das Manuskript des Nachbarn zur Informierung zur Verfügung."[214]

Allerdings kam es schon ab und an zu kollegialen Solidaritätsaktionen in sozialdemokratischen Parteiredaktionen – mit der intendierten Stoßrichtung, einen ungeliebten Kollegen oder nicht akzeptierten Chefredakteur zu treffen.[215] Die Autoren beschreiben sich als Einzelkämpfer in den Redaktionen, die immer wieder gegen Intrigen anzugehen hatten, die – angezettelt durch die Kollegen – ihnen das journalistische und politische Leben schwer machten.[216]

Hatten schon die Rangeleien innerhalb der Parteizeitungsredaktionen den Charakter ideologischer Meinungsverschiedenheiten, so traten sie offen bei den Auseinandersetzungen zwischen den einzelnen Parteiblättern zu Tage. Der heftige Schlagabtausch per Feder ging so weit, daß Ulrich[217] auf dem Parteitag 1901 in Lübeck konstatieren mußte: „Unsere eigenen Organe sind oft nicht mehr Kampforgane gegen unsere Feinde, sondern Kampforgane gegen uns selbst."[218] Und Stücklen[219]: „Die Parteipresse hat nicht die Aufgabe, Parteigenossen anzugreifen."[220]

Aber das tat sie wohl schon immer. Liebknecht griff in den sechziger Jahren in polemischen Artikeln im *Demokratischen Wochenblatt* den Vorsitzenden des ADAV, Schweitzer[221], an; in den siebziger Jahren entspann sich ein Pressekrieg zwischen der *Berliner Freien Presse,* die Most[222] redigierte, und dem Zentralorgan *Vorwärts,* an dem Liebknecht als Chefredakteur fungierte.[223] Der Feder-Kleinkrieg bestand nicht nur aus dem Gegenüberstellen divergierender Meinungen auf parteipolitischem Sektor; die Redakteure bekämpften sich mit persönlichen Unter-

213 Adler Briefwechsel. Kautsky an Adler am 20. 6. 1895, S. 181.
214 Keil, Wilhelm, Erlebnisse, Bd. 1, S. 164.
215 Adler Briefwechsel. Bebel an Adler am 6. 12. 1894, S. 167. „Zum Schluß kam es gestern auch auf der Redaktion zwischen ihm (Liebknecht) und drei anwesenden Redakteuren (Braun, Schmidt und Pötsch) zu Krach, in dem L(ie)b(knecht) eine Erklärung zu Gunsten der *Münch(ner) Post* gegen die Redaktion los lassen wollte, worauf alle drei erklärten, daß sie dann sofort streikten."
   Vgl. auch Ratz, Ursula, Ledebour, S. 29 ff. Als Ledebour ohne Angabe eines Grundes seine Redakteursstelle an der demokratischen *Volkszeitung* gekündigt wird, stellt auch Schoenlank seine Mitarbeit an dieser Zeitung ein.
216 Vgl. Keil, Wilhelm, Erlebnisse, Bd. 1, S. 242. Sein Konflikt mit Westmeyer.
217 Siehe Biographie Ulrich, S. 226.
218 Protokoll Parteitag 1901 in Lübeck, S. 197.
219 Siehe Biographie Stücklen, S. 223.
220 Protokoll Parteitag 1901 in Lübeck, S. 196.
221 Siehe Biographie Schweitzer, S. 218.
222 Siehe Biographie Most, S. 202.
223 Zu den Auseinandersetzungen zwischen Most und Liebknecht vgl. Rocker, Rudolf, Johann Most, S. 47 ff.

stellungen, Bezichtigungen, Diffamierungen – sehr viel Schmutziges, Bös-Menschliches wurde da schwarz auf weiß aufgerollt.[224]

1897 holt Schoenlank in der *Leipziger Volkszeitung* zu einer großangelegten Attacke gegen den alten Chefredakteur des *Vorwärts*, Liebknecht, aus. Liebknecht hatte in einer Artikelserie, die in der *Neuen Zeit* veröffentlicht wurde, seine Reise durch Holland beschrieben und nebenbei bemerkt, daß der Lebensstandard der holländischen Arbeiter viel höher sei als der der deutschen. Schoenlank bezeichnete die Beobachtungen Liebknechts als oberflächlich und falsch und geißelte seine „Auslandsmanie", die einer gewollten Nestbeschmutzung gleichkäme.

„Die Bombe hat eingeschlagen"[225], vermerkt Schoenlank am 13. 4. 1897 in seinem Tagebuch. „Die ganze große bürgerliche Presse reagiert, (...) und Liebknecht erwidert im heutigen *Vorwärts* mit greisenhaften Späßchen. Ich fertige ihn heute in der L(eipziger) V(olks)z(ei)t(ung) kurz ab."[226] Der schwache Rechtfertigungsversuch Liebknechts scheint seine Streitlust weiter anzustacheln; am 15. 4. schreibt Schoenlank in sein Tagebuch: „Die Diskussion ist noch immer nicht zu Ende; die Sache ist das Hauptthema der Presse. Liebknecht antwortet so senil, daß ich mit einer Handbewegung in der L(eipziger) V(olks)z(ei)t(ung) heute abwinke. Mit dem marasmus senilis diskutiere ich nicht."[227]

Diesen Tagebucheintragungen sind Briefe von anderen Parteiredakteuren beigelegt, die Stellung zu der Auseinandersetzung Schoenlank-Liebknecht beziehen. Grillenberger[228] schreibt: „Aber was hast Du dem ‚armen Alten' angetan! Ich bin zwar nicht der Meinung wie die *Zeit*[229], daß es sein Ende bedeutet, aber der schwerste Schlag, der ihm je zugefügt wurde, ist es. Doch, man kann ihm nicht helfen. Es ist eine Tat, daß es einmal gesagt wurde. Ich will sehen, was er nun entgegen ‚beuteln' wird. Ob wir auch dazu Stellung nehmen, das wird von der Art seiner Erwiderung abhängen."[230] Und Kollege Bruhns[231] aus Breslau meint schadenfroh: „Das war ein famoser Streich, den du da (...) dem Alten appliziert hast! Ein Stoß ins Herz vielmehr, mit sicherer Hand ausgeführt. Was wird er oder kann er darauf antworten? Wie wird er sich da ‚herauslügen'?"[232]

---

224 Quarck (siehe Biographie Quarck, S. 206) beklagt sich auf dem Parteitag 1896 in Gotha, Protokoll, S. 77: „Das ist doch gewiss einer der schlimmsten Vorwürfe, der einem Parteigenossen gemacht werden kann, daß er Unfrieden zu stiften und zu hetzen versucht. Auch dafür ist ein Beweis nicht erbracht, und der Verfasser hat sich trotz meiner Aufforderung bis heute noch nicht genannt, obgleich der *Vorwärts* in Aussicht stellte, daß der Mann seine Sache vertreten würde."
Der Verfasser des Artikels, in dem Quarck so massiv angegriffen wurde, war Ignaz Auer.
225 Mayer, Paul, Bruno Schoenlank, S. 121.
226 Ebenda.
227 Ebenda, S. 122.
228 Siehe Biographie Grillenberger, S. 178.
229 *Die Zeit,* Wochenschrift, Organ der National-Sozialen.
230 Mayer, Paul, Bruno Schoenlank, S. 121.
231 Siehe Biographie Bruhns, S. 159.
232 Mayer, Paul, Bruno Schoenlank, S. 121.

Hier ging es nicht mehr nur um das schriftliche Austragen einer politischen Meinungsverschiedenheit; sie war nur Vorwand, um dem ungeliebten Mentor des sozialdemokratischen Journalismus kräftig eines auszuwischen.[233] Betroffen macht die Häme, mit der diese Feder-Attakken geritten wurden; die Basis der Partei wettert denn auch kontinuierlich auf den Parteitagen gegen den bösartig-polemischen Ton, den die Parteiblätter gegenüber Genossen anzuschlagen pflegen.[234]

Nicht nur persönliche Animositäten waren die Gründe für die Angriffe auf Parteikollegen in der sozialdemokratischen Presse; hinter den Kulissen ging es auch um handfeste wirtschaftliche Interessen, um den Kampf der von der Parteikasse unabhängigen Blätter, um die Abonnenten. In den achtziger Jahren stieß der Rekordhalter in Sachen Zeitungsneugründungen, Viereck[235], des öfteren mit sozialdemokratischen Berufskollegen zusammen. In Mitteldeutschland verärgert er Liebknecht, Hasenclever[236] und Kayser[237], als er zu Abonnentenwerbung in deren Gebiet eindringt.[238] Die Auseinandersetzung wird mit politischen Argumenten geführt; Grund dafür war aber sicherlich der „Geschäfts- und Brotneid"[239] der Betroffenen. Es „menschelt" halt auch im sozialdemokratischen Blätterwald![240]

Unter Parteifreunden – das gab es auch! – wurde das Prinzip: eine Hand wäscht die andere, hochgehalten. Parteiredakteure verdienen sich ein Zubrot mit Veröffentlichungen in Zeitungen befreundeter Kollegen und nehmen als Gegenleistung Artikel dieser Kollegen in ihre Blätter auf: „Schönen Dank für ihre frdl. Sendung von heute morgen über Bergarbeiterschutz. Wird verwendet! (...) Heute sende ich Ihnen einen kleinen Feuilletonscherz, den ich Ihnen schon vor ca. einem Jahr zugedacht hatte. Wie steht es mit dem anderen Feuilleton? (Selbstverwaltung)."[241]

---

233 Liebknecht und Schoenlank verstanden sich schon zu den Zeiten nicht gut, als Schoenlank als Redakteur beim *Vorwärts* arbeitete. Vgl. dazu Bebel Briefwechsel. Bebel an Engels am 21. 1. 1892, S. 499: „... und dazu kommt, dass er (Liebknecht. d. Verf.) auf Sch(oenlank) schon schlecht zu sprechen ist und von vornherein Neigung hat, ihn hineinzubeissen."

234 Vgl. dazu die Anträge auf dem Parteitag 1906 in Mannheim, Protokoll S. 112 ff.: „Persönliche Polemiken sind in der Parteipresse möglichst zu vermeiden." Der Ortsverein Pfungstadt verlangt, „die Delegierten zum Parteitag zu beauftragen, auf dem Parteitag zu verlangen, daß die unfruchtbaren Zänkereien zwischen den einzelnen Parteiorganen aufhören müssen."

235 Siehe Biographie Viereck, S. 227.

236 Siehe Biographie Hasenclever, S. 180.

237 Siehe Biographie Kayser, S. 190.

238 Zu den heftig geführten Auseinandersetzungen um die Abonnentenanwerbung vgl. Heß, Ulrich, Louis Viereck, S. 14. Liebknecht und Hasenclever warfen Viereck „egoistisches Verhalten" vor; Viereck beschuldigte die beiden, sie seien zu einer „systematischen Untergrabung seiner ökonomischen Existenz übergegangen".

239 Ebenda, S. 17.

240 Vgl. Protokoll Parteitag 1897 in Hamburg, S. 94. Stolten (siehe Biographie, S. 222) berichtet von kleinlichen Auseinandersetzungen mit der *Vorwärts*-Redaktion. Das *Hamburger Echo* will vom *Vorwärts* einen bestimmten Artikel, das wird mit folgender Begründung abgelehnt: „Das ganze Jahr wird auf uns herumgehackt und wir werden als ein schlechtes Blatt bezeichnet; wenn wir aber einem etwas Gutes haben, wollen es die Andern auch haben."

241 Brief von Südekum an Quarck vom 21. 6. 1907 im Nachlass Quarck, AdSD, Bonn.

Vorübergehend stellungslosen befreundeten Parteiredakteuren wurden großzügig Mitarbeiterstellungen eingeräumt;[242] bei politischen Meinungsverschiedenheiten mit anderen Lagern in der Partei gewährte man sich gegenseitig publizistische Schützenhilfe.[243]

Vielen alten Freundschaften setzten jedoch die Zeitungszänkereien ein Ende; das große alte Paar der deutschen Sozialisten, Bebel und Liebknecht, schied der andauernde Kleinkrieg um die richtige Inhaltsgestaltung des *Vorwärts*.[244]

4. Verhältnis zum Leser

Leser der sozialdemokratischen Presseerzeugnisse waren in erster Linie die Mitglieder der Partei;[245] die Wähler der SPD können in ihrer Gesamtheit nicht als ständige Leser der sie betreffenden örtlichen Parteiblätter betrachtet werden, da die Zahl der Abonnenten einer lokalen Parteizeitung immer weit unter der der Wähler der Partei lag.[246] So gesehen, hatten es die Parteiredakteure mit einer homogenen – was die politische Meinungsausrichtung betraf – Leserschaft zu tun.

In den Aussagen der hier untersuchten Autoren über ihre Leserschaft kommt eine weitere Spezifizierung zum Tragen: Sie rechnen ihre Leser fast ausnahmslos dem proletarischen Stand zu. Aus dieser Zuordnung leiten sie dann ihre erzieherischen Intentionen ab: „Die erhabene und heilige Aufgabe eines ächten Arbeiterorgans sei (...), den Arbeiter denken zu lehren. Deshalb müsse der Inhalt möglichst hoch gehalten sein, das Blatt möglichst viel belehrende Aufsätze umfassen. Seien die Auf-

---

242 Vgl. Brief von Heilmann an Keil vom 19. 4. 1911 im Nachlaß Keil, AdSD, Bonn: „Unser Mitarbeiteretat ist durch Eisner und Edmund Fischer etwas stark belastet, aber selbstverständlich würde ich Ihnen die Abnahme von etwa 2 Artikeln pro Monat (...) trotzdem garantieren."
243 Vgl. Adler Briefwechsel. Bebel an Adler am 7. 11. 1893, S. 127. Bebel ändert einen *Vorwärts*-Artikel Adolf Brauns, der österreichische Angelegenheiten zum Inhalt hatte, ab: „Den Artikel sah ich gestern Abend durch und änderte verschiedenes und setzte hinzu. Ich glaube er wird dir passen." Vgl. dazu auch Brief von Ludwig Frank vom 27. 7. 1910. Er äußert sich enttäuscht darüber, daß seine Parteifreunde ihm nicht die erwartete publizistische Unterstützung gewähren: „Jetzt sehe ich zu meiner schmerzlichen Überraschung, daß die *Münchener Post* noch nicht einmal mit einem Wort gewagt hat, für oder wider Stellung zu nehmen. Vollmar schreibt mir heute dafür die armselige Erklärung, Müller (Redakteur der *Münchener Post*) wolle kein Öl ins Feuer giessen.", in: Ludwig Frank, Aufsätze, Reden und Briefe, S. 171. Siehe auch Biographie Frank, S. 172.
244 Adler Briefwechsel. Bebel an Adler am 18. 11. 1896, S. 223: „Die Differenzen haben sich so zugespitzt, daß jeder private Verkehr zwischen dem Alten u. seiner Familie u. uns aufgehört hat."
245 Organisationsstatut der SDAP, § IV: „Die Parteigenossen, welche auf das Parteiorgan abonnieren, und dies glaubhaft nachweisen, sind während der Dauer des Abonnements der Beitragspflicht enthoben.", in: Schröder, Wilhelm, Handbuch der sozialdemokratischen Parteitage, Bd. 1, S. 66.
„Praktisch konnte man durch Abonnement der Zeitung Mitglied der Sozial-demokratischen Arbeiterpartei werden." Koszyk, Kurt, Deutsche Presse im 19. Jahrhundert, S. 193.
246 Vgl. Protokoll Parteitag 1898 in Stuttgart, S. 213. In Berlin zählte man etwa 250 000 sozialdemokratische Wähler; der *Vorwärts* aber hatte kaum 50 000 Abonnenten.

sätze manchmal etwas schwer verständlich, nun, so müssen die Arbeiter eben ihr Hirn anstrengen."[247]

So sieht Liebknecht 1870 seine Adressaten; da der Arbeiter ungebildet ist, muß er belehrt, nicht unterhalten werden.[248] Die Zielsetzung einer geistigen Hebung der Massen beschreibt schon die einseitige Sicht des Leserkreises.[249]

Wird auch die Leserschaft als homogen angesehen, so variieren doch die Mutmaßungen über das Rezeptionsverhalten der Leser: mal wird er als der unmündige, zu führende Parteigenosse geschildert,[250] ein andermal bescheinigt man ihm kluges, bewußtes Verhalten im Selektionsprozeß.[251] Die Leser werden als resonanz-unfreudiges oder akklamationswilliges Publikum dargestellt;[252] die Sichtweise der Adressaten der Parteiblätter bleibt durchgängig eine diffuse.

Wird in den vorliegenden Memoiren, Briefen und Parteitagsstatements vom Leser gesprochen, so zielen diese Aussagen in vielen Fällen auf den noch zu gewinnenden, zahlenden Abonnenten einer Parteizeitung: „Große Schichten der Arbeiter stehen uns aber heute noch fern; sie betrachten die Zeitungslektüre lediglich als Befriedigung ihrer Neugierde und bilden die Träger der sogenannten farblosen Presse. Hier liegt noch eine große wichtige Arbeit für die Partei. Hier muß mit voller Wucht eingesetzt werden."[253]

In den Gründerjahren der Arbeiterpresse gehörte es mit zu den Aufgaben der Redakteure, Abonnenten für ihr Blatt anzuwerben. Most[254] beschreibt die aufreibende Doppelfunktion: „Wenn ich sage, ich agitierte damals Tag und Nacht, so nehme ich den Mund nicht zu voll. Die Zeitung war ein Abendblatt. Sobald sie fertig war, ging die Vorbereitung zur mündlichen Propaganda los. Denn da war selten ein Tag, an dem ich nicht irgendeine Versammlung abzuhalten hatte. (...) Binnen sechs Wochen hatte die *Chemnitzer Freie Presse* eine Auflage von 1200 erlangt."[255]

---

247 Protokoll Vereinstag der SDAP 1870 in Stuttgart, S. 27.
248 Liebknecht. Briefwechsel mit deutschen Sozialdemokraten. Liebknecht an Bracke am 17. 11. 1869, S. 267: „Mit dem Roman verschont uns. Er paßt nicht in unser Blatt. Wenn wir ein Feuilleton im *Volksstaat* einrichten wollen, so können wir historische Sachen (...) darin besprechen – kurz: etwas, was die Leute belehrt."
249 Vgl. Braun-Vogelstein, Julie, Ein Menschenleben, S. 211. Sie zitiert Heinrich Brauns Kritik an der Parteipresse. Er wirft ihr Seichtheit vor und für die „geistige Hebung der Massen" geschehe nichts.
250 Bebel, August, Aus meinem Leben, Bd. 1, S. 178: „Wir hatten bis dahin kein Organ zur Verfügung gehabt, in dem wir unsere Ansichten vertreten konnten, damit war auch keine Möglichkeit gegeben, die politische und soziale Aufklärung unserer Anhänger genügend zu betreiben, und das tat vor allem not."
251 Protokoll Parteitag 1896 in Gotha, S. 101. Liebknecht: „Ich halte die Leser des *Vorwärts* nicht für so dumm, daß sie nicht aus verschiedenen Anschauungen das richtige herausfinden können."
252 Kriegstagebuch David, S. 87: „Vom Publikum erhalte ich keinerlei Zeichen der Zustimmung."
Blos, Wilhelm, Denkwürdigkeiten, Bd. 1, S. 78 ff.: „Ich schrieb fast täglich einen Leitartikel und täglich eine politische Übersicht. Dem Publikum gefiel dies und ich hörte mehrfach aussprechen, daß das Blatt jetzt frischer und lebendiger präsentiere, als bisher."
253 Protokoll Parteitag 1912 in Chemnitz, S. 215. Ebert.
254 Siehe Biographie Most, S. 202.
255 Most, Johann, Ein Sozialist, S. 80 ff.

Die Leser waren nicht nur Gradmesser der journalistischen Tüchtigkeit,[256] sie wurden auch zur Mitarbeit an den Parteizeitungen herangezogen, da sie als nicht bezahlte Berichterstatter den Redaktionsetat nicht belasteten. Die Parteiredakteure veröffentlichten in den Zeitungen für ihre Leser-Mitarbeiter Lektionen in journalistischer Arbeit: „Wenn Du etwas einer Zeitung mittheilen willst, thue dies rasch und schicke es sofort ein; denn was neu ist, wenn Du es denkst, ist vielleicht nach wenigen Stunden nicht mehr neu. Sei kurz; du sparst damit die Zeit des Redakteurs und Deine eigene. Dein Prinzip sei: Thatsachen, keine Phrasen. Sei klar; Schreibe nicht mit Tinte und leserlich, besonders Namen und Ziffern; setze mehr Punkte als Kommas. Schreib nicht ‚gestern' oder ‚heute', sondern den Tag oder das Datum. Korrigire niemals einen Namen oder eine Zahl; streiche das fehlerhafte Wort durch und schreibe das richtige darüber oder daneben. Die Hauptsache: Beschreibe nie, nie, nie beide Seiten des Blattes. Hundert Zeilen auf einer Seite geschrieben lassen sich rasch zerschneiden und an die Setzer vertheilen."[257]

Nicht nur journalistischer, auch literarischer Nachhilfeunterricht wurde dem Leser per Parteizeitung erteilt. Lehmann[258] richtete folgende Briefkastennotiz an einen Leser, der der Redaktion ein Gedicht geschickt hatte: „K.S. hier. Eingesandtes Gedicht nicht zu verwerthen. Wenn nach Ihrem Dafürhalten der Socialist den Löwen an Muth ebenbürtig ist, so mag das noch hingehen. Wenn Sie aber eine Zeile weiter ausrufen: ‚Im Fluge kommt er, gleich den Möwen' so ist das Nonsens. Jeder Vers hat bei Ihnen eine andere Form und dann ist der ‚Reim' nicht rein. Die Zusammenziehung von Wörtern wie ‚Arbeiterhaus' müssen Sie vermeiden."[259]

Die Einrichtung der Rubriken „Sprechsaal", „Fragekasten" und „Leserbriefe" in den Parteizeitungen erweitert die Partizipationsmöglichkeit der Leser an ihrem Blatte. Die Anhänglichkeit an *ihr* Blatt manifestiert sich auch durch zusätzliche Spenden, war die Zeitung in die roten Zahlen gekommen. Die Rubrik „Zu bekanntem Zwecke" im *Braunschweiger Volksfreund,* in der die Namen der freiwilligen Spender veröffentlicht wurden, gibt Zeugnis von der pekuniären Unterstützung, die die Leser ihrer Zeitung zukommen ließen.[260]

Das enge, in den Gründerjahren der Arbeiterpresse fast familiäre Verhältnis zwischen Parteiredakteur und Leser seines Blattes findet in

256 Vgl. dazu Thiele (siehe Biographie, S. 224), Protokoll Parteitag 1898 in Stuttgart, S. 119: „Daß im vergangenen Jahre unsere Blätter 46 000 Abonnenten gewonnen haben, ist jedenfalls ein Beweis, daß seitens der Parteiredaktionen mit größtem Fleiße gearbeitet worden ist."
Scheidemann, Philipp, Memoiren, Bd. 1, S. 92: „Im Vergleich zu den Hilfsmitteln, die einer Redaktion heute zu Gebote stehen, waren die damaligen Verhältnisse geradezu kläglich zu nennen. Trotzdem: wir hatten den Ehrgeiz, unser Blatt hochzubringen, und wir hatten die Freude, unsere Arbeit belohnt zu sehen. (...) In verhältnismäßig kurzer Zeit nahm das Blatt einen großen Aufschwung."
257 *Rheinisch-Westfälische Arbeiter-Zeitung,* Dortmund, 26. 5. 1896, 5. 5. 1900, 2. 3. 1901.
258 Siehe Biographie Lehmann, S. 195.
259 Zitiert nach Koszyk, Kurt, Anfänge und frühe Entwicklung. Die Briefkastennotiz erschien in der *Westfälischen Freien Presse.*
260 Vgl. dazu Seidel, Jutta, Wilhelm Bracke, S. 99 ff.

den hier vorliegenden Lebensbeschreibungen keine Erwähnung. Man schlug wohl diese Kontakte den ganz allgemeinen zu den Parteigenossen zu; der Parteigenosse als Leser der Zeitung wird kaum spezifiziert. Man findet idealisierende Beschreibungen des breiten Publikums: Es sei „überaus bildsam", „von wahrem Wissensdurst erfüllt" und zeichnet sich durch „ungemeine geistige Empfänglichkeit"[261] aus; oder die sozialdemokratische Presse habe schon nachhaltig auf die „geistige Bildung, (...) religiöse Überzeugung und (...) sittlichen Charakter"[262] der Arbeiter eingewirkt.

Der Leser als wirtschaftlicher Träger der Parteizeitungen wird des öfteren erwähnt; man verbrämt aber die „kapitalistische" Intention mit einer erzieherischen Zielsetzung. Geiser[263] schlägt auf dem Vereinstag der SDAP 1873 die Gründung einer belletristischen Zeitschrift vor, die die Aufgabe haben soll, die Frauen zu bilden, sie für die „Bewegung zu gewinnen, an die Bewegung zu fesseln."[264] Mit geschäftlichem Kalkül schlägt er weiter vor, die Zeitschrift im Winter zu starten „der Jahreszeit, in welcher am meisten gelesen wird"[265], um gleich genügend Abonnenten für das Blatt zu bekommen.[266]

Schenkt man dem „kleinen" Leser in den vorliegenden Memoiren als Rezipienten der Parteizeitung nur wenig Beachtung, beschreibt man allerdings ganz genau die Leser-„Größen"; Keil zählt beispielsweise die Frau des Oberbürgermeisters von Stuttgart zu den ständigen Lesern seiner *Schwäbischen Tagwacht*: „Daß sie fleißig die *Schwäbische Tagwacht* las, wollte schon etwas heißen, konnte ihr gesellschaftliches Ansehen schon darum nicht beeinträchtigen, weil selbst der König zu den regelmäßigen Lesern des sozialdemokratischen Blattes zählte, was bekannt war."[267]

Auch Schoenlank beschreibt eine andere Zielgruppe der Parteiblätter; auf dem Parteitag 1893 führt er aus, daß man bei der inhaltlichen Gestaltung des *Vorwärts* auch im Auge haben müßte, daß er „auf den grünen Tischen der Behörden, der Minister liegt"[268]. Bock[269] betont, daß er sein Schuhmacher-Verbandsblatt speziell zwar für die Handwerker schrieb, Leser aber waren die Meister und Fabrikanten dieses Gewerbes.[270] Und

---

261 Braun-Vogelstein, Julie, Ein Menschenleben, S. 211. Braun-Vogelstein zitiert Heinrich Braun.
262 Göhre, Paul, Drei Monate Fabrikarbeiter, S. 61.
263 Siehe Biographie Geiser, S. 175.
264 Protokoll Vereinstag der SDAP 1873 in Eisenach, S. 44.
265 Ebenda.
266 Geiser war ohnehin als notorischer Geschäftemacher in der Partei verrufen. Vgl. dazu Schoenlanks Tagebucheintragung vom 4. 3. 1897 in Mayer, Paul, Bruno Schoenlank, S. 107. Geiser war von der Partei als Presse-Archivar eingestellt worden: „Es handelt sich natürlich um eine Pfründe für diesen Taugenichts ..."
Bernstein Briefwechsel. Brief an Engels vom 16. 7. 1884, S. 284: „Dietz sitzt in der Klemme, er soll fortgesetzt Geld schaffen und die Ansprüche Geisers sind nicht gering ..."
267 Keil, Wilhelm, Erlebnisse, Bd. 1, S. 158.
268 Protokoll Parteitag 1893 in Köln, S. 115.
269 Siehe Biographie Bock, S. 156.
270 Bock, Wilhelm, Im Dienste, S. 57.

Scheidemann bemerkt stolz, daß nicht nur die Arbeiter seine Zeitung lasen, sondern auch die Bürger der Stadt.[271]

Die hier untersuchten Autoren führen die „besonderen" Leser wohl als Nachweis für die Qualität des von ihnen redigierten Blattes an. Wiederholen sie in ihren Aussagen auch immer wieder das stereotype Partei-Credo von der Bildung der Massen als eigentlicher Berufsaufgabe des Parteiredakteurs, so hatten sie als Adressaten ihrer Artikel wohl oft nur den Parteifeind im Auge, dem sie die Leviten zu lesen hatten[272] und den gebildeten Leser von höherem Stand, der der Zeitung – und damit ihrem Redakteur – ein besonderes Renommee verleiht.

5. Zur Stellung des Chefredakteurs

Der hohe theoretisch-prinzipielle Anspruch der sozialdemokratischen Partei zielte auch auf die Demokratisierung des Arbeitsfeldes Parteiredaktion. Eine der bürgerlichen Hierarchie-Ordnung entnommene Figur wie die des Chefredakteurs dürfte wohl schwer dem demokratischen Postulat der Partei entsprochen haben – und doch gab es sie in der sozialdemokratischen Parteipresse.

In den Gründerjahren der Arbeiterpresse versuchte die Partei, das demokratische Prinzip mit der Doppelbesetzung des Chefredakteurpostens zu verwirklichen. Dieser Versuch scheiterte wohl immer an den individuellen Machtattitüden der Redakteure[273] – in der Folgezeit wird das Prinzip der kollektiven Leitung einer Zeitung fallengelassen: „Zwei Chefredakteure kann es ebenso wenig geben, als zwei Chefs eines Generalstabs."[274]

Dieser Vergleich der Funktion eines Chefredakteurs mit der eines militärischen Oberbefehlshabers stammt von Schoenlank – und läßt allerlei Rückschlüsse auf seine Berufsauffassung zu.

Die Neigung zur autoritativen Leitung von Parteizeitungen hatte schon Geschichte in der kurzen Geschichte der deutschen Arbeiterpresse; so übte Schweitzer[275] in den sechziger Jahren eine regelrechte „präsidiale Pressediktatur"[276] aus. Als Präsident des ADAV und Chefredakteur des

---

271 Scheidemann, Philipp, Memoiren, Bd. 1, S. 92.
272 Vgl. Bebel Briefwechsel. Bebel an Engels am 24. 11. 1894, S. 784: „... ich sitze eben über dem Schmieden meiner Artikel gegen Vollmar, der dieses Mal – in aller Ruhe, aber feste – eine Tracht Prügel bekommt, wie er sie in seinem Leben noch nicht erhalten hat."
273 Blos, Wilhelm, Denkwürdigkeiten, Bd. 1, S. 196. Blos und Hasenclever werden 1875 als Redakteure an das *Hamburg-Altonaer Volksblatt* berufen: „Ich wurde von der Parteileitung (...) in die Redaktion (...) berufen, um ein Gegengewicht gegen Hasenclever zu bilden, so daß er in der Redaktion keine dominierende Stellung erlangen konnte. (...) Durch mein Gegengewicht (...) ward diese Stellung unbefriedigend für Hasenclever, der höher hinaus wollte und nur aus dem Vorstand der neuen Partei geschieden war, weil er glaubte, in der Redaktion des *Volksblatts* an erster Stelle zu stehen."
Vgl. auch Konflikt Hasselmann–Liebknecht. Bers, Günther, Wilhelm Hasselmann 1844–1916, S. 26. Hasselmann war nicht bereit, Liebknecht als gleichberechtigten Kollegen am Zentralorgan *Vorwärts* zu akzeptieren.
274 Protokoll Parteitag 1893 in Köln, S. 149.
275 Siehe Biographie Schweitzer, S. 218.
276 Koszyk, Kurt, Deutsche Presse im 19. Jahrhundert, S. 195.

Vereinsorgans *Social-Demokrat* vereinigte er in seiner Person eine Machtfülle, die dem demokratischen Prinzip diametral zuwiderlief. Das Schreckgespenst „Presse-Diktatur" beeinflußte nachhaltig die Personalpolitik der Parteizeitungen, was der Versuch der Doppelbesetzung des Chefredakteurpostens beweist und später die Einsetzung von Kontrollkommissionen.

In Schoenlanks Funktionsdefinition[277] mußte ein Chefredakteur in erster Linie Organisator sein, ein „Bureau-Mensch"[278]. Als er Chefredakteur der *Leipziger Volkszeitung* wurde, bestand er auf organisatorischen Machtbefugnissen – so wählte er allein seine redaktionellen Mitarbeiter aus –, die bis dahin keinem Parteiredakteur zugestanden worden waren.[279] Er scheint ein herrischer, unnachgiebiger Chef in der Redaktion der *Volkszeitung* gewesen zu sein,[280] auch von handgreiflichen Auseinandersetzungen berichten die Redaktionskollegen;[281] in der Handhabung seiner Führungsrolle kam wohl mehr militärische als demokratische Substanz zum Tragen.

Liebknecht hatte eine andere Vorstellung von der Chefredakteursarbeit: „Ich habe die Stellung eines Chefredakteurs niemals so aufgefaßt, wie es gewöhnlich in Deutschland der Fall ist. Man versteht darunter einen Mann, der die ganze Zusammenstellung besorgt, das ganze Material durch seine Hand gehen läßt und für alle Einzelheiten verantwortlich ist. Ich habe nicht die Zeit dazu, von Morgens bis Abends in der Redaktion zu sein, und ich würde mein Amt nicht nur niemals übernommen, sondern meine Freunde würden es mir auch gar nicht angeboten haben, wenn das von mir verlangt wäre. In Frankreich versteht man unter Chefredakteur einen Mann, der in politischen und sonstigen Dingen die Maschinerie der Redaktion leitet. (...) (Er) schreibt dafür Leitartikel, und im übrigen wird das Blatt von Leuten in seinem Geiste redigiert."[282]

Weiter beschreibt er ein demokratisches Arbeitsklima in der Redaktion des *Vorwärts:* „Wir haben nun ein Abkommen getroffen, daß die Redaktion nach der Majorität Stellung nimmt."[283] Er als Chefredakteur des Zentralorgans sieht sich mehr in der Rolle eines Mediators: „Das Zentralblatt hingegen gehört der ganzen Partei, und wenn in der Partei verschiedene Strömungen herrschen, so halte ich als Chefredakteur des Zentralorgans mich nicht für berechtigt, meine Meinung als die leitende Mei-

---

277 Vgl. Protokoll Parteitag 1893 in Köln, S. 116.
278 Ebenda.
279 Vgl. Mayer, Paul, Bruno Schoenlank, S. 65 ff.
280 Stampfer, Friedrich, Erfahrungen, S. 56 ff.
281 Der *Correspondent*, Organ des Buchdruckerverbandes meldete in der Nr. 3, 1901: „Zielbewußt ohrfeigt der Chefredakteur der *Leipziger Volkszeitung* seinen Mitredakteur." Der *Vorwärts* vom 19. 1. 1901 bringt dazu eine Richtigstellung: Schoenlank ohrfeigte nicht, er wurde geohrfeigt. Der *Vorwärts* zitiert den ehemaligen Redakteur der *Leipziger Volkszeitung*, Katzenstein: „Ich habe Herrn Dr. Schoenlank am 16. oder 17. Oktober 1896 am Ende einer nach meiner Entlassung aus dem Gefängnis erfolgten Erörterung geohrfeigt. Ich kann das jederzeit und an jeder Stelle durch Zeugen nachweisen."
282 Protokoll Parteitag 1896 in Gotha, S. 99.
283 Ebenda, S. 100.

nung hinzustellen. Ich habe es stets für meine Pflicht gehalten, den verschiedenen Strömungen Rechnung zu tragen. "[284]

So ideal scheinen die Verhältnisse in der Redaktion wohl nicht gewesen zu sein, wie Liebknecht sie auf dem Parteitag darstellt;[285] auch scheint er nicht der tolerante, nachgiebige Chefredakteur gewesen zu sein, den er in seiner Selbstdarstellung den Genossen vorführte. Bebel beschreibt ihn als heftigen Hüter seines Chefredakteursstuhles,[286] als selbstherrlichen Chef der Redaktion, der sich auch kaum von der Parteileitung etwas sagen ließ.[287] Auf dem Parteitag 1896 wird ihm weiter eine despotische Natur und ein diktatorischer Geist vorgeworfen.[288]

Die demokratischen Ansichten der Chefredakteure waren wohl nur verbaler Natur; sie hatten den Willen zur Führung und sahen sich auch dem Anspruch ausgesetzt, als Chefredakteur eine Führerpersönlichkeit zu sein.[289]

III. Berufsverständnis und Berufszufriedenheit

„Allerdings hat es eine Zeit gegeben, wo ich des lieben Brotes willen versuchte, literarisch thätig zu sein, die angenehmste Zeit meines Lebens war das nicht. Auch heute noch habe ich sehr selten das Bedürfniß, mich schriftstellerisch zu äußern, an der Tinteritis leide ich nicht. Leute wie ich bedürfen der Anregung, wenn sie mal zur Feder greifen sollen. "[290]

Ein „geborener" Journalist, ein überzeugter Publizist spricht so sicher nicht; die Auersche Sicht des journalistischen Berufes wird aber von vielen seiner Parteikollegen geteilt. Die Sozialdemokraten, die per Parteibeschluß in eine Redaktion „versetzt" wurden, die wirtschaftliche und politische Umstände in den Beruf des Zeitungsschreibers zwangen,

---

284 Ebenda.
285 Ebenda, S.104. Richard Fischers (siehe Biographie, S.170) Kritik an Liebknecht: „...neben Liebknecht können die geistigen Kräfte der Mitarbeiter sich nicht entfalten, sich nicht auswachsen, sie haben keinen Spielraum; an Material fehlt es nicht, selbständigen Existenzen ist es überhaupt nicht möglich, neben Liebknecht zu arbeiten."
286 Bebel Briefwechsel. Brief an Engels vom 12.7.1891, S.425: „Es fehlt uns leider an einem tüchtigen, taktfesten Manne neben L(ie)b(knecht). Finden wir ihn, dann ist nur zu befürchten, dass L(ie)b(knecht) so eifersüchtig auf seine Chefredakteurstelle ist, dass dieser auch nicht die Macht hat, die er haben müßte."
287 Bebel Briefwechsel. Brief an Engels vom 21.1.1892, S.498: „...respektiert er (Liebknecht) doch nicht einmal wichtigere Abmachungen, zu deren Respektierung er verpflichtet ist. So hat er uns wieder seinen Schwiegersohn (Bruno Geiser. d. Verf.) als Mitarbeiter in den Vorw(ärts) geschmuggelt, obwohl in seiner Gegenwart Anfang November beschlossen worden war, daß er nicht mitarbeiten dürfe. Darüber wird es nächstens zu einer Auseinandersetzung kommen. Wir lassen uns das nicht gefallen."
288 Protokoll Parteitag 1896 in Gotha, S.115.
289 Vgl. dazu Brief von Südekum an Quarck vom 7.4.1909, Nachlaß Quarck im AdSD, Bonn: „Übrigens glaube ich mich durch unsere langjährigen freundschaftlichen Beziehungen nicht nur berechtigt, sondern sogar verpflichtet zu dem Hinweis, dass mir die politische Führung der Volksstimme in der letzten Zeit gänzlich unverständlich geworden ist. (...) Aber ob es richtig ist einem jungen Mann (...) so viel Zügelfreiheit zu geben, das möchte ich denn doch ernstlich bezweifeln. (...) Ich hoffe nichts sehnlicher, als daß Sie bald wieder die Kraft finden werden, der Volksstimme das zu sein, was sie ihr so lange gewesen sind, nämlich ein geistiger Leiter, der dem Blatt einen Karakter verleiht."
290 Ignaz Auer auf dem Parteitag 1902 in München, Protokoll, S.157 ff.

reproduzieren logischerweise kein idealtypisches journalistisches Berufsverständnis. Die Redaktion einer Parteizeitung zu führen, für ein Parteiblatt zu schreiben wird als idealistische Pflichterfüllungskomponente im Rahmen der gesamten Parteiarbeit gesehen: „Wir sind ja keine berufsmäßigen Schriftsteller, wir müssen zum Arbeiten erst veranlaßt werden, es muß uns nachgewiesen werden, daß gerade wir über eine bestimmte Frage schreiben müssen. Ich bin so beschäftigt, daß ich nur Nachts und Sonntags zum Schreiben die Zeit finde. Ich mache diese Arbeiten auf Kosten meiner Gesundheit, aber nicht des Geldes wegen."[291]

Die Gelegenheitsschreiber unter den sozialdemokratischen Journalisten sehen ihre Pressearbeit als literarische und schriftstellerische Tätigkeit; sie fühlen sich aber weder ambitioniert noch befähigt dazu. „Ich habe ein einfaches, schlichtes Gemüth, das nicht sehr schriftstellerisch veranlagt ist, und ich empfinde wenig das Bedürfniß, jeden Gedanken, der mir kommt, augenblicklich auch anderen Leuten aufdrängen zu wollen."[292] Klingt dieses Statement Vollmars auch sehr nach Koketterie,[293] so scheint ihm doch die journalistische Arbeit nicht sehr gelegen zu haben. An seine Frau schreibt er am 10.6.1887: „Ich könnte mich am Ende auch dazu zwingen, und mein Papier verklecksen, aber es gibt so viele Leute, die das besorgen, daß ich mich augenblicklich recht wohl für entbehrlich halte."[294]

Als Bernstein[295] 1881 als „Verlegenheitsredakteur"[296] von der Parteileitung in die Redaktion des Züricher *Sozialdemokrat* beordert wird, kollidiert seine Selbsteinschätzung mit seiner Auffassung vom Redakteursberuf: „Nachdem ich jetzt fast drei Monate die Redaktion geführt habe, bin ich mir vollständig darüber klar, daß ich der Aufgabe, der ich mich unterzogen, in keiner Weise gewachsen bin. Ich kannte zwar die Lücken meines Wissens schon früher, habe aber jetzt auch die Illusion aufgegeben, sie während oder infolge meiner redaktionellen Tätigkeit auszufüllen. (...) Kurz, ich erfülle die Anforderungen, die an den Redakteur des Zentralorgans zu stellen sind und gestellt werden müssen, dessen bin ich mir auch klargeworden, nicht und habe heut nach Deutschland geschrieben, daß man sich nach Ersatz umsehen solle."[297]

---

291 Adolph von Elm auf dem Parteitag 1902 in München, Protokoll, S. 260.
   Siehe auch Biographie von Elm, S. 167.
292 Protokoll Parteitag 1902 in München, S. 138.
293 Vollmar konnte zu dieser Zeit schon auf eine beachtliche journalistische Vergangenheit zurückblicken und hatte einige Jahre als Redakteur an Parteizeitungen gearbeitet, u. a. am Züricher *Sozialdemokrat*. Er äußert sich aber auch anders: „Ich stürzte mich mit allem Eifer in meine neue Aufgabe (Redakteur des *Dresdener Volksboten* 1877. d. Verf.). Mein Blatt sollte nicht nur im sozialdemokratischen Blätterwald, sondern auch in der weiteren deutschen Öffentlichkeit Stellung und Einfluß gewinnen!" Zitiert von Kampffmeyer, Paul, Georg von Vollmar, S. 14.
294 Nachlaß Vollmar im AdSD, Bonn, Nr. 2750.
295 Siehe Biographie Bernstein, S. 154.
296 Die Partei versuchte, die Stelle des Redakteurs am Züricher *Sozialdemokrat* mit einem erfahrenen Parteijournalisten zu besetzen. Liebknecht war aber zu der Zeit im Gefängnis und Hirsch wollte sein Londoner Exil nicht verlassen. Der redaktionell völlig unerfahrene Bernstein sollte als Interimsredakteur fungieren.
297 Bernstein Briefwechsel. Brief an Engels vom 3.4.1881, S. 24.

Engels und die Parteileitung appellieren an sein Pflichtgefühl der Partei gegenüber, und Bernstein bleibt auf dem von ihm so ungeliebten Posten und hofft auf seine Ablösung: „In diesem Falle lege ich meine Funktion mit Wonne nieder und werde wieder Buchhalter."[298] Nie wird er abgelöst und nie wird er es müde, sein ungerechtes Los zu bejammern, Redakteur wider Willen zu sein.[299] Als das Exilorgan mit dem Fall des Sozialistengesetzes sein Erscheinen einstellt, bleibt Bernstein weiter journalistisch tätig, liebäugelt aber in konfliktträchtigen Situationen mit einer „unliterarischen Existenz"[300]. In seinen Memoiren aber beschreibt er sich als typischen Schriftsteller,[301] der durch die für Literaten so wichtige Schule des Journalismus gegangen ist.[302]

Bewußt für eine journalistische Laufbahn hatte sich Schoenlank entschieden; in den Anfangsjahren seiner tagesschriftstellerischen Tätigkeit sah er sich mit einer Berufswirklichkeit konfrontiert, die er sich wohl so nicht vorgestellt hatte[303]: „Ich bin nicht Redakteur der *Fränkischen Tagespost,* sondern Fröner für die Tgp. als Artikellieferer."[304] Journalistischer Tagelöhner[305] zu sein, entsprach sicher nicht seinen Ambitionen. Ihm schwebte eine Neugestaltung der Parteipresse mit der Zielvorstellung vor, die sozialdemokratischen Blätter gegenüber den bürgerlichen konkurrenzfähig zu machen: „Der *Vorwärts* muß auch ein aktuelles Blatt sein. Er ist nicht nur ein Parteiorgan, er hat auch mit allen bürgerlichen Parteien den Kampf zu führen. Er erscheint in Berlin, dem geistigen Mittelpunkt der deutschen Tagesliteratur, wo die redaktionelle Technik mit äußerstem Raffinement betrieben wird. Da darf er nicht nachhinken, nicht spät oder ungenügend berichten."[306]

Als er Chefredakteur der *Leipziger Volkszeitung* wird, schafft er sich die Voraussetzungen, seine Vorstellung von einer modernen Parteizei-

298 Ebenda. Brief an Engels vom 9.9.1881, S.37.
299 Ebenda. Brief an Engels vom 17.9.1886, S.338ff.: „Ich kann, be(ziehungs)w(eise) darf nicht demissionieren, weil wir gar keinen anständigen Menschen in Aussicht haben, der an meine Stelle rücken könnte. (...) Kurzum, ich muß mich entschieden von der Auffassung emanzipieren, meine Stellung am Blatt als ein Interimistikum zu betrachten."
300 Adler Briefwechsel. Kautsky an Adler am 9.4.1898, S.245: „Aber Ede (Bernstein. d. Verf.) ist ungemein skeptisch geworden, skeptischer als seine Artikel ahnen lassen, und er möchte am liebsten nicht mehr für uns schreiben, wo er zwischen theoretischem Gewissen und Parteipflicht immer hin und her schwankt. Er schmiedet abenteuerliche Pläne, um sich eine unliterarische Existenz zu gründen."
301 Bernstein, Eduard, Von 1850 bis 1872. Kindheit und Jugendjahre, S.VIII: „... und ich möchte den Schriftsteller sehen, dem es in gleicher Lage nicht ebenso erginge. Schließlich erlebt ein jeder von uns Vorgänge, die er gern in der einen oder anderen Form literarisch zur Darstellung brächte."
302 Bernstein, Eduard, Aus den Jahren meines Exils, S.247.
303 Vgl. *Bremer Bürgerzeitung,* 30. und 31.10.1911, Gedenkartikel zum 10.Todestag Bruno Schoenlanks. Ein ehemaliger Redaktionskollege gibt die von Schoenlank geäußerten Berufvorstellungen bei dessen Eintritt in die Redaktion wieder; danach wollte Schoenlank für die Partei publizistisch wirksam werden.
304 Schoenlank an Kautsky am 25.3.1887, zitiert nach Mayer, Paul Bruno Schoenlank, S.37.
305 Vgl. *Fränkische Tagespost,* 27.12.1886. Darin ist ein unsignierter Artikel „Papiertagelöhner", den Paul Mayer eindeutig Bruno Schoenlank zuschreibt. Es heißt darin: „Was sind sie anders jene Schriftgelehrten, Journalisten, Dichter die ihre Geistesprodukte ,um jeden Preis' an den Mann zu bringen suchen, nur um den Hunger stillen zu können, was sind sie anders als Papiertagelöhner?"
306 Protokoll Parteitag 1893 in Köln, S.115.

tung verwirklichen zu können.[307] Mit der Anpassung des Parteiblattes an den bürgerlichen Zeitungstyp ruft er die Kritik der traditionellen Parteiblattmacher hervor, die als ihre Hauptaufgabe die Bildung und Erziehung der Massen proklamiert hatten und für die jedes Wetteifern mit bürgerlichen Zeitungen der althergebrachten Parteipresseintention zuwiderlief, in aller erster Linie Prinzipienblätter und Kampfzeitungen zu machen.

„Der *Volksstaat* soll Geist und Charakter bilden, und die Arbeiter, indem er ihnen das Verständnis der heutigen Zustände eröffnet, für ihre politische und soziale Mission erziehen."[308] Brackes[309] Auftragserteilung an die Parteipresse war das Credo der traditionellen Parteipublizistik schlechthin; sozialdemokratische Zeitungen sollten den Leser nicht unterhalten oder generell informieren, sondern ihn aufklären und belehren.[310]

Auch Bebels Berufsverständnis ist geprägt von der Vorstellung, daß die Parteipresse als wichtigste Aufgabe die eines politischen Erziehers habe, und von dem Glauben an die manipulative Wirkung von Presseerzeugnissen.[311] Eigenwilligkeiten in der sozialdemokratischen Presselandschaft verfolgt er mit Argwohn, könnten sie doch den offiziellen Parteistandpunkt in Frage stellen. Sieht er sich auch selbst als Journalisten wider Willen, seine politische Tätigkeit zwingt ihm diesen Beruf auf,[312] so liegt sein Hauptaugenmerk auf der richtigen Organisation der Parteipresse. In der Beaufsichtigung und Kontrolle von Parteizeitungen sieht er seine vorrangige Pressearbeit.

An unabhängigen Zeitungsetablierungen kann ihm nicht gelegen sein, weil sie sich dem Einfluß durch die Partei entziehen. In seinen Erinnerungen beschreibt Bebel seinen Unwillen über die Gründung der *Freiheit* in London: „Die Herausgabe des Blattes fand statt, ohne daß man uns mit einem Worte von dem Plan unterrichtete und uns um unsere Zustimmung und Beihilfe ersuchte. Ob wir diese gewährt hätten, ist freilich eine andere Frage. Bedingung wäre alsdann wohl gewesen, daß das Blatt

---

307 Vgl. dazu: Sechzig Jahre *Leipziger Volkszeitung*, Leipzig 1954.
308 Protokoll Vereinstag der SDAP 1873 in Eisenach, S. 36.
309 Siehe Biographie Bracke, S. 157.
310 Bebel, August, Aus meinem Leben, Bd. 1, S. 177: „Wir hatten bis dahin kein Organ zur Verfügung gehabt, in dem wir unsere Ansichten vertreten konnten, damit war auch keine Möglichkeit gegeben, die politische und soziale Aufklärung unserer Anhänger genügend zu betreiben, und das tat vor allem not."
311 Protokoll Vereinstag der SDAP 1869 in Eisenach, S. 40: „Wir müssen ein Organ haben, das mindestens zweimal wöchentlich erscheint. (...) Und so können wir die Masse für die sozialpolitische Sache interessieren, und das ‚Gift' – denn viele halten es ja für ein Gift – in recht viele Köpfe pflanzen." Bebel, August, Aus meinem Leben, Bd. 1, S. 182: „Von jetzt ab erschien fast keine Nummer der *Arbeiterhalle,* an deren Spitze nicht ein von mir verfaßter Aufruf des Parteivorstandes stand, der die Tätigkeit der Vereine für die verschiedensten Angelegenheiten in Anspruch nahm. Der Erfolg blieb nicht aus. Allmählich kam Leben in die Vereine."
312 Vgl. Bebel Briefwechsel. Brief an Engels vom 28. 12. 1884, S. 209: „Für den Rest meiner Subsistenzmittel werde ich durch Schriftstellerei sorgen müssen. Das ist sehr gegen meinen Wunsch, läßt sich aber nicht ändern. Jedenfalls bin ich nunmehr ein relativ freier Mann und schulde einem anderen für meine Subsistenz keinen Dank. Bei mir zeigt sich wieder, wie eine hervortretende politische Stellung mit gewöhnlicher geschäftlicher Existenz auf die Dauer unmöglich wird."

unter unsere Kontrolle kam und wir auf seine Haltung bestimmenden Einfluß ausüben konnten."[313]

Der ständige Versuch einer Einbindung der Presse in die Partei ist kennzeichnend für Bebels Pressepolitik.[314] Dazu gehört auch sein immer betontes Recht, bei Personalentscheidungen in der Parteipresse ein gewichtiges Wort mitzureden. In die Schlüsselstellungen bei sozialdemokratischen Zeitungen versucht er denn immer linientreue Genossen zu bringen.[315] Als 1899 eine Redakteursstelle am *Vorwärts* neu zu besetzen ist, schreibt er an den österreichischen Sozialistenführer Adler: „Ich wollte bei Dir mal anfragen: ob Ihr dort einen tüchtig gebildeten Mann habt, der auf marxistischem Boden steht, den nöthigen Charakter besitzt um sich von diesem Standpunkt nicht abdrängen zu lassen u. zugleich auch die deutschen Verhältnisse so versteht, daß er eventuell eine Redakteursstelle am *Vorw.* annehmen könnte."[316] Sein dirigistischer Einfluß auf die Personalpolitik innerhalb der Parteipresse wird auch deutlich anläßlich des *Vorwärts*-Konfliktes 1905; auf Bebels Veranlassung hin wird den revisionistischen Redakteuren des *Vorwärts* gekündigt.[317] Parteizeitungen, und vor allem das Zentralorgan, sind in seinen Augen die Führungsmittel der Partei, die gegenüber den Mitgliedern die Parteilinie zu vertreten und sie auf dem offiziellen Kurs zu halten haben.[318]

Bebel, der Zeit seines Lebens das richtige Funktionieren der Parteipresse überwacht, wehrt sich immer dagegen, auch nur vorübergehend die Stelle eines Redakteurs einzunehmen: „Ich gehe um keinen Preis der Welt in die Redaktion, wie mir angetragen wurde."[319] Er schreibt zwar seine Leitartikel für den *Vorwärts*,[320] sieht diese Tätigkeit aber mehr als

---

313 Bebel, August, Aus meinem Leben, Bd. 3, S. 44.
314 Auf einer Konferenz über die erörterte Verselbständigung der Bremer Filiale des Auer-Verlages Hamburg macht Bebel seine Vorstellung von der Kontrollfunktion der Partei in Sachen Parteipresse deutlich: „Ihr wollt weiter unter der Firma (Auer) stehen, aber völlig selbständig sein. Dazu haben wir keine Lust, um keinen Preis der Welt. Ich halte es für Unsinn, daß wir in Berlin Gelder hergeben sollen, wo wir gar keinen Einblick in die Verhältnisse haben."
Protokoll-Fragment im Nachlaß Henke, AdSD, Bonn.
Zu den Hintergründen dieser Auseinandersetzung vgl. Moring, Karl-Ernst, Die sozialdemokratische Partei in Bremen, S. 88 ff.
315 Vgl. Bebel Briefwechsel. Brief an Engels vom 29. 10. 1891, S. 466: „Es ist gut, dass wir dort einen zuverlässigen Mann (...) am Blatte (*Münchener Post.* d. Verf.) haben. Damit wird der Einfluß Vollmars gründlich paralysiert."
316 Adler-Briefwechsel. Bebel an Adler am 23. 10. 1899, S. 329.
317 Vgl. von Elm, Adolph, Der Vorwärtskonflikt und die Partei, in: *Sozialistische Monatshefte*, Januar 1906, Nr. 1.
318 Vgl. Protokoll Parteitag 1903 in Dresden, S. 266. Bebel kritisiert den *Vorwärts*, daß er die Parteigegensätze verniedliche und nie Farbe bekennen würde.
In einem Leitartikel im *Berliner Volksblatt* Vom 13. 9. 1890 schreibt Bebel: „Einheitlichkeit der Kampfesweise (ist) eine wesentliche Bedingung des Erfolges. (...) Diese Einheitlichkeit brauchen wir, und deshalb ist ein ‚führendes Organ' notwendig."
319 Bebel Briefwechsel. Brief an Engels am 29. 9. 1891, S. 434 ff. Vgl. auch Bebel an Engels am 22. 11. 1892, S. 620: „Ich bedauere jeden, der Parteibot essen muss, es ist ein hartes Brot!"
In seinen Memoiren liest sich das anders: „Ein Sozialdemokrat, der eine Brotstellung in der Partei annimmt, hat damit nach meiner Auffassung eine Art Ideal erreicht. Er kann nach seiner Überzeugung tätig sein, er hat bei Maßregelung nicht zu fürchten und findet die volle Anerkennung seiner Parteigenossen, wenn er seine Schuldigkeit tut.", in: Bebel, August, Aus meinem Leben, Bd. 2, S. 106.
320 Bebel Briefwechsel. Brief an Engels vom 29. 9. 1891, S. 434 ff. „Wir sind übereingekommen, dass Auer und ich wöchentlich einen Leitartikel leisten."

politische Aktion denn als journalistische. Obwohl Gesinnungspublizist, betont er bei Ratschlägen an Parteizeitungsmacher immer die Wichtigkeit der wirtschaftlichen Fundierung eines Blattes: „Eine gute Verwaltung ist sogar mehr wert wie eine gute Redaktion – so paradox das klingen mag. Eine gute Verwaltung kann selbst ein mangelhaft redigiertes Blatt auf die Strümpfe bringen, wohingegen bei einer schlechten Verwaltung die beste Redaktion ein Blatt nicht rettet."[321] Die wirtschaftliche Konsolidierung der Parteipresse hat er auch dann im Auge, wenn er die Mitglieder der Partei wegen ihrer Anzeigenscheu kritisiert: „Ein großer Teil der Genossen läßt sich von der berühmten Broschüre Lassalles ‚Die Feste, die Presse' bestimmen, welche auf den korrumpierenden Einfluß des Geschäftsstandpunktes unserer deutschen Presse hingewiesen hat. Andererseits können wir nicht umhin, da wir nun einmal in der bürgerlichen Welt leben, auch gewissermaßen mit den bürgerlichen Wölfen zu heulen."[322]

Bebels Pragmatismus und seine Vorstellung von der einheitlichen Linie einer Zeitung machen ihn auch zum Gegner kollektiv geführter Redaktionen; er tritt für eine klare redaktionsinterne Kompetenzverteilung ein. Er bejaht ein hierarchisches Prinzip in den Parteiredaktionen; ein entscheidungsmächtiger Chefredakteur an der Spitze einer Redaktion garantiert ihm die gewünschte Kurseinhaltung – ist er aus seinem Lager. An Georg von Vollmar schreibt er im Jahre 1874, als dieser die Redaktion des *Dresdener Volksboten* übernommen hat: „Ich halte für das einfachste, daß Sie sich vom Vorstand oder Verwaltungsrat des Blattes die bestimmte Erklärung geben lassen, daß Sie einziger Redakteur des Blattes seien und demgemäß über die Aufnahme und Nichtaufnahme oder Abänderung von Artikeln und Einsendungen zu entscheiden haben. Eine solche Vollmacht ist notwendig, wenn eine einheitliche Leitung im Blatt herrschen soll."[323]

Bebels Organisator- und Kontrolleur-Rolle, bezogen auf die sozialdemokratische Presse, leitet sich aus seinem Führerstatus innerhalb der Partei ab;[324] mit Blick auf die in späteren Jahren immer wieder gefährdete

---

321 Adler Briefwechsel. Bebel an Adler am 18. 11. 1896, S. 222.
322 Protokoll Parteitag 1892 in Berlin, S. 97.
   Vgl. auch Adler Briefwechsel. Bebel an Adler am 18. 3. 1895, S. 174: „Ihr werdet aber, abgesehen von dem noch zu geringen Absatz, das Blatt (die Wiener *Arbeiter-Zeitung.* d. Verf.) nur unter den größten Opfern, wenn überhaupt, halten können, wenn es Euch nicht gelingt, mehr Annoncen zu bekommen. Ob der Mangel an Eurer Verwaltung oder an der Abneigung des Publikums oder an der Tugendhaftigkeit der Parteigenossen liegt, die keinem Geschäftsmann eine Annonce gönnen und am liebsten keine aufgenommen sehen möchten, weiß ich nicht; vielleicht wirken auch mehrere Ursachen zusammen. Das Blatt haltet Ihr mit dem Verkauf allein nicht, kommt Euch nicht die Einnahme der Annoncen zu Hilfe. Die Erfahrung haben wir hier und überall gemacht."
323 Brief von Bebel an Vollmar vom 20. 3. 1874, Nachlaß Vollmar, AdSD, Bonn.
324 Engels kritisiert in einem Brief an Bebel vom 1./2. 5. 1891 die Kontroll-Attitüden Bebels: „Und nun noch eins: Seit Ihr versucht, die Veröffentlichung des Artikels mit Gewalt zu verhindern, und der *N(euen) Z(eit)* habt Warnungen zukommen lassen, sie würde im Wiederholungsfall vielleicht auch parteilich verstaatlicht und unter Zensur gestellt, muss mir die Besitzergreifung Eurer ganzen Presse durch die Partei doch unter einem eigentümlichen Licht erscheinen. Wodurch unterscheidet Ihr Euch von Puttkamer, wenn Ihr in Euren eigenen Reihen ein Sozialistengesetz einführt?", in: Bebel Briefwechsel, S. 416 ff.

Parteieinheit versucht er die Presse auf dem offiziellen Parteikurs zu halten, damit sie nicht zum Vehikel für Flügelkämpfe werden kann.[325] Für ihn als Publizisten ist sie Podium, notwendige Denkanstöße zu liefern oder auf geheiligte Überzeugungen rückzuverweisen. Sie ist Gesinnungspresse, die aber auf einer gesunden wirtschaftlichen Grundlage zu basieren hat und von einer hierarchisch gegliederten Redaktion gemacht werden soll.[326]

Die Bebelsche Überschätzung des meinungsändernden Potentials der Parteipresse teilen die meisten der hier untersuchten sozialdemokratischen Redakteure und Journalisten. Ein charakteristisches Dokument für die Pressegläubigkeit ist der Aufsatz Molkenbuhrs[327] über die Aufgaben der Presse; er formuliert mutig: „Die Aufgaben der Parteipresse bestehen in aller erster Linie darin, neue Anhänger für die sozialdemokratische Partei zu werben."[328]

In der Wählermobilisierung sieht auch David[329] das Ziel seiner Pressearbeit: „Unser Blatt stellt sich die besondere Aufgabe, die kleinstädtisch ländliche Arbeiter-, Handwerker- und Kleinbauernbevölkerung unserer Gegend in Masse aufzubrechen. Die aus fernen, großstädtischen Industriezentren kommenden, für politisch geschulte Arbeiter geschriebenen Parteiblätter erweisen sich für die Masse unserer, größtenteils noch unaufgeschlossenen, Mischbevölkerung nicht als geeignete Erschließungslektüre. Unser Blatt ist ein Versuch, der, wenn er gelingt, eine mehr als lokale Bedeutung für die Frage der Landagitation hat."[330]

Von Redaktionskollegen wird David als untypischer Journalist geschildert: „Er hatte nämlich die Gewohnheit, im letzten Augenblick, wenn die Zeitung schon druckfertig war, eine Unmenge Korrekturen an seiner Arbeit vorzunehmen, die ich einfach nicht zulassen konnte, weil das rechtzeitige Erscheinen des Blattes gesichert sein mußte. Dann geriet er in hellen Zorn und wollte nicht einsehen, daß ein Zeitungsartikel keine Gelehrtenarbeit ist, die unter Umständen Ewigkeitswert hat, daß die Zeitung vorwiegend für den Tag bestimmt ist und ihre Stellungnahme am nächsten Tag schon überholt sein kann."[331]

---

325 Seine Strategie hatte keinen Erfolg. Die einzelnen Parteizeitungen spielten immer eine wichtige Rolle bei Flügelbildungen und Flügelkämpfen innerhalb von Führungscliquen. Vergleiche die Kontroverse zwischen *Neue Zeit* und *Sozialistische Monatshefte* und die Eigenwilligkeiten der *Leipziger Volkszeitung,* der *Sächsischen Arbeiter-Zeitung,* der *Bremer Bürger-Zeitung* usw.
326 Anhand der Bebelschen Sicht der Parteipresse erweist sich im Einzelfall die Fragwürdigkeit einer typologischen Dreiteilung der Presse in Gesinnungs-, Geschäfts- und Nachrichtenpresse, wie sie Dovifat vornimmt.
327 Siehe Biographie Molkenbuhr, S. 201.
328 Molkenbuhr, Hermann, Die Aufgaben der Parteipresse. Undatiertes Manuskript im Nachlaß Molkenbuhr im AdSD, Bonn. Darin heißt es weiter: die Parteipresse habe „die Leser über die Ziele der Sozialdemokratie aufzuklären, unsere Leser weiterzubilden, die Stellung der Partei zu Tagesfragen klarzulegen und die Einigkeit in der Partei zu fördern."
329 Siehe Biographie David, S. 163.
330 Brief von David an Vollmar vom 4. 2. 1894, Nachlaß Vollmar im AdSD, Bonn.
331 Adelung, Bernhard, Sein und Werden, S. 110. Weiter heißt es: „Dr. David war kein Tagesschriftsteller, dazu war er zu gründlich, er wollte immer noch einmal Gelegenheit haben, seine Arbeit zu überdenken und zu korrigieren. Dazu aber läßt die hastende Tätigkeit in der Redaktion einer Zeitung keine Zeit."

In seinem Tagebuch kommt zum Ausdruck, daß David, wenn er auch oft bei der Beschreibung seiner Arbeit für die Parteipresse einen idealisierenden Standpunkt einnimmt,[332] die Artikelschreiberei als „Brotarbeit"[333] empfindet. Die notwendige Erwerbsarbeit stört ihn bei seiner politischen Tätigkeit: „Jeden Tag kommen mir neue Ideen zu Arbeiten, die gemacht, Artikeln, die geschrieben werden müssen. Ich lege Material zurück für kleine und große Werke und komme doch nicht zur ungestörten großen Arbeit. Was ich seit Jahren erstrebt: Konzentration auf das Notwendigste, Wertvollste und Wichtigste, bleibt immer unerreichtes Ziel. Meine innere Stimmung darum fast immer in Hast und unbefriedigt, oft verzweifelt. Ich leiste Wichtiges und Großes und bin voll Unruhe und Unmut, weil ich das Beste nicht leisten kann. Ein Gefangener meiner kümmerlichen finanziellen Verhältnisse."[334]

Auch Blos[335] bezeichnet seine journalistische Tätigkeit als „Erwerbsarbeit"[336], weist in seinen Memoiren aber immer auf seine besondere Eignung für diesen Beruf hin und schreibt sich die für diese Profession als typisch geltenden Charaktereigenschaften zu.[337]

Eine ganze Reihe der hier untersuchten Autoren sind nicht Schreiber aus Gründen der Parteipflicht und der wirtschaftlichen Umstände,[338] sondern sehen sich als Verfechter einer großen Idee, denen die Zeitung als probate Tribüne erscheint. Zu diesem Prototyp des kämpferischen Journalisten ist wohl Most[339] zu rechnen, dessen humorvoll-deftig geschriebene Memoiren sich deutlich von den anderen Vertretern dieses Genres abheben: Hier schreibt ein Mann, der Spaß am Formulieren hat, der pfiffige Wortbilder zur Illustration heranzieht und der – im Unter-

---

332 Vgl. Protokoll Parteitag 1894 in Frankfurt, S. 81: „Wir brauchen gewiß den Idealismus der Akademiker. Locken wir sie etwa durch hohe Gehälter an? Die Gehälter, die sie bei uns erhalten, sind ja viel niedriger, als sie sie erzielen würden, wenn sie in ihrer Karriere geblieben wären."
333 Kriegstagebuch Eduard Davids, S. 52: „Montagnachmittag und abends war ich in Nikolassee (...), um einen Artikel für die *Neue Generation* zu diktieren. Brotarbeit!"
334 Ebenda. S. 155.
335 Siehe Biographie Blos, S. 155.
336 Blos, Wilhelm, Denkwürdigkeiten, Bd. 2, S. 173.
337 Ebenda. Er beschreibt sich als gefragten Journalisten: „Es fehlte damals in der Partei sehr an Journalisten, die stets auf dem laufenden waren und regelmäßig wie pünktlich bestimmte Arbeiten liefern konnten. Ich hatte also (...) sehr viel zu tun." Die Kritik an seinen Kollegen offenbart sein Berufsverständnis: „...Redakteure gibt, welche die zu einem modernen Redaktionsbetrieb erforderliche Übung und Gewandtheit nicht besitzen und denen es auch an anderen Eigenschaften gebricht, welche dieser Beruf verlangt. Gerade unter diesen Elementen finden sich wieder solche, deren Selbstbewußtsein durch ihre Stellung so allgemein gesteigert wird, daß sie ihren Schreibebock als den Richterstuhl der Weltgeschichte betrachten, auch wenn es sich dabei nur um irgend ein Lokalblättchen handelt."
338 Vgl. dazu Severing, Carl, Lebensweg, Bd. 1, S. 188: „...blieb ich mit den Aufgaben der Partei vertraut, wurde ich an ihren Kämpfen sogar noch lebhafter beteiligt! Dazu bot mir meine neue Berufsstellung als politischer Redakteur der Bielefelder *Volkswacht* nicht nur die reichste Gelegenheit, sie machte auf diesem Posten die Kampfstellung zur selbstverständlichen Pflicht."
339 Siehe Biographie Most, S. 202.

schied zu anderen Parteiredakteuren – einen verständlich volkstümlichen Stil pflegt.[340]

Seinen Eintritt in die schreibende Zunft beschreibt er als Art Offenbarung: „Von da ab fühlte ich mich eigentlich erst als Mensch; es schwebte mir ein Lebenszweck vor Augen, der über den bloßen Kampf ums Dasein und die Befriedigung augenblicklicher individueller Bedürfnisse hinaus ging; ich lebte mich ins Reich der Ideale hinein. Es beseelte mich ein gewisser Drang nach Erfüllung einer höheren Mission. Der Privatmensch schrumpfte graduell in mir zusammen; was noch von einer Philisterseele in mir gewohnt haben mochte – es vertrocknete. Die Sache der Menschheit war fortan meine Sache. Jeder Fortschritt, den dieselbe zu verzeichnen hatte, erfüllte mich auch persönlich mit hoher Freude. (...) Ich handelte, dachte, redete, schrieb etc. einfach nach meinen inneren Impulsen und fand darin meine Befriedigung, meinen höchsten Lebensgenuß."[341]

Als geschätzter Parteijournalist[342] wird Most immer dann von den Genossen angefordert, wenn es gilt, eine Parteizeitung aus den roten Zahlen zu holen.[343] Er selbst setzt seinen Wert für die Partei selbstbewußt hoch an,[344] beschreibt sich als selbstlosen, rasenden Journalisten in Sachen Presse-Krisenmanagements.[345]

Das Sozialistengesetz verschlägt ihn nach England; in London gründet er im Januar 1879 eine Zeitschrift, die Freiheit, die bald der Parteiführung in Deutschland ein Dorn im Auge werden sollte.

Most kritisiert in der Freiheit nie global, analysiert kaum sozio-ökonomische Bedingtheiten; der „Donnerkeil"[346] ist eine schmal zugespitzte Angriffswaffe, die er gegen Genossen der eigenen Partei wie gegen

---

340 Vgl. dazu Most, Johann, Ein Sozialist, S. 116 ff.: Seine Beschreibung Bismarcks im Reichstag: „Der allermiserabelste Redner war z. B. Bismarck, der oft förmlich ins Stottern und Stocken geriet und in seiner Verlegenheit entweder mit einem langen Bleistift oder einer riesigen Papierschere in der Luft herumfuchtelte oder auf dem Tisch trommelte (bei diesem Kerl war eben alles riesig). Dabei stand beständig ein Diener hinter ihm, der in ebenfalls riesigen Gläsern Wasser und Cognac, oder vielmehr Cognac mit Wasser zu mischen hatte, welches Gesöff er nur so hinunterstürzte, um neue Anregung zu finden."

341 Most, John, Memoiren, S. 52 ff.

342 In seinen Memoiren gibt August Bebel eine positive Charakterstudie des inzwischen zum enfant terrible der Partei gewordenen Most ab: „Was er schrieb, war seine ehrliche Überzeugung, denn Most war im Grunde eine vortrefflich angelegte Natur. Wenn er später unter dem Sozialistengesetz immer mehr auf Abwege geriet, Anarchist und Vertreter der Propaganda der Tat wurde (...) so legte den Grund zu dieser schlimmen Entwicklung das Sozialistengesetz, das ihn wie so viele außer Landes trieb. Wäre Most unter dem Einfluß von Männern geblieben, die ihn zu leiten und seine Leidenschaftlichkeit zu zügeln verstanden, die Partei hätte in ihm einen ihrer eifrigsten, opferwilligsten und unermüdlichsten Kämpfer behalten.", in: Aus meinem Leben, Bd. 2, S. 227.

343 Er sanierte unter anderem die Chemnitzer Freie Presse und die Mainzer Volksstimme.

344 Most, Johann, Ein Sozialist, S. 94. Er verläßt Chemnitz, wo er als Redakteur tätig war: „Ich wußte nur zu gut, daß die dortige Bewegung nach meinem Weggang der Gefahr ausgesetzt war, zu verflachen."

345 Ebenda: „Ich ließ es mich nicht verdrießen, mit fester Hand zuzugreifen, um das nahezu verlorene Schifflein (die Mainzer Volksstimme) in gutes Fahrwasser zu lenken." ...) Und ebenda, S. 83: „Meine Tätigkeit konnte nur von einer eisernen Natur geleistet werden, wie ich sie besitze. Zwei bis drei Nächte ohne Schlaf hatte ich manchmal mehrere Wochen hintereinander zu bestehen, wenn ich mit meinen Aufgaben fertig werden wollte."

346 Most, Johann, Zur Geschichte der Freiheit, in: Freiheit, Jg. 1886 zitiert nach Rocker, Rudolf, Johann Most, S. 64 ff.

politische Kontrahenten richtet.[347] Seiner früheren Schreibweise in den noch legalen sozialdemokratischen Zeitungen unterlegt er retrospektiv die gleiche Intention; er bezeichnet seine Artikel als „in Gift und Galle getauchten Pfeile wider die Menschenfeinde"[348].

Nie vertritt Most in der *Freiheit* theoretisierend seine Ideen; er war stets Agitator und Propagandist, der trotz permanenter Geldnot an *seinem* Blatt festhielt und mit ihm, als es in London nicht mehr erscheinen kann, nach New York auswandert, wo ihm die Herausgabe der *Freiheit* nur mit den größten finanziellen Opfern immer wieder gelingt. Er braucht sein „Sprachrohr"; wofür – das beschreibt er in der Festausgabe der *Freiheit* zum 25. Jahrgang: „Die *Freiheit* war und ist kein Parteiorgan; sie ist ein literarischer Franctireur (Freischärler), ein wilder Rebell, der auf eigene Faust überall Lärm schlägt, wo er sich Gehör verschaffen kann, der an die Hütten der Armen und Elenden pocht, um die Schläfer aus illusionären Träumen zu reißen, die Zaghaften mit Mut zu beseelen, die Wankelmütigen und verzweifelten zur Ausdauer zu gemahnen, die Idealisten zu hellem Enthusiasmus hinzureißen und die Kühnen zur Rechten Tat zu reizen."[349] Zeit seines Lebens war Most besessener Journalist; wechselte er auch Ideen und Parteien, so blieb er doch der kämpferische, parteiliche Schreiber.

Ein Journalist, der sein ganzes Leben für die sozialdemokratische Parteipresse tätig war, seiner Arbeit aber mehr das Prinzip der Ausgewogenheit als das der Parteilichkeit überstellte, war Wilhelm Liebknecht. Seine Aufgabe als Chefredakteur des Zentralorgans *Vorwärts* sieht er darin, den verschiedenen Strömungen innerhalb der Partei Rechnung zu tragen.[350] Er halte es für seine Pflicht, betont er auf dem Parteitag 1890, „abweichende Meinungen nicht vom Redaktionsstuhl herab zu verdammen oder gar zu exkommunizieren."[351] 1898 geht Liebknecht sogar so weit, vorzuschlagen, daß bei strittigen Fragen die gegensätzlichen Meinungsbeiträge in der Zeitung offen gegenübergestellt werden sollen. Diese Konzeption stößt auf den heftigsten Widerstand bei Bebel, der immer eine einheitliche, dem offiziellen Parteikurs entsprechende Linie im *Vorwärts* gewahrt wissen will.[352]

---

347 Seine polemischen Angriffe auf führende deutsche Sozialdemokraten sind der Grund für seinen Parteiausschluß im Jahre 1880. Vgl. dazu Protokoll Parteitag 1880 in Wyden.
348 Most, Johann, Parlaments-Reminiscenzen, in: *Freiheit*, Nr. 19, Jg. 6, New York, zitiert nach Rocker, Rudolf, Johann Most, S. 39.
349 Most, Johann, Ein Sozialist, S. 151.
350 Vgl. Protokoll Parteitag 1890 in Halle, S. 100: „Das Zentralblatt hingegen gehört der ganzen Partei, und wenn in der Partei verschiedene Strömungen herrschen, so halte ich als Chefredakteur des Zentralorgans mich nicht für berechtigt, meine Meinung als die leitende Meinung hinzustellen."
351 Ebenda.
352 Bebel an Liebknecht vom 20. 10. 1898: „Ich will schon jetzt bemerken: gegen deine Idee einer Zweiteilung des Blattes mache ich die entschiedenste Opposition, das hieß, zwei Antipoden schaffen, die sich gegenseitig verwirrten. Hier heißt's entweder-oder. Ich trete aber mit aller Entschiedenheit für den bisherigen Zustand ein, weil ich ganz außer Zweifel bin, daß ein entschieden gehaltenes Blatt aus einem Guße die ganze Berliner Partei hinter sich hat."
zitiert nach Loreck, Jochen, Wie man früher Sozialdemokrat wurde, S. 73.

Liebknechts Tendenz zu einer parteilich ausgewogenen Berichterstattung entspricht seinem generellen Hang, Gegensätze in der Partei zu harmonisieren.[353] Diese Eigenart wird ihm als „Vertuschungsmanier" von den Parteigenossen negativ angekreidet.[354]

In seinen Memoiren schildert Liebknecht den erwählten als verfehlten Beruf: „Man kann seinen Beruf verfehlen, aber nicht seine Natur ändern. Man kann sie verhunzen, man kann sie veredeln, aber Natur bleibt Natur, auch in verschiedenster Gewandung. Und von Natur bin ich Schulmeister, und ich habe allezeit bereitwillig, manchmal sogar zerknirscht, zugestanden, daß ich als Politiker meinen Beruf verfehlt habe. Und daß die Natur in diesem verfehlten Beruf, wo es nur irgend ging, zum Durchbruch kam und kommt, das ist nur natürlich."[355]

Sein Schulmeister-Naturell schlägt sich in seiner Schreibweise nieder: er schreibt langatmige, sehr theoretisch gehaltene Artikel, die von den Parteigenossen als unverständlich immer wieder kritisiert werden.[356] Und er schreibt viel; er hatte die Eigenart, das, was er dachte, spontan niederzuschreiben und zu veröffentlichen, ohne die Meinung Bebels und der Parteileitung einzuholen, was wiederholt zu Meinungsverschiedenheiten führte.[357] Immer meldet er sich zu Wort, wenn er dazu aufgefordert wird,[358] so ist er auch Mitarbeiter verschiedener bürgerlicher Zeitschriften.[359]

Seine unermüdliche journalistische Tätigkeit basiert auf einem unerschütterlichen Glauben an die Macht der Presse: „Die Presse sei das wichtigste Kampfmittel der Partei; sie zu zerstören, heißt Selbstmord begehen, den Gegnern die Partei preisgeben. Die Zeitungen sind nicht in erster Linie Geldquellen, sondern wir müssen damit unsere Ideen verfechten und verbreiten. Unser gefährlichster Feind ist nicht das stehende Heer von Soldaten, sondern das stehende Heer der feindlichen Presse. Unsere beste und einzige Waffe gegen die feindliche Presse, gegen die Reptilienorgane, ist unsere Presse; solange wir sie haben, wird sie die Fahne sein, um die wir uns scharen können."[360]

---

353 Vgl. Bebel Briefwechsel. Engels an Bebel am 2. 5. 1883, S. 158. Engels über Liebknecht: „Seine Popularität ist ihm Existenzbedingung. Er muß also vermitteln und vertuschen, um die Krisis aufzuschieben. Dabei ist er Optimist von Natur und sieht alles rosenfarben."
354 Vgl. Bernstein Briefwechsel. Brief an Engels vom 27. 4. 1882: „Nur muß man Liebknechts Neigung zum Vertuschen nicht nachgeben."
355 Liebknecht, Wilhelm, Erinnerungen eines Soldaten, S. 217.
356 Vgl. Protokoll Vereinstag der SDAP 1873 in Eisenach, S. 34 ff.
Vgl. dazu auch Bebel Briefwechsel. Engels an Bebel am 2. 5. 1883, S. 159: „Dann ist L(iebknecht) bei seinen vielen wertvollen Eigenschaften ein geborener Schulmeister."
357 Vgl. dazu Weitershaus, Friedrich Wilhelm, Wilhelm Liebknecht, S. 125. Weitershaus beschreibt die Auseinandersetzungen Bebel-Liebknecht im siebziger Krieg; Liebknecht hatte ohne Rückfrage nicht parteikonforme Artikel veröffentlicht.
358 Vgl. Eisner, Kurt, Wilhelm Liebknecht. S. 95: Liebknechts „Feder rastete keinen Augenblick, dieses Gehirn kannte keine Erschlaffung und Erkaltung."
359 Liebknecht war Mitarbeiter der Zeitschrift Cosmopolis, der Neuen Deutschen Rundschau und der Wiener Fackel. Vgl. dazu Tschubinski, Wadim, Wilhelm Liebknecht. S. 354–358.
360 Protokoll Vereinigungskongress in Gotha 1975, S. 67.

Sein, ihm von Engels bescheinigter Optimismus,[361] bleibt ihm auch in den neunziger Jahren trotz der unerquicklichen *Vorwärts*-Querelen[362] treu.[363] 1899 schreibt Liebknecht an den österreichischen Sozialistenführer Adler: „Die Hauptsache aber ist, daß allmählich der Anlaß zu Reibungen beseitigt werden konnte und man wieder Lust und Liebe zum Blatt hat gewinnen können."[364] Seine Einschätzung der Situation in der *Vorwärts*-Redaktion ist keine realistische, er sieht sie „rosenfarben"[365] oder wie Bebel konstatiert: „Er befindet sich im Zustande absoluter Unempfindlichkeit."[366]

Die Aussagen der sozialdemokratischen Parteijournalisten zu ihrem Berufsverständnis bewegen sich aber nicht nur im idealtypischen Rahmen, sie umfassen die ganze Bandbreite möglicher Professionsauffassungen. Scheidemann[367] beispielsweise beschreibt sie als versierten Tagesschriftsteller: „Mir hing halt immer und überall der Redakteur nach, der politisch das Neueste in größter Hast verarbeitet und Tag für Tag zu Tausenden von Menschen reden soll, der mitten im hastenden Leben steht."[368]

Bock[369] betont das integrative Moment seiner Arbeit: „Ich gründete sofort eine Fachzeitung, um Anleitung zu geben, wie die fachlichen Bestrebungen gepflegt werden sollten. Diese Fachzeitung verfolgte auch den Zweck, für unsere Mitglieder ein Bindeglied zu bilden."[370] Göhre[371] sieht in der Sozialreportage seine publizistische Aufgabe: „Das beste, geradeste, wenn auch nicht eben bequemste war, wenn ich selbst unerkannt unter die Leute ging, mit eigenen Ohren hörte und mit eigenen Augen sah, wie es unter ihnen steht, ihre Nöte, ihre Sorgen, ihre Freuden, ihr tägliches einförmiges Leben selbst miterlebte, die Sehnsucht ihrer

---

361 Vgl. Bebel Briefwechsel. Engels an Bebel am 2.5.1883, S.158: „Dabei ist er Optimist von Natur und sieht alles rosenfarben."
362 Vgl. Bebel Briefwechsel. Bebel an Engels am 13.11.1893, S.730: „Die Redaktions- und Vorstandskonferenz mit L(ie)bk(necht) letzten Dienstag war sehr heftig. Keiner von uns hat aus seinem Herzen eine Mördergrube gemacht, um so weniger als L(ie)bk(necht) einmal wieder die unmöglichsten Behauptungen und Anschauungen vertrat, so daß wir mehr als einmal nicht in Lachen, nein, in Gelächter ausbrachen. Ich habe ihm alles gesagt, was ich seit langem auf dem Herzen habe, und versuchte ihm klarzumachen, daß, wenn er in der ganzen Partei nicht einen Menschen in Sachen des *Vorw(ärts)* auf seiner Seite habe, er doch einsehen müsse, daß die jetzige Art der Redaktion unmöglich sei. Wir legten ihm in direktester Weise nahe, Titel und Gehalt weiter zu behalten, aber die eigentliche Arbeit an einen anderen abzutreten, aber vergeblich. Nach stundenlangem Disput gingen wir eben so resultatlos auseinander wie so oft, er mit finsterem Gesicht. Als er aber in die Redaktion kam, war er in bester Laune und erklärte, alles sei nunmehr in Ordnung."
363 Vgl. Bebel Briefwechsel. Bebel an Engels am 29.6.1892, S.552: „Ich habe erst Sonntag wieder mit L(iebknecht) eine Unterhaltung gehabt und ihn auf die vollständige Informationslosigkeit des *Vorw(ärts)* hingewiesen, aber das ist alles zwecklos. Er hält den *Vorw(ärts)* für das beste Blatt der Welt."
364 Adler Briefwechsel. Liebknecht an Adler am 9.1.1899, S.283.
365 Siehe Fußnote 361.
366 Bebel Briefwechsel. Bebel an Engels am 13.11.1893, S.730.
367 Siehe Biographie Scheidemann, S.212.
368 Scheidemann, Philipp, Memoiren, Bd.1, S.101 ff. In den Parteivorstand der SPD berufen, beschreibt er sich als unpassend für eine Funktionärs-Stellung.
369 Siehe Biographie Bock, S.156.
370 Bock, Wilhelm, Im Dienste, S.34.
371 Siehe Biographie Göhre, S.177.

Seele, ihren Drang nach Freiheit, Besitz, Genuß belauschte und selbständig nach den innersten Triebfedern ihrer Handlungen suchte."[372]

Der Pfarrer Paul Göhre geht anonym als Arbeiter unter die Arbeiter, arbeitet und lebt mit ihnen, um dann seine Beobachtungen niederzuschreiben.[373]

Diesen Weg „örtlicher autoptischer Recherche"[374] müssen die ehemaligen Arbeiter und Handwerker unter den Parteiredakteuren nicht einschlagen, da sie aus dieser sozialen Wirklichkeit kommen. Die ehemalige Berufswirklichkeit kümmert aber diese Redakteure nicht mehr, sie sind nicht Reporter ihrer Vergangenheit. In ihren Aussagen zu ihrem Berufsverständnis macht sich retrospektiv noch ein Staunen breit, daß sie es geschafft haben, in der sozialen Rangleiter nach oben zu klettern. Erwähnt auch Keil[375] einmal lapidar in seinen Erinnerungen: „Der Redakteur betrachtete es als eine seiner Hauptpflichten, öffentliche Mißstände zu kritisieren"[376] –, so beschreibt er seine Tätigkeit als quasi Hofberichterstattung: „Es war damals ein Ereignis, daß eine sozialdemokratische Zeitung einem königlichen Minister eine uneingeschränkte ehrende Würdigung zuteil werden ließ."[377] Die Arbeit in der Redaktion deklariert er zu einer wissenschaftlichen: „War für mich der Halbmondsaal (Versammlungsort des württembergischen Landtags. d. Verf.) etwa das, was für den Studenten der Hörsaal ist, so hatte ich in meiner Redaktionsstube das Gehörte seminaristisch zu bearbeiten."[378] – seine journalistische Beobachtungsstätte ist gesellschaftliches Parkett: „Auf der Journalistentribüne des Landtags war ich umgeben von den ersten Kräften der Presse."[379]

Heinrich Braun[380] wird von seinen Mitarbeitern als Mediator geschildert: „Ein Übermaß an Selbstkritik machte ihn zu einem seltenen Redner oder Schreiber. Seine Leidenschaft war das Redigieren, das Aufspüren und Fördern von Talenten, die der Sache – im weitesten Sinne des Wortes, nicht der Partei allein – dienen konnten."[381]

---

372 Göhre, Paul, Drei Monate Fabrikarbeiter, S. 125.
373 Göhres Reportage erschien unter dem Titel „Drei Monate Fabrikarbeiter und Wandergeselle" in der Zeitschrift *Christliche Welt* in vier Folgen im Jahre 1890 (Bd. 4). 1891 wird die Reportage unter dem Titel „Drei Monate Fabrikarbeiter und Handwerksbursche" als Buch herausgegeben.
374 Weber, Max, Zur Rechtfertigung Göhres, in: *Christliche Welt* 6/1892.
375 Siehe Biographie Keil S. 191.
376 Keil, Wilhelm, Erlebnisse, Bd. 1, S. 263.
377 Ebenda, S. 152.
    Vgl. dazu auch die Kritik an der Keilschen Berichterstattung in der *Schwäbischen Tagwacht,* die auf dem Parteitag 1911 in Jena geäußert wurde (Protokoll S. 313): „Die *Tagwacht* mißt dem Parlamentarismus, dessen Bedeutung gewiß niemand unterschätzt, ein unverhältnismäßig großes Gewicht bei und sieht ihre Aufgabe oft mehr in persönlicher Reklame für unsere Mandatare, als in der Betonung der Grundsätze die sie zu vertreten haben."
378 Keil, Wilhelm, Erlebnisse, Bd. 1, S. 171.
379 Ebenda, S. 164.
380 Siehe Biographie Heinrich Braun, S. 158.
381 Stampfer, Friedrich, Erfahrungen, S. 83.

Bruhns[382] bezeichnet seine redaktionelle Arbeit als handwerkliche,[383] Thiele[384] rechnet sich zum „Federvieh"[385], und Grillenberger[386] fällt durch seine unjournalistische Bescheidenheit auf: „Was die Unterzeichnung der Artikel mit meinem vollen Namen betrifft, so bin ich eigentlich nicht dafür. Wenn du es im Interesse des Blattes für notwendig oder wünschenswert erachtest, so würde ich mich ja dazu entschließen, jedoch auch nur zur Unterzeichnung des letzten Artikels, nicht jedes einzelnen. Aber du weißt ja, mit was für Leuten gerade ‚wir' zu rechnen haben; es gibt welche, die sofort sagen würden, ich wollte damit ‚prahlen'. Und du weißt, wie unendlich fern gerade mir das liegt."[387]

Ein Brief Grillenbergers soll noch einmal verdeutlichen, wie schlecht der Begriff der Berufszufriedenheit in das Selbstverständnis der Parteiredakteure einzubringen ist: „Seit 20 Jahren stehe ich jetzt ununterbrochen in der Bewegung und habe während dieser Zeit alle(n) Dienst verrichtet, den die Partei verlangt, habe den Kampf in allen Phasen durchgemacht: erst als Fabrikarbeiter und Agitator (...) dann als Redakteur mit – lange Zeit hindurch – dem Proletarierlohn (und in diese Zeit fiel die anstrengendste und aufreibenste agitatorische Tätigkeit), dann kam die zwölfjährige Periode des Sozialistengesetzes mit ihren permanenten Aufregungen, Befürchtungen, gefährlichen Reisen und Unternehmungen und den unerhörten geschäftlichen Sorgen; dazu die parlamentarische Tätigkeit mit all ihren Widerwärtigkeiten, mit geistigen und physischen Anstrengungen. Zwanzig Jahre solcher Tätigkeit (...) wiegen 40 Jahre spießbürgerlicher Tätigkeit eines ehrsamen Handwerkmeisters oder Käsekrämers vollständig auf. Demnach wäre ich in Bezug auf Kräfteverbrauch jetzt ungefähr auf dem Standpunkt eines 60jährigen Mannes angelangt. Dank meiner von Haus aus urgesunden und kräftigen Konstitution ist dies aber noch nicht der Fall."[388]

Die hier untersuchten Autoren fühlen sich als im Dienst der Partei stehend; zu den Tätigkeiten für die Partei gehört unter vielen auch die journalistische und redaktionelle Arbeit. Ist sie auch Erwerbsquelle, wird sie doch unter die Dienstleistungen für eine Idee subsumiert. Überanstrengung und Überarbeitung[389] um eines Ideales willen nimmt man billigend in Kauf...

---

382 Siehe Biographie Bruhns, S. 159.
383 Bruhns, Julius, Es klingt, S. 86.
384 Siehe Biographie Thiele, S. 224.
385 Protokoll Parteitag 1898 in Stuttgart, S. 118.
386 Siehe Biographie Grillenberger, S. 178.
387 Brief von Grillenberger an Schoenlank in Schoenlanks Tagebuch, Eintragung vom 9.3. 1897. Mayer, Paul, Bruno Schoenlank, S. 108.
388 Brief von Grillenberger an Oertel vom 28.6.1891, Briefsammlung Oertel 2, AdSD, Bonn.
389 Siehe ergänzend S. 67.

IV. Verhältnis zu den Presskommissionen

In den Presskommissionen hatte sich die sozialdemokratische Parteibasis ein Instrument geschaffen, neben der geschäftsbezogenen und personalpolitischen Einflußnahme auf die Parteizeitungen auch die inhaltliche Gestaltung des Blattes beeinflußen und kontrollieren zu können.[390]

Viele der späteren Parteiredakteure kamen als Mitglied einer örtlichen Presskommission zum erstenmal mit dem Zeitungsgewerbe in Berührung.[391] Ihr Hauptaugenmerk richtete eine Presskommission auf die wirtschaftliche Sanierung eines Parteiblattes, was zwangsläufig zu Reibereien mit den jeweiligen Redaktionen führen mußte, da sie dem Sparprogramm am direktesten ausgeliefert waren: „Die Presskommissionen sind ein Kind der Parteiverhältnisse an den einzelnen Orten. Hätten diese Orte einen auskömmlichen Redaktionsetat, dann hätten die Prätentionen gewisser Redakteure ihre Berechtigung. An einzelnen Orten aber befinden sich die Parteiblätter in äußerster Noth und das Sparen am Redaktionsetat ist die Hauptaufgabe der Preßkommissionen."[392]

Dürfte das Verhältnis zu den Presskommissionen ein spannungs- und konfliktreiches gewesen sein, die hier untersuchten Parteiredakteure verlieren darüber in ihren Lebenserinnerungen kaum ein Wort. Nur Scheidemann betont ausdrücklich, daß seine Beziehungen zu den jeweiligen Presskommissionen immer ausgezeichnete waren,[393] was dafür spricht, daß es im Normalfall nicht so aussah.

Auf den Parteitagen kommen die Animositäten zwischen Parteiredakteuren und den Presskommissionen häufig zur Sprache;[394] den Ursachen dafür geht Calwer[395] dezidiert in einem Artikel nach, den er 1901 in den *Sozialistischen Monatsheften* veröffentlicht.[396] Er konstatiert einen Tief-

---

390 Als Ledebour (siehe Biographie Ledebour, S. 194) 1898 die Chefredaktion der *Sächsischen Arbeiter-Zeitung*, Dresden übernimmt, gibt die örtliche Presskommission im *Vorwärts* vom 15.11. 1898 eine Garantieerklärung ab, daß durch die redaktionelle Veränderung – vor Ledebour war Rosa Luxemburg auf dem Chefredakteursposten gewesen – keinen Einfluß auf die radikale Linie des Blattes habe. Die Zeitung werde auch in Zukunft nicht die Bahnen verlassen, „die sie so erfolgreich in den letzten Jahren eingeschlagen habe."
391 Vgl. Noske, Gustav, Erlebtes, S. 14: „In enge Beziehung zur *Brandenburger Zeitung* trat ich als Mitglied der Pressekommission."
392 Carl Ulrich auf dem Parteitag 1901 in Lübeck, Protokoll S. 196 ff.
393 Vgl. Scheidemann, Philipp, Memoiren, Bd. 1, S. 100 ff.: „Bis dahin war ich in allen Stellungen vollkommen selbständig gewesen, obwohl ich als Redakteur natürlich überall mit Preßkommissionen hatte arbeiten müssen. Irgendwelche Schwierigkeiten habe ich damit nirgends gehabt, im Gegenteil, überall waren die Preßkommissionen meine besten Helfer, sie sind mit mir durch dick und dünn gegangen."
394 Lipinski (siehe Biographie S. 199) auf dem Parteitag 1901 in Lübeck, Protokoll, S. 199: „Man hat in den Preßkommissionen – dafür sind eine ganze Anzahl Belege vorhanden – vielfach die Ansicht, die Redakteure brauchten nicht besser zu stehen wie sie, die Mitglieder der Preßkommissionen selbst. Das Papier, der Druck muß bezahlt werden, die Setzer haben ihren Tarif, also wird am Redaktionspersonal gespart. Das Ideal scheint zu sein ein Zustand, wie man in Kassel will, man den Redakteur ganz abschafft und die Zeitung durch den Verleger und Expedienten herstellen läßt."
395 Siehe Biographie Calwer, S. 161.
396 Calwer, Richard, Die socialdemokratische Presse in: *Sozialistische Monatshefte*, Nr. 9, 1901.

stand in punkto redaktioneller Leistung in der Parteipresse;[397] dieser Umstand resultiere aber nicht aus dem Mangel an journalistischem Potential, vielmehr knebele die Arbeit der Presskommissionen eine mögliche journalistische Entfaltung der Parteiredakteure. Schon die personelle Besetzung der Presskommission provoziere einen Konflikt: „Sicherlich kann ein intelligenter Arbeiter nach einigen Jahren praktischer Erfahrung vom Presswesen etwas verstehen. Aber es muß doch zugegeben werden, daß die Meinung, ein guter Parteigenosse verstehe eo ipso auch schon das Presswesen, grundfalsch ist. Die nötige Kenntnis besitzen diejenigen Genossen, die in die Presscommission neu hineingewählt werden, in der Regel noch nicht. Wohl sind sie von ihrem eigenen Können und von ihren Kenntnissen sehr überzeugt."[398]

Die mögliche gute Kooperation zwischen Presskommissionen und Redaktionen verhindere auch der ständige Mitgliederwechsel in dem Kontrollorgan: „Wenn nun eine Presscommission nach einer jahrelangen Thätigkeit endlich anfängt, die Pressverhältnisse zu verstehen, so ereignet es sich in der Regel, daß ihr Personalbestand durch die Neuwahlen wiederum verändert wird, daß die Majoritäten innerhalb der Presscommission sich verschieben, daß Genossen hereinkommen, die erst Erfahrungen sammeln müssen, aber doch schon, ehe sie solche haben, sehr viel Initiative entwickeln. Statt einer Besserung der Verhältnisse tritt nun wieder die nämliche Unsicherheit und Gegensätzlichkeit zwischen Redaction und Presscommission, das nämliche Festhalten an dem unglückseligen Princip der Sparsamkeit ein."[399]

Calwer schlägt zur Beseitigung des Dualismus zwischen der Basisinstitution und der Redaktion vor, die Presskommissionen nur mit Parteimitgliedern zu besetzen, die auf eine gewisse Presseerfahrung zurückblicken können, und eine Konstanz im Mitgliederbestand der Presskommissionen herbeizuführen, die eine reibungsfreiere Zusammenarbeit garantieren würde.[400] Calwers Apelle werden nie in die Tat umgesetzt; dem Parteiredakteur stellt sich weiter die Presskommission seiner journalistischen Zielvorstellung in den Weg, aus einem ungenügenden Parteiblatt eine moderne Zeitung zu machen.[401]

---

397 Ebenda, S. 700: „Die größere Zahl der Tageszeitungen läßt inhaltlich ungemein viel zu wünschen übrig. Der politische Teil ist oft nichts weiter als ein nicht einmal geschickt zusammengestelltes Sammelsurium von Artikeln und Notizen aus den wenigen Tageszeitungen, die selbständige Artikel bringen."

398 Ebenda, S. 702

399 Calwer, Richard, Die socialdemokratische Presse, S. 703. Vgl. dazu auch Brief von Pieck an Henke (siehe Biographie Henke, S. 184) vom 27. 8. 1908, Nachlaß Henke im AdSD, Bonn. Henke hatte seinen Redaktionsetat um über 5000 Mark überzogen: „Jedenfalls darfst Du Dich darauf gefaßt machen, daß die erste Sitzung der Zeitungskommission Dich ganz gehörig verkeilen wird."

400 Calwer, Richard, a.a.O., S. 703.

401 Vgl. dazu Davidsohn, Georg, Chef vom Dienst? in: MdVA, Nr. 172, 1. 7. 1918: „Wir müssen unsere Geschäftsleitungen und unsere Preßkommissionen daran gewöhnen, die Redaktionen endlich einmal so zu besetzen, daß wir aus den bisherigen Mißständen herauskommen. Von der Qualitätsfrage will ich im Moment absehen. Nein quantitativ ist das Gros unserer Parteiredaktionen viel zu dünn besetzt, so dünn, daß die Mehrzahl der Redakteure (...) längst zur Korrigier- und Streichmaschine geworden ist."

Nur Schoenlank „löst" das Problem – mit der Entmachtung der Presskommission. Als ihm 1894 die Chefredakteursstelle an der *Leipziger Volkszeitung* angeboten wird, sind seine Bedingungen für die Übernahme dieser Aufgabe: alleinige Entscheidungsbefugnis bei der Auswahl seiner Mitarbeiter und der inhaltlichen Gestaltung der Zeitung. Mit diesem Zugeständnis verwies die Dresdener Parteileitung die örtliche Presskommission, zu deren Aufgaben wie bei anderen Presskommissionen bis dahin die Personalpolitik und Überwachung der inhaltlichen Gestaltung des Blattes gehört hatten, auf den Sektor rein buchprüferischer Kontrolltätigkeit.

V. Das Verhältnis zu den journalistischen Berufsorganisationen

„Die sozialdemokratischen Redakteure sahen gewöhnlich auf die gewandteren und besser bezahlten Kollegen mit Verachtung herab; sie hielten sie für ‚Lohnschreiber des Kapitals' und ‚Schmöcke'. Erst später in der Republik änderte sich das; auch wir sozialdemokratischen Journalisten traten der allgemeinen Berufsorganisation bei, und zwischen uns und den ‚Bürgerlichen' entwickelte sich ein kollegiales Verhältnis."[402]

Nicht erst in der Weimarer Republik gab es sozialdemokratische Journalisten, die bürgerlichen Schriftsteller- und Journalistenvereinigungen beitraten. So Blos, der 1873 als Redakteur des Zentralorgans *Volksstaat* Mitglied des Leipziger Schriftstellervereins wurde.[403] Viereck[404] wirkte maßgeblich an der Gründung des Münchener Journalisten- und Schriftstellervereins 1883 mit, war 1886 Mitglied des Preßausschusses, den der Verein ins Leben rief, um „eine energische Vertretung der Münchener Presse sowohl den Behörden als dem Publikum gegenüber anzubahnen"[405]. 1890 wird er zum Vorsitzenden des Münchener Journalisten- und Schriftstellervereins gewählt[406] und ist danach bis um die Jahrhundertwende Ehrenmitglied des Vereins.[407]

Vollmar und Schoenlank waren 1892 ordentliche Mitglieder des Vereins;[408] im Mitgliederverzeichnis von 1894 sind sie nicht mehr aufgeführt.[409]

Vierecks enge Bindung an die Standesvereinigung beweist der Umstand, daß er bei einem internen Parteizwist den Münchener Journali-

---

402 Stampfer, Friedrich, Erfahrungen, S. 209.
403 Blos, Wilhelm, Denkwürdigkeiten, Bd. 1, S. 148. Vorsitzender des Leipziger Schriftstellervereins war zu dieser Zeit Heinrich Wuttke.
404 Siehe Biographie Viereck, S. 227.
405 Münchener Stadtchronik vom 27. 7. 1886, zitiert nach: Harrer, Charlotte, Die Geschichte der Münchener Tagespresse 1870–1890, S. 179.
406 Bayr. Hauptstaatsarchiv München, MInn 73529. Denkschrift zum zehnjährigen Stiftungsfeste des Münchener Journalisten- und Schriftstellervereins, München 1892, S. 18.
407 Ebenda. In den vorliegenden Mitgliederverzeichnissen des Münchener Journalisten- und Schriftstellervereins von 1894 und 1898 ist Viereck als Ehrenmitglied angeführt.
408 Ebenda, S. 46/47.
409 Ebenda, Mitgliederverzeichnis des Münchener Journalisten- und Schriftstellerverbandes 1894.

sten- und Schriftstellerverein als Schiedsrichter anruft.[410] Da er am Partei-
kongress 1887 in St. Gallen nicht teilnahm und in einem Brief an den
Kongress diesen auch als „unnütz"[411] erklärte, sprach der Parteitag
Viereck seine Mißbilligung aus und empfahl den Parteiorganisationen,
ihn nicht mehr mit Parteiaufgaben zu betrauen. Als einen Angriff gegen
seine journalistische Ehre wertete Viereck die Beschlußformulierung,
„jeder spekulativen Ausbeutung der Arbeiterpresse streng entgegenzutreten", und richtete sich mit seiner Beschwerde gegen die Partei an den
Münchener Journalisten- und Schriftstellerverein.

Sozialdemokratische Parteiredakteure scheinen auch nach der Gründung einer „parteieigenen" Standesorganisation, des Vereins Arbeiterpresse im Jahre 1900, vereinzelt Mitglieder bürgerlicher Berufsvereini-
gungen gewesen zu sein; so führt der württembergische Journalisten-
und Schriftstellerverein 1912 als Mitglied einen „sozialdemokratischen
Reichstags- und Landtagsabgeordneten"[412] auf.

Außer Blos erwähnt keiner der hier untersuchten Autoren seine Mitgliedschaft in einer bürgerlichen oder sozialdemokratischen Standesorganisation; Blos schildert den Schriftstellerverein in seinen Memoiren als
lose Gruppierung illustrer Persönlichkeiten und berühmter Literaten und
bewertet die Tatsache, diesem Club anzugehören, als Prestigezuge-
winn.[413]

Bereits 1894 wurde von einigen sozialdemokratischen Parteiredakteuren der Versuch unternommen, eine eigene Standesorganisation auf die
Beine zu stellen;[414] zur Gründung des Vereins Arbeiterpresse kam es
jedoch erst am 14. Januar 1900.[415] Lipinski[416], einer der maßgeblichen
Initiatoren des gewerkschaftlichen Zusammenschlusses der Parteiredakteure, beschreibt die Konstituierung des Vereins als Konsequenz der
immer schlechter werdenden Arbeitsbedingungen innerhalb der Parteipresse: „Das war dringend nötig, denn die Verhältnisse waren arg. Wenn
Habenichtse sich zusammentaten, um eine Parteizeitung zu gründen, die
Werbearbeit für die Partei zu fördern, so war Schmalhans oft Küchenmei-
ster, denn das Geld war rar, sehr rar, und da konnte nicht viel für den
Redakteur abfallen. Freilich, gegenüber den Setzern und Druckern
mußte man sich an die Vereinbarungen mit den Organisationen halten.
Der aus der Werkstatt hervorgegangene Redakteur, damals gab es
wenige Akademiker unter den Parteiredakteuren, hatte ja keinen Rück-
halt an einer Berufsorganisation, für ihn kam häufig nur der Durch-
schnittslohn seiner früheren Berufstätigkeit in Frage. Eine Umfrage nach

410 Vgl. dazu Heß, Ulrich, Louis Viereck, S. 34.
411 Vgl. Protokoll Parteitag 1887 in St. Gallen, S. 47 ff.
412 Mitteilungen des Reichsverbandes der deutschen Presse, Nr. 9 vom 1. 3. 1912, S. 12. Die
    Vermutung liegt nahe, daß es sich um Wilhelm Keil gehandelt haben dürfte.
413 Blos, Wilhelm, Denkwürdigkeiten, Bd. 1, S. 148 ff.
414 Vgl. dazu MdVA, Nr. 100, 3. 5. 1911, Thiele (siehe Biographie, S. 224): „Schon 1894 waren
    die Genossen Kurt Baake, Wurm (siehe Biographie, S. 231) und andere dem Gedanken
    eines beruflichen Zusammenschlusses der Parteiredakteure nachgegangen. Ein Statut
    war bereits entworfen. Die Pflaume war aber noch nicht reif, es kam zu keiner Grün-
    dung."
415 Ebenda, S. 2.
416 Siehe Biographie Lipinski, S. 199.

den Gehältern ergab bescheidene Zahlen. Das Jahreseinkommen der Redakteure schwankte zwischen 672 und 3 600 Mark. (...) War das schon kein glänzendes Bild, so lag es mit den Rechtsverhältnissen der Angestellten und ihrer sozialen Fürsorge ganz im argen. Ihre Rechtsstellung war nicht klar, sie unterstanden weder der Gewerbeordnung noch dem Handelsgesetzbuch, höchstens dem bürgerlichen Gesetzbuch. Da es aber üblich war, ein Parteiunternehmen nicht bei bürgerlichen Gerichten zu verklagen, so bestand praktisch für die Redakteure gar kein Recht. Als Redakteure waren sie nicht Arbeiter im Sinne der Krankenversicherung; wenn sie sich aus ihrer früheren Berufstätigkeit her nicht freiwillig weiterversichert hatten, war es von der Auslegungskunst der Kassenvorstände abhängig, ob sie Mitglied wurden oder nicht. (...) Schlimm war es, wenn der Redakteur starb. Bei dem Gehalt konnte er keine Ersparnisse machen, und sonst war für die Hinterbliebenen nicht vorgesorgt."[417]

Calwer führt das Zustandekommen des Vereins Arbeiterpresse auf den immer schärfer zu Tage tretenden Interessengegensatz zwischen Parteiredakteuren und Presskommissionen zurück: „Das veränderte Verhältnis zwischen Presskommissionen und Parteiangestellten machte den Zusammenschluß notwendig, sollte nicht die soziale Position der Redakteure ganz und gar in das Belieben der einzelnen, überdies vielfach von Jahr zu Jahr in ihrem Mitgliederbestande wechselnden Presskommissionen gestellt sein."[418]

Hatte die Partei vorerst befürchtet, mit dem Verein Arbeiterpresse würde ihr ein interner „Streikverein" erwachsen,[419] so betrieb der Verein eine linienkonforme Berufspolitk. Er handelte mit den Parteibetrieben Minimalgehälter für die Parteiredakteure aus, die weiter – gemessen an den Gehältern, die in bürgerlichen Zeitungsverlagen gezahlt wurden – „minimal" blieben, und integrierte in den Verein eine Unterstützungs-Vereinigung, die eine Rente an die Hinterbliebenen von Parteiredakteuren sicherstellte.

Daß eine echte berufsständische Interessenvertretung durch die starke Einbindung des Vereins in die Partei scheiterte, beweist der *Vorwärts*-Konflikt im Jahre 1904/05. Auf Druck Bebels wurde den revisionistischen Redakteuren in der „Vorwärts"-Redaktion gekündigt. Die aus der Redaktion ausgeschiedenen Redakteure ersuchten nun den Verein, sich mit dem Konflikt, der zu ihrer Kündigung führte, zu beschäftigen.[420] Der Vorstand des Vereins entzieht sich aber einer Erörterung dieser ideologischen Meinungsverschiedenheit mit der Begründung, „in die Parteistreitigkeit habe sich der Vereinsvorstand nicht zu mischen"[421], muß sich aber

417 Lipinski, Richard, Wie der Verein Arbeiterpresse wurde, in: *MdVA*, Nr. 314, 1. 6. 1931, S. 2.
418 Calwer, Richard, Disziplin und Meinungsfreiheit, in: *Sozialistische Monatshefte*, Nr. 1, Januar 1906, S. 37.
419 Vgl. dazu Protokoll Parteitag 1902 in München, S. 103: „Ich freue mich, daß im Laufe der Entwicklung des Vereins ‚Arbeiterpresse' diese Richtung (Streikverein) gleich Null geworden ist. Wäre das nicht so, so müßte der Verein zweifellos auf das Schärfste bekämpft werden."
420 Vgl. dazu *MdVA*, Nr. 52, 21. 12. 1905.
421 Ebenda. Protokoll der Vorstandssitzung.

den Vorwürfen der Mitglieder stellen, „der Vorstand habe im *Vorwärts*-Konflikt versagt"[422].

Der Verein Arbeiterpresse war auch in den darauffolgenden Jahren kaum mehr als eine Versicherungsanstalt.[423] Findet man auch in dem Vereinsorgan immer wieder Artikel, die Neuerungen und Verbesserungen für die Arbeit innerhalb der Parteipresse anregen,[424] Würdigungen der wissenschaftlichen Arbeit auf dem journalistischen Sektor,[425] so war der tatsächliche Einfluß des Vereins Arbeiterpresse auf die Parteipresse-Gegebenheiten ein sehr geringer.

Die fehlende politische Relevanz des Vereins Arbeiterpresse zeigte sich auch bei den Auseinandersetzungen zwischen Mehrheit und Minderheit der Fraktion und der daraus resultierenden Aufspaltung der Parteipresse in zwei Lager während des 1. Weltkrieges. Die *Mitteilungen des Vereins Arbeiterpresse* enthielten sich jeder Stellungnahme und Polemik; statt dessen diskutierte man angesichts der harten Konfrontationen Redaktionsmodelle, die beiden Gruppierungen eine Artikulation in der Parteipresse ermöglichen sollten.[426]

Darf man davon ausgehen, daß alle Parteiredakteure Mitglieder des Vereins und damit der Unterstützungs-Vereinigung gewesen sind,[427] so scheint das Interesse mehr einer Versorgungsanstalt als einer wirklichen Standesorganisation gegolten zu haben. Die Mitglieder wurden immer wieder zur Mitarbeit an den *Mitteilungen* ermahnt und das mangelnde Engagement der Parteiredakteure in den Ortsgruppen des Vereins beklagt.[428] Georg Davidsohn[429] in einer Leserzuschrift: „Bescheidene Anfrage. Warum führt die Gruppe Groß-Berlin des Vereins Arbeiterpresse ein so – obskures Leben? Haben die Redakteure und Schriftsteller gar keine gemeinsamen Interessen zu besprechen? In der bürgerlichen Journalistenwelt regt und rührt sichs an allen Ecken und Enden. Weshalb nicht bei uns?"[430]

---

422 Thiele und Gradnauer (siehe Biographie, S. 224, 177) in *MdVA*, Nr. 61, 17. 10. 1906. Protokoll der Generalversammlung des Vereins Arbeiterpresse.
423 Vgl. dazu Heinrich Schulz (siehe Biographie, S. 217) in *MdVA*, Nr. 69, 31. 10. 1907: „Ich bin aber durch die Vorstandssitzungen nicht zu der Überzeugung gekommen, daß wir eine wirksame Tätigkeit ausüben können. Jede Möglichkeit, irgendwo nachdrücklich einzuwirken, hat gefehlt. Ich bin deshalb zu der Überzeugung gekommen, daß eine eigentliche Existenzberechtigung für den Verein kaum noch vorliegt."
424 Vgl. dazu Pierenkämper, Franz, Eine Anregung (Zur Beseitigung der redaktionellen Schwächen der Parteipresse, in: *MdVA*, Nr. 90, Januar 1911. Davidsohn, Georg, Chef vom Dienst?, in: *MdVA*, Nr. 172, Juli 1918).
425 Sehr aufmerksam und würdigend wird Karl Büchers Tätigkeit am Institut für Zeitungskunde in Leipzig verfolgt. Vgl. dazu *MdVA*, Nr. 136, Juli 1915, Veröffentlichung der Antrittsrede Büchers am Institut für Zeitungskunde und des Studienplanes dieses neuen Faches. *MdVA*, Nr. 138, September 1917. Bücher wird zu Berufsfragen zitiert. *MdVA*, Nr. 157, Mai 1917, Artikel: Das Institut für Zeitungskunde an der Universität Leipzig. *MdVA*, Nr. 206, Mai 1921, Würdigung von Büchers Doktorjubiläum. *MdVA*, Nr. 263, März 1927, Zum 80. Geburtstag Karl Büchers.
426 Vgl. dazu *MdVA*, Nr. 170, Mai 1918, „Sind Doppelredaktionen möglich?" und *MdVA*, Nr. 169, April 1918, „Doppelredaktionen?"
427 Auch prominente Vorstandsmitglieder wie Auer traten dem Verein und der Unterstützungsvereinigung bei. Vgl. dazu *MdVA*, Nr. 67, Juli 1907.
428 *MdVA*, Nr. 69, Oktober 1907: „Die Kollegen werden zur regen und gesteigerten Mitarbeit aufgefordert. Die Beiträge werden, wie auch früher schon, honoriert."
429 Siehe Biographie Davidsohn, S. 164.
430 *MdVA*, Nr. 112, März 1913, S. 6.

VI. Zum Problem der journalistischen Meinungsfreiheit

„Eine Partei, die Preßfreiheit auf ihre Fahne geschrieben, kann unmöglich in der eigenen Partei die Censur wollen."[431]

Mit dem Insistieren der Parteiredakteure auf dem Recht der Meinungsfreiheit und den Kontrollintentionen des Parteivorstandes ergab sich ein Konfliktpunkt, der in der Geschichte der Sozialdemokratie zu kleineren und größeren Querelen führte. Der journalistischen Meinungsfreiheit innerhalb der Parteipresse waren theoretisch nur die Grenzen gesetzt, die sich aus den programmatischen Grundsätzen der Partei von selbst ergaben; in der Praxis wurde der proklamierten Meinungsfreiheit ein engerer Spielraum gegeben.

Wenn Bebel auf dem Parteitag 1902 in München betont: „Es giebt keine Partei unter allen, die existiren, in der die Meinungsfreiheit so ungehindert zum Ausdruck kommen kann, wie in der Sozialdemokratie",[432] so führt er im gleichen Atemzug aus: „Aber Bedingung ist, daß die Presse, die im Dienste der Partei steht, auch der Kontrolle der Funktionäre unterstellt ist"[433]. Er, der auf das energischste dagegen protestieren würde, „wenn irgendwo in der Partei der Versuch gemacht würde, freie Meinungsäußerungen zu verhindern"[434], greift immer dann autoritativ in das Pressegeschehen ein, wenn sich Äußerungen und Redakteur nicht auf dem Boden der vorgegebenen Parteilinie befinden.

Von Engels heimst er sich deswegen des öfteren eine Rüge ein; im Mai 1890 schreibt ihm Engels: „Und nun noch eins: Seit Ihr versucht, die Veröffentlichung des Artikels mit Gewalt zu verhindern, und der N(euen) Z(eit) habt Warnungen zukommen lassen, sie würde im Wiederholungsfall vielleicht auch parteilich verstaatlicht und unter Zensur gestellt, muß mir die Besitzergreifung Eurer ganzen Presse doch unter einem eigentümlichen Licht erscheinen. Wodurch unterscheidet Ihr Euch von Puttkammer, wenn Ihr in Euren eigenen Reihen ein Sozialistengesetz einführt? (...) Aber ich möchte doch zu bedenken geben, ob Ihr nicht besser tätet, etwas weniger empfindlich und im Handeln etwas weniger – preußisch zu sein."[435]

An Engels weiterem Vorschlag, die Parteipresse in die Rolle eines innerparteilichen Oppositionsträgers hineinwachsen zu lassen,[436] konnte Bebel nicht viel gelegen sein, weil er die Parteieinheit durch ein eigenwilliges Verhalten der Presse gefährdet sah.[437]

---

431 Karl Grillenberger auf dem Vereinstag der SDAP 1872 in Mainz, Protokoll S. 28.
432 Protokoll Parteitag 1902 in München, S. 125.
433 Ebenda.
434 Ebenda, S. 124.
435 Bebel Briefwechsel, S. 730 ff. Engels an Bebel am 1./2. 5. 1890.
436 Ebenda, S. 617. Engels an Bebel am 19. 11. 1892: „Ihr müsst absolut eine Presse haben, die vom Vorstand und selbst Parteitag nicht direkt abhängig ist, d. h. die in der Lage ist, innerhalb des Programms und der angenommenen Taktik gegen einzelne Parteischritte ungeniert Opposition zu machen und innerhalb der Grenzen des Parteianstandes auch Programm und Taktik frei der Kritik zu unterwerfen."
437 1877 verhindert Bebel den Abdruck von Engels „Anti-Dühring" im Vorwärts, weil er seiner Meinung nach parteiinternen Zündstoff enthält. Vgl. dazu Protokoll Parteitag 1877 in Gotha, S. 70 ff.

Das Verhältnis Parteiredakteur zur Kontrollinstanz Vorstand war immer ein gespanntes, verließ der Redakteur in seinen Verlautbarungen das Feld der Vorstandsmeinung. 1870 kommt es zu einer Auseinandersetzung zwischen dem Redakteur des Zentralorgans der SDAP und dem Vorstand. Wilhelm Liebknecht hatte sich geweigert, den *Volksstaat* im Sinne des Parteiausschusses zu redigieren, der für eine Kriegsunterstützung plädierte.[438] Das Ausschußmitglied Bracke dazu: „So viel ist aber gewiß, daß, wenn der Ausschuß die Verantwortung für die Haltung des Blattes hat, sich der Redacteur fügen muß. Sonst ist unsere Organisation Unsinn. Der Streit mit Liebknecht über die Sache wird durch die Ereignisse bald zu unseren Gunsten entschieden sein; der Streit aber über die Stellung und Verantwortlichkeit des Ausschusses muß erledigt werden, sonst spiele ich nicht mehr mit."[439]

Die Differenzen wurden nicht beigelegt; aber Liebknecht blieb weiter Redakteur und Bracke im Ausschuß. Als Chefredakteur des Zentralorgans *Vorwärts* sah Liebknecht seine Aufgabe im Sammeln und Veröffentlichen *aller* in der Partei zu Tage tretenden Meinungen,[440] was zu einer langen Kontroverse mit Bebel führte, der von einem Zentralorgan eine Führungsfunktion verlangte.[441] Auf dem Parteitag 1896 in Gotha rechtfertigt Liebknecht sein Prinzip der Redaktionsführung: „Ob es aber ein Fehler war, daß der *Vorwärts* so unabhängig und demokratisch geleitet wurde, wie ich es versuchte, statt ihn zu einem Parteivorstandsorgan zu machen, das möchte ich doch sehr bezweifeln."[442]

Die Funktion der Parteizeitung als Vermittlungsorgan sämtlicher in der Partei kursierenden Stellungen und Meinungen wurde von den Redakteuren öffentlich gern betont;[443] in den vorliegenden Memoiren und Tagebuchaufzeichnungen kommt aber zum Ausdruck, daß die Redakteure *ihr* Blatt in allererster Linie als Vehikel für ihre Meinung betrachteten.

Der Reichstagsabgeordnete und Redakteur Noske[444]: „In Chemnitz hatte ich, da ich von der Zeitung, an der ich selbst arbeitete, keine Quertreibereien zu besorgen brauchte, für Propagierung von Reformideen freien Spielraum. Vorsichtig, aber systematisch wurde in der *Volks-*

---

438 Krieg Preußens gegen Frankreich 1870/71. Liebknecht und Bebel enthalten sich der Stimme im Norddeutschen Reichstag bei der Kriegskreditbewilligung, was vom Parteiausschuß ebenfalls kritisiert wurde.
439 Wilhelm Bracke an August Geib am 1. 9. 1870, in: Braunschweigisches Jahrbuch, Bd. 45, S. 136.
   Der Braunschweiger Ausschuß schrieb am 20. 7. 1870 an Liebknecht: „Daß für die zukünftige Haltung der Redaction in Sachen der Kriegsfrage die braunschweiger Verhandlungen und Beschlüsse maßgebend sein sollen."
440 Vgl. dazu Protokoll Parteitag 1896 in Gotha, S. 100 ff.
441 Vgl. dazu Bebel Briefwechsel, S. 434 ff., 467, 477, 730, 767, 782. Bebels Klagen darüber, daß der *Vorwärts* eine intendierte Führungskontrolle wegen der „falschen" Berufsauffassung Liebknechts nicht übernehmen konnte.
442 Protokoll Parteitag 1896 in Gotha, S. 116.
443 Hasselmann auf dem Parteitag 1875 in Gotha, Protokoll S. 67: „Unsere Presse sei keine ‚Gedankenfabrik', es werde darin jeder Meinungsäußerung der Parteigenossen Aufnahme gewährt."
444 Siehe Biographie, S. 204.

stimme verständiger Behandlung praktischer Fragen der Boden berei-tet."[445] Schoenlank in seinem Tagebuch, nachdem er in der *Leipziger Volkszeitung* Liebknecht wegen eines Artikels sehr polemisch angegrif-fen hatte[446]: „Die Parteipresse, ein Beweis für deren Abhängigkeit und Angstmeierei, schweigt sich aus. Und doch wird der Artikel wirken. Er hat schon gewirkt. Welches Glück, daß wenigstens ein Parteiblatt, das Leipziger, nach allen Seiten unabhängig ist, und daß ich ungescheut die Wahrheit sagen kann."[447]

Die Diskussion um Meinungsfreiheit in der Parteipresse entbrannte immer dann am heftigsten, wenn sich eine Gruppe der Partei oder Fraktion nicht vermitteln konnte. So in der Zeit des Sozialistengesetzes, als das Zentralorgan *Sozialdemokrat* in Zürich das Sprachrohr der linken Minderheit in der Fraktion war, der Mehrheitsblock aber immer ver-suchte, Einfluß auf das Blatt zu gewinnen.[448] Der Redakteur des *Sozialde-mokrat,* Bernstein, hatte sich mehrmals Beschlüssen der Gesamtfraktion zu beugen, die die Meinungsvielfalt in dem Blatt wiederherstellen soll-ten, die aber das von ihm verlangte Recht auf persönliche freie Mei-nungsäußerungen in Abrede stellten: „Aber am einzigen Blatt zu sitzen, das gegenwärtig offen sozialistisch schreibt, und keine Kritik mehr anle-gen dürfen an die Vorgänge, welche für unsere Parteibewegung von höchstem Interesse sind, das bringt einen Menschen wie mich zur Ver-zweiflung. Loben, wo ich nach meiner Überzeugung tadeln sollte, das kann ich nicht und werde ich nie tun, ich kann mich nicht einmal dazu entschließen, ‚objektiv' zu referieren, so schweige ich also lieber. Aber ist das ein gesunder Zustand?"[449]

Journalistische Meinungsfreiheit – das Recht, das Bernstein für sich selbst in Anspruch nimmt, kritisiert er an seinen Kollegen: „Das Schlimme ist: wir, die wir unter dem Gefühl der Verantwortung für die Partei schreiben, können nicht alles sagen – jene Herren[450] nehmen aber kein Blatt vor den Mund. Das reizt Einen doppelt."[451] Ende der neunziger Jahre verliert Bernstein seinen Posten als fester Mitarbeiter der *Neuen Zeit,* weil er in seinen Artikeln einen revisionistischen Standpunkt vertrat, was der Chefredakteur der Parteizeitschrift, Kautsky, nicht duldete.[452]

Das strenge Meinungs-Regiment Kautskys, der nur Vertreter der Marx-Orthodoxie als Mitarbeiter an seiner Zeitschrift zuließ,[453] machte die

445 Noske, Gustav, Erlebtes, S. 34 ff.
446 Siehe dazu 2. Kapitel, S. 80.
447 Eintragung vom 13. 4. 1897, in: Mayer, Paul, Bruno Schoenlank,
448 Siehe dazu 3. Kapitel, S. 119.
449 Bernstein Briefwechsel, S. 208. Bernstein an Engels am 31. 5. 1883.
450 Gemeint ist die Gruppe der „Jungen" in der Partei, die in ihren Zeitungen *(Berliner Volkstribüne, Sächsische Arbeiterzeitung, Dresdener Volksstimme* und *Magdeburger Volksstimme)* eine antiparlamentarische Agitation betrieben.
451 Adler Briefwechsel, S. 58, Bernstein an Adler am 10. 9. 1890.
452 Adler Briefwechsel, S. 271. Kautsky an Adler am 4. 11. 1898: „Und auf Dauer halte ich auch keinen Mitarbeiter aus, der mir blos Artikel schickt die mich zum Widerspruch reizen."
453 „In Kautsky (...) lebt ein Geist der Einseitigkeit, der Engbrüstigkeit, der Unduldsamkeit gegenüber anderen Meinungen, wie es in unserer Partei kaum bei einem anderen hervorragenden Parteigenossen der Fall ist." Vollmar auf dem Parteitag 1902 in München, Protokoll S. 139.

Neue Zeit für die Parteijournalisten mit „unorthodoxen" Ansichten nicht gerade attraktiv. Sie sammelten sich als Mitarbeiter um die privat verlegten *Sozialistischen Monatshefte,* die bald – wegen des prominenten Mitarbeiterstabes[454] – der parteieigenen *Neuen Zeit* den Rang abliefen.[455]

Hatte ein Parteijournalist ein Blatt gefunden – oder gegründet,[456] in dem er seine eigene, von der offiziellen Parteilinie abweichende Meinung vertreten konnte, mischte sich der Parteivorstand selten ein – außer es handelte sich um einen prominenten Parteigenossen, der in seinen Artikeln Handlungsanweisungen gab, die diametral der Parteilinie zuwiderliefen. Vollmar[457] beispielsweise, der in Artikeln seinen neuen parlamentarischen Kurs vorbereitet,[458] bekommt in seinem Hausblatt, der *Münchener Post,* einen vorstandsverbundenen Redakteur vor die Nase gesetzt: „Damit wird der Einfluß Vollmars gänzlich paralysiert."[459] Der unbekannte Calwer[460] vertritt in seinen Beiträgen einen nationalen – im Gegensatz zu dem parteikonformen internationalen – Standpunkt mit der Begründung, die sozialdemokratische Partei müsse eine Partei der Meinungsfreiheit sein und bleiben.[461] Von einer offiziellen Rüge seitens des Parteivorstandes ist nichts bekannt; allerdings wurde Calwers Verhältnis zu seinen Parteigenossen im Wahlkreis immer gespannter. Seine Meinungsfreiheit wurde zwar nicht beschnitten,[462] nur wurde er von seinem Wahlkreis, den er fünf Jahre im Reichstag vertrat, nicht mehr als Kandidat aufgestellt. Im September 1909 tritt Calwer aus der Partei aus. Er sah in dem neuen Organisationsstatut[463] der Partei Bestimmungen, die er als Bedrohung seines persönlichen Rechts auf Meinungsfreiheit auslegte.[464]

Als Ende der neunziger Jahre eine Reihe von Parteijournalisten von ihrer journalistischen Meinungsfreiheit in der bürgerlichen Presse Gebrauch macht,[465] startet Kautsky in der *Neuen Zeit* einen großangeleg-

---

454 U. a. bekannte Parlamentarier wie Auer, David, Wolfgang Heine, Vollmar.
455 Vgl. dazu *Neue Zeit* – Debatte auf dem Parteitag 1902 in München, Protokoll S. 131 ff.
456 Vgl. dazu Biographien Heinrich Brauns, Lensch', Peus' u. a., S. 158, 196, 205.
457 Siehe Biographie, S. 228.
458 Budgetbewilligung mit Hilfe der sozialdemokratischen Abgeordneten im bayerischen Landtag. Vollmar in der *Münchener Post* vom 15. 7. 1890: „Die Freiheit unserer Presse in der Auffassung aller Vorgänge des öffentlichen Lebens, in der Erörterung von Meinungsverschiedenheiten, in der Kritik von Fehlern zu beschränken hieße (...) alles Parteileben ersticken und zur Versumpfung bringen."
459 Bebel Briefwechsel, S. 466. Bebel an Engels am 29. 10. 1891.
460 Siehe Biographie, S. 161.
461 Vgl. dazu Calwer, Richard, Disziplin und Meinungsfreiheit, in *Sozialistische Monatshefte,* Januar 1906, 1. Heft, S. 36–40.
462 Er meldete sich vor allem in den *Sozialistischen Monatsheften* zu Wort, die ja Sammelbekken für nicht linientreue Parteimeinungen waren.
463 Der Parteitag 1909 in Leipzig hatte beschlossen, daß zu den alten Gründen für einen Parteiausschluß – ehrlose Handlung oder grober Verstoß gegen die Grundsätze des Parteiprogramms – ein neuer: Parteischädigung hinzugefügt wurde.
464 Vgl. dazu Mroßko, Kurt-Dietrich, Richard Calwer, S. 374 ff.
465 Darunter Göhre, der 1898 gegenüber Schoenlank geäußert hatte: „Er sei bereit, in taktischer Einheit mit uns zu gehen, behalte sich aber sein Recht der freien Meinungsäußerung vor." Tagebucheintragung Schoenlanks vom 29. 12. 1898, in: Mayer, Paul Bruno Schoenlank, S. 138.

ten Angriff gegen die Abtrünnigen.[466] In einem Schreiben vom 13. 2. 1903 an den Parteivorstand beschweren sich Heinrich Braun, Wolfgang Heine u. a. über das Vorgehen der *Neuen Zeit* gegen sie: „Wir halten es für ganz unzulässig, daß die *Neue Zeit* auch in diesem Falle versucht, die persönliche Freiheit der Genossen zu beschränken, indem sie eine Art Index der Blätter aufstellen will, derer sich zu bedienen sie den Genossen verbieten möchte. Es muß dem politischen Urteil der Genossen selbst überlassen werden, in jedem einzelnen Falle nach Maßgabe des Gegenstandes der Erörterung und des beabsichtigten Zweckes sich Tribüne und Publikum für ihre Ausführungen selbst auszusuchen."[467] Braun und Genossen bitten den Parteivorstand von seinem Aufsichtsrecht in der Redaktion Gebrauch zu machen, um die *Neue Zeit* an weiteren Ausfällen zu hindern.

Aber die Mitarbeit sozialdemokratischer Redakteure an bürgerlichen Zeitungen wird auch mit Hilfe der Vorstandsmitglieder zu *dem* Tagesordnungspunkt auf dem Parteitag 1903 in Dresden hochgespielt.[468] Braun gibt zu diesem Parteitag ein Flugblatt heraus, in dem er empfiehlt, statt „eine Art Indexkongregation" zum Überwachen der Presse wie der Parteijournalisten einzurichten, sich vielmehr gerade gegnerischer Organe zu bedienen.[469] Entrüstung über den dort herrschenden Ton stünde Genossen, welche der eigenen Zeitungen gehässige Sprache nicht bemäkelten, am wenigsten an. Eine Bevormundung der Parteimitglieder, eine Anstandsprüfung bürgerlicher Blätter, in denen man schreiben dürfe, sei lächerlich und zugleich unwürdig. „Man kann die freie Meinungsäußerung nicht wie eine Krämerware nach der Elle messen und stückweise ablassen; ganz und ungeteilt muß man sie gewähren."[470]

Die Mehrzahl der Delegierten auf dem Parteitag 1903 ist jedoch anderer Meinung: mit 283 gegen 24 Stimmen wird der Resolution zugestimmt, die eine Mitarbeit sozialdemokratischer Journalisten an bürgerlichen Zeitungen fast gänzlich untersagt.[471]

Braun verliert in der Schlacht um die Meinungsfreiheit die Tribüne seiner freien Meinungsäußerung: Der Parteivorstand zwingt ihn zur Aufgabe seiner Zeitschrift *Die neue Gesellschaft*[472] – und er verliert sein eben erst gewonnenes Reichstagsmandat.[473]

---

466 Heinrich und Lily Braun, Göhre, Wolfgang Heine.
467 Brief vom 13. 2. 1903 im Nachlaß Vollmar (309) im AdSD, Bonn.
468 Vgl. Protokoll Parteitag 1903 in Dresden, S. 158 ff.
469 Das entspricht auch den Vorstellungen Engels', der 1875 der Partei empfohlen hatte, in der Frage der Mitarbeit an bürgerlichen Zeitungen flexibler zu sein. Brief Engels' an Bracke vom 11. 10. 1875, in: Marx/Engels Werke, Bd. 34 S. 156.
470 Zitiert nach Braun-Vogelstein, Julie, Ein Menschenleben, S. 276.
471 Protokoll Parteitag 1903 in Dresden, S. 263. Der Vorstand führte noch aus: „Unter anständigen bürgerlichen Publizisten pflegt es als schlechthin selbstverständlich zu gelten, daß sie nicht an Unternehmungen mitwirken, die ihre persönliche Überzeugung bekämpfen oder in den Schmutz zerren."
472 Vgl. dazu Braun, Lily, Memoiren einer Sozialistin, Bd. 2, Kampfjahre, S. 517 ff.
473 Als Folge der Auseinandersetzungen auf dem Dresdner Parteitag wird Brauns 1903 erfolgte Wahl auf Vorschlag des Wahlprüfungsausschusses am 27. 4. 1904 für ungültig erklärt.

Das Recht auf Meinungsfreiheit war in der Theorie der Partei verankert; verbal intendierten die Parteipolitiker grundsätzlich eine demokratische Verfassung der Presse. Allein in den ständigen Versuchen der Parteijournalisten, eine kritische Öffentlichkeit zu ermöglichen und dem ständigen Gerangel um ein Mehr an Meinungsfreiheit ist der Beweis zu sehen, daß sich auch auf diesem Sektor die vielbeschriebene Theorie-Praxis-Kluft auftat.

Drittes Kapitel

Journalist mit Mandat

I. 1867 bis 1878

Von den acht sozialdemokratischen Abgeordneten, die bis zur Reichsgründung als Vertreter der beiden deutschen Arbeitervereine in den Norddeutschen Reichstag gewählt wurden, hatten drei schon eine längere journalistische Tätigkeit hinter sich: Liebknecht hatte sich seit Anfang der fünfziger Jahre schreibend ernährt,[1] Hasenclever war seit 1862 redaktionell tätig gewesen, und Schweitzer war seit 1865 Eigentümer und Redakteur des *Social-Demokrat*.

Bebel, der bis Mitte der achtziger Jahre in seinem Beruf als Drechsler tätig war,[2] beginnt seine publizistische und journalistische Tätigkeit mit seinem Eintritt in den Reichstag.[3]

Die restlichen vier Abgeordneten gaben nur ein kurzes Gastspiel im Reichstag: Försterling verzichtet 1870 auf sein Mandat,[4] Mende macht sich im Reichstag lächerlich und stellt sich 1871 nicht mehr der Wiederwahl[5], der praktische Arzt Reincke legt schon im Juni 1868 sein Mandat nieder, und der Rechtsanwalt Schraps schwenkt schon bald ins demokratische Lager über.[6]

Nach der Reichsgründung ziehen sechs Parteiredakteure als Abgeordnete neu in den Reichstag ein: Auer, Blos, Fritzsche, Hasselmann, Most und Vahlteich.[7] Bracke war seit 1871 Verleger des *Braunschweiger Volksfreunds* und regelmäßiger Mitarbeiter seiner Zeitung,[8] Demmler und

---

1 Siehe Biographie Liebknecht, S. 197.
2 Bebel, August, Aus meinem Leben, Bd. 2, S. 147.
  Bebel Briefwechsel. Bebel an Engels am 8.9. 1874. Bebel bittet Engels, in England für seine Drechsler-Produkte Absatzmöglichkeiten zu finden: „Es ist viel Mühe, welche ich Ihnen zumute, aber ich bin überzeugt, Sie unterziehen sich derselben gern; handeln Sie damit doch auch im gewissen Grade im Parteiinteresse; denn gelingt es mir, eine unabhängige Stellung in geschäftlicher Beziehung zu schaffen, kann ich um so ungehinderter auch für die Partei eintreten."
3 Siehe Biographie Bebel, S. 153.
4 Heilmann, Ernst, Geschichte der Arbeiterbewegung in Chemnitz, S. 52.
5 Bebel, August, Aus meinem Leben, Bd. 1, S. 176: „Mende war ein Hohlkopf, der sich in den Diensten der Gräfin (Hatzfeld. d. Verf.) physisch so heruntergebracht hatte, daß er ohne eine Morphiuminjektion nicht zu reden wagte und seine Reden in der Regel mit den Worten schloß: ich habe gesprochen, was jedesmal große Heiterkeit im Reichstag erregte."
6 Heilmann, Ernst, Geschichte der Arbeiterbewegung in Chemnitz, S. 199. Schraps arbeitete in den achtziger Jahren am demokratischen Glauchauer *Beobachter* mit.
7 Siehe Biographien Auer, S. 151, Blos, S. 155, Fritzsche, S. 172, Hasselmann, S. 181, Most, S. 202, Vahlteich, S. 226.
8 Siehe Biographie Bracke, S. 157.

Geib waren sporadisch für die Parteipresse tätig gewesen,[9] Kapell hatte 1873 als verantwortlicher Redakteur des *Neuen Social-Demokrat* gezeichnet und wurde als Abgeordneter wieder Mitarbeiter von Partei-zeitungen,[10] Motteler war schon vor seiner Wahl in den Reichstag im verwaltungstechnischen Bereich der Parteipresse engagiert und schrieb auch Beiträge für die Zeitungen.[11]

Reimer wird während seiner Abgeordnetenzeit fest angestellter Redakteur der *Berliner Freien Presse*;[12] der alte Rittinghausen war Mitarbeiter Marx' an der *Neuen Rheinischen Zeitung* gewesen und verlegte ab 1870 eine eigene Zeitschrift.[13]

Diäten wurden vor 1906 an die Reichstagsabgeordneten nicht gezahlt; Bracke, Demmler und Rittinghausen waren bemittelt, so daß sie die mehrmonatigen Aufenthalte in Berlin aus der eigenen Tasche bestreiten konnten.[14] Die anderen Abgeordneten erhielten einen Zuschuß aus der Parteikasse, der aber sehr gering war.[15]

„Wer nicht in fester Stellung war, der mußte sich mit journalistischen Arbeiten einen weiteren Zuschuß verdienen."[16] Aber eine feste Stellung in Verbindung mit der Abgeordnetentätigkeit war nur innerhalb einer Partei-Institution denkbar; praktisch konnte kein Abgeordneter sein Mandat neben einer handwerklichen oder industriellen Lohnarbeit ausüben. Auch Bebel als selbständiger Handwerksmeister sieht sich durch die Unmöglichkeit, Abgeordnetentätigkeit mit handwerklicher Erwerbstätigkeit zu verbinden, 1884 gezwungen, seinen Betrieb aufzugeben: „Bei mir zeigt sich wieder, wie eine hervortretende politische Stellung mit gewöhnlicher geschäftlicher Existenz auf die Dauer unmöglich wird. Geib und Bracke wären daran zugrunde gegangen, wenn sie länger lebten; und ich wäre längst kaputt, wenn nicht immer wieder ein glücklicher Zufall mich hielt."[17]

Wer sein Mandat nicht der durch die Pressearbeit gewonnenen Popularität verdankte,[18] wurde durch das Mandat zu journalistischer Tätigkeit gezwungen.[19] Die Rollenkombination wird zwangsläufig zu einer normalen in den parlamentarischen Anfangsjahren der Partei; die Parteibasis artikuliert es als Selbstverständlichkeit, daß ihre Abgeordneten die Parteiblätter redigierten und ihre Redakteure ins Parlament geschickt wur-

---

9 Siehe Biographien Demmler, S. 164 und Geib, S. 174.
10 Siehe Biographie Kapell, S. 190.
11 Siehe Biographie Motteler, S. 202.
12 Siehe Biographie Reimer, S. 208.
13 Siehe Biographie Rittinghausen, S. 209.
14 Blos, Wilhelm, Denkwürdigkeiten, Bd. 1, S. 230: „... wir andern mußten uns behelfen, sogut es eben ging."
15 Ebenda. Der Zuschuß belief sich auf etwa drei Mark am Tag.
16 Blos, Wilhelm, Denkwürdigkeiten, Bd. 1, S. 230.
17 Bebel Briefwechsel. Bebel an Engels am 28.12.1884, S. 209.
18 Blos, Hasselmann und Most sind Beispiele dafür.
19 Siehe Kapell und Reimer. Auch August Bebel ist ein Beispiel dafür: Bebel Briefwechsel. Bebel an Engels am 28.12.1884: „Für den Rest meiner Subsistenzmittel werde ich durch Schriftstellerei sorgen müssen. Das ist sehr gegen meinen Wunsch, lässt sich aber nicht ändern."

den.[20] Für die Parteiredakteure ist das Erringen eines Mandats Karriere-krönung; auch wenn der Journalist unter dem Parlamentarier leidet[21] und antiparlamentarisch eingestellt ist: „Nachdem mir alle diese Dinge ordentlich klar geworden waren, ließ ich meine Parlamentarierohren ziemlich schlapp herunterhängen. Ich sagte mir: das ist ja das reinste Marionettentheater, dessen Drähte von Regierungs-Schleppenträgern (die Ordnungsmajoritäten stehen immer mit der jeweiligen Regierung auf gutem Fuße) ganz nach Belieben gezogen werden. Schuster, sagte ich mir, wärst Du doch bei Deinem Leisten geblieben! Hättest Du Dich damit begnügt, da und dort vor dem Volke deinen Schnabel zu wetzen und in Arbeiterblättern Deine in Gift und Galle getauchten Pfeile wider die Menschenfeinde aller Sorten allen Polizisten und Staatsanwälten zum Trotze, loszuschnellen. Denn selbst wenn Du ab und zu eingelocht wirst, so ist das immer nicht so demütigend, als wenn Du Dich als ‚Volksvertre-ter' wie einen Bettelbuben behandeln lassen mußt."[22]

So desillusioniert äußert sich Most nach seiner Erfahrung mit dem Reichstag; eine ganze Session lang hatte sich der Parlamentarier Most fast jeden Tag zu Wort gemeldet – und war vom Reichstagspräsidenten übersehen worden.[23] Da war er denn doch lieber Journalist, der sich dann, wann er wollte, das Wort nehmen konnte.[24] Das Mandat war für Most Auszeichnung und nicht Aufgabe.

Ebenso betrachtet Liebknecht seine Abgeordnetentätigkeit als lästige Dreingabe zu seinen ohnehin vielen Parteiarbeiten – er fühlt sich im Reichstag völlig fehl am Platze und schreibt an Engels: „Du überschätzt den Norddeutschen Parlamentarismus. Protestiren, ich meine die Komö-die denunziren, kann ich aber außerhalb des Reichstages besser als drin, wo die Geschäftsordnung jede freie Bewegung hindert."[25] Im *Demokrati-schen Wochenblatt,* das Liebknecht redigierte, hatte er den Reichstag folgendermaßen karikiert: „Der unglückliche Berliner ‚Reichstag' schwebt fortwährend zwischen Beschlußunfähigkeit und Furcht davor. Leere Bänke, auf denen sich gelangweilte Märtyrer der Pflicht herumrä-keln, verzweifelte Redner, die durch den Gedanken gelähmt werden, daß niemand sie anhört, vor den Abstimmungen Hereinstürmen einiger Dut-zend Abgeordneter, die sich in der Restauration restauriert haben, tele-graphische Steckbriefe nach allen Weltgegenden hin, den desertierten Mitgliedern nachgeschickt, tolle Anträge, um volle Häuser zu erzwingen

---

20 Protokoll Parteitag 1876 in Gotha, S. 74 ff.: „Die Chefredakteure seien auch nötig im Reichstag." und „Auch dürfe der Umstand, daß die Redacteure des künftigen Parteiorgans aller Wahrscheinlichkeit nach Reichstagsabgeordnete sein werden, nicht unerwähnt bleiben."
21 Wilhelm Liebknecht. Briefwechsel mit deutschen Sozialdemokraten. Geib an Liebknecht am 22.7. 1877: „Wäre ich nicht zu sehr mit Parteiarbeiten überhäuft, würde ich mehr schreiben. Hundert Geschichten stürmen auf mich ein."
22 Most, Johann, Parlaments-Reminiscenzen in *Freiheit,* Nr. 6, 19. Jg., New York, zitiert nach Rocker, Rudolf, Johann Most, S. 39.
23 Ebenda, S. 38.
24 Most redigierte während seiner Zeit als Parlamentarier erst die *Mainzer Volksstimme,* dann die *Berliner Freie Presse.*
25 Wilhelm Liebknecht. Briefwechsel mit Marx und Engels, S. 98 ff. Liebknecht an Engels Ende 1870.

(Ausstoßung Derer, die mehrmals hintereinander geschwänzt) – das ist das Bismarck'sche Parlament, sich selbst eine Qual, der Welt ein Spott...."[26]

In den parlamentarischen Anfangsjahren verteidigt Liebknecht den Standpunkt, daß die Teilnahme von Arbeitervertretern an den Verhandlungen nicht der Zielsetzung der Partei entspräche[27] – stellt sich dann aber auf dem Parteitag 1870 auf den Boden einer Kompromißresolution. In den Folgejahren beklagt er immer wieder, daß ihn die „Reichstagsnot"[28] in seiner journalistischen Tätigkeit behindert.[29] Die Doppelbelastung der Parteiredakteure, als Parlamentarier auch an den Reichstagssitzungen teilnehmen zu müssen, macht er als Grund für die oft mangelhafte Redaktion der Parteiblätter aus.[30]

Aber nicht alle Redakteure waren häufige Besucher des Reichstags. Bebel rügt auf dem Parteitag 1876 den Abgeordneten Hasselmann, „derselbe hätte sehr oft im Reichstage gefehlt."[31]

Hasselmann kontert, „er habe seine Kraft der Redaction des *N.Social-Demokrat,* der *Berliner Freien Presse,* sowie der Agitation widmen müssen und wäre es ihm deshalb nicht möglich gewesen, öfter im Reichstage anwesend zu sein."[32]

Handhabt der Redakteur mit Mandat seine Parlamentarier-Pflichten eher nachlässig, so setzt er doch alles daran, das Mandat zu bekommen. Als 1876 neue Wahlen zum Reichstag anstanden, gibt Hasselmann seine Redakteursstellung in Berlin auf, um sich voll dem Wahlkampf in seinem Wahlkreis Barmen-Elberfeld widmen zu können. Er gründet dazu eine neue Zeitung, die zunächst als Wahlflugblatt getarnte *Rothe Fahne,*[33] und bedient sich der *Bergischen Volkstimme* in Solingen.[34] Auch der Anti-Parlamentarier Liebknecht mißt dem Wahlkampf ein großes Gewicht bei;[35] Wahlkampf war direkte Agitation, ein Sitz im Reichstag Beweis für die Zugkraft der sozialdemokratischen Propaganda – wie ihn aber nutzen?

An dieser Frage schieden sich die Geister der noch „jungen" Parlamentarier der sozialdemokratischen Partei.[36] Für Bebel war der Reichstag eine

26 Liebknecht, Wilhelm in *Demokratisches Wochenblatt,* Nr. 24, 13. 6. 1868.
27 Am 3. 7. 1869 schreibt Liebknecht im *Demokratischen Wochenblatt,* Nr. 27: „Die Sozialdemokratie darf unter keinen Umständen und auf keinem Gebiet mit dem Gegner verhandeln. Verhandeln kann man nur, wo eine gemeinsame Grundlage besteht. Mit prinzipiellen Gegnern verhandeln, heißt, sein Prinzip opfern."
28 Wilhelm Liebknecht. Briefwechsel mit Marx und Engels, S. 95. Brief an Engels vom 8. 2. 1870.
29 Protokoll Parteitag 1877 in Gotha, S. 49.
30 Ebenda. Liebknecht: „... man möge nicht vergessen, daß dieselben schon durch ihre Thätigkeit im Reichstage fast in die Unmöglichkeit versetzt wurden, ihrer redactionellen Aufgabe zu entsprechen."
31 Protokoll Parteitag 1876 in Gotha, S. 84.
32 Protokoll Parteitag 1876 in Gotha, S. 84.
33 Vgl. dazu Bers, Günther, Wilhelm Hasselmann, S. 27 ff.
34 Siehe Biographie Hasselmann, S. 181.
35 Protokoll Parteitag 1877 in Gotha, S. 49. Liebknecht: „Es sei eine ganz falsche Ansicht, daß die Redacteure auch stets agitatorisch wirken sollen; während des Wahlkampfes sei dies wohl nothwendig gewesen ..."
36 Auseinandersetzungen über die parlamentarische Taktik der Partei waren Kernstück der Parteitagsdiskussion dieser Jahre. Vgl. dazu Seeber, Gustav, Wahlkämpfe, S. 219–330.

wichtige Tribüne, um Ideen und Ziele der Partei einem breiteren Publikum bekannt zu machen. Da die Parlamentsberichterstattung traditionell immer einen breiten Raum in der Presse einnahm und es üblich war, ganze Redepassagen wörtlich abzudrucken, ist es für Bebel vorrangige Parlamentarier-Aufgabe, im Reichstag für die eigene Partei zu werben. „Indem wir diese Anträge stellten und Reden zu ihren Gunsten hielten, die, wenn auch noch so verstümmelt, in den Berichten der Zeitungen von Millionen gelesen wurden, würden wir im höchsten Grade agitatorisch und propagandistisch wirken."[37] Bebel zieht sich so auf die Position eines bewußten Ausgangspartners zurück, verfügte doch auch die sozialdemokratische Partei Ende der sechziger und Anfang der siebziger Jahre noch nicht über eine verbreitete und auflagenstarke Parteipresse,[38] was seinen Kommunikator-Bedürfnissen nicht gerade entsprach.

Bracke bezeichnet Bebel als einzigen „geborenen" Parlamentarier unter den ersten sozialdemokratischen Abgeordneten im Reichstag. „Den Bebel bewundere ich, er ist der einzige unter uns, der fürs parlamentarische Leben Geschick hat. Er ist zwar immer geneigt, über alles und jedes zu reden und zu schreiben, aber dabei bleibt er vollständig unberührt von der Korruption des parlamentarischen Lebens. Ich empfinde vor dem letzteren einen wahren Schrecken. Wenn sich ein frischer, fröhlicher Gedanke mutig herauswagen will, so werden ihm durch Form und Inhalt der parlamentarischen Klassenherrschaft die Flügel beschnitten, daß er höchstens verstümmelt zu Boden flattert. (...) Da lobe ich mir doch eine Volksversammlung. In diesen habe ich nach Form und Inhalt gewöhnlich viel besser gesprochen. (...) Wenn man in die blitzenden Augen sieht, da kommen Gedanken heraus, da kommt Leben in die Bude."[39]

Bracke vermißt bei der Parlamentsarbeit den unmittelbaren Kontakt mit den eigentlichen sozialen Zielgruppen; für ein „Volk da draußen"[40] zu reden mit einem Auditorium von Nicht-Adressaten – für viele der sozialdemokratischen Parlamentarier war die Erfüllung der Ausgangspartner-Funktion eine schwierige Aufgabe. Man meldete sich nicht zu Wort wegen der parlamentarischen Zusammenarbeit, sondern wegen des hohen Publizitätsgrades der gedruckten Aussagen sozialdemokratischer Abgeordneter.

Wuchs die Sozialdemokratie in den Folgejahren mehr in das Parlament und in den parlamentarischen Betrieb hinein, so sind die ersten Jahre im Reichstag gekennzeichnet durch eine latente Animosität gegen die parlamentarische Arbeit und durch die konsequent revolutionäre Perspektive einer Massenmobilisierung per Reichstagsreden.

---

37 Bebel, August, Aus meinem Leben, Bd. 2, S. 164.
38 Ebenda, S. 150: „Da wir keine Presse besaßen und die paar im Kreise verbreiteten Parteiblätter nur von wenigen gelesen wurden ..."
   Blos, Wilhelm, Denkwürdigkeiten, Bd. 1, S. 38. In seinem Wahlkreis hält er Versammlungen ab, um seine Wähler über seine Tätigkeit im Reichstag zu informieren: „Solche Berichterstattungen hatten eine größere Bedeutung als heute, da unsere kleinen und wenig verbreiteten Parteiblätter nur wenig informieren konnten."
39 Bracke an Engels am 6. 6. 1879, zitiert nach Seidel, Jutta, Wilhelm Bracke, S. 151.
40 Liebknecht: „Ich spreche von dieser Stelle, wo allein im Lande Preußen noch Redefreiheit besteht, nicht zu Ihnen: Ich sage Ihnen offen, ich spreche zum Volke da draußen." Stenographische Berichte 1867, Bd. 2, S. 451.

Schweitzer, dem selbst sein erbitterster Kontrahent Bebel ein großes journalistisches Talent bescheinigt,[41] stellt nach seiner Wahl in den Reichstag die parlamentarische Tätigkeit vor seine redaktionelle.[42] Auch er mißt der sozialdemokratischen Vertretung im Reichstag eine rein agitatorische und propagandistische Funktion zu;[43] selbst dann Abgeordneter im Reichstag, ist er als „hervorragender Parlamentarier"[44] der erste Vertreter der Sozialdemokratie, der als kooperationsbereiter Politiker einzustufen wäre.[45]

Für die Frühzeit der sozialdemokratischen Parteibewegung ist es typisch, daß die Parteiführer und Organisatoren auch die wenigen Parteiblätter redigierten und gleichzeitig oder jedenfalls zeitweilig auch die Funktion eines Volksvertreters im Parlament ausübten.[46] Die Parteipresse war Sprachrohr der Parlamentarier und hatte nur Korrekturfunktion innerhalb der Abgeordnetenlager: Vor der Parteivereinigung in Gotha 1875 kritisierte das SDAP-Organ *Volksstaat* die ADAV-Parlamentarier und das ADAV-Organ *Social-Demokrat* und später der *Neue Socialdemokrat* die SDAP-Abgeordneten. Durch die übliche Personalunion Redakteur-Parlamentarier begab sich die Parteipresse der frühen Jahre ihrer Kontrollmöglichkeit und Kritikfähigkeit gegenüber den Abgeordneten im Parlament.[47]

II. In der Zeit des Sozialistengesetzes

In der Zeit von 1878 bis 1890 – in diesem Zeitraum war das Sozialistengesetz in Kraft – wurden 23 sozialdemokratische Abgeordnete neu in den Reichstag gewählt. Weiter im Parlament vertreten waren: Auer, Bebel, Blos, Fritzsche, Hasenclever, Liebknecht, Rittinghausen und Vahlteich.[48]

---

41 Bebel, August, Aus meinem Leben, Bd. 2, S. 1: „Als Journalist und Agitator hatte er die Fähigkeit, die schwierigsten Fragen und Themen dem einfachsten Arbeiter klar zu machen; er verstand es wie wenige, die Massen zu fanatisieren, ja zu faszinieren. Er veröffentlichte im Laufe seiner journalistischen Tätigkeit in seinem Blatte, dem *Sozialdemokrat*, eine Reihe populärwissenschaftlicher Abhandlungen, die mit zu dem Besten gehören, was die sozialistische Literatur besitzt."
42 *Social-Demokrat*, 18. 4. 1868. Schweitzer gibt bekannt, daß ihm als Reichstagsabgeordneter nicht mehr möglich sei, die regelmäßige Leitung der Redaktion zu führen.
43 „Sind wir aber vertreten im Norddeutschen Reichstage, so wird es fürder unmöglich sein, die Forderungen der deutschen Arbeiterpartei wie bisher mit Stillschweigen zu übergehen, oder mit einigen Verleumdungen abzutun oder auch nur denselben eine untergeordnete Bedeutung beilegen zu wollen. Laut und vernehmlich durch das ganze Vaterland, ja durch ganz Europa wird dann der Ruf unserer Vertreter tönen und manches Ohr, das sich jetzt die Schlafmütze überzieht, wird diesem Rufe zu lauschen genötigt sein." Schweitzer im *Social-Demokrat*, 30. 9. 1866.
44 Mittmann, Ursula, Fraktion und Partei, S. 262.
45 Mayer, Gustav, Johann Baptist von Schweitzer, S. 400–405.
46 Schweitzer redigierte den *Social-Demokrat*, Hasenclever und Hasselmann den *Neuen Social-Demokrat*, Liebknecht den *Volksstaat*, Hasenclever und Liebknecht den *Vorwärts*.
47 Die Funktion eines Kritikers und Kontrolleurs der SPD-Abgeordneten erfüllte in den frühen Jahren der Vereins- und später der Parteitag.
48 Auer war von Oktober 1881 bis Oktober 1884 und von März 1887 bis Februar 1890 nicht im Reichstag vertreten; Bebel war von Oktober 1881 bis Juni 1883 nicht MdR; Liebknecht war von Februar 1887 bis August 1888 nicht im Parlament; Fritzsche und Vahlteich wanderten Ende 1881 nach Amerika aus und Rittinghausen trat 1884 aus der Partei aus.

Von den 23 neuen Parlamentariern waren 17 vor ihrer Wahl in den Reichstag journalistisch tätig gewesen,[49] Singer[50] hatte im verwaltungstechnischen Bereich der Presse gearbeitet. Drei der Abgeordneten werden während ihrer Parlamentstätigkeit zu Verlegern[51], und ein Parlamentarier wird nach Fall des Sozialistengesetzes redaktionell tätig.[52] Nur einer der 23 neuen Vertreter der Sozialdemokratie im Reichstag hatte mit der Presse nichts zu tun: der Schuhmacher und Gastwirt Hartmann, der aber nur siebzehn Monate Mitglied des Parlaments war.

Während ihrer Abgeordnetentätigkeit waren von insgesamt 31 Abgeordneten 19 journalistisch und redaktionell tätig,[53] drei auf dem verlegerischen Sektor,[54] was um so bemerkenswerter ist, da während des Sozialistengesetzes sozialdemokratische Presseerzeugnisse verboten waren und Zeitungsneugründungen argwöhnisch überwacht wurden.

Liebknecht prognostiziert am Vorabend des Sozialistengesetz-Erlasses die düstere Zukunft für Parteiredakteure – und bittet Engels um Arbeitsbeschaffung: „Dann werden mit Einem Schlag alle unsere Blätter vernichtet. Das wird unsere Partei nicht vernichten, aber es vernichtet die Existenz mehrerer Parteigenossen u. A. auch die meine. Deutschland will ich unter keinen Umständen verlassen, aber ich muß doch auch leben. Sieh doch einmal zu, ob ich nicht als Correspondent bei einem englischen Blatt ankommen kann. Ich weiß Ihr habt keine direkten Verbindungen, doch vielleicht indirekte, durch die es sich machen läßt."[55]

Zwei andere Journalisten mit Mandat greifen zur Selbsthilfe; Most emigriert Ende 1878 nach England und gibt ab Januar 1879 eine eigene Zeitschrift, die *Freiheit* heraus. Hasselmann gründet nach Erlaß des Sozialistengesetzes eine Reihe von Zeitungen und Zeitschriften mit farblosen Titeln in Berlin, um seine Existenz zu sichern.[56] Der Parteileitung sind die journalistischen Extratouren ein Dorn im Auge, weil sich die Zeitungen Mosts und Hasselmanns jeder Kontrolle durch die Partei

---

49 Siehe Biographien Bock, S. 156, Dietz, S. 164, Frohme, S. 172, Geiser, S. 175, Grillenberger, S. 178, A. Heine, S. 183, Kayser, S. 190, Kräcker, S. 192, Pfannkuch, S. 206, Reinders, S. 209, Rödiger, S. 209, Sabor, S. 211, Schumacher, S. 217, Stolle, S. 222, Viereck, S. 227, Vollmar, S. 228, Wiemer, S. 230.
50 Siehe Biographie Singer, S. 220.
51 Siehe Biographien Harm, S. 180, Kühn, S. 193, Meister, S. 200.
52 Siehe Biographie Geyer, S. 176.
53 Auer, Bebel, Blos, Bock, Dietz, Fritzsche, Frohme, Geiser, Grillenberger, Hasenclever, Kayser, Liebknecht, Pfannkuch, Reinders, Rödiger, Vahlteich, Viereck und Vollmar.
54 Kühn, Meister und Singer.
55 Wilhelm Liebknecht. Briefwechsel mit Marx und Engels, S. 256. Liebknecht an Engels am 8. 6. 1878. Drei Jahre später verwendet sich Bebel für seinen Parteikollegen bei Engels: „Könntet Ihr für L(iebknecht) nicht eine leidlich bezahlte Korrespondenz in eine englische Zeitung schaffen, in die er schreiben kann, ohne sich etwas zu vergeben? L(iebknecht) wird, wenn er aus dem Gefängnis kommt, mehr seinen Erwerb in dieser Richtung suchen müssen, da ihm die Bezahlung unserer Blätter nicht ausreichend Lebensunterhalt gewährt." Bebel Briefwechsel, S. 104. Bebel an Engels am 12. 2. 1881.
56 Bers, Günther, Wilhelm Hasselmann, S. 34.

entziehen,[57] die bis zum Erlaß des Sozialistengesetzes durch die Personalunion Parteiführer-Redakteur immer gewährleistet war.[58]

Da fast alle sozialdemokratischen Zeitungen im Reich verboten waren und die wenigen noch existierenden Parteiblätter sich unter den Bedingungen des Ausnahmegesetzes farblos und unpolitisch zu geben hatten, übernahm die von Most in London redigierte *Freiheit* zwangsläufig die Funktion eines Zentralorgans. Gerade bei den durch die Verhängung des Sozialistengesetzes radikalisierten Parteimitgliedern fand die illegale, in sehr kämpferischer Sprache gehaltene Zeitung eine überaus starke Resonanz.[59]

Da aber Most auf direkten Konfrontationskurs gegen die im Parlament eingeschüchtert und angepaßt agierenden Abgeordneten ging und den Stillhalteappellen der Parteiführer im Reich Aufrufe zu Putsch und Anarchie entgegensetzte, suchte die Parteileitung einen Weg, der *Freiheit* die Autorität eines Zentralorgans zu entziehen. So hatte die Gründung des *Sozialdemokrat* in Zürich 1879 zum einen den Zweck, den Einfluß der *Freiheit* einzudämmen, und zum anderen die Aufgabe, der Fraktion als Körperschaft im Parlament eine verbindliche Beziehung zu einem meinungstragenden Organ zu ermöglichen. Das neue Zentralorgan mußte wegen den ausnahmegesetzlichen Bedingungen im Ausland erscheinen, sollte aber den Direktiven der Fraktion und Parteileitung unterstehen. Nur ein enger Kontakt zwischen fraktioneller Parteiführung und Zentralorgan könnte die Unzuträglichkeiten wie die Angriffe auf die Abgeordneten,[60] die sich auf dem engen Terrain der strafrechtlich noch zugelassenen Möglichkeiten zu bewegen hatten, verhindern – meinte man.

Der Konflikt zwischen Parteiorgan und Fraktion lag aber durch das Heranwachsen einer neuen Generation von sozialdemokratischen Parlamentariern schon in der Luft. „In den siebziger und achtziger Jahren herrschte in der Fraktion eine Art ‚patriarchalischen' Verhältnisses. Die ‚Alten', unter denen namentlich Bebel und Liebknecht zu verstehen

---

57 Bebel Briefwechsel. Bebel an Engels am 19. 7. 1879, S. 44: „H(asselmann) soll das von ihm gegründete Blatt unter allgemeine Kontrolle stellen und einfacher Redakteur sein. H(asselmann) machte allerlei Ausflüchte, und wir werden ja sehen, ob er sich fügt. Wenn nicht, gehen wir weiter gegen ihn vor, wir haben ja eine Partie Briefe von ihm in Händen (...), die, wenn sie veröffentlicht werden, ihm den Hals brechen."
Bebel, August, Aus meinem Leben, Bd. 3, S. 44: „Die Herausgabe des Blattes *(Freiheit)* fand statt, ohne daß man uns mit einem Worte von dem Plan unterrichtete und uns um unsere Zustimmung und Beihilfe ersuchte. Ob wir diese gewährt hätten, ist freilich eine andere Frage. Bedingung wäre alsdann wohl gewesen, daß das Blatt unter unsere Kontrolle kam und wir auf seine Haltung bestimmenden Einfluß ausüben konnten."

58 Most und Hasselmann wurden auf dem Parteikongreß 1880 in Wyden wegen ihrer Eigenwilligkeiten auf dem Presse-Sektor aus der Partei ausgeschlossen. Auer begründet den Ausschließungsantrag gegen Most damit, daß sich die *Freiheit* der Aufsicht und Kontrolle durch die Parteileitung entzogen hätte (Protokoll S. 21).

59 Vgl. dazu Rocker, Rudolf, Johann Most, S. 66 ff.

60 Das andere Exilorgan, die von Hirsch redigierte *Laterne* in Brüssel hatte 1879 den Abgeordneten Kayser wegen einer Rede anläßlich der Schutzzolldebatte polemisch abgekanzelt. Dazu Bebel: „Ich sage Ihnen geradeaus, daß ich über die Art und Weise, wie H(irsch) K(ayser) angriff, empört war, sowenig ich selbst mit K(aysers) Haltung einverstanden bin. In dieser Weise traktiert man Parteigenossen nicht." Bebel Briefwechsel, S. 68. Bebel an Engels am 23. 10. 1879.

waren, gaben den Ton an und wir Jüngeren fügten uns. Das änderte sich, nachdem wir uns auf dem parlamentarischen Boden sicherer fühlten; wir wollten auch unserer eigenen Meinung Geltung verschaffen."[61]

Die „eigene Meinung" der Gemäßigten der Fraktion um Blos, Geiser und Viereck wurde als „Parlamenteln und Kompromisseln"[62] kritisiert; die Anbiederung an die Regierung und die Politik der Gesetzlichkeit um jeden Preis, die diese Abgeordneten betrieben,[63] widersprach den parlamentarischen Intentionen Bebels.[64] Der *Sozialdemokrat* war für ihn das Medium, radikale und marxistische Gedankengänge in der Partei zu verbreiten, um die „angepassten" Abgeordneten per Mehrheitsdruck auf die revolutionäre Parteilinie zu zwingen.

Erster Redakteur des *Sozialdemokrat* war Vollmar[65], den Engels als brillanten Journalisten bezeichnete,[66] der aber wegen der sich häufenden Kritik aus Deutschland bald wieder demissionierte;[67] auch kam er wohl mit den rigiden und sich widersprechenden Redaktionsanweisungen, die ihm die Parteileitung zukommen ließ, nicht zurecht.[68]

Der redaktionell völlig unerfahrene Bernstein[69] übernimmt den Züricher *Sozialdemokrat* und baut das Zentralorgan unter Anleitung von Engels[70] zu einer Bastion der Radikalen aus, was von den Gemäßigten nicht unwidersprochen hingenommen wurde.[71] Innerhalb der Fraktion und auf den Parteikongressen wird während des Sozialistengesetzes mit einer Heftigkeit und Hartnäckigkeit um die Frage der Kontrolle des *Sozialdemokrat* gerungen, die sich nur aus einer Machtkampf-Konstellation zwischen Radikalen und Gemäßigten erklären lassen.

Die Abgeordneten verbaten sich jede Polemik und Einmischungen seitens der *Sozialdemokrat*-Redaktion in ihr Gebiet der Tagespolitik und sprachen so dem Parteiorgan eine Korrektorfunktion ab, die ja eigentlich per Parteigrundsatz intendiert war.

---

61 Blos, Wilhelm, Denkwürdigkeiten, Bd. 2, S. 187.
62 Bebel Briefwechsel, S. 225, Bebel an Engels am 19. 6. 1885.
63 Vgl. dazu Blos' Beschreibungen der Kollegialität zwischen den Abgeordneten: „Auf der Hin- und Herfahrt zwischen Bremen und Berlin saß ich oft im gleichen Kupee mit einigen welfischen Abgeordneten. Es ist Brauch, daß bei solch gemeinsamer Fahrt die Parteiunterschiede weniger oder gar nicht beachtet werden.", in Blos, Wilhelm, a.a.O., S. 49.
64 „Abgeordnetenwahlen und Mitarbeit im bürgerlichen Parlament waren unter ganz bestimmten Prämissen Mittel auf dem Wege zur Revolution. In dieser Hinsicht zielte die Strategie, die Bebel und seine Anhänger entwickelten, nicht auf ein Hineinwachsen in das bestehende System, sondern auf die Aushöhlung von dessen eigenen Grundlagen." Mittmann, Ursula, Fraktion und Partei, S. 49.
65 Siehe Biographie Vollmar, S. 228.
66 Bernstein Briefwechsel, Engels an Bernstein am 13. 9. 1882, S. 128.
67 Vgl. dazu Jansen, Reinhard, Georg von Vollmar, S. 24.
68 Bebel Briefwechsel, S. 98. Bebel an Engels am 4. 12. 1880: „Wenn das Blatt nicht besser war, so lag das mit an der Persönlichkeit des Redakteurs. Andernteils darf nicht verschwiegen werden, dass V(ollmar) anfangs etwas sehr gebundene Marschroute hatte und diese etwas zu ängstlich innehielt, und daß die Unsicherheit der Haltung wesentlich auf die sich widersprechenden Elemente in der Leitung (hier in Deutschland) zurückzuführen war."
69 Siehe Biographie Bernstein, S. 154.
70 Vgl. den Briefwechsel Engels/Bernstein.
71 Bernstein Briefwechsel, S. 271, Engels an Bernstein am 5. 6. 1884: „... halte ich es für unsre doppelte Pflicht, jeden Machtposten den wir halten, festzuhalten bis aufs äußerste; vor allem den Machtposten am S(ozial)-D(emokrat), der ist der Wichtigste."

Der Block der Gemäßigten in der Fraktion – fast ausschließlich Journalisten[72] – schuf mit eigenen Zeitungen dem Problem, ihre theoretischen Modelle der Parteibasis nicht vermitteln zu können, Abhilfe. Viereck gründet und redigiert ab 1882 in München eine Reihe von Zeitungen,[73] in denen er seine staatssozialistischen Thesen publizistisch vertritt; Blos verfügt erst in Bremen, dann in Berlin über ein Blatt,[74] in dem er – geschützt durch sein Reichstagsmandat – seine Meinung vertreten konnte;[75] Geiser war Chefredakteur der *Neuen Welt* in Stuttgart, und Kayser besaß ein eigenes Blatt in Sachsen.[76]

Dennoch waren die Gemäßigten – und sie stellten ja bald in der Fraktion die Mehrheit dar – erpicht auf eine Möglichkeit der Einflußnahme auf das Zentralorgan. Im August 1882 findet eine Konferenz zwischen den Reichstagsabgeordneten und der Leitung und Redaktion des *Sozialdemokrat* in Zürich statt, auf der es um die Frage einer möglichen Eindämmung der „Stänkereien" im Parteiorgan geht.[77] Formal setzte sich ein Antrag der gemäßigten Mitte durch, der der engeren Parteileitung eine Zensur der persönlichen Polemiken ermöglichte.[78] Von den Abgeordneten waren nur Bebel und Vollmar gegen jegliche Zensur gewesen;[79] Liebknecht hatte sich nicht gegen eine Kontrolle ausgesprochen. Die weitergehenden Mißtrauensvoten der Gruppe um Blos, Geiser, Hasenclever und Viereck, die gegen Redaktion und Redakteur des Zentralorgans gerichtet waren, wurden abgeschlagen.[80]

Auer und Grillenberger, die der Haltung des *Sozialdemokrat* auch nicht gerade wohlwollend gegenüberstanden,[81] unterstützten weiter praktisch Auflagensteigerung und Verbreitung des Exilorgans.[82]

Die Abgeordneten wehrten sich aber nicht nur gegen Bloßstellung und Verunglimpfung im Parteiorgan[83] – sie sahen sich vor allem in ihrer

---

72 Blos, Frohme, Geiser, Hasenclever, Kayser, Viereck.
73 Vgl. dazu Heß, Ulrich, Louis Viereck.
74 In Bremen redigierte Blos 1882 das *Norddeutsche Wochenblatt,* in Berlin ab 1884 das *Berliner Volksblatt.*
75 Blos, Wilhelm, Denkwürdigkeiten, Bd. 2, S. 110: „Außerdem mußte ich die Fußangeln des Sozialistengesetzes vermeiden, was zur Folge hatte, daß sich alsbald die unerbittlichen Dränger einstellten, welche mit überlegenen Tone forderten, das Blatt müsse ‚radikaler' werden."
76 Siehe Biographie Kayser, S. 190.
77 Vgl. dazu Bebel, August, Aus meinem Leben, Bd. 3, S. 210 ff. und ein handschriftliches Protokollmanuskript von dieser Konferenz im Nachlaß Motteler, das Engelberg ausgewertet hat. Engelberg, Ernst, Revolutionäre Politik, 1959.
78 Bernstein Briefwechsel, S. 124 ff. Bernstein an Engels am 1. 9. 1882.
79 Ebenda.
80 Ebenda, S. 125: „Geisers Revolutionshorror wurde von Liebknecht sehr schön abgefertigt."
81 Engelberg, Ernst, a.a.O. Zitiert Briefe Auers und Grillenbergers an Motteler, in denen sie sich über die „Rücksichtslosigkeiten" und die „Unduldsamkeit" der Redaktion des *Sozialdemokrat* beklagen. (S. 113 ff.)
82 „Mit geradezu unerhörter Kühnheit druckte zum Beispiel längere Zeit Grillenberger den *Sozialdemokrat".* Bebel, August, Aus meinem Leben, Bd. 3, S. 97. Die Matern wurden aus der Schweiz herübergeschmuggelt und ab 1879 wurde der *Sozialdemokrat* auch in Nürnberg gedruckt.
    Auer organisierte die Verbreitung des *Sozialdemokrat* im Hamburger Raum. Jensen, Jürgen, Presse und politische Polizei, S. 155 ff.
83 Bernstein Briefwechsel, S. 125. Bernstein an Engels am 1. 9. 1882. Und S. 208. Bernstein an Engels am 31. 5. 1883.

Vermittlungsmöglichkeit beschnitten, weil in der Parlamentsberichterstattung die Redaktion des *Sozialdemokrat* deutlich die radikalen Vertreter der Sozialdemokratie im Reichstag bevorzugte.[84] Auch als Berichterstatter und Artikellieferanten wurden die Gemäßigten systematisch abgeblockt.[85]

Zum Höhepunkt in den Auseinandersetzungen um die Haltung des *Sozialdemokrat* kommt es im Frühjahr 1885 anläßlich der Dampfersubventions-Debatten. Sachlich ging es um die Bewertung von Regierungsvorlagen zur Subvention von Postschiffahrtslinien nach Übersee, im weiteren aber um die von der Sozialdemokratie immer abgelehnte Kolonialpolitik.[86] In den ersten Lesungen zu der Regierungsvorlage wird deutlich, daß die Gemäßigten um Blos, Geiser, Hasenclever und Viereck bereit sind, ihr – zwar mit gewissen Einschränkungen – zuzustimmen.[87] Vor der entscheidenden Abstimmung im Reichstag veröffentlicht der *Sozialdemokrat* eine Reihe von Protestzuschriften gegen die Haltung der Mehrheit der Fraktion. Bebel initiiert bewußt die Angriffe gegen die „Abtrünnigen" per Zentralorgan,[88] um die Abgeordneten durch den Druck der Öffentlichkeit zu einer parteigemäßen Abstimmung zu bringen. In der dritten Lesung stimmten denn auch alle sozialdemokratischen Parlamentarier gegen die Vorlage; danach holt der Mehrheitsblock in der Fraktion zum großen Schlag gegen den *Sozialdemokrat* aus. „Die Mehrheit der Fraktion konnte, nachdem sie gegen die Dampfersubvention gestimmt, diese Angriffe umsoweniger ohne Antwort lassen; ebenso sah sie sich gezwungen, sich gegen die Angriffe auszusprechen, die aus der Mitte der Fraktion heraus im *Sozialdemokrat* gegen sie gerichtet worden waren."[89]

Am 2. April 1885 veröffentlicht die Mehrheit der Fraktion im Züricher *Sozialdemokrat* eine Erklärung, die mit der Direktive endet: „Nicht das Blatt ist es, welches die Haltung der Fraktion zu bestimmen, sondern die Fraktion ist es, welche die Haltung des Blattes zu kontrollieren hat."[90] Diese Anweisung ging über das bis dahin praktizierte Einflußgerangel hinaus, jetzt ging es um das Problem der innerparteilichen Pressefreiheit, die ja per Demokratieverständnis der Partei postuliert war. Die Basis der Partei wehrte sich vehement,[91] der Mehrheitsblock der Fraktion sieht sich

84 Bernstein Briefwechsel, S. 275, Bernstein an Engels am 20. 6. 1884: „So ist es z. B. jüngst wieder in der Fraktion, wie mir Vollmar und Liebknecht erzählten, über mich hergegangen, weil ich die Rede Liebknechts (...) abgedruckt habe und andere nicht."
85 Bernstein Briefwechsel, S. 71, Engels an Bernstein, 25/31. 1. 1882: „Je mehr sie also Ihre Korrespondenten unter den wirklichen, nicht zu ‚Führern' gewordenen Arbeitern finden können..."
86 Vgl. dazu Schröder, Hans-Josef, Sozialismus und Imperialismus, S. 125–136.
87 Blos, Wilhelm, Denkwürdigkeiten, Bd. 2, S. 127 ff.
88 Vgl. dazu Bebel Briefwechsel, S. 206–231.
89 Blos, Wilhelm, Denkwürdigkeiten, Bd. 2, S. 129.
90 *Sozialdemokrat*, Zürich, 2. 4. 1885.
91 Nachlaß Kampffmeyer im AdSD, Bonn. Briefe von Parteigenossen an die Redaktion des *Sozialdemokrat* nach der Erklärung der Fraktion am 2. 4. 1885. Erklärung der Münchner Parteigenossen vom 13. 5. 1885: „Die Münchner Parteigenossen erklären sich entschieden gegen die Erklärung der Fraktion in Nr. 14 des Parteiorgans. Sie haben in denselben den Versuch erblickt, das Organ der Gesammtpartei in ein Organ der Fraction umzustempeln, sie sehen darin den Versuch, die freie Meinungsäußerung und die Kritik an der Thätigkeit der sozialdemokratischen Reichstagsfraktion einzuschränken, ja zu unterdrücken." Zuschrift der Mannheimer Genossen vom 19. 4. 1885: „Wir erstreben unserem Parteipro-

zum Einlenken gezwungen, und schon am 23. April 1885 veröffentlichten Fraktion und Redaktion des *Sozialdemokrat* eine gemeinsame Erklärung: „Die Fraktion denkt nicht daran und kann nicht daran denken, den *Sozialdemokrat* als ihr persönliches Organ zu betrachten, mit dem sie nach Belieben schalten und walten kann. Der *Sozialdemokrat* gehört der Gesamtpartei und ist Organ der Gesamtpartei."[92] Im Interesse der Funktionsfähigkeit der Partei aber sicherte die Redaktion den Abgeordneten Loyalität und Unterstützung zu und betonte die Akzeptanz der Fraktion als Parteileitung in der Zeit des Sozialistengesetzes.[93]

In der Folgezeit geht der *Sozialdemokrat* mit den Parlamentariern glimpflicher um[94] und legt das Hauptgewicht der redaktionellen Arbeit auf die Popularisierung marxistischer Denkmodelle.[95] Das Zentralorgan war und blieb bis zum Fall des Sozialistengesetzes das Sprachrohr des zahlenmäßig kleineren linken Flügels in der Partei- und Fraktionsführung und Instrument Bebels für die Führung der Partei.[96]

In der Zeit der milderen Handhabung des Ausnahmegesetzes nach 1886 entstanden überall im Reich sozialdemokratische Blätter und Verlage. Drei der Parlamentarier wurden während ihrer Abgeordnetenzeit zu Verlegern,[97] außer Viereck, der den Rekord in Zeitungsneugründungen hielt, hatten sich Bebel, Hasenclever, Liebknecht und Vollmar als Zeitungsgründer versucht,[98] ihre Blätter waren aber nach kurzer Zeit verboten worden. Der vielgeschmähte Geiser[99] hatte nach seinem Austritt aus dem Parlament in Breslau eine Zeitung ins Leben gerufen,[100] der auch keine lange Lebensdauer beschert war.

Bis auf wenige Ausnahmen hatten die vor dem Sozialistengesetz als Journalisten tätig gewesenen Mandatare sich auch während des Ausnahmegesetzes per Tagesschriftstellerei ernährt;[101] geschützt durch ihre

---

gramm gemäß vollständige Preßfreiheit u. verlangen dieselbe in erster Linie für unser Parteiorgan, den *Sozialdemokrat*. Wir fordern vollständig freie Meinungsäußerung ohne jede Censur in Bezug auf prinzipielle Fragen u. betrachten daher das Vorgehen der Fraktion als undemokratisch und herrschsüchtig."

92 Blos, Wilhelm, Denkwürdigkeiten, Bd. 2, S. 131.
93 *Sozialdemokrat*, 23. 4. 1885.
94 Bernstein Briefwechsel, S. 321. Engels an Bernstein am 15. 5. 1885: „Wäre ich Red(akteur) des *S(ozial)-D(emokrat)*, so würde ich von Red(aktions) wegen die Fraktion wirtschaften lassen, wie sie wollte, d. h. im Reichstag, die Kritik hierüber den Parteigenossen überlassen (...) Wenn dann im übrigen das Blatt in der bisherigen entschiednen Richtung fortredigirt wird, so ist das alles, was wir brauchen."
95 Vgl. dazu Steinberg, Hans-Josef, Sozialismus und deutsche Sozialdemokratie, S. 39 ff.
96 Bebel inszenierte 1890 den Angriff des *Sozialdemokrat* gegen die „Jungen" der Partei, die eine antiparlamentarische Agitation betrieben. Bernstein Briefwechsel, S. 365 ff.
97 Harm, Kühn und Meister.
98 Bebel, Hasenclever und Liebknecht hatten 1882 die Zeitschrift *Haus und Welt* gegründet, Vollmar 1886 die *Bayerische Volksstimme*.
99 Bernstein Briefwechsel, S. 100. Bernstein an Engels am 4. 5. 1882. Über Geiser: „Diese Journalisten mit ihrer souveränen Geringschätzung der Arbeiter sind ein wahrer Krebsschaden in der Partei."
100 Siehe Biographie Geiser, S. 175.
101 Kräcker, der vor dem Sozialistengesetz in Breslau als Redakteur tätig war, eröffnet nach dem Verbot aller Parteizeitungen in Schlesien in Breslau ein Zigarrengeschäft. Aber: „So kann sich z. B. Kräcker in Breslau mit seinem Zigarrengeschäft, obwohl er doch sehr beliebt ist, nicht halten; die Arbeiter wagen es nicht, bei ihm zu kaufen. Denn sein Geschäft wird beständig überwacht." Bernstein Briefwechsel, S. 93. Bernstein an Engels am 27. 4. 1882.

Immunität, konnten die Abgeordneten während der Reichstagssessionen auch offen als Redakteure tätig werden. Nur die exponierte Stellung des Redakteurs am Zentralorgan in Zürich brachte erst Vollmar, dann Bernstein in Schwierigkeiten. Als Vollmar 1881 in Sachsen als Reichstagskandidat aufgestellt wurde, konnte er wegen der drohenden Strafverfolgung zum Wahlkampf nicht nach Deutschland reisen. Bebel und Hasenclever hielten die Wahlreden, und ohne sein eigenes Zutun wurde Vollmar in den Reichstag gewählt.[102] Während des Sozialistengesetzes hielt sich Vollmar nur während der Sessionen in Deutschland auf: Sein Mandat schützte ihn vor einer möglichen Inhaftierung.[103] Bernstein konnte erst 1901 nach Deutschland zurückkehren; bis dahin war sein „Steckbrief" jährlich neu ausgestellt worden.

III. 1890 bis 1914

Von den Abgeordneten, die während des Sozialistengesetzes die Sozialdemokratie im Reichstag vertreten haben, bleiben nach 1890 weiter im Parlament: Auer; Bebel, ab 1884 fester Mitarbeiter der *Neuen Zeit*; Blos, Redakteur des *Wahren Jacob* und fester Mitarbeiter verschiedener Parteiblätter; Bock, Redakteur des Schuhmacher-Fachblattes; Dietz, der ab 1890 nur noch auf dem verlegerischen Sektor tätig ist; Frohme, der von 1890 bis 1913 festangestellter Redakteur des *Hamburger Echos* ist; Geyer, der 1890 in die Redaktion des Leipziger *Wählers* eintritt; Grillenberger, der bis zu seinem Tode 1897 weiter Chefredakteur der *Fränkischen Tagespost* in Nürnberg war; der Verleger der Elberfelder *Freien Presse*, Harm; August Heine; der Verleger August Kühn; Wilhelm Liebknecht, der von 1890 bis 1900 Chefredakteur des Zentralorgans *Vorwärts* war; der Verleger Meister; Pfannkuch, der Anfang der neunziger Jahre in Hamburg ein Gewerkschaftsblatt redigierte; Schuhmacher, der ab 1890 Redakteur der *Bergischen Volksstimme* in Solingen ist; Singer, der weiter im verwaltungstechnischen Bereich der Parteipresse tätig ist und gelegentlich Artikel für Parteiblätter schreibt; der Gastwirt Stolle und Vollmar, der Anfang der neunziger Jahre ein Parteiblatt redigiert und dann als freier Journalist tätig wird.

Von diesen 18 weiter im Parlament verbleibenden Abgeordneten waren nur Heine und Stolle nicht für die Parteipresse tätig; sie konnten aber beide auf eine längere redaktionelle Tätigkeit zurückblicken.[104] 60 Abgeordnete der sozialdemokratischen Partei werden von 1890 bis

---

102 Vgl. dazu Jansen, Reinhard, Georg von Vollmar, S. 27 ff.
103 Bebel Briefwechsel, S. 132. Bebel an Engels am 1. 10. 1882: „... da Vollmar selbst, unter voller Würdigung unserer Zustände regelmäßig, sobald eine Reichstagssession ihrem Ende naht, Deutschland verläßt und sich in der Zwischenzeit nicht auf deutschem Boden betreffen läßt. Grund hierfür ist seine frühere Tätigkeit am *(S(ozial)d(emokrat)*, die der deutschen Polizei sehr genau bekannt ist ..."
104 Heine war von 1871 bis 1884 Redakteur der Halberstädter Parteizeitung; Stolle verlegte und redigierte ab 1870 den *Crimmitschauer Bürger- und Bauernfreund*.

1900 neu in den Reichstag gewählt; 15 davon hatten – soweit bekannt – keinerlei Beziehung zur Parteipresse.[105]

Von den 45 verbleibenden Abgeordneten waren vor ihrer Wahl in den Reichstag als festangestellte Redakteure tätig: Agster, Baudert, Bruhns, Calwer, Dreesbach, Edmund Fischer, Richard Fischer, Adolf Geck, Gradnauer, Herbert, Hoch, Horn, Kaden, Kunert, Legien, Lütgenau, Metzger, Möller, Peus, Rosenow, Schippel, Albert Schmidt, Schoenlank, Segitz, Thiele, Tutzauer, Wurm.[106]

Als freie Mitarbeiter der Parteipresse waren vor ihrer Wahl tätig: Ehrhart, von Elm, Wolfgang Heine.[107]

Von den Abgeordneten, die vor ihrer Wahl in den Reichstag redaktionell tätig waren, sind während ihrer Tätigkeit im Parlament weiter als angestellte Redakteure tätig: Bruhns, Edmund Fischer, Adolf Geck, Gradnauer, Herbert, Hoch, Horn, Kunert[108], Legien, Lütgenau, Metzger, Peus, Rosenow[109], Schippel[110], Albert Schmidt, Schoenlank, Thiele, Tutzauer, Wurm. Während ihrer Mandatsausübung arbeiten als freie Journalisten: Agster, Calwer, Dreesbach, Richard Fischer, Segitz[111]. Ehrhart, von Elm und Wolfgang Heine sind während ihrer Abgeordnetenzeit weiter als freie Mitarbeiter für die Parteipresse tätig.

Während ihrer Abgeordnetentätigkeit werden als Redakteure eingestellt: Bueb, Molkenbuhr, Robert Schmidt, Wilhelm Schmidt, Johann Schwartz, Stadthagen.[112] Als freie Mitarbeiter kommen während ihrer Parlamentszeit zur Parteipresse: Haase und Sachse.[113]

Verleger und Herausgeber unter den Abgeordneten sind: Birk, Gerisch[114], Oertel, Seifert und Ulrich[115]. Dreesbach und Fischer sind während ihrer Tätigkeit im Parlament Geschäftsführer von Parteiverlagen,[116] Zubeil arbeitet als Expedient. Vogtherr wird nach seiner Mitgliedschaft im Reichstag Herausgeber zweier Zeitschriften.[117]

Von insgesamt 78 Abgeordneten, die in dem Zeitraum von 1890 bis 1900 die sozialdemokratische Partei im Reichstag vertraten, waren 47

---

105 Albrecht, Brühne, Hickel und Reißhaus hatten selbständige Handwerksbetriebe, Cramer und Schlegel betrieben Gaststätten, Meist und Schultze waren Eigentümer eines Zigarrengeschäftes, Antrick, Förster, Franz Hofmann und Klees waren Zigarrenmacher (Antrick wird 1906 Gewerkschaftssekretär), Herzfeld Rechtsanwalt, Joest Fabrikant und Kloß Gewerkschaftsfunktionär.
106 Siehe Biographien, S. 150 ff.
107 Siehe Biographien, S. 166, 167, 183.
108 Kunert wird nach seiner Redakteurstätigkeit in Schlesien 1894 als Sekretär in der Vorwärts-Redaktion angestellt.
109 Rosenow arbeitet bis Anfang 1900 als angestellter Redakteur, danach ist er als freier Journalist für die Parteipresse tätig.
110 Schippel ist während seiner Abgeordnetentätigkeit abwechselnd als freier Journalist und als angestellter Redakteur tätig.
111 Segitz wird ab Februar 1900 wieder Redakteur der Fränkischen Tagespost in Nürnberg, bei der er schon von 1891 bis 1894 als Redakteur angestellt war.
112 Siehe Biographien, S. 160, 201, 214, 218, 221.
113 Siehe Biographien, S. 179, 211.
114 Gerisch war sporadisch auch journalistisch für die Parteipresse tätig. Siehe Biographie, S. 175.
115 Ulrich war neben seiner Tätigkeit als Verleger auch Mitarbeiter des Offenbacher Abendblattes.
116 Siehe Biographien, S. 165, 170.
117 Siehe Biographie, S. 228.

während der Ausübung ihres Mandats schreibend für die Parteipresse tätig, weitere zehn fungierten als Verleger und Herausgeber, zwei waren als Geschäftsführer in Parteiverlagen angestellt, und ein Abgeordneter war als Expedient tätig.

Von 1900 bis 1912 kommen 50 neue sozialdemokratische Reichstagsabgeordnete ins Parlament;[118] von den „Alten" verbleiben 65 im Reichstag,[119] davon 42 schreibende Mandatsträger. Von den neu in den Reichstag gewählten Sozialdemokraten haben 17 keinerlei berufliche Beziehung zur Parteipresse.[120]

Vor ihrer Wahl in den Reichstag waren als Redakteure tätig: Bernstein, Heinrich Braun, Brey, Buchwald, David, Eichhorn, Frank, Göhre, Goldstein, Hildenbrand, Adolf Hoffmann, Hue, Keil, Ledebour, Lehmann, Lipinski, Noske, Scheidemann, Schöpflin, Stücklen, Südekum und Zietsch.[121]

Vor ihrer Abgeordnetenzeit waren als freie Mitarbeiter der Parteipresse tätig: Lindemann und Severing.[122]

Als Mitglieder des Reichstags sind als Redakteure weiter tätig: Bernstein, Heinrich Braun, Eichhorn[123], Goldstein, Hue, Keil, Lipinski[124], Noske, Scheidemann, Schöpflin, Stücklen, Südekum und Zietsch.[125] Berichterstatter und freie Mitarbeiter sind: David, Frank, Göhre, Hildenbrand, Ledebour, Lehmann, Lindemann und Severing.[126]

Emmel ist während seiner Abgeordnetentätigkeit erst Geschäftsführer eines Parteiverlages, wird 1914 aber Redakteur.[127] Severing wird nach Verlust seines Mandates 1912 festangestellter Redakteur der Bielefelder Parteizeitung;[128] Fräßdorf gründet nach seinem Ausscheiden aus dem Reichstag eine Zeitung.[129]

Auf dem verlegerischen Sektor sind während ihrer Mitgliedschaft im Reichstag tätig: Hengsbach, Adolph Hoffmann und Max Arthur Hofmann. Büchner ist Mitglied einer Presskommission, Grenz ist als Einkassierer für eine Zeitung tätig, Haberland ist Angestellter in einem Parteiverlag und Sindermann Buchhalter einer Parteidruckerei.[130] Schmalfeldt

---

118 Nach der Reichstagswahl im Jahre 1912 stellt die SPD mit 110 Abgeordneten im Reichstag die stärkste Fraktion.
119 Diese Abgeordneten waren nicht durchgängig im Reichstag vertreten. 1907 z. B. büßt die Partei bei den Hottentottenwahlen 38 Sitze im Reichstag ein.
120 Berthold, Binder, Böhle, Bömelburg, Busold, Faber, Grünberg, Huber, Körsten, Kuntze, Leber, Lesche, Mahlke, Nitzschke, Pinkau, Schulze und Sperka. Siehe dazu die Biographien, S. 150 ff.
121 Siehe Biographien, S. 154, 158, 159, 160, 163, 167, 172, 177, 185, 186, 188, 191, 194, 195, 199, 204, 212, 216, 223, 224, 232.
122 Siehe Biographien, S. 198, 219.
123 Eichhorn arbeitet die ersten vier Jahre als Abgeordneter, als freier Journalist und ist danach wieder angestellter Redakteur.
124 Als Abgeordneter ist Lipinski zuerst als freier Mitarbeiter für die Parteipresse tätig; nach zwei Jahren wird er als Redakteur wieder angestellt.
125 Siehe S. 150 ff.
126 Siehe S. 163, 172, 177, 185, 194, 195, 198, 219.
127 Siehe S. 168.
128 Siehe S. 219.
129 Siehe S. 171.
130 Siehe S. 179, 220.

wird nach seinem Ausscheiden aus dem Reichstag Geschäftsführer der Bremer Parteizeitung.[131]

Von 1912 bis zum Beginn des Ersten Weltkrieges kamen 51 neue Abgeordnete in die sozialdemokratische Fraktion im Reichstag; 20 davon hatten beruflich keine Verbindung zur Parteipresse.[132]

Vor ihrer Wahl in den Reichstag waren als Redakteure beschäftigt: Gustav Bauer, Brandes, Davidsohn, Dittmann, Ebert, Erdmann, Ewald, Feldmann, Feuerstein, Haupt, Henke, Hofrichter, Jäckel, Käppler, König, Krätzig, Lensch, Peirotes, Quarck, Quessel, Rauch, Rühle, Richard Schmidt, Heinrich Schulz, Stolten, Taubadel, Weill und Wendel.[133] Cohen-Reuß und Karl Liebknecht waren freie Mitarbeiter von Parteizeitungen.[134]

Während ihrer Abgeordnetenzeit waren als Redakteure tätig: Davidsohn, Dittmann, Feldmann, Henke, König, Krätzig, Lensch, Peirotes, Quarck, Quessel, Rauch, Rühle[135], Richard Schmidt, Stolten, Taubadel und Wendel[136]. Während ihrer Tätigkeit im Reichstag waren als Berichterstatter und freie Mitarbeiter tätig: Cohen-Reuß, Erdmann, Feuerstein, Karl Liebknecht, Heinrich Schulz und Weill. Wels war als Mitglied des Reichstages Vorsitzender einer Presskommission und ab 1916 Redakteur.[137] Brandes war als MdR Mitglied einer Presskommission, Haupt und Hugel waren Geschäftsführer von Parteizeitungen.[138]

Von insgesamt 179 Abgeordneten, die in dem Zeitraum von 1890 bis 1914 als Vertreter der sozialdemokratischen Partei im Reichstag saßen, waren 92 während ihrer Mandatsausübung als Redakteure und freie Mitarbeiter für die Parteipresse und Gewerkschaftszeitungen tätig.

Nach dem Fall des Sozialistengesetzes im Jahre 1890 entstehen überall im Reich neue Parteizeitungen,[139] die schon bestehenden Blätter richten sich wieder eindeutig sozialdemokratisch aus,[140] und in Berlin wird ein neues Zentralorgan mit dem alten Titel *Vorwärts* aus der Taufe gehoben.[141] Pressefragen werden zu zentralen Themenpunkten auf den wie-

---

131 Siehe S. 213.
132 Bender, Buck, Cohn, Deichmann, Gustav Fischer, Fuchs, Giebel, Hasenzahl, Hierl, Johannes Hoffmann, Hüttmann, Landsberg, Leutert, Raute, Schmitt, Oswald Schumann, Silberschmidt, Simon, Spiegel, Thöne.
133 Siehe Biographien, S. 150 ff.
134 Siehe S. 162, 197.
135 Rühle tritt 1916 aus der Partei aus, behält aber Mandat und Redakteurstätigkeit bei.
136 Wendel ist noch zwei Jahre als Abgeordneter in seinem Redakteursberuf tätig, dann arbeitet er als freier Journalist.
137 Siehe S. 229.
138 Siehe S. 158, 182, 188.
139 Bebel gibt auf dem ersten legalen Parteitag 1890 in Halle die Zahl der neu erscheinenden Parteiblätter mit „über 100" an. (S. 124.) In der Pressestatistik im Protokoll des Parteitages 1891 in Erfurt werden 69 sozialdemokratische Zeitungen aufgeführt und 55 Gewerkschaftsblätter (S. 47 ff.).
140 Zeitungen wie das *Hamburger Echo* und die *Fränkische Tagespost* nehmen wieder die Bezeichnung „sozialdemokratisch" in ihre Untertitel auf.
141 Das in Berlin seit 1884 bestehende *Berliner Volksblatt* wird zum offiziellen Parteiorgan unter dem Titel *Vorwärts*; die Zeitung hatte damit die Doppelfunktion, Lokalblatt für die Berliner Parteiangehörigen und Zentralorgan für die Genossen im Reich zu sein, zu erfüllen.

der legalisierten Parteitagen,[142] die notwendige Redakteursrekrutierung zu einem viel diskutierten Problem.[143]

Schon auf dem Parteitag 1891 in Erfurt werden, durch einen Antrag Dreesbachs[144] initiiert, Probleme wie mangelnde Aktualität in den Parteizeitungen und fehlende Mitarbeiter erörtert. Um die in Parteizeitungen immer einen zentralen Raum einnehmende Parlamentsberichterstattung aktueller zu gestalten, schlägt Dreesbach die Einrichtung eines „literarischen Bureaus"[145] während den Reichstags-Sessionen vor, „das unseren Provinzial-Parteiblättern möglichst rasch kurze, treffende, in unserem Sinne gehaltene Berichte liefert, damit diese Blätter nicht mehr auf die verschwommenen Berichte der Bourgeoisberichterstatter angewiesen sind"[146]. Singer schmettert diesen Antrag mit der Begründung ab, daß ein Nachrichtenbüro schlicht überflüssig sei, „denn von unseren 35 Abgeordneten haben mindestens 28 ein besonders lebhaftes Interesse für einen Reichstagsbericht und sind Korrespondenten der verschiedenen Parteiblätter"[147].

Sie waren gern gesehen, die schreibenden Mandatsträger – solange sie sich nicht allzu oft im Reichstag blicken ließen. Bis zur Einführung der Gewährung von Diäten aus Reichsmitteln im Jahre 1906 wurden die Unkosten der Mandatare aus der Parteikasse bezahlt; es bildete sich die Gewohnheit aus, daß die nicht in Berlin wohnenden Parlamentarier nur zu besonders wichtigen Reichstagssitzungen anreisten.[148] Ulrich[149] schildert den rüden Empfang, der den „Provinzlern" durch den Fraktionskassierer bereitet wurde, kamen sie „unvermutet" in die Reichshauptstadt zu einer anstehenden Sitzung: „Wat wüll Du denn in Berlin? Vogel – Kram, war nich nödig – mag, dat Du wedder nach Hause kummst!"[150]

So ist Singers Behauptung dahingehend richtig, daß sich unter den Fraktionsmitgliedern eine Reihe von Journalisten befanden; de facto aber waren gerade die jungen Parteiredakteure unter den Parlamentariern Anfang der neunziger Jahre nicht so kontinuierlich bei den Reichstagssit-

---

142 Vgl. dazu Protokolle Parteitag 1890 in Halle, S. 230 ff.; Parteitag 1891 in Erfurt, S. 291 ff.; Parteitag 1892 in Berlin, S. 98 ff.; Parteitag 1893 in Köln, S. 123 ff., usw.
143 Protokoll Parteitag 1893 in Köln, S. 146: „Der Nachwuchs für die in kurzer Zeit rasch angewachsene Parteipresse ist noch nicht da."
144 Siehe Biographie Dreesbach, S. 165.
145 Protokoll Parteitag 1891 in Erfurt, S. 301.
146 Ebenda.
147 Ebenda, S. 302.
148 Vgl. dazu die Klage Südekums in einem Brief an Vollmar vom 5. 3. 1904, Nachlaß Vollmar im AdSD, Bonn, Nr. 2072: „Wenn nicht Ehrhart, Bock, Cramer, Peus, Stolle, Lindemann, Sperka, Hildenbrand usw. – wie gewöhnlich (Hervorhebung im Original. d. Verf.) – gefehlt hätten, dann wäre der Ausgang wieder mal anders gewesen. (In einer Fraktionsbesprechung vor einer Reichstagssitzung.)
149 Siehe Biographie Ulrich, S. 226.
150 Ulrich, Carl, Erinnerungen des ersten hessischen Staatspräsidenten, Offenbach 1953, S. 85.
Noske, Gustav, Erlebtes, S. 22: „Wer neu in die Fraktion kam, wurde von ihm (Fraktionskassierer. d. Verf.) dahin instruiert, daß die Anwesenheit in jeder Sitzung keineswegs erwünscht sei. Montags und Sonnabends hatten, von Ausnahmen abgesehen, nur ein paar Berliner im Reichstage Daseinsberechtigung."
Scheidemann, Philipp, Memoiren, Bd. 1, S. 159 ff.

zungen anwesend, als daß eine aktuelle Parlamentsberichterstattung gewährleistet worden wäre. Auch auf die bei allen Sitzungen anwesenden Parlamentariern konnte man sich nicht verlassen: „Einer, der am lautesten klagt, daß die N(eue) Z(eit) nicht aktuell ist, ist Bebel. So oft er das sagt, sage ich ihm: es liegt nur an Dir sie aktueller zu machen. Schreib uns während der Reichstagssitzungen alle 14 Tage einen Parlamentsbericht. Er verspricht's, tuts aber nicht."[151]

Für die Redakteure unter den Abgeordneten ging es ja nicht nur um die Parlamentsberichterstattung; sie hatten die Redaktion ihrer Zeitungen zu besorgen, was einige Schwierigkeiten mit sich brachte, wenn sie fern dem Erscheinungsort des Parteiblattes in Berlin weilten.[152] Nahm man die oft mangelhafte Gestaltung der Abgeordnetenzeitungen während der Reichstagssessionen in der Provinz nicht so übel,[153] so rückte die schlechte Redaktion des Zentralorgans Vorwärts während der Sitzungstage ins Zentrum der Kritik an dem Chefredakteur Wilhelm Liebknecht. Da Liebknecht als fleißiger Parlamentarier zwangsläufig nicht täglich in der Redaktion der Vorwärts anwesend sein konnte,[154] die Anforderungen an das Zentralorgan aber ungleich höher waren als an ein Provinzblatt, mußten zusätzlich weitere Redakteure angestellt werden.[155]

Bei der notwendigen personellen Verstärkung der Vorwärts-Redaktion rückt die Parteileitung zum erstenmal von der Sanktion der Doppelrolle Parlamentarier-Redakteur ab: „Wir meinten, die Vertrauensposten beim Vorwärts, welche eine leitende Stellung in der Partei repräsentiren, machen so große Ansprüche an die Leistungsfähigkeit des Einzelnen, daß es ihm unmöglich sei, noch andere Ehrenämter innerhalb der Partei zu bekleiden. Wir haben deshalb schon lange die Frage ventilirt, ob man nicht im Parteiinteresse den Redakteuren am Zentralorgan die Verpflichtung auferlegen solle, kein Mandat anzunehmen."[156]

Als Bruno Schoenlank am 1. März 1892 als Redakteur des Vorwärts eingestellt wird, weist ihn der Parteivorstand auf die neuen Bedingungen hin, sich als Mitglied des Zentralorgans jeglicher Kandidatur für Landtag oder Reichstag zu enthalten.[157] Nur der Chefredakteur Liebknecht fiel nicht unter die neuen Bestimmungen. Nach der Reichstagsauflösung im März 1893 bekundet Schoenlank aber überraschend die Absicht, sich bei

151 Adler Briefwechsel, S. 197. Kautsky an Heller am 28. 12. 1895.
152 Scheidemann, Philipp, Memoiren, Bd. 1, S. 161: „Acht Jahre lang, bis zur Wahl in den Reichstag 1911, habe ich im (!) Reichstag die gesamte politische Redaktion der von mir geleiteten Blätter besorgt."
153 Ein Reichstagsmitglied hatte einen besonderen Stellenwert innerhalb der lokalen Parteiorganisation, da sah man dem Redakteur einiges nach. Nach der Jahrhundertwende ändert sich die Ansicht, vgl. dazu Koszyk, Kurt, Anfänge und frühe Entwicklung, S. 126.
154 Protokoll Parteitag 1892 in Berlin, S. 115. Bebel über Liebknechts Anwesenheits-„Pflicht" im Reichstag: „Nun sagt man, ja ihr braucht ja nicht immerwährend im Reichstag sein. Nachdem aber einmal die Fraktion so stark geworden ist, wie sie ist, können wir uns nicht der Verpflichtung entziehen, auch an den einzelnen Kommissionen theilzunehmen."
155 Vgl. dazu Bebel Briefwechsel, S. 493. Bebel an Engels am 28. 12. 1891: „Im Vorwärts sitzen wir immer noch auf dem alten Fleck; wir brauchen zwei Mann, wollen aber nicht eher engagieren, bis wir wirklich passende Personen finden."
156 Protokoll Parteitag 1893 in Köln, S. 130.
157 Ebenda, S. 130 ff.

den Neuwahlen um ein Mandat zu bewerben, womit er den lebhaften Protest des Parteivorstands hervorruft.[158]

Auf dem Parteitag 1893 in Köln verteidigt Schoenlank seine Kandidatur mit dem Argument, er wolle sich „nicht in den Redaktionssessel vergraben lassen, sondern auch an der Stelle stehen, wo man gesehen werde"[159]. Als ihm der Parteivorstand auf seine Anfrage nicht sofort eine Urlaubsvertretung für die Zeit des Wahlkampfes bewilligt, kündigt er umgehend seine Stelle am *Vorwärts*.[160]

Schoenlank wird 1893 Mitglied des Reichstages. Im darauffolgenden Jahr kritisiert er auf dem Parteitag vehement die Sparsamkeit des Parteivorstandes in Sachen Redaktionspersonal für den *Vorwärts*. Am Zentralorgan seien viel zu wenig Redakteure angestellt, Folge: Der *Vorwärts* sei ein schlecht redigiertes, unaktuelles Blatt und somit nicht in der Lage, „Bannerträger unserer großen Ideen"[161] zu sein, und erst recht nicht in der Lage, in Konkurrenz zu den großen bürgerlichen Zeitungen treten zu können. Schoenlank muß sich aber vom Parteivorstand die Kritik gefallen lassen, daß er durch seine Mißachtung der Absprachen viel zur herrschenden Unordnung in der Redaktion des *Vorwärts* beigetragen habe. Dennoch sei der Vorstand bereit gewesen, über die Frage der Einstellung eines weiteren Redakteurs mit sich reden zu lassen, „aber er (Schoenlank) hatte uns in seiner bekannten erregten Art sehr rasch den Stuhl vor die Thür gesetzt, und wir mußten uns auch sagen: Allzulange ist er ja noch an keiner Stelle geblieben, er möge hinziehen, unser Segen sei mit ihm!"[162]

Und er zieht dahin! Im Oktober 1894 wird er Chefredakteur der *Leipziger Volkszeitung* und macht aus ihr die Parteizeitung neuen Stils. Schoenlank ist zwar oft im Reichstag in Berlin,[163] nimmt aber seine Chefredakteurspflichten durchgängig wahr: „Sein Arbeitstempo grenzte ans Unwahrscheinliche. Er las auch das schwierigste Manuskript, als wäre es Druckschrift, und wußte gleich bei den ersten Zeilen, ob es zu gebrauchen war oder nicht. Er war ein Virtuose der Kunst, Zeitungen ‚diagonal' zu lesen; er ließ sie im Schnellzugstempo an seinen kurzsichtigen Augen vorüberrasen, ohne daß ihm das Geringste entging. Dabei führte er Selbstgespräche, stieß Schreie des Zornes oder der Freude oder

---

158 Ebenda.
159 Ebenda, S. 100.
160 Tagebuch Bruno Schoenlanks, Eintragung vom 10.3. 1897 in: Mayer, Paul, Bruno Schoenlank, S. 111.
161 Protokoll Parteitag 1893 in Köln, S. 115.
162 Ignaz Auer auf dem Parteitag 1893 in Köln, Protokoll, S. 148. Vgl. dazu Schoenlanks Eintragung in sein Tagebuch vom 10.3. 1897: „Und feststeht, daß er (Ignaz Auer) kurz vor der Reichstagsauflösung 1893 im Reichstagsgarten mir die Alternative im Namen des Vorstandes stellte: Entweder *Vorwärts*-Stellung oder Kandidatur, beides gibt's nicht. Erst jetzt, da ich vor eine Maßregelung gestellt war, entschloß ich mich, nun gerade zu kandidieren. (...) Es kam Breslauer Kandidatur. Singer wollte dann Auer desavouieren; A(uer) hätte nicht im Auftrage des Vorstandes gehandelt. Indes erklärte er, Urlaub bekäme ich nicht zur Agitation, müßte Ersatzmann stellen und entschädigen.", in: Mayer, Paul, Bruno Schoenlank, S. 111.
163 Nachlaß Schoenlank im AdSD, Bonn. Artikelsammlung (*Berliner Neueste Nachrichten*, *Frankfurter Generalanzeiger* und andere bürgerliche Zeitungen) dokumentiert die rege parlamentarische Aktivität Schoenlanks.

ein lautes Gelächter aus und schrieb dann seine knappen, wie Säbelhiebe klirrenden Sätze."[164]

Zeitgenossen beschreiben Schoenlank als einen geborenen Journalisten, den sein Beruf daran hinderte, Politiker zu sein: „Er lebte zu intensiv die Ereignisse selbst mit, litt zu sehr innerlich mit der Zeit und an der Zeit, um ihr noch mit ruhigem, sicherem Griff den historischen Puls fühlen zu können; indem er aufging in dem, was der Tag brachte, verlor er nicht selten die richtige Perspektive für die Umrisse der Zukunft; er sah das Gegenwärtige zu groß und wurde wohl zu kurzsichtig, wenn er in die Ferne schaute. So ging ihm oft in entscheidenden Augenblicken das ab, was eben den Politiker macht: das sichere Auge für die Tragweite der Geschehnisse."[165]

Dieser „Journalist ersten Ranges" und „Politiker zweiten Ranges"[166] fühlt sich durch seine zeitraubenden Tätigkeiten fernab seines wirklichen Arbeitsbedürfnisses: „Ich setze bei der Arbeit für das Blatt Hirn und Nerven drein, habe außerdem die parlamentarische Arbeit, die agitatorische Tätigkeit, werde wissenschaftlichem Tun ganz entzogen, obwohl ich doch gerne noch Gutes schaffen könnte."[167]

Viele der Parteiredakteure apostrophieren ihr Mandat als Ehrenamt und Auszeichnung[168] – blieben aber doch mehr Journalisten als Parlamentarier. Sie treten im Reichstag so gut wie gar nicht in Erscheinung;[169] in den Fraktionssitzungen dominiert die journalistische Attitüde. So kommt es immer wieder zu Auseinandersetzungen innerhalb der Fraktion, weil die schreibenden Mitglieder Fraktionsinterna wider die Geheimhaltungsdirektiven in ihren Zeitungen veröffentlichen.[170]

Sozialdemokratische Redakteure und Journalisten als Mitglieder von Kommissionen oder Beobachter von Kommissionsverhandlungen durchbrechen als erste das für diesen Bereich geltende Geheimhaltungsprinzip. Es war zwar von jeher üblich, daß die Presse über Verhandlungen und Beschlüsse aus den Kommissionen auf Grund von Mitteilungen einzelner Kommissionsmitglieder berichtete, es sei denn, daß die Kommissionsbehandlungen ausdrücklich als geheim bezeichnet wurden.

164 Stampfer, Friedrich, Erfahrungen und Bekenntnisse, Köln 1957, S. 56 ff.
165 Jaeckh, Gustav, Nachruf auf Bruno Schoenlank, in: *Sozialistische Monatshefte*, 1901, S. 989.
166 Ebenda.
167 Tagebucheintragung von Bruno Schoenlank vom 20.3. 1897, in: Mayer, Paul, Bruno Schoenlank, S. 117.
168 Bock, Wilhelm, Im Dienste der Freiheit, S. 71: „Es will immerhin schon etwas heißen, sich vom einfachen Schuhmachergesellen zum Alterspräsident des Reichstags zu entwickeln." und Bruhns, Julius, Es klingt im Sturm, S. 106: „Der Traum des phantasievollen Knaben hatte sich erfüllt, ich war, noch nicht dreißig Jahre alt, Reichstagsabgeordneter geworden."
169 Die Stenographischen Berichte über die Verhandlungen des Reichstages 1890 ff. geben darüber Aufschluß. Vgl. auch Scheidemann, Philipp, Memoiren, Bd. 1, S. 161: „Einige bestimmte Abgeordnete erledigten alles, während der große Haufen im wahren Sinne des Wortes ‚Stimmvieh' war, das im Bedarfsfalle telegraphisch gerufen wurde."
170 Protokoll der Fraktionssitzung vom 17. 1. 1904. Hildenbrand wird gerügt, weil er trotz des Geheimhaltungsbeschlusses einen bestimmten Artikel in der *Schwäbischen Tagwacht* veröffentlicht hat. In der Fraktionssitzung vom 1. 12. 1905 wird Thiele der gleiche Vorwurf gemacht, in: Die Reichstagsfraktion der deutschen Sozialdemokratie 1898–1918, S. 119/149.

Publikum und Pressevertreter waren zu den Kommissionssitzungen nicht zugelassen, wohl konnten nicht zu einer Kommission gehörige Reichstagsabgeordnete an den Sitzungen als Zuhörer teilnehmen. Noske[171] als Beobachter der Budgetkommission gibt 1909 als vertraulich gekennzeichnete Mitteilungen an die Wiener *Neue Freie Presse* weiter;[172] er entschuldigt sich später für seine Indiskretion bei der Kommission.[173]

Auch Ledebour[174] nahm es mit dem als ein wesentliches Merkmal der Ausschußarbeit betrachteten Prinzip der Vertraulichkeit nicht allzu genau. Er bricht als erster mit dem in der übrigen Presse herrschenden Brauch, Kommissionsredner nicht namentlich aufzuführen, und berichtet 1909 detailliert über die Kommissionsarbeit mit Namensnennung der einzelnen Redner im *Vorwärts*.[175]

Der hohe Stellenwert der Presse innerhalb der sozialdemokratischen Partei übertrug sich auf die für die Presse arbeitenden Parteimitglieder. Es ist anzunehmen, daß bei der Suche nach geeigneten Reichstagskandidaten die örtlichen Parteigruppierungen gern auf ihre Zeitungsredakteure zurückgriffen, schien doch eine erfolgreiche Zeitungstätigkeit im Wirkungsverständnis der Partei Qualifikation genug für die Übernahme eines Mandates, wie auch umgekehrt renommierte Parlamentarier gern zur Mitarbeit an Parteizeitungen herangezogen wurden.[176] Die Wahl in den Reichstag initiierte auch in einigen Fällen den Berufswechsel hin zum Zeitungsschreiber,[177] weil der Abgeordnete schlecht sein Mandat neben einer handwerklichen oder industriellen Lohnarbeit ausüben konnte.

Die Vorzugsstellung, die Parteiredakteuren bei der Kandidatenaufstellung eingeräumt wurde, läßt sich am Fall Henke[178] dokumentieren. Der Parteiredakteur, seit 1906 Chefredakteur der *Bremer Bürger-Zeitung*, bekundet 1910 sein Interesse an einer Reichstagskandidatur im bremischen Wahlkreis.[179] Ein Jahr vorher war er als Kandidat im hannoveri-

171 Siehe Biographie Noske, S. 204.
172 Vgl. dazu Schulthess' Europäischer Geschichtskalender, 1909, S. 46.
173 Fraktionssitzung vom 10. 2. 1909, in: Die Reichstagsfraktion der deutschen Sozialdemokratie, S. 206.
174 Siehe Biographie Ledebour, S. 194.
175 Vgl. dazu Ledebours Verteidigungsrede im Reichstag am 15. 2. 1909 in Stenographische Berichte über die Verhandlungen des Deutschen Reichstages, Bd. 235, S. 6986 ff. Ledebour führt aus, daß mit der Namensnennung der Öffentlichkeit die Möglichkeit gegeben werden soll, die Kommissionsverhandlungen kontrollieren zu können. Vor allem gelte es, die Regierungsvertreter im Auge zu behalten, falls man gegen irgendwelche Anschläge der Regierung möglicherweise eine Volksbewegung einleiten müsse.
176 Nachlaß Dittmann im AdSD, Bonn. Brief von Tony Breitscheid an Dittmann o. D.: „Darf ich dann den Artikel mit den Worten einleiten: Von einem Reichstagsabgeordneten wird uns geschrieben: –?"
177 Lehmann war bis zu seiner Wahl in den Reichstag 1907 Buchhalter der Mannheimer Aktiendruckerei, in der die *Mannheimer Volksstimme* hergestellt wurde. Da er seinen Pflichten als Buchhalter als Abgeordneter nicht nachkommen kann, wird er vom Verlag als Berichterstatter weiter beschäftigt. Vgl. dazu Fraktionssitzung vom 13. 3. 1907, in: Die Reichstagsfraktion der deutschen Sozialdemokratie, S. 182.
178 Siehe Biographie, S. 184.
179 Mandatserringung war ein wichtiger Karriere-step aus der Sicht der Redakteure. Aus den Kandidatenlisten für die Reichstagswahl wird ersichtlich, daß nahezu alle bekannteren Parteiredakteure sich irgendwann und irgendwo um ein Mandat für den Reichstag beworben haben, mit Ausnahme der Ausländer, wie die Top-Journalisten Stampfer und

schen Wahlkreis in den Wahlkampf gezogen, konnte aber das gewünschte Mandat für den Reichstag nicht erringen.[180] Er unterrichtet den Bremer Parteivorstand von seinen Plänen, der stellt sich geschlossen hinter Henke – Problem ist nur: Der bremische Wahlkreis verfügt bereits über einen Kandidaten; der nominierte Schmalfeldt war von 1903 bis 1907 Reichstagsabgeordneter gewesen. Der Parteivorstand, dem die Kandidatur Henkes aussichtsvoller erscheint, versucht, Schmalfeldt zur Aufgabe seiner Bewerbung zu bewegen.[181] Schmalfeldt verzichtet jedoch nicht. Um den Kandidatenwechsel zu erreichen, wird für den 28. Juni 1910 eine Mitgliederversammlung einberufen.[182] In dieser Versammlung wird auf das größere Sachwissen und die politischen Fähigkeiten Henkes hingewiesen, die dieser sich durch eine jahrelange Tätigkeit als leitender Redakteur erworben habe.[183] Und im Vergleich zu Schmalfeldt, der „mehr hinter dem Schanktisch steht", sei diese Eignung Henkes besonders hoch zu bewerten,[184] denn die Sozialdemokratie komme „in eine Zeit der Erregung hinein, wo es von ganz besonderer Bedeutung ist, daß unsere prinzipiellen Forderungen sowohl im Lande, als auch in der Reichstagsfraktion scharf vertreten werden"[185]. Einige Mitglieder artikulierten aber auch ihren Vorbehalt gegen einen Kandidatenwechsel, da man es als undankbar und untreu empfand, den „alten braven Schmalfeldt"[186] als bewährten Genossen so einfach auszuschalten.

Der Redakteur sticht den „unjournalistischen" Mitbewerber aus: Im Januar 1912 zieht Henke als Abgeordneter in den Reichstag ein. Als Abgeordneter fungiert er weiter als Chefredakteur der *Bremer Bürgerzeitung*, gerät aber schon 1912, weil er einen „unpassenden" Vertreter während der Reichstagssession in der Redaktion schalten und walten läßt, in das Kreuzfeuer der Parteikritik.[187]

Kautsky, die als Österreicher als Kandidaten nicht in Frage kamen. Stampfer wäre liebend gern MdR gewesen, aber: „Wahlberechtigt wurde ich erst im Jahre 1920, und bei dieser Gelegenheit, in der ich als Reichstagswähler in Erscheinung treten durfte, wurde ich auch selbst in den Reichstag gewählt.", in: Stampfer, Friedrich, Erfahrungen, S. 81.

180 Unterlagen im Nachlaß Henke im AdSD, Bonn.
181 Protokoll über die Konferenz der Vorstände der Bremer und Bremerhavener Parteiorganisation, 6. 1. 1911, S. 7 im Nachlaß Henke im AdSD, Bonn. In diesem Protokoll wird rückschauend über die Ereignisse im Sommer und Herbst 1910 berichtet.
182 Ebenda, S. 3.
183 Ebenda, S. 5.
184 Ebenda.
185 Ebenda, S. 3.
186 Ebenda, S. 5.
187 Fall Radek. Brief von Rosa Luxemburg an Henke am 15. 11. 1912: „Sie haben Ihr Blatt in der persönlichen Sache eines Individuums im Voraus, ohne objektive Prüfung der Sache und Untersuchung der Verhältnisse, so festgelegt, wie es ein Redakteur der sein Blatt ernst nimmt es niemals thun würde." (Nachlaß Henke.)
Auf dem Parteitag 1912 in Chemnitz bestreitet Henke, auf die Vorwürfe Eberts hin, daß der umstrittene Radek in der Redaktion der *Bürger-Zeitung* arbeitet: „Wenn Ebert dann gefragt hat – in seiner Frage lag schon die Antwort –, läßt er etwa diesen Radek schalten und walten in der Redaktion?, so muß ich diese hämische Unterstellung auf das Schärfste zurückweisen." Brief von Henke an Radek vom 6. 2. 1913: „Was Ihre Mitarbeit an der *Bürger-Ztg.* betrifft, so bin ich der Meinung, daß es nach dem jüngsten Beschluß des deutschen Parteivorstandes für die Redaktion und für Sie das Klügste ist, daß Sie einstweilen ganz unauffällig (...) die Mitarbeit bis auf weiteres einstellen." (Nachlaß Henke.)

Skrupel, nicht die passende Eignung für das Amt zu besitzen, wie sie von den hier untersuchten Autoren in bezug auf ihre Redakteurstätigkeit geäußert wurden, kommen bei der Übernahme des Mandates nicht zum Tragen. Und wie das Ereignis „Mein erster Artikel" besonders gewürdigt wird, so nimmt auch die Beschreibung der ersten Rede im Reichstag einen zentralen Platz in den vorliegenden Memoiren ein.[188] Die Wahl in den Reichstag wie die Übernahme der Redakteursstellung zuvor werden als Erfolgsindizien auf dem Weg nach oben beschrieben. Das Problem der Unvereinbarkeit von Abgeordnetentätigkeit und eigentlichem Beruf stellt sich den hier untersuchten Autoren nicht.[189] Als einziger artikuliert Heinrich Braun[190] Überlegungen, daß aktive Tätigkeit im Parlament und verantwortungsvolle Redaktion einer Zeitung sich kaum verbinden läßt:

„Mir ist die Reichstagskandidatur in der Stadt Leipzig angeboten worden. Ich habe, in erster Linie von der Ansicht geleitet, daß es sich, wenn das *Archiv*[191] das bleiben soll, was es ist, nur um eine Wahl zwischen *Archiv* und Mandat handeln könne, das Anerbieten abgelehnt. Nun werde ich aber gedrängt, die Absage zurückzuziehen, und morgen nachmittag zwei Uhr kommen zwei Genossen aus Leipzig zu mir herüber, um mich umzustimmen. Ich wäre Ihnen nun sehr dankbar, wenn Sie mir Ihre Ansicht in einigen Worten telegraphierten, insbesondere, ob es hier auch nach ihrer Auffassung nur eine Alternative gibt und das *Archiv* den Kreis von Mitarbeitern, auf denen seine Existenz beruht, großenteils einbüßen würde, wenn ich Mitglied der sozialdemokratischen Fraktion würde." [192]

1897 lehnt Heinrich Braun die Kandidatur ab;[193] erst 1903 zieht er in den Wahlkampf, gewinnt auch das Mandat, verliert aber kurze Zeit später – Ironie des Schicksals – durch sein überzeugtes Eintreten für die journalistische Freiheit[194] den Sitz im Reichstag und seine Zeitung.[195]

Nach der Jahrhundertwende bildet sich aber innerhalb der sozialdemokratischen Fraktion eine Gruppe von Berufsparlamentariern heraus, die

---

188 Vgl. dazu Scheidemann, Philipp, Memoiren, Bd. 1, S. 163. Severing, Carl, Mein Lebensweg, Bd. 1, Köln 1950, S. 161 ff.
189 Die Stellung in einer Zeitung oder die Mitarbeiterschaft bei einem Blatt war „Brotberuf"; angesichts der fehlenden Diäten war es müßig, bei der Übernahme eines Mandats Überlegungen zu einem Verzicht auf den Erwerbsberuf anzustellen. Auch nach Gewährung von Diäten aus Reichsmitteln 1906 kam es nicht zu Alternativerwägungen, da von dem Parlamentarier-Gehalt, das auch nur während der Sessionen ausgezahlt wurde, keiner leben konnte.
190 Siehe Biographie, S. 158.
191 *Archiv für soziale Gesetzgebung und Statistik*. Zeitschrift zur Erforschung der gesellschaftlichen Zustände aller Länder. Heinrich Braun hatte das Blatt gegründet und fungierte als Herausgeber und Redakteur.
192 Brief Heinrich Brauns an Sombart, geschrieben Ende 1897, in: Braun-Vogelstein, Julie, Ein Menschenleben, S. 218.
193 Sombart hatte Braun auf dessen Anfrage zurück telegraphiert: „Lehnen Sie jedenfalls ab. Noch ist nicht Zeit. Sie dienen jetzt der guten Sache als Herausgeber unendlich viel mehr.", in: Braun-Vogelstein, Julie, Ein Menschenleben, S. 218.
194 Auf dem Parteitag 1903 in Dresden tritt Braun für das Recht der Parteijournalisten ein, auch an bürgerlichen Zeitungen und Zeitschriften mitarbeiten zu können. Der Parteitag aber verabschiedet eine Resolution, in der SPD-Journalisten die Mitarbeit an der bürgerlichen Presse untersagt wird.
195 Brauns Angriffe auf Mehring auf dem Parteitag 1903 haben ein Parteiverfahren gegen Braun zur Folge (vgl. dazu Protokoll Parteitag 1904, S. 39–43); Brauns 1903 erfolgte Wahl

sich neben einer nur noch gelegentlich betriebenen politischen Schriftstellerei „hauptamtlich" der Abgeordnetentätigkeit widmeten. „Solange
die Reichstagsfraktionen der Sozialdemokratischen Partei klein und ein-
flußlos waren, solange das Schicksal wichtiger Gesetzesvorlagen sowohl
von ihrer Zustimmung als auch von ihrer Ablehnung unberührt blieb,
solange war es durchaus verständlich, daß die Reden ihrer Abgeordneten
in der Hauptsache zum Fenster hinausgehalten wurden. Parlamentsre-
den fanden damals im Lande noch ein lebhaftes Echo, und das Redner-
pult des Reichstages war noch eine sehr wirksame Agitationstribüne. (...)
Mit dem Wachstum der Partei und der Verstärkung der Fraktion änderte
sich diese Situation. Mehr und mehr wurden die Sozialdemokraten bei
wichtigen Entscheidungen zum ausschlaggebenden Faktor. Diese Rolle
verpflichtete zur verantwortlichen und verantwortungsbewußten Mitarbeit besonders aller derjenigen, die an die Prophezeiungen vom nahen
Zusammenbruch des Kapitalismus nicht mehr glaubten. Inzwischen war
durch die Gewährung von Freifahrkarten und Diäten den Abgeordneten
die Möglichkeit gegeben, sich den parlamentarischen Aufgaben eingehen-
der zu widmen."[196]

Severing[197] als Vertreter des neuen Typus des Berufsparlamentariers
sieht denn auch seine Mitarbeit an Parteizeitungen unter dem fast ausschließlich parlamentsbezogenen Aspekt.[198] Zu der Gruppe der sozialdemokratischen Berufspolitiker sind weiter Ledebour,[199] David und Keil zu
rechnen. Für David war die journalistische Arbeit lästige „Brotarbeit"[200],
die ihn von den großen politischen Aufgaben ablenkt;[201] Keil benutzt die
von ihm redigierte *Schwäbische Tagwacht* mehr und mehr zur parlamentarischen „Hofberichterstattung", was ihm die Stuttgarter Parteibasis auf
dem Parteitag 1911 in Jena ankreidet.[202]

Im Gegensatz zu den stetigen Berufsjournalisten unter den Parlamentariern[203] kommen die Journalisten, die sich verstärkt im Parlament engagieren, zwangsläufig zu dem Punkt, wo sie ihre redaktionelle Tätigkeit

in den Reichstag wurde auf Vorschlag des Wahlprüfungsausschusses im 27. 4. 1904 für
ungültig erklärt.
Braun hatte 1903 das *Archiv* verkauft, um die Wochenschrift *Die neue Gesellschaft* zu
gründen. Nach den Auseinandersetzungen auf dem Parteitag 1903 wird er vom Parteivorstand gezwungen, die Herausgabe dieser Zeitschrift einzustellen. Vgl. dazu Braun, Lily,
Memoiren einer Sozialistin, Bd. 2, S. 517 ff.
196 Severing, Carl, Mein Lebensweg, Bd. 1, Köln 1950, S. 160.
197 Siehe Biographie, S. 219.
198 Severing, Carl, a.a.O., S. 188: „In den *Sozialistischen Monatsheften* wurde mein Tätigkeitsgebiet vorwiegend (...) von meinen Reichstagsarbeiten bestimmt. Bis zum Jahre
1915 beschränkte sich meine Mitarbeit auf die Besprechung sozialpolitischer Tagesfragen ..."
199 Vgl. dazu Ratz, Ursula, Georg Ledebour 1850–1947, S. 76 ff.
200 Das Kriegstagebuch des Reichstagsabgeordneten Eduard David, S. 52.
201 Ebenda, S. 155.
202 Protokoll Parteitag 1911 in Jena, S. 313: „Die *Tagwacht* mißt dem Parlamentarismus,
dessen Bedeutung gewiß niemand unterschätzt, ein unverhältnismäßig großes Gewicht
bei und sieht ihre Aufgabe oft mehr in persönlicher Reklame für unsere Mandatare, als in
der Betonung der Grundsätze, die sie zu vertreten haben."
203 Vgl. dazu die typisch desinteressierte Haltung Peus' dem Parlament gegenüber: „Können
Sie mir einen Ort nennen, wo es noch langweiliger wäre, als hier im Reichstag?", in
Sozialistische Monatshefte, 1913, S. 139. Peus war von 1891 bis 1933 Chefredakteur des
Volksblatt für Anhalt in Dessau.

zugunsten der parlamentarischen einschränken oder ganz einstellen. „Die Überlast an Arbeit, meine Tätigkeit als Abgeordneter zum Reichstag (...) machte es mir unmöglich, das Blatt weiterzuführen, trotzdem ich oft bis achtzehn Stunden arbeitete und durch viele Jahre nie Ferien gehabt habe. Ich habe deshalb das Blatt in andere Hände gehen lassen müssen."[204]

In das Zentrum des Parteiinteresses rückten die schreibenden Mandatare auf dem Parteitag 1902 in München. Der Rechenschaftsbericht wies wieder einmal, wie schon in den Jahren zuvor, ein hohes Defizit der parteieigenen Zeitschrift *Neue Zeit* aus. Den Grund für das mangelnde Interesse an dieser Zeitschrift – der niedrige Abonnentenstand wurde angeführt – hatten die Parteimitglieder auch bald ausgemacht: „An der *Neuen Zeit* arbeiten verschwindend wenige Reichstagsabgeordnete mit, fast sämtliche Reichstagsabgeordnete der Partei laden ihre Elaborate in den *Sozialistischen Monatsheften* ab, in einem Organ, das nicht im Parteiverlag erscheint."[205]

Diese Anklage des Augsburger Delegierten impliziert die Ansicht, die weitere Genossen auch vertraten,[206] daß die Popularität einer Zeitschrift im wesentlichen durch das Renommee ihrer Mitarbeiter hervorgerufen wird. Und die renommiertesten Mitarbeiter – die schreibenden Mandatare nach der herrschenden Parteimeinung – hatten dem offiziellen Organ der Partei den Rücken gekehrt und somit die *Neue Zeit* bedeutungslos gemacht, d. h. in die roten Zahlen gebracht.

Auf dem Parteitag verteidigten die schreibenden Abgeordneten ihr „Desertieren" mit dem Argument, daß die rigide Redaktionsführung Kautskys die Mitarbeit erschwert, wenn nicht gar unmöglich gemacht hätte.[207] Artikel seien ohne Rücksprache verändert worden oder letztendlich gar nicht erschienen, daß man mit Blick auf sein Vermittlungsinteresse und nicht zuletzt auch wegen der Verdienst-Notwendigkeit die Mitarbeit an den *Sozialistischen Monatsheften* vorgezogen hätte.

Parteipolitisch gesehen spielten sich die Auseinandersetzungen um Mitarbeit oder Nichtmitarbeit an der *Neuen Zeit* vor dem Hintergrund des Revisionismus-Streits ab. Kautsky, den Gegner und Freunde spöttisch den „Oberpriester"[208] nannten, weigerte sich, die revisionistischen Richtungen in der *Neuen Zeit* zu Wort kommen zu lassen.[209] Und weil die

204 Bock, Wilhelm, Im Dienste der Freiheit, S. 57.
   Vgl. dazu auch Keil, Wilhelm, Erlebnisse, Bd. 1, S. 7: „Es vergingen weitere kampfreiche Jahre, in denen ich in den Volksvertretungen in Württemberg und im deutschen Reich (...) mitzuwirken berufen war. Frühzeitig (...) entschloß ich mich, die schwere Last, die auf mir ruhte, zu mindern. Ich schied aus der Redaktion der *Schwäbischen Tagwacht* (...) aus."
205 Protokoll Parteitag 1902 in München, S. 133.
206 Ebenda, S. 116 ff.
207 Ebenda, S. 127 ff.
208 Ignaz Auer an Robert Schmidt am 10. 4. 1899, in: Kleine Korrespondenz auf Mikrofilm im AdSD, Bonn.
209 Vgl. dazu Adler Briefwechsel, S. 271, Kautsky an Adler am 4. 11. 1898: „Und auf Dauer halte ich auch nicht einen Mitarbeiter aus, der mir blos Artikel schickt, die mich zum Widerspruch reizen." und Protokoll Parteitag 1902 in München, S. 127. David: „Bebel hat wiederholt erklärt, es sei niemand mundtodt gemacht worden in der *Neuen Zeit,* es sei für

Parlamentarier zum großen Teil nicht auf dem Boden eines „korrekten"
Marxismus standen, fühlten sie sich durch die *Neue Zeit* nicht genügend
publizistisch vertreten und wichen auf andere Zeitschriften aus — wie
z. B. die *Sozialistischen Monatshefte,* die als „Revisionistenblatt" apostrophiert wurden. Nach Steinberg[210] ist es vor allem der kontinuierlichen
Mitarbeit Auers an den *Sozialistischen Monatsheften* zuzuschreiben, daß
diese Zeitschrift der offiziellen *Neuen Zeit* den Rang ablief und einen
quasi halboffiziellen Status erhielt.[211]

Nicht nur als Journalist machte Auer seine Einflüsse geltend; Schwer-
punkt seiner Pressearbeit waren Inhalts- und Meinungsdirektiven, die er
an die Parteipresse ausgab. Bebel fürchtete den Einfluß Auers auf die
Redaktion des Zentralorgans *Vorwärts* so, daß er sich nach dem Fall der
Lex Hohenlohe – Verbindungsverbot für politische Vereine – im Jahre
1899 nicht entschließen konnte, die Verlegung des Parteivorstandes in
das *Vorwärts*-Haus zu beantragen, weil er glaubte, daß dann der *Vorwärts*
den Einflußmöglichkeiten des Vorstandsmitgliedes Auer noch stärker
ausgesetzt sei und „ganz und gar nach rechts" treiben würde.[212]

Auer versuchte nicht nur das Zentralorgan zu lenken.[213] Adolf Braun
enthüllt auf dem Münchener Parteitag 1902 weitere Pressepraktiken
Auers: „Es giebt nämlich Briefe, die aus der Kreuzbergstraße 30 (Büro des
Vorstandes. d. Verf.) an die Redaktionen kommen, aus denen man abso-
lut nicht erkennen kann, ob es Briefe des Parteivorstandes oder private
Mitteilungen eines sehr geschätzten Parteisekretärs sind. (...) Mein Vor-
gänger in der *Fränkischen Tagespost* bekam mal solchen freundlichen
Brief, weil er sich in einem Artikel gegen die Stellung Bernsteins zur
Kolonialpolitik wandte. Es hieß in dem Brief, unser Standpunkt zur
Kolonialpolitik sei veraltet. Ich bekam, als ich den *Stuttgarter Beobachter,*
der uns wegen der Verelendungstheorie angriff, anulkte, einen Brief, in
dem gesagt war: ach, mit der Verelendungstheorie, das ist ja Unsinn! (...)
Es wäre doch interessant, wenn man bei diesen Briefen, die ich ja gar
nicht missen möchte, und die desto schöner, je gröber sie sind, unter-
scheiden könnte zwischen solchen, die vom Parteivorstand und solchen,
die vom Genossen Auer ausgehen."[214]

---

die Mitarbeiter der *Sozialistischen Monatshefte* nicht nothwendig gewesen aus der *Neuen
Zeit* zu flüchten. Bebel irrt in dieser Beziehung. Es haben in der That Mundtodtmachun-
gen stattgefunden."
210 Steinberg, Hans-Josef, Sozialismus und deutsche Sozialdemokratie, S. 121.
211 Die Basis der Partei las lieber die *Sozialistischen Monatshefte* als die *Neue Zeit.* Vgl. dazu
Protokoll Parteitag 1902 in München, S. 131: „Die Artikel, die Auer und andere dafür
(Sozialistische Monatshefte) geschrieben, werden von den Arbeitern besser verstanden,
als die Artikel in der *Neuen Zeit,* die zu theoretisch sind."
212 Adler Briefwechsel, S. 477. Bebel an Adler am 28. 12. 1904. Bebel weiter: „Auch benützte
A(uer) seine Stellung sehr ausgiebig um durch Briefe die Haltung der ihm unbequemen
Redaktionen zu beeinflussen, was ihm auch mehrfach gelang."
213 Vgl. dazu Berstein, Eduard, Ignaz Auer. Eine Gedenkschrift, Berlin 1907, S. 71. Bernstein
beschreibt Auer als maßgeblichen Zensor des Zentralorgans. Steinberg, Hans-Josef zitiert
einen Brief Liebknechts an Singer, in dem sich Liebknecht bitter darüber beschwert, daß
Auer alle seine Arbeiten zensiere, in: Sozialismus und deutsche Sozialdemokratie, S. 120.
214 Protokoll Parteitag 1902 in München, S. 117.

Bei der Presskommission des Chemnitzer *Beobachters* beklagt Auer sich 1899, daß das Chemnitzer Parteiblatt seinen Reichstagsreden keine Beachtung schenkt: „Es ist nicht das erstemal, daß der *Beobachter* einfach tut, als wenn ihn meine Person (...) nichts anginge. (...) Schließlich ist es nicht meine Art, mich in der Partei hervorzudrängen oder für mich Reklame zu machen. Ich stehe auch im Reichstage gern zurück und lasse andere sich zeigen. Aber systematisch totgeschwiegen werden vom Parteiorgan des eigenen Kreises, das geht doch über das Bohnenlied."[215]

Auch Bebel, der als Parlamentarier par exellence[216] seine journalistischen Pflichten der Reichstagsarbeit hintanstellt,[217] legt Wert darauf, als Ausgangspartner in der Parteipresse zu Wort zu kommen: „Ich habe schon mehrere male bemerkt, daß Eure Zeitung in der parteiischten Weise über die Vorgänge im Reichstag bedient wird. So wird in dem Telegramm über die Sitzung vom 16. März mit keinem Wort erwähnt, daß ich in derselben nach Richter das Wort ergriff."[218] Der Parteiführer, von Kautsky als fauler Journalist beschrieben,[219] greift immer dann schreibend ins Parteigeschehen ein, wenn es galt, die Genossen der Fraktion per Öffentlichkeitsdruck auf die Parteimeinung zu verpflichten.[220]

Ihrer Rolle als Ausgangspartner maßen alle Parlamentarier ein großes Gewicht bei,[221] war doch die Vermittlung ihrer Tätigkeit im Reichstag wichtig im Hinblick auf die Mandatserhaltung.

---

215 Brief von Auer an die Chemnitzer Presskommission vom 6. 2. 1899 zitiert von Heilmann, Ernst, Geschichte der Arbeiterbewegung in Chemnitz, S. 269 ff.

216 Vgl. dazu Scheidemann, Philipp, Memoiren, Bd. 1, S. 212: „Für Bebel war der Reichstag etwas wirklich Großes, Bedeutsames. Das kam nicht nur in gelegentlichen Bemerkungen und Erzählungen zum Ausdruck, sondern in seinem ganzen Verhalten dem Parlament gegenüber, sogar in seiner Kleidung. (...) Für Bebel war der Reichstag tatsächlich das ‚Hohe Haus', das er nur in Feiertagskleidung betrag..." und Stampfer, Friedrich, Erfahrungen, S. 76 ff.: „Bebel war Parlamentarier mit Leib und Seele und ein Fanatiker guter parlamentarischer Sitten." Vgl. dazu auch Protokoll der Fraktionssitzung vom 6. 12. 1899 „Genosse Bebel beklagt mehrere bei den Kollegen in die Erscheinung getretene Übelstände bei ihrem Verhalten während der Plenarsitzungen.", in: Die Reichstagsfraktion der deutschen Sozialdemokratie, S. 24.

217 Adler Briefwechsel, S. 63, Bebel an Adler am 17. 11. 1890: „Es thut mir sehr leid daß ich für die nächsten Wochen nichts schreiben kann, sogar Dietz, dem ich direkt verpflichtet bin, muß warten. Du siehst wie ich im Reichstag in Anspruch genommen bin. Fast jeden Tag 6–7stündige Sitzungen..."

218 Adler Briefwechsel, S. 350. Bebel an Adler am 18. 3. 1901. Die Kritik betrifft die Parlamentsberichterstattung in der Wiener *Arbeiter-Zeitung*. Vgl. auch Bebel an Adler am 29. 11. 1901: „Ich sah heute den Bericht über die Sitzung des Reichstages am Dienstag und bin erstaunt über die tendenziöse Berichterstattung. (...) Wie immer komme ich am schlechtesten weg." (S. 385 ff.)

219 Adler Briefwechsel, S. 197. Kautsky an Heller am 28. 12. 1895: „Einer, der am lautesten klagt, daß die N(eue) Z(eit) nicht aktuell ist, ist Bebel. So oft er das sagt, sage ich ihm: es liegt nur an Dir sie aktueller zu machen. Schreib uns während der Reichstagssitzungen alle 14 Tage einen Parlamentsbericht. Er versprichts, tuts aber nicht."

220 Adler Briefwechsel, S. 210. Bebel an Adler am 28. 6. 1896: „In der Fraktion haben wir wieder Krach. (...) Wird die Fraktion nicht in letzter Stunde vernünftig (...) so gibt's wieder eine öffentliche Auseinandersetzung, denn wir Unterlegenen stimmen nicht mit u. ich bin bei der grundlegenden Bedeutung dieser Abstimmung (...) entschlossen den Kampf in der Presse aufzunehmen."

221 In den Fraktionssitzungen werden immer wieder Proteste vorgetragen, wenn die Rede eines Abgeordneten gekürzt oder gar nicht veröffentlicht wurde. Die Fraktion wandte sich dann mit der Bitte um umfassende Berichterstattung an die betreffenden Parteizeitungen. Vgl. dazu Protokoll der Fraktionssitzung vom 6. 12. 1899: „Anschließend beschwert sich

Eine besondere Art von Pressepolitik betrieben nach den Aussagen Stampfers[222] die Abgeordneten Frank[223] und Scheidemann[224]. Stampfer hatte nach der Jahrhundertwende vor der Gründung des parteieigenen Pressebüros in Berlin ein Nachrichtenbüro ins Leben gerufen, das allen größeren Parteizeitungen die Meldungen und die Leitartikel lieferte.[225] Stampfer schloß Freundschaft mit Frank und Scheidemann, und „während sie die Partei rednerisch vor der Welt vertraten, lieferte ich dem größten Teil der Parteipresse den täglichen Leitartikel. Was sie redeten und was ich schrieb, wurde sorgfältig zwischen uns dreien besprochen. Dadurch wurde eine reibungslose Zusammenarbeit hergestellt, die mehrere Jahre hindurch ausgezeichnet funktionierte. Offiziell wurde der Kurs der Partei vom Parteivorstand, dem *Vorwärts* und der *Neuen Zeit* bestimmt, praktisch aber hatte wohl unser Triumvirat (...) den größeren Einfluß."[226] Hier beschreibt sich wieder einmal ein Nur-Journalist als einflußreicher Agierender auf der politischen Bühne...

IV. Im Kriege

Während des Ersten Weltkrieges wurden neu in den Reichstag gewählt: die Redakteure Oskar Geck[227] und Jean Meerfeld[228]; Hermann Müller[229] und Otto Uhlig[230], die für die Parteipresse als Redakteure gearbeitet hatten, und Rudolf Wissel[231], der als freier Mitarbeiter von Parteizeitungen und Gewerkschaftsblättern tätig war. Weiter ergänzten die Reichstagsfraktion die Nichtjournalisten Richard Maier, Karl Ryssel, Emil Stahl und Heinrich Stubbe.[232]

Der Ausbruch des Krieges brachte eine Reihe von Veränderungen für die Parteipresse: Durch die Papierverknappung waren die Zeitungen gezwungen, ihren Umfang zu verkleinern;[233] neue Zensurbestimmungen

---

Stadthagen über die von der Redaktion des *Vorwärts* beliebte Verkürzung des Berichts seiner Rede (...). Dem Vorschlag des Vorsitzenden, der *Vorwärts* hat die gestrichenen Stellen nachzutragen', stimmt die Fraktion zu.", in: Die Reichstagsfraktion, S. 24.

222 Stampfer wurde 1917 Chefredakteur des *Vorwärts*.
223 Siehe Biographie, S. 172.
224 Siehe Biographie, S. 212.
225 Rosa Luxemburg apostrophierte das Stampfersche Nachrichtenbüro als die „Groß-Lichterfelde Meinungsfabrik".
226 Stampfer, Friedrich, Erfahrungen, S. 140.
227 Siehe Biographie, S. 174.
228 Siehe Biographie, S. 200.
229 Siehe S. 203.
230 Siehe S. 225.
231 Siehe S. 231.
232 Siehe Biographien, S. 200, 211, 222, 223.
233 Vgl. dazu Keil, Wilhelm, Erlebnisse, Bd. 1, S. 306: „Meine schriftstellerische Tätigkeit war mit dem Ausbruch des Krieges fast lahmgelegt. Die Zeitungen verkleinerten ihren Umfang und füllten den verbleibenden Raum vorwiegend mit Kriegsnachrichten."

traten in Kraft, die die redaktionelle Arbeit beeinträchtigten,[234] und eine Reihe von Parteiredakteuren wurde zum Heeresdienst herangezogen.

Der SPD-Reichstagsabgeordnete Dittmann[235], der als Chefredakteur der *Bergischen Arbeiterstimme* in Solingen fungierte, versuchte seine Rückstellung vom Heeresdienst mit dem Argument zu erreichen, daß mit seiner Einberufung das Erscheinen der *Bergischen Arbeiterstimme* in Frage gestellt sei.[236] Das stellvertretende Generalkommando holt zu der Sache Dittmann die Auskunft des Verlegers der *Arbeiterstimme* ein, der bestreitet, daß Dittmann in der Redaktion gebraucht würde: „Herr Dittmann ist auch in der Friedenszeit durch sein Reichstagsmandat, seine Mitgliedschaft im Agitationskommitee in Elberfeld und im Pressebeirat des soz.-demokrat. Pressebüros in Düsseldorf ungefähr ¾ des Jahres verhindert, für unser Blatt tätig zu sein. Die Arbeit in der politischen Redaktion des Blattes ist bisher schon und würde auch nach der Einberufung des Herrn Dittmann von dem zweiten politischen Redakteur (...) zur vollen Zufriedenheit des Vorstandes und des Aufsichtsrats der Genossenschaftsbuchdruckerei, ausgeführt."[237]

Dittmann widerspricht dieser Darstellung,[238] wird aber dennoch Ende 1915 eingezogen, bleibt aber in Deutschland stationiert, um seinen Abgeordnetenpflichten nachkommen zu können.[239]

Diese „Entmachtung" eines sozialdemokratischen Chefredakteurs ist vor dem Hintergrund der sich anbahnenden Parteispaltung zu sehen: Die Auseinandersetzungen um die Bewilligung der Kriegskredite hatte die Fraktion und die Partei in zwei Lager gespalten. Die Mehrzahl der Abgeordneten akzeptierte den „Burgfrieden" und sprach sich für eine Bewilligung der Kriegskredite aus; die Minorität, angeführt von dem Fraktionsvorsitzenden Haase[240], opponierte gegen die „nationalistische" Politik der Mehrheit.

Die entgegengesetzten Standpunkte kommen in der Parteipresse und ihren Vertretern zum Tragen: auf der einen Seite die nationalistischen Eiferer, die in ihren Blättern Stimmungsmache für den „notwendigen"

---

234 Hugo Haase an seinen Sohn Ernst am 26.4.1918: „Die Presse, die von der Zensur mehr denn je geknebelt ist, kann, wenn sie sich nicht freiwillig in den Dienst des Reichspresseamtes stellt, zum großen Teil nur noch referieren. An der Entwicklung selbständiger Gedanken wird sie auf Schritt und Tritt gehindert.", in: Hugo Haase. Sein Leben und Wirken. S.159.
235 Siehe Biographie, S.165.
236 Der Briefwechsel Dittmanns mit dem VII. Armeekorps befindet sich im Nachlaß Dittmann im AdSD, Bonn.
237 Ebenda. Schreiben des Verlegers der *Bergischen Arbeiterstimme,* Solingen an das VII. Armeekorps.
238 Ebenda. Dittmann an das VII. Armeekorps: „In Betracht kommt weiter, dass ich persönlich als Mitglied des Reichstags ohnehin zeitweilig nur in beschränktem Maße – durch Mitarbeit von Berlin aus – imstande bin, der Redaktionsarbeit obliegen zu können, sodass eine schwächere Besetzung als gegenwärtig nicht angängig ist."
239 Dittmann hält drei vielbeachtete Reden vor dem Reichstag. Vgl. dazu Pressestimmen bürgerlicher und sozialdemokratischer Zeitungen, gesammelt in: Belagerungszustand, Zensur und Schutzhaft vor dem Reichstage, S.2ff.
240 Siehe Biographie, S.179.

Krieg betrieben,[241] auf der anderen Seite die Parteiredakteure, die sich weigerten, „an Nationalismus und Annektionismus irgendeine Konzession zu machen"[242].

Der SPD-Reichstagsabgeordnete und Parteiredakteur Gustav Noske[243] geht als Kriegsberichterstatter an die Front: „In den ersten Wochen des Krieges war die sozialdemokratische Presse ohne eigene Berichte vom Kriegsschauplatz. (...) Zur Bedingung machte ich, daß ich nicht in das sogenannte Pressehauptquartier gesteckt würde, sondern mir die Gegend zur Berichterstattung wählen könnte. Der stellvertretende große Generalstab war damit einverstanden. Meine Berichte aus dem Kriegsgebiet konnten deshalb unmittelbarer und eigenartiger sein, als die uniformen Abhandlungen der bürgerlichen Schriftsteller."[244]

David[245], Mitglied des Mehrheitsblocks innerhalb der Fraktion, sammelt nach Kriegsausbruch gleichgesinnte, schreibende Abgeordnete um sich,[246] die die Parteizeitungen mit Artikeln beliefern, um „eine einheitliche Haltung der Provinzpresse zu erreichen"[247].

Die Anschauung von der Zeitung als wichtigstem Meinungsträger innerhalb der Partei erklärt den Kampf der beiden Lager um die Parteiblätter im Kriege. Die Vertreter der Minderheit versuchten, ihre Zeitungsbastionen zu erhalten;[248] die Mehrheit versuchte mit allen Mitteln – siehe Fall Dittmann – die Minoritätsblätter unter ihre Kontrolle zu bringen.

Die *Schwäbische Tagwacht* in Stuttgart schlug sich zu Kriegsbeginn auf die Seite der Kreditverweigerer. Keil,[249] der ehemalige Chefredakteur der Zeitung und Vertreter der patriotischen Richtung in der Partei,[250] doku-

---

241 Den Meinungsumschwung von der Antikriegsstimmung in der Partei hin zur euphorischen Verteidigungsbereitschaft hatte der Artikel Stampfers „Sein oder Nichtsein" (publiziert später von Scheidemann, Memoiren, Bd. 1, S. 239 ff.) mit initiiert. Trotz des Einspruches des Fraktions- und Parteivorstandes, der auf Haases Verlangen eingeschritten war, hatte Stampfer den Artikel über sein Nachrichtenbüro an sämtliche Parteizeitungen geschickt.
Der Abgeordnete und Parteiredakteur Stadthagen gibt dem Oberkommando in Berlin die Erklärung ab: „Ich versichere, dass ich dem Wunsche des Oberkommandos, dass die Einheitlichkeit der patriotischen Begeisterung nicht gestört wird, nachkommen werde, wie ich bisher schon glaube, alles getan zu haben, um die patriotische Begeisterung nicht nur nicht zu stören, sondern zu beleben." Brief im Nachlaß Giebel im AdSD, Bonn.
242 Dittmann, Wilhelm, Erinnerungen, S. 57 ff.; maschinengeschriebenes Manuskript im Nachlaß Dittmann, AdSD, Bonn.
243 Siehe Biographie, S. 204.
244 Noske, Gustav, Erlebtes, S. 44 ff.
245 Siehe Biographie, S. 163.
246 Kriegstagebuch David, S. 18, Eintragung vom 17. 8. 1914: „Wir verabreden, die Journalisten der Partei (...) mittwochs bei Josty (Cafe in Berlin) zu vereinigen, um gemeinsame Orientierung zu ermöglichen."
247 Kriegstagebuch Davids, S. 30. Eintragung vom 1. 9. 1914.
248 Bis zu seinem Ausschluß aus der Fraktion im März 1916 bleibt Henke Chefredakteur der *Bremer Bürger-Zeitung* und hält sie konsequent auf Minoritätskurs. Mehring an Henke am 25. 8. 1914: „...und Glückwunsch für die tapfere Haltung der *B(remer) B(ürger)-Zeitung)* in einer Zeit, wo ein großer Theil der Parteipresse die Partei blamiert." Brief im Nachlaß Henke im AdSD, Bonn.
249 Siehe Biographie, S. 191.
250 Keil, Wilhelm, Erlebnisse, Bd. 1, S. 299. Nach der Kriegserklärung: „Auch ein von mir geschriebener Artikel über die Notwendigkeit der Abwehr einer zaristischen Invasion fand keine Gnade (in der *Schwäbischen Tagwacht*)."
Zur „Russophobie" vgl. Bericht der Reichstagsfraktion im Protokoll Parteitag 1917 in Würzburg, S. 68 ff.

mentiert in seinen Memoiren recht anschaulich, wie die Mehrheitsvertre-
ter bei „Zeitungseroberungen" vorgingen. Die Redakteure der *Tagwacht*
– gestützt durch die Stuttgarter Parteiorganisation[251] – kritisierten offen
die Politik der sozialdemokratischen Fraktion im Reichstage und weigerten sich, Fraktionserklärungen aus dem Mehrheitslager in dem württembergischen Parteiblatt zu veröffentlichen.[252]

Der württembergische Landesvorstand der Partei, der sich fast ausschließlich aus Mehrheitsvertretern zusammensetzte, okkupierte mit
Rückendeckung durch den Landesausschuß und mit Hilfe Keils, der sich
als Chefredakteur zur Verfügung gestellt hatte,[253] die Zeitung: „Am
Morgen des 5. November erschienen Fischer und ich in den Redaktionsräumen. Fischer machte Mitteilung von unserem am Abend vorher gefaß-
ten Beschluß. Die drei oppositionellen Redakteure taten so, als hörten sie
nichts. Ich ergriff sofort Besitz von einem unbenutzten Zimmer, ordnete
an, daß die gesamte einlaufende Post mir auszuhändigen sei und gab der
Setzerei Weisung, nur die Manuskripte abzusetzen, die ich zuvor gesehen und gekennzeichnet hatte. Die Manuskripte der drei Redakteure, die
ohne mein Wissen in die Setzerei gegeben wurden, blieben liegen. Als
die Zeitung aus der Rotationsmaschine kam, sah sie ganz anders aus, als
die drei erwartet hatten. An der Spitze stand die Bekanntmachung des
Landesvorstands, daß die Redaktion durch meinen Eintritt erweitert und
mir bis auf weiteres die Leitung des Blattes übertragen worden sei.
Darauf folgte ein programmatischer Leitartikel unter dem Titel ‚Die
Arbeiterpresse und der Krieg'."[254]

Der Parteipresse wurde während des Krieges vor allem von dem rechten Flügel in der Fraktion[255] ihre Kontrollfunktion abgesprochen; sie war
nur mehr Objekt der Parlamentarier, Unterbau und Stütze für ihre Politik.
Die neuen Führer des Mehrheitsblockes, Ebert und Scheidemann, verteidigten die „Politik des 4. August" mit einer unverhohlenen Propagierung
von Gewaltmaßnahmen gegen oppositionelle Gruppen[256] und dem Verbot jeglicher Kritik an dem Vorgehen der Fraktion.[257] Fraktions- und
Parteivorstand sowie der Parteiausschuß maßten sich Befugnisse an, die
nur dem Parteitag zustanden.[258] Im Dezember 1915 tritt der Fraktionsvor-

---

251 Die für die *Tagwacht* zuständige Presskommission setzte sich aus Vertretern der Minder-
    heit zusammen. Vgl. dazu Keil, Wilhelm, a. a. O., S. 312.
252 Keil, Wilhelm, a. a. O., S. 307.
253 Ebenda, S. 313.
254 Keil, Wilhelm, Erlebnisse, Bd. 1, S. 313.
255 Darunter Ebert, David, Wolfgang Heine, Lensch, Scheidemann, Schöpflin, Südekum und
    Wels. Lensch war mit Ausbruch des Krieges vom linken Flügel der Fraktion zum rechten
    übergewechselt. Ab Juni 1915 ist er Mitherausgeber und Redakteur der *Sozialdemokrati-
    schen Artikelkorrespondenz*, Sprachrohr der Ultra-Rechten in der Partei. Vgl. dazu Sigel,
    Robert, Die Lensch-Cunow-Haenisch-Gruppe, S. 56 ff.
256 Legien beantragte schon am 2. 2. 1915 nach Liebknechts abweichendem Votum dessen
    Ausschluß aus der Fraktion. (Die Reichstagsfraktion der deutschen Sozialdemokratie,
    Bd. 2, S. 27).
257 Der Parteiausschuß „verabredete" am 27. 9. 1914 laut Eberts Aussage, daß in Mitglieder-
    versammlungen keine Diskussionen mehr zugelassen seien, die sich kritisch mit der
    Haltung der Fraktion befaßten, in: Groh, Dieter, Negative Integration, S. 714, Fußnote.
258 Eine „große Lücke im Organisationsstatut" (Scheidemann auf dem Parteitag 1917 in
    Würzburg, Protokoll S. 279) bot der Mehrheit der Fraktion die Chance, ihre Vorstellungen
    über die notwendige Kriegspolitik der Partei autoritativ durchzusetzen. Scheidemann

sitzende Haase, der Führer der oppositionellen Minderheit, von seinem Posten zurück; sein Nachfolger Ebert beantragt im März 1916 in einer Fraktionssitzung den Ausschluß der Oppositionellen aus der Fraktion.[259] Nach der Abstimmung entzog man ihnen die Rechte als Fraktionsmitglieder; der „Kampf gegen die Annektionisten"[260] konnte von der Reichstagstribüne aus nicht mehr geführt werden, weil dieses Forum den Ausgeschlossenen – darunter eine Reihe von Parteiredakteuren, die mit dem Ausschluß auch ihre Anstellung verloren[261] – nicht mehr zur Verfügung stand.

Eine letzte große Bastion blieb der Minorität – aber auch nicht mehr allzulange: das Zentralorgan *Vorwärts*, das mit Kriegsausbruch seine Harmonisierungs-Rolle[262] aufgegeben hatte und zum erstenmal in seiner Geschichte wirklich meinungsbildend wurde. Es opponierte offen gegen die Fraktionspolitik der Mehrheit[263] und ließ es konsequent auf eine Konfrontation mit dem Parteivorstand ankommen, der sich ja vor die Fraktionsmehrheit gestellt hatte.[264] Mehrmals versuchte der Vorstand, Einfluß auf die Redaktion, die von Haase indirekt geleitet wurde,[265] zu bekommen, doch Presskommission wie Kontrollkommission waren mit Minderheitsvertretern besetzt, so daß sich der Parteivorstand auf der gedrittelten Bestimmungsebene nicht durchsetzen konnte.[266]

Da aber die Zensur mit den Sprachrohren der Minderheit wesentlich schärfer umging als mit denen der Mehrheit,[267] wurde auch der *Vorwärts*

---

    rechtfertigte die Fraktion als Führer die Partei mit der Bezugnahme auf die Sozialistengesetz-Zeit, wo ebenfalls die Fraktion die Leitung der Partei übernommen hatte.

259 Ausgeschlossen wurden: Bernstein, Bock, Büchner, Cohn, Dittmann, Geyer, Haase, Herzfeld, Henke, Horn, Kunert, Ledebour, Schwartz, Stadthagen, Stolle, Vogtherr, Wurm, Zubeil. Liebknecht war vorher ausgeschlossen worden, Rühle aus der Partei ausgetreten. Rühle hatte als einer der ersten die fraktionsinternen Auseinandersetzungen in die Presse gebracht (*Berliner Tageblatt*, 9. 2. 1915, *Leipzig Volkszeitung*, 11. 2. 1915 und *Vorwärts*, 10. 2. 1915).

260 Dittmann, Wilhelm, Erinnerungen, S. 55 ff. im AdSD, Bonn.

261 z. B. Alfred Henke, Chefredakteur der *Bremer-Bürger-Zeitung*. Unterlagen darüber im Nachlaß Henke im AdSD, Bonn.
    Vgl. dazu auch MdVA, Nr. 185, 1. 8. 1919, S. 6: „Die *Bremer Bürgerzeitung*, zu deren Firmenträgern u. a. Ebert und Hermann Müller gehörten, verfolgte unter der Leitung des Chefredakteurs Alfred Henke im Jahre 1916 gegen den Willen Eberts eine radikale Politik, bis Ebert nach Bremen kam, Henke seines Amtes entsetzte..."

262 Bebel Briefwechsel. S. 730, 767, 782.

263 Ausführlich zur Berichterstattung des *Vorwärts* zu Beginn des Weltkrieges: Schoen, Curt, Der *Vorwärts* und die Kriegserklärung.

264 In der *Münchener Post* und anderen Mehrheitsblättern erließ der Parteivorstand am 28. 12. 1915 eine Erklärung gegen die Art und Weise, wie das Zentralorgan Verlautbarungen des Parteivorstandes, der Reichstagsfraktion und des Parteiausschusses kritisierte, bzw. gar nicht veröffentlichte.

265 Scheidemann, Philipp, Memoiren, S. 267.

266 Ebenda, S. 270.

267 Wilhelm Dittmann als Minderheit-Redakteur: „Meine Weigerung, an Nationalismus und Annektionismus irgendeine Konzession zu machen und mein ständiger Versuch, in der Zeitung gegen sie Stellung zu nehmen, brachte mich bald in Konflikt mit der Zensur des Generalkommandos in Münster in Westfalen. Das Blatt – die *Bergische Arbeiterstimme* – wurde wiederholt verboten und schließlich dauernd unter Vorzensur gestellt.", in: Dittmann, Wilhelm, Erinnerungen, S. 57 ff. im AdSD, Bonn.
    Severing als Mehrheits-Redakteur: „Über meine Zensoren hatte ich im allgemeinen nicht zu klagen. (...) So kam es, daß die *Volkswacht*, deren politischen Teil ich leitete, in den Kriegsjahren nicht ein einziges Mal verboten worden ist.", in: Severing, Carl, Mein Lebensweg, Bd. 1, S. 204 ff.

während des Krieges des öfteren verboten. Ein abermaliges Verbot im Herbst 1916 nimmt der Parteivorstand zum Vorwand – Haase spricht von einem Handel des Parteivorstandes mit dem Oberkommando zur Unterdrückung des Zentralorgans[268] –, die Zeitung zu „besetzen".[269] Die sechs oppositionellen Redakteure werden entlassen und Friedrich Stampfer als Chefredakteur eingesetzt. Das erschien vor allem deswegen wie ein „Gewaltstreich", weil der *Vorwärts* immer auch das Organ der Berliner Parteiorganisation gewesen war, und Press- und Kontrollkommission sowie die Mehrzahl der Berliner Parteimitglieder hinter der Redaktion des *Vorwärts* standen. „Die Berliner stehen in einem schweren Kampf, um den Schlag zu parieren und zu ihrem Recht zu kommen. Wäre der Belagerungszustand nicht da, so würden sie ein neues Blatt gründen. Jetzt ist aber weder die behördliche Genehmigung, noch das Papier zu erbringen."[270]

Letzter „Streich" der Mehrheitssozialisten war die Übernahme der *Neuen Zeit* ins Mehrheitslager. Man teilte dem Chefredakteur Kautsky, der die Zeitschrift über 30 Jahre geleitet hatte, „in kameradschaftlicher Weise"[271] mit, daß er zu gehen habe. Das einstige Sprachrohr der Marx-Orthodoxen wurde von einer Gruppe mit völlig anderem theoretischen Hintergrund übernommen: von eben den „Linienabweichler", gegen die Kautsky immer scharf vorgegangen war.[272]

Beide, Mehrheit wie Minderheit, gaben sich für die „Partei" aus. Die Minderheit organisierte sich im Frühjahr 1917 zur Unabhängigen Sozialdemokratie (USPD), die Mehrheit formierte sich in der Mehrheitlichen Sozialdemokratie (MSPD). Die USPD gründete nach dem Weltkrieg neue Zeitungen und Zeitschriften,[273] die MSPD führte die bestehenden weiter.

268 Haase an Eisner am 4. 11. 1916. Dieser Handel „ist das Schäbigste, was ich in der Politik erlebt habe." Hugo Haase, Sein Leben, S. 130 ff.
269 Chronologie des *Vorwärts-*„Raubes" aus der Sicht der Rechten. Scheidemann, Philipp, Memoiren, Bd. 1, S. 266 ff. und Brief „Zum Vorwärtskonflikt" im Nachlaß Giebel im AdSD, Bonn.
   Aus der Sicht der Linken: *Leipziger Volkszeitung*, 19. 10. 1919.
270 Haase an Eisner am 4. 11. 1916 in Hugo Haase, Sein Leben, S. 131.
271 Ebert auf dem Parteitag 1917 in Würzburg, Protokoll, S. 308.
272 Vgl. dazu Kautskys Ringen um die Entlassung des revisionistischen Mitarbeiters Eduard Bernstein. Adler Briefwechsel, S. 271, 274, 282, 294 ff.
273 *Die Freiheit*, Berliner Organ der USPD, ab 15. 11. 1918, *Klassenkampf*, Organ der Unabhängigen, Berlin ab 4. 10. 1922.

Schlußwort

Journalist mit Mandat oder Parlamentarier als Redakteur wider Willen? Für die Frühzeit der sozialdemokratischen Parteibewegung ist typisch, daß die Parteiführer und Organisatoren die neu entstandenen Zeitungen selber redigierten oder bestimmend auf deren Redaktionsführung einwirkten. Die Ur-Sozialdemokraten, wie Liebknecht, Most und Hasselmann, sahen sich als schreibende Kämpfer im Dienste ihrer Partei. Obschon sie die Funktion eines Volksvertreters im Parlament ausübten, „wirkten" sie im Reichstag getreu nach der alten Marx-Devise von 1848/49 negierend. Sie verachteten das Parlament und empfanden ihr Mandat als puren Zierat. Von den „Gründer"-Abgeordneten der sozialdemokratischen Partei fanden sich nur Bebel und Schweitzer auf dem parlamentarischen Boden zurecht. Bebel sah in der Rednertribüne *den* herausragenden Platz zur Verbreitung der sozialdemokratischen Ideen; Schweitzer vertrat in Ansätzen den Willen zu einer konstruktiven Mitarbeit im Parlament. Er war auch der erste Parteijournalist, der seine redaktionelle Arbeit seiner Abgeordnetentätigkeit hintanstellte.

Für die Phase der Konstituierung der Arbeiterbewegung zu einer Partei sind die Gründungen einer Unzahl von Parteizeitungen charakteristisch. Mit einem ungebrochenen Glauben an die Macht der Presse ausgestattet, wurden parteieigene Zeitungen als *das* Mittel zur Mitglieder- und Wähleraktivierung apostrophiert. Zur Mitarbeit in den Redaktionen der neuen Zeitungen wurden alle faßbaren Parteimitglieder herangezogen, meldeten sich viele der jungen Genossen ungerufen. Man fragte nicht nach journalistischer Begabung oder Können; man setzte einfach voraus – im Vorgriff auf die Leninsche Pressekonzeption – daß ein rühriger Kämpfer auch mit dem Metier Zeitung zurechtzukommen hätte. Ein Beispiel für die Praxis dieser Redakteursrekrutierungs ist Eduard Bernstein, der ohne diesbezügliche Berufsausbildung oder journalistische Erfahrung 1881 auf den wichtigsten Redakteursposten abkommandiert wurde, den die Partei zu vergeben hatte: die Stellung am Exilorgan *Sozialdemokrat* in Zürich.

Der Erlaß des Sozialistengesetzes im Jahre 1878 setzt der parteitypischen Ämterverflechtung Redakteur-Parlamentarier erst einmal ein Ende: Die sozialdemokratischen Zeitungen in Deutschland wurden verboten, und der Standort des illegalen Zentralorgans in Zürich erschwerte eine kontinuierliche Mitarbeit und Einflußnahme der in Deutschland verbliebenen Parlamentarier auf das Blatt. Spritius rector des *Sozialdemokrat* wurde Friedrich Engels, der als Mentor Bernsteins marxistisches Gedankengut in die Zeitung einbrachte. Zum ersten Mal in der jungen

Geschichte der Arbeiterbewegung – die *Neue Rheinische Zeitung* kannten ja nur noch die „Alten" der Bewegung – wurde die schon breite Basis der Partei mit den Marxschen Lehren vertraut gemacht. Nach Steinberg[1] konnte aber trotz der Konkurrenzlosigkeit der marxistischen Denkmodelle in der Zeit des Sozialistengesetzes von einer befriedigenden theoretischen Durchbildung der Parteigenossen nicht die Rede sein. Die Funktion der kritischen Instanz vom Boden einer einheitlichen Weltansschauung aus[2] wurde nach dem Fall des Sozialistengesetzes (und Wegfall des *Sozialdemokrat*) von Kautskys *Neuer Zeit* übernommen. Doch die Adressaten dieser Instanz schienen theorie-scheu zu sein: Die *Neue Zeit* hatte nur eine geringe Zahl von Abonnenten, die Mehrzahl der Parteimitglieder interessierte sich nicht für den „wissenschaftlichen Kram".

In der Zeit des Sozialistengesetzes wurde ein anderer Typus von Parteizeitung entwickelt: das Parlamentarierblatt. Die Reichstagsabgeordneten, die auf einem anderen ideologischen Boden standen als die *Sozialdemokrat*-Macher, die offen zu einer konstruktiven Parlamentsmitarbeit tendierten, konnten sich im Exilorgan nicht mehr vermitteln. Sie (Blos, Geiser, Viereck u. a.) gründeten in der Zeit der milderen Handhabung des Sozialistengesetzes eigene Zeitungen als Plattform für die Verbreitung ihrer speziellen Anschauungen.

Mit dem Wachstum der SPD nach der Wiederlegalisierung zur Massenpartei und dem Hineinwachsen der sozialdemokratischen Abgeordneten in den parlamentarischen Betrieb und nicht zuletzt durch die Diätenzahlung aus Reichsmitteln bildete sich innerhalb der zahlenmäßig immer größer werdenden Fraktion eine große Gruppe praktischer Berufspolitiker heraus. Sie (David, Heine, Ledebour, Vollmar u. a.) griffen zwar immer dann zur Feder, wenn es galt, eine politische Entscheidung der Basis und den Parteikontrahenten gegenüber zu rechtfertigen – oder widerwillig, um ihre Erwerbsgrundlage zu halten. Diese Abgeordneten sahen sich als praktische Politiker, die unwirsch und ungehalten reagierten, mischte sich ein Nur-Parteijournalist mit Anregung und Kritik in ihre parlamentarische Tätigkeit: „Leute, die schreiben, wollen um Himmels Willen nur logisch sein (...), während der Poltiker (...) sich den Teufel um die Logik kümmert, wenn's nur klappt und wirkt".[3]

Die Journalisten, die nicht nur aus Erwerbsgründen auf einem Redaktionsstuhl ausharrten, sondern ihre Tätigkeit als Profession betrachteten, wurden nach 1890 immer weniger in der Fraktion. Die durch ihre Professionsauffassung eingebrachte Journalisten-Ideologie (wie die Forderung nach Meinungsfreiheit zum Beispiel) brachte diese Männer (Calwer, Braun u. a.) in Konfrontation mit Parteibasis und -vorstand.

Der Weg der Partei hin zur „Staatsanpassung" wirkte sich auch innerhalb der Parteipresse aus. Schoenlank, als Reformator der sozialdemokra-

---

1 Steinberg, Sozialismus, S. 39 ff.
2 Kautsky an Bernstein am 23. 10. 1898, in: Adler Briefwechsel, S. 274.
3 Adler an Bebel am 26. 12. 1904, in: Adler Briefwechsel, S. 445.

tischen Parteipresse vielgespriesen, reformierte im Sinne der Anpassung. Er gestaltete die *Leipziger Volkszeitung*, deren Chefredakteur er war, nach bürgerlichen Vorbildern um, und erreichte mit der Parteizeitung neuen Stils eine enorme Auflagenhöhe. Profit als Reform?

Die Abkehr von der traditionellen „hausgemachten" Kampfpresse signalisierten auch zwei Einrichtungen der Partei: 1906 wurde die Parteischule gegründet, die die Ausbildung künftiger Redakteure zur Zielsetzung hatte; 1908 etablierte sich das parteieigene Pressebüro in Berlin, um der Zeitforderung nach Aktualität auch für die „kleine" Parteipresse Genüge zu leisten. Die sozialdemokratische Parteizeitung nach der Jahrhundertwende unterschied sich – sieht man einmal vom politischen Kommentarteil ab – kaum noch von den bürgerlichen Zeitungen: Schlagzeilen beherrschten das Bild der Zeitung, Sensationen erschienen groß aufgemacht, die Theaterkritik eroberte sich einen festen Platz und der Annoncenteil war so üppig wie in den anderen Zeitungen Deutschlands. Einrichtungen, die noch Jahre vorher in Grund und Boden verdammt worden waren...

Die Partei war salonfähig geworden, ihre Presse konkurrenzfähig. Die Parlamentarier wurden Berufspolitiker, die Parteijournalisten entwickelten – gestützt durch ihre Berufsorganisation – ein selbstsicheres Standesbewußtsein. Die Parteikrise zu Beginn des Ersten Weltkrieges verwischte aber die Ansätze zu einer Professionstrennung: Die journalistisch lange Zeit abstinent gewesenen Parlamentarier griffen schreibend ins Geschehen ein und die Parteijournalisten machten Politik...

Anhang: Biographien

Die Angaben zu der redaktionellen und journalistischen Tätigkeit der Abgeordneten sind, wenn nicht gesondert bemerkt, folgenden Bibliographien und biographischen Lexika entnommen:

Biographisches Lexikon, hrsg. vom Institut für Marxismus und Leninismus beim ZK der SED. Berlin (Ost) 1970.
Eberlein, Alfred, Die Presse der Arbeiterklasse und der sozialen Bewegungen, 4 Bde. Berlin (Ost) 1968/69.
Koszyk, Kurt (Mitarbeit Gerhard Eisfeld), Die Presse der deutschen Sozialdemokratie. Eine Bibliographie. Hannover 1966 (2., überarbeitete und erweiterte Auflage 1980).
Osterroth, Franz, Biographisches Lexikon des Sozialismus, Bd. 1. Hannover 1960.

Agster, Alfred Emil Oskar (1858–1904), gelernter Apotheker, im Handbuch der Reichstage als Arbeitersekretär in Stuttgart aufgeführt,[1] trat im September 1890 in die Redaktion der *Schwäbischen Tagwacht,* Stuttgart ein, in der er bis 1895 tätig war.[2] Nach seinem Ausscheiden aus der Redaktion war er bis zu seinem Selbstmord im Jahre 1904 Hauptmitarbeiter als Berichterstatter und Leitartikler für diese Zeitung.[3]

MdR	1898–1903
Redakteur	1890–1895
Freier Journalist	1895–1904
Verleger/Herausgeber	–

---

1 Hirsch, Max, MdR, Biographisches Handbuch der Reichstage, S. 252.
2 Vgl. Keil, Wilhelm, Erlebnisse, Bd. 1,1947, S. 154.
3 Handbuch des Vereins Arbeiterpresse. Berlin 1914, S. 125.

Albrecht, Karl Leopold Adolf (1855–1930) war Schneidermeister in Halle.

MdR	1898–1903, 1905–1918, 1920–1924 (USPD)
Redakteur	–
Freier Journalist	–
Verleger/Herausgeber	–

Antrick, Otto Friedrich Wilhelm (1858–1924), Sohn eines Schiffseigentümers aus Landsberg a. d. Wartha, war Zigarrenmacher, ab 1886 Zigarrenfabrikant in Berlin und von 1906 an Parteisekretär in Braunschweig.[1]

MdR   1898–1903, 1912–1918
Redakteur   –
Freier Journalist   –
Verleger/Herausgeber   –

---

1 Vgl. Osterroth, Franz, Biographisches Lexikon des Sozialismus, Bd. 1. Hannover 1960.

Auer, Ignaz (1846–1907), Sohn eines Metzgers, in einem kleinen Dorf bei Passau geboren, war gelernter Sattler. 1873 schreibt er seine ersten Artikel für den Leipziger *Volksstaat;* im gleichen Jahr übernimmt er den Redakteursposten am *Dresdener Volksboten,*[1] gleichzeitig ist er Expediteur dieses Parteiblattes. 1874 scheidet er aus dem *Volksboten* aus, liefert aber weiter Berichte für den *Volksstaat.*
1876 war er Redakteur des sozialdemokratischen *Hamburg-Altonaer Volksblatt,*[2] 1877 tritt Auer in die Redaktion der *Berliner Freien Presse* ein; nach dem Inkrafttreten des Sozialistengesetzes wird die Zeitung 1878 verboten. Für die Nachfolgezeitung *Berliner Nachrichten* zeichnet Auer als verantwortlicher Redakteur. Noch im gleichen Jahr wird dieses Blatt ebenfalls verboten und Auer aus Berlin ausgewiesen. Im November 1878 übernimmt er eine Redakteursstelle an der neu gegründeten *Hamburger Gerichtszeitung;*[3] im November 1880 zieht die *Gerichtszeitung* nach Harburg um. Am 28. 3. 1881 fällt auch sie dem Sozialistengesetz zum Opfer, und Auer wird aus Hamburg ausgewiesen. Von Hamburg aus lieferte Auer einige Beiträge für den Züricher *Sozialdemokrat.* Von 1881 bis 1886 betreibt Auer ein Möbelgeschäft in Schwerin und ist journalistisch kaum tätig.[4] Anfang 1886 siedelt er nach München über und wird Redakteur der Zeitungen *Recht auf Arbeit* und *Deutsches Wochenblatt.* Dazu noch schreibt er Korrespondenzen für das *Berliner Volksblatt.* Von München aus redigiert er auch das Fachblatt der Tabakarbeiter, den *Gewerkschafter.*[5]
Nach dem Fall des Sozialistengesetzes wird er Parteisekretär – diese Stellung bekleidet er bis zu seinem Tode 1907 – und übersiedelt nach Berlin. Der Bernsteinsche Projekt, „Auer an den *Vorwärts* zu bringen"[6] realisiert sich; obschon Mitredakteur am Zentralorgan, trat er nur als „Gelegenheitsmitarbeiter"[7] auf. Seine eigentliche Funktion war die eines Zensors, der „Führer des Rotstifts".[8] Sein Einfluß reichte aber weiter: Bebel fürchtete seine Einwirkung auf die Inhaltsgestaltung des *Vorwärts* so, daß er sich nach dem Fall der „Lex Hohenlohe" – Verbindungsverbot für politische Vereine – im Jahre 1899 nicht entschließen konnte, die Verlegung des Parteivorstandes in das *Vorwärts*-Haus zu beantragen, weil er glaubte, daß dann durch die ständige Präsenz Auers die Redak-

teure einem noch stärkeren Einfluß ausgesetzt wären und das Blatt dann „ganz und gar nach rechts treiben würde".[9]

Als Mitarbeiter der *Sozialistischen Monatshefte,* die ab 1897 erscheinen, tritt Auer wieder journalistisch in Erscheinung.[10] Nach Steinberg lief die Zeitschrift, die nicht als Parteiorgan galt und von der Marx-Orthodoxie aufs heftigste befehdet wurde, schon allein wegen der Mitarbeit Auers der offiziellen Parteizeitschrift *Neue Zeit* allmählich den Rang ab.[11]

MdR	1877–1878, 1880–1881, 1884–1887, 1890–1907
Redakteur	1873–1874, 1876–1881, 1886–1890
Freier Journalist	1874–1876, 1890–1907
Verleger/Herausgeber	–

1 Vgl. Bernstein, Eduard, Ignaz Auer. S. 21 ff. und: Handbuch Arbeiterpresse 1914, S. 95.
2 Vgl. Bruhns, Julius, Es klingt im Sturm, S. 27 und: Blos, Wilhelm, Zur Geschichte der sozialdemokratischen Presse, in: MdVA, Nr. 89 vom 4. 12. 1909.
3 Vgl. Jensen, Jürgen, Presse und politische Polizei, S. 73.
4 Festzustellen war für diesen Zeitraum nur ein Artikel Auers in der *Neuen Zeit* (1886).
5 Vgl. Handbuch Arbeiterpresse 1914, S. 145.
6 Bernstein, S. 377 ff. Brief von Regina Bernstein an Engels vom 6. 6. 1891.
7 Bernstein, Eduard, Die Geschichte der Berliner Arbeiterbewegung, S. 404.
8 Bernstein, Eduard, Ignaz Auer, S. 71.
  Steinberg zitiert einen Brief Liebknechts an Singer, in dem sich Liebknecht darüber beschwert, daß Auer alle seine Arbeiten zensiere, in: Steinberg, Hans-Josef, Sozialismus, S. 120.
9 Adler Briefwechsel mit Kautsky. Wien 1954, S. 447.
10 Sporadisch hat Auer immer wieder Artikel für den *Vorwärts* geschrieben. Auf dem Parteitag 1896 in Gotha bekennt er (Protokoll S. 111): „Ich kann Ihnen jetzt den Verfasser dieser Artikel vorstellen: Ich bin es gewesen."
11 Steinberg, Hans-Josef, Sozialismus, S. 121.

Baudert, Friedrich August (1860–1942), Webwirker und Parteisekretär in Weimar, war in den neunziger Jahren Redakteur der Apoldaer *Freien Presse.*[1]

MdR	1898–1907, 1912–1918, 1919–1920
Redakteur	in den 90er Jahren
Freier Journalist	–
Verleger/Herausgeber	–

1 Vgl. Notiz im *Vorwärts* vom 30. 6. 1892: „Wirkermeister August Baudert, Redakteur der Apoldaer *Freien Presse . . .*"

Bauer, Gustav (1870–1944) wurde als Sohn eines Gerichtsvollziehers in Darkehmen, Ostpreußen geboren und arbeitete als Bürogehilfe. 1895 gründet er den Verband der Büroangestellten und redigiert von 1895 bis 1901 das Verbandsorgan *Der Bureau-Angestellte.*[1] Von 1908 an ist er stellvertretender Vorsitzender der Generalkommission der Gewerkschaften. Ab 1916 ist er Mitarbeiter der *Sozialdemokratischen Artikelkorrespondenz.*[2]

MdR	1912–1918, 1919–1925
Redakteur	1895–1901
Freier Journalist	ab 1916
Verleger/Herausgeber	–

---

1 Personalia-Akte Gustav Bauer im AdSD, Bonn. Biographisches Lexikon, Handbuch Arbeiterpresse 1914, S. 255.
2 Koszyk, Kurt, Zwischen Kaiserreich und Diktatur, S. 229.

Bebel, August (1840–1913), Sohn eines Unteroffiziers, erlernte das Drechslerhandwerk. 1867 und 1868 ist er nach eigenem Bekunden „eifrigster Mitarbeiter"[1] der Zeitung *Deutsche Arbeiterhalle* in Mannheim. Ab Herbst 1868 ist er ständiger Mitarbeiter des *Demokratischen Wochenblatts,*[2] dessen „ganzen Arbeiterteil"[3] er schrieb. In den siebziger Jahren schreibt er Artikel für den *Volksstaat,*[4] von Oktober 1877 bis November 1878 ist er Mitarbeiter der sozialistischen Revue *Die Zukunft,* die zweimal monatlich in Berlin erscheint.
1886 ist er kurze Zeit Mitherausgeber der Zeitung *Haus und Welt,* die in Berlin erscheint.[5]
1889 gibt er seine handwerkliche Erwerbstätigkeit auf – bis 1884 hatte er eine eigene Drechslerwerkstatt, ab 1884 war er als Reisender für seine Werkstatt tätig – und lebt von da an von journalistischer und schriftstellerischer Arbeit. Bei der *Neuen Zeit* ist er gegen ein festes Gehalt als Mitarbeiter engagiert;[6] außerdem schreibt er regelmäßig für die Wiener *Gleichheit* und ihre Nachfolgezeitung, die Wiener *Arbeiterzeitung.*[7] Beim Zentralorgan *Vorwärts* fungiert er als „Gelegenheitsmitarbeiter"[8].

MdR	1867–1881, 1883–1913
Redakteur	–
Freier Journalist	1867–1913
Verleger/Herausgeber	1886

---

1 Bebel, August, Aus meinem Leben, Bd. 1, S. 177.
2 Leidigkeit, Karl-Heinz, Wilhelm Liebknecht und August Bebel, S. 156.
3 Bebel, August, a.a.O., S. 183.
4 Wilhelm Liebknecht. Briefwechsel mit deutschen Sozialdemokraten, S. 490. Blos an Liebknecht am 17.5. 1873: „Herr Bebels beide Artikel habe ich erhalten; sie sind im Satz, konnten aber bis jetzt nicht zum Abdruck gelangen, denn der Stoffandrang ist wirklich unbeschreiblich."
5 Vgl. Höhn, Reinhard, Die vaterlandslosen Gesellen, S. 123, Dokument Nr. 8, Berlin, 14. 6. 1882, Polizeipräsidium, Journ. Nr. 2117 P.J.I. Secret: „Die inländische Presse (...) hat aber auch wieder einen Zuwachs erfahren durch die von Hasenclever, Bebel und Liebknecht herausgegebene Zeitung *Haus und Welt."*
6 Adler Briefwechsel. Bebel an Adler am 20. 12. 1890: „Die N.Z. (*Neue Zeit.* d. Verf.), bei der ich gegen festen Gehalt engagiert bin, hat seit mehr als 4 Wochen keine Zeile von mir besehen."
7 Vgl. Neuhaus, Giesela, August Bebel als Korrespondent der *Gleichheit* und der *Arbeiterzeitung* in Wien in: Beiträge zur Geschichte der Arbeiterbewegung, Jg. 20, 1978, S. 707–718.
8 Bernstein, Eduard, Geschichte der Berliner Arbeiterbewegung, Bd. 3, S. 404.

Bender, Ferdinand (1870–1936), geboren in Halver, war gelernter Schlosser; ab 1901 war er als Gewerkschaftssekretär tätig.

MdR	1912–1918, 1919–1932
Redakteur	–
Freier Journalist	–
Verleger/Herausgeber	–

Bernstein, Eduard (1850–1932), Sohn eines Lokomotivführers, machte eine kaufmännische Lehre durch und arbeitete als Angestellter einer Bank. Nebenberuflich redigierte er von September bis Dezember 1874 die „Flug-Zeitung" *Der Proletarier* in Berlin. Im Januar 1881 wird er Redakteur des Züricher *Sozialdemokrat* und zieht mit dem Exilorgan im Oktober 1888 nach London um, wo die Zeitung noch bis zum 27. September 1890 erscheint.

Nach dem Fall des Sozialistengesetzes bleibt Bernstein in London; wegen drohender Strafverfolgung kann er bis 1901 nicht nach Deutschland zurückkehren. In England arbeitet er als Korrespondent des *Vorwärts*[1] und ist ständiger, festbezahlter Mitarbeiter der *Neuen Zeit*.[2] Nach Deutschland zurückgekehrt, gründet er im Herbst 1901 die Monatsschrift *Dokumente des Sozialismus,* die bis 1905 besteht. Im Mai 1904 ruft er das *Neue Monatsblatt* ins Leben, das aber nur einen Jahrgang existiert.[3] Infolge der Revisionismus-Auseinandersetzungen gibt er seine Mitarbeiterstelle bei der *Neuen Zeit* auf und schreibt ab 1900 Artikel für das Konkurrenzblatt *Sozialistische Monatshefte*.[4] Von Mai 1915 bis Ende 1918 ist er Redakteur der Zeitschrift *Sozialistische Auslandspolitik,* die einmal wöchentlich in Berlin erscheint.

MdR	1902–1907, 1912–1918, 1920–1928 (USPD, SPD)
Redakteur	1874, 1881–1890, 1915–1918
Freier Journalist	1890–1915
Verleger/Herausgeber	1905

---

1 Bernstein, Eduard, Geschichte der Berliner Arbeiterbewegung, Bd. 3, S. 404: „...in den Jahren 1901 bis 1903 ständiger Mitarbeiter des *Vorwärts.*"
2 Adler Briefwechsel. Kautsky an Bernstein am 23. 10. 1898, S. 275: „Du bist nicht gelegentlicher Mitarbeiter, sondern ständiger..."
3 Bernstein, Eduard, Entwicklungsgang eines Sozialisten, S. 41 ff.
4 Bernstein wird zur Kündigung seiner Mitarbeiterstelle bei der *Neuen Zeit* quasi gezwungen. Vgl. Adler Briefwechsel. Bebel an Adler am 8. 4. 1899, S. 399: „Ich bin dabei bereit jede Verpflichtung der Partei gegen Ede (Bernstein. d. Verf.) wegen seiner früher geleisteten guten Dienste an zuerkennen und ihn materiell sicher zu stellen, aber auf seine Mitarbeiterschaft an der *N. Z.* (*Neue Zeit.* d. Verf.) und am Zentralorgan muß er verzichten."

Berthold, Heinrich Bruno (1856–1935) war Buchhändler in Darmstadt.

MdR   1906–1907
Redakteur   –
Freier Journalist   –
Verleger/Herausgeber   –

Binder, Jakob (1866–1932) war gelernter Bäcker und hatte eine eigene Bäckerei in Ludwigshafen.

MdR   1908–1918, 1919–1920
Redakteur   –
Freier Journalist   –
Verleger/Herausgeber   –

Birk, Georg Johann (1839–1924), geboren in Kempten, war gelernter Metzger und hatte eine Gastwirtschaft in München. Ab 1. 1. 1890 fungiert er als Mitherausgeber der *Münchener Post* neben Vollmar.[1] Einige Jahre später wird er von der örtlichen Parteileitung ermächtigt, mit zwei Teilhabern das Druckereiunternehmen in Form einer offenen Handelsgesellschaft zu führen.[2]

MdR   1890–1898, 1903–1907
Redakteur   –
Freier Journalist   –
Verleger/Herausgeber   ab 1890

---

1   Harrer, Charlotte, Die Geschichte der Münchener Tagespresse, S. 138.
2   Werner, Emil, Aus der Geschichte der *Münchener Post,* in: Hundert Jahre Sozialdemokraten in München, S. 33 ff.

Blos, Wilhelm (1849–1927), Sohn eines Arztes, studierte Philologie, ohne einen Abschluß zu machen. 1869 wird er „Unterredakteur" am demokratischen Konstanzer *Volksfreund;* als dieser sein Erscheinen einstellt, wechselt er zum *Schwarzwälder Boten* nach Villingen.[1]
Ende 1871 übernimmt er die Redaktion des Würzburger *Journal;* im März 1872 wird er Redakteur des Fürther *Demokratischen Wochenblattes,* wechselt aber im gleichen Jahr, ohne Parteimitglied zu sein, in die Redaktion des sozialdemokratischen Nürnberger *Anzeigers* über. Von Ende 1872 bis Mitte 1873 ist er Redakteur des *Braunschweiger Volksfreunds,* danach ist er in Leipzig am Zentralorgan *Volksstaat* beschäftigt.[2] Mitte 1874 siedelt er nach Mainz über und redigiert die dortige *Volksstimme.*[3] Im Dezember 1874 werden in Frankfurt der *Volksfreund* und in Mainz die *Neue Mainzer Zeitung* gegründet; Redakteur beider Blätter

155

wird Blos.[4] Zusätzlich besorgt er noch die Redaktion der *Neuen Offenbacher Tages-Zeitung* und gibt ein eigenes humoristisch-satirisches Blatt heraus, den *Mainzer Eulenspiegel.*

1875 wird er als Redakteur nach Hamburg berufen, wo ab 19. 11. das neugegründete *Hamburg-Altonaer Volksblatt* erscheint.[5] Kurz nach dem Erlaß des Sozialistengesetzes wird die Zeitung verboten; an dem Nachfolgeblatt *Gerichtszeitung* ist Blos weiterhin als Redakteur tätig. Im November 1880 zieht die Redaktion der *Gerichtszeitung* nach Harburg um; Blos bleibt bis zu ihrem Verbot am 28. 3. 1881 ständiger Mitarbeiter dieser Zeitung.[6]

Er siedelt nach Bremen um und ist vorübergehend als Expedient eines Korrespondenzbüros tätig. 1882 übernimmt er die Redaktion des neugegründeten *Norddeutschen Wochenblattes,* das in Bremen erscheint. 1883 zieht er nach Stuttgart; dort ist er kurze Zeit Redakteur des *Wahren Jacob* und Mitarbeiter der *Neuen Welt.*

Am 1. 4. 1884 erscheint die erste Nummer des *Berliner Volksblattes,* Redakteure sind Blos und Hasenclever. Bis Ende 1885 bleibt er in Berlin, danach ist er als Mitarbeiter und Leitartikler für das *Volksblatt* von Stuttgart aus tätig.[7] Er schreibt weiter für den *Wahren Jacob* und für die *Neue Zeit.*

Nach dem Fall des Sozialistengesetzes ist er weiter als ständiger Mitarbeiter für diverse Parteizeitungen tätig; unter anderem schreibt er auch einige Leitartikel für das Zentralorgan *Vorwärts.*[8] Bis 1923 redigiert er die monatlich erscheinende Zeitschrift *Wahrer Jacob.*

MdR	1877–1878, 1881–1887, 1890–1907, 1912–1918
Redakteur	1869–1885, 1890–1923
Freier Journalist	1885–1890
Verleger/Herausgeber	1874

---

1 Blos, Wilhelm, Denkwürdigkeiten Bd. 1, S. 62 ff.
2 Er wird als Vertretung für Liebknecht eingesetzt, da Liebknecht als Folge des Leipziger Hochverratsprozesses zwei Jahre Festungshaft abzusitzen hat.
3 Handbuch Arbeiterpresse 1914, S. 114.
4 Ulrich, Carl, Erinnerungen des ersten hessischen Staatspräsidenten. S. 30.
5 Laufenberg, Dr. H., Geschichte der Arbeiterbewegung in Hamburg, Bd. 1, S. 569.
6 Jensen, Jürgen, Presse und politische Polizei, S. 107.
7 Nach Apitzsch war er bis 1890 politischer Leiter des *Berliner Volksblattes.* Apitzsch, Friedrich, Die deutsche Tagespresse, S. 93, Bernstein bezeichnet ihn als Leitartikler. Bernstein, Eduard, Geschichte der Berliner Arbeiterbewegung, Bd. 2, S. 227.
8 Ratz, Ursula, Georg Ledebour. Berlin 1969, S. 35.

Bock, Wilhelm (1846–1931), Sohn eines Tagelöhners, erlernte das Schuhmacherhandwerk, wird 1873 Vorsitzender der Internationalen Gewerkschaftsgenossenschaft der Schuhmacher und redigiert von 1875 an das Verbandsorgan *Wecker.*[1] Bis 1878 ist er Herausgeber und Redakteur des 1877 gegründeten *Gothaer Volksfreunds.*[2] Nach dem Verbot des *Weckers* gründet er 1878 das Fachblatt *Der Schuhmacher,* das unter dem Sozialistengesetz nur acht Wochen besteht.[3] Im gleichen Jahr ruft er das *Schuh-macher-Fachblatt* ins Leben, das er bis 1920 redigiert. Von 1904 bis 1915 ist er Herausgeber des *Gothaer Volksblattes*.[4] Neben seiner Redakteurs-tätigkeit scheint er bis um 1900 weiter als Schuhmacher tätig gewesen zu sein.[5]

MdR	1884–1887, 1890–1907, 1912–1920, 1924–1930 (USPD, SPD)
Redakteur	1875–1920
Freier Journalist	–
Verleger/Herausgeber	1877–1878, 1904–1915

---

1 Bock, Wilhelm, Im Dienste der Freiheit.
2 Vgl. *MdVA*, Nr. 128, 3. 9. 1914. Danach war er 1877 Verleger der Gothaischen *Freien Presse*.
3 *MdVA*, Nr. 128, 3. 9. 1914.
4 Siehe dazu Anzeige in den *MdVA*, Nr. 93, 9. 6. 1910: „Erster Redakteur für das Volksblatt in Gotha gesucht. Offerten mit Gehaltsansprüchen und Originalarbeiten erbeten an Wilhelm Bock, Gotha."
5 Stegmann, C. und Hugo, C., Handbuch des Sozialismus, „B. lebt in Gotha als Schuh-macher und Redacteur."

Böhle, Bernhard (1866–1939) war gelernter Schuhmacher und später in Straßburg als Kaufmann tätig.

MdR	1907–1918
Redakteur	–
Freier Journalist	–
Verleger/Herausgeber	–

Bömelburg, Theodor (1862–1912), als Sohn eines Maurers in Soest gebo-ren, wurde ebenfalls Maurer und war ab 1887 Vorsitzender des Zentral-verbandes der Maurer in Hamburg.

MdR	1903–1907
Redakteur	–
Freier Journalist	–
Verleger/Herausgeber	–

Bracke, Wilhelm (1842–1880) entstammte einer angesehenen Braun-schweiger Kaufmannsfamilie und wurde selbst Kaufmann; studierte aber neben seiner Berufstätigkeit Geschichte und Literatur.[1] 1865 gründet er die Braunschweiger Gemeinde des ADAV und gibt ab 15. 5. 1871 die Parteizeitung *Braunschweiger Volksfreund* heraus, die schon nach einem Jahr vom wöchentlichen zum täglichen Erscheinen überging.[2] Für den *Volksfreund* schreibt Bracke eine Reihe von Artikeln.[3]

MdR   1877–1879
Redakteur   –
Freier Journalist   in den 70er Jahren
Verleger/Herausgeber   1871–1879

---

1   Eckert, Georg, Wilhelm Bracke.
2   Seidel, Jutta, Wilhelm Bracke.
3   Blos, Wilhelm, Denkwürdigkeiten, Bd. 1, S. 126.

Brandes, Alwin (1866–1949), in Schönau als Sohn eines Schlossers geboren, erlernte ebenfalls das Schlosserhandwerk. Ab 1900 ist er besoldeter Lokalangestellter des Deutschen Metallarbeiterverbandes und redigiert die Betriebsrätezeitschrift für die Funktionäre des Verbandes.[1] Weiter war er längere Zeit Vorsitzender der Pressekommission, die für die *Magdeburger Volksstimme* zuständig war.[2]

MdR   1912–1918, 1920–1924, 1928–1933 (USPD, SPD)
Redakteur   ab 1900
Freier Journalist   –
Verleger/Herausgeber   –

---

1   Vgl. dazu Ufermann, Paul, Alwin Brandes, und „Alwin Brandes 80 Jahre", in: *Sozialdemokrat* vom 11. 6. 1946; weiter Personalia-Akte Brandes im AdSD, Bonn.
2   Handbuch Arbeiterpresse 1914, S. 113 u. 467.

Braun, Heinrich (1854–1927), als Sohn eines österreichischen Eisenbahnunternehmers in Budapest geboren, geht schon mit 13 Jahren in Leipzig unter die Zeitungsmacher: Für seine Mitschüler gibt er die Zeitschrift *Germania* heraus.[1] 1871 erscheint sein erster Artikel im *Neuen Wiener Tageblatt*; für 100 Gulden monatliches Gehalt wird er als ständiger Mitarbeiter eingestellt.[2] Nach Studium und Promotion gründet er mit Kautsky und Dietz die wissenschaftliche Revue *Neue Zeit* in Stuttgart; 1883 ist er auch Redakteur dieser Zeitschrift.[3] Nach einem Jahr zieht sich Braun aus der Leitung der *Neuen Zeit* zurück, bleibt aber Mitarbeiter. Bis 1888 redigiert er die *Jahrbücher für Nationalökonomie* und fungiert danach als Herausgeber des *Archives für soziale Gesetzgebung und Statistik.* Am 4. 1. 1892 ruft er das *Sozialpolitische Centralblatt* ins Leben, als dessen Verleger und Redakteur er zeichnet. Eine Zeit lang redigiert er beide Blätter, *Archiv* und *Centralblatt*; als ihm die Arbeit über den Kopf wächst, gibt er das *Archiv* an Max Weber ab.
Nach seiner Wahl zum Reichstagsabgeordneten im Jahre 1903 verkauft er das *Archiv*, um eine Wochenschrift zu gründen; im Oktober 1903 erscheint die *Neue Gesellschaft* unter seiner Redaktion zum erstenmal. Nach den Parteitags-Querelen 1904 muß er die Wochenzeitung aufgeben,[4] läßt sie aber ab April 1905 wieder erscheinen. Die *Neue Gesell-*

schaft besteht weitere drei Jahre. Von 1911 bis 1913 ist er Herausgeber der *Annalen für soziale Politik und Gesetzgebung.*

MdR	1903–1904
Redakteur	1883, 1884–1888, 1892–1908
Freier Journalist	1871–?
Verleger/Herausgeber	1888–1908, 1911–1913

---

1 Vgl. dazu Braun-Vogelstein, Julie, Ein Menschenleben, S. 14.
2 Ebenda, S. 24.
3 „Ein Apostel der neuen Zeit. Zum 100. Geburtstag von Heinrich Braun", in: *Neuer Vorwärts,* 19. 11. 1954. Personalia-Akte Braun im AdSD, Bonn.
4 Auf dem Parteitag 1904 wurden die sozialdemokratischen Redakteure, die ab und zu auch Beiträge an bürgerliche Zeitungen geliefert hatten, massiv angegriffen. Vgl. dazu Braun, Lily, Memoiren einer Sozialistin, Bd. 2, S. 504–517.

Brey, August (1864–1937), von Beruf Schuhmacher, wird 1890 Vorsitzender des Fabrikarbeiterverbandes. Von 1892 bis 1906 redigiert er das Verbandsblatt *Der Proletarier.*[1]

MdR	1906–1932
Redakteur	1892–1906
Freier Journalist	–
Verleger/Herausgeber	–

---

1 Personalia-Akte Brey im AdSD, Bonn und Handbuch Arbeiterpresse 1914, S. 133.

Brühne, Friedrich (1855–1928) war Schuhmachermeister in Frankfurt.

MdR	1907–1920
Redakteur	–
Freier Journalist	–
Verleger/Herausgeber	–

Bruhns, Julius (1860–1927), gelernter Zigarrenarbeiter, war ab 1884 Mitarbeiter des *Gewerkschafter,* Verbandsorgan der Bremer Krankenunterstützungskasse.[1] Im April 1888 wird er Lokalredakteur der neugegründeten *Bremer Volkszeitung;* zuvor hatte er schon am *Norddeutschen Wochenblatt* in Bremen mitgearbeitet.[2] Ab 1890 leitete er das politische Ressort der *Bremer Bürgerzeitung* und war Chefredakteur dieses Blattes.[3] Wegen einer aus Parteistreitigkeiten erwachsenden Vertrauenskrise verläßt Bruhns 1895 Bremen und geht als Redakteur an die Breslauer *Volkswacht.*[4] Von 1899 bis 1902 ist er Chefredakteur der schlesischen Parteizeitung.[5]
Von 1902 an war Bruhns Redakteur des *Offenbacher Abendblatts.*[6]

MdR   1890–1893
Redakteur   1888– ca. 1920
Freier Journalist   1884–1888
Verleger/Herausgeber –

1 Bruhns, Julius, Es klingt im Sturm, S. 8
2 Ebenda, S. 85.
3 Moring, Karl-Ernst, Die sozialdemokratische Partei in Bremen, S. 14.
4 Am 19. 10. 1895 zeichnet Bruhns zum erstenmal als verantwortlicher Redakteur der Breslauer *Volkswacht* (Nr. 246).
5 Löbe, Paul, Erinnerungen eines Reichstagspräsidenten, S. 30 und Koszyk, Kurt. Die Presse der schlesischen Sozialdemokratie in: Jahrbuch der Schlesischen Friedrich-Wilhelms-Universität zu Breslau, Würzburg, Bd. 5, 1960, S. 240.
6 Handbuch Arbeiterpresse 1914, S. 118.

Buchwald, Bruno Edmund (1847–1913), Buchbindermeister von Beruf, war Expedient, Aushilfsredakteur und Redakteur des Altenburger *Wählers* von 1889 bis 1898.[1]

MdR   1903–1904
Redakteur   1889–1898
Freier Journalist   –
Verleger/Herausgeber –

1 Ebenda, S. 83 und Notiz im *Vorwärts*, 24. 1. 1892: „In Altenburg war der Expedient der dortigen Ausgabe des *Wählers*, Genosse Buchwald ... Derselbe hatte im Sommer vor. Jahres als stellvertretender Redakteur des Altenburger *Wählers* gezeichnet."

Buck, Johann Wilhelm (1869–1945), gelernter Stuckateur, war Gewerkschaftssekretär in Dresden.

MdR   1913–1919, 1920–1924
Redakteur   –
Freier Journalist   –
Verleger/Herausgeber –

Bueb, Fernand (1865–?), der im Handbuch der Reichstage unter der Berufsbezeichnung Journalist aufgeführt wird,[1] war in den neunziger Jahren Redakteur der *Elsaß-Lothringenschen Volkszeitung*.[2]

MdR   1893–1900
Redakteur   in den 90er Jahren
Freier Journalist   –
Verleger/Herausgeber –

1 Hirsch, Max, MdR, S. 283. Diesen Berufsbezeichnungen liegen die Selbstangaben der Reichstagsabgeordneten zugrunde, die sie für Kürschners Reichstagshandbuch machten.
2 Notiz im *Vorwärts*, 23. 12. 1893: „Auch der Genosse Bueb, Redakteur der *Elsaß-Lothringenschen Volkszeitung...*"

Büchner, Otto (1865–?),[1] Kassenbeamter in Berlin, war Mitglied der Berliner Presskommission.[2]

MdR	1911–1918
Redakteur	–
Freier Journalist	–
Verleger/Herausgeber	–

1 Hirsch, Max, MdR, S. 283 gibt als Todesjahr 1947 an. Im *Neuen Deutschland* erschien aber am 7. 2. 1952 der Artikel: „Otto Büchner 87 Jahre alt."
2 Handbuch Arbeiterpresse 1914, S. 258.

Busold, Heinrich (1870–1915), Schreinermeister, war Gewerkschaftssekretär in Friedberg, Hessen.

MdR	1910–1912
Redakteur	–
Freier Journalist	–
Verleger/Herausgeber	–

Calwer, Richard (1868–1927), als Sohn eines Werkführers in Esslingen geboren, studierte Theologie in Tübingen und Berlin, danach Medizin in Berlin und München, ohne sein Studium abzuschließen. 1890 erscheinen in München unter dem Verfassernamen R. Calwer einige kleine Schriften; den Jahrgang 1890 der *Oberammergauer Blätter* gibt ebenfalls ein R. Calwer heraus.[1] 1891 wird er für kurze Zeit Redakteur der *Münchener Post*[2] und übernimmt Ende des Jahres vertretungsweise für einen inhaftierten Kollegen die Redaktion des *Volksblatts* in Halle.[3] Anfang 1892 wird er redaktioneller Mitarbeiter des *Braunschweiger Volksfreundes;* am 2. Juli 1895 erscheint sein Name zum letzten Mal im Impressum. Ab 1895 arbeitet er als freier Journalist in Berlin, bietet den sozialdemokratischen Zeitungen Korrespondenzen[5] an und ist ständiger Mitarbeiter der *Leipziger Volkszeitung.*[6] 1907 ist er verantwortlicher Redakteur für den Wirtschaftsteil der *Sozialistischen Monatshefte,* für die er vorher schon als Autor tätig gewesen war. Von April 1909 – im gleichen Jahr tritt er aus der Partei aus – bis Ende 1910 zeichnet er für die Rubrik „Wirtschaftliche Rundschau" im *Correspondenzblatt* verantwortlich. Nach dem Austritt aus der Partei unterhält er ein wirtschaftsstatistisches Büro, das ab 1909 die Wochenzeitschrift *Die Konjunktur* herausgibt. Daneben bietet er weiter Korrespondenzen wie die *Wirtschaftlichen Tagesberichte* an. In den zwanziger Jahren gibt er die *Blätter für geistige Erneuerung* und die *Politischen Briefe* heraus.

MdR	1898–1903
Redakteur	1891–1895, 1907–1910
Freier Journalist	1895–1907
Verleger/Herausgeber	1890, 1909– ca. 1925

1   Vgl. dazu Mroßko, Kurt Dietrich, Richard Calwer, in: Lebensbilder aus Schwaben und Franken, Bd. 12, S. 362 ff.
2   Werner, Emil, Aus der Geschichte der *Münchener Post*, in: Hundert Jahre Sozialdemokraten in München, S. 34. Vgl. auch Notiz im *Vorwärts*, 26. 11. 1892: „Gegen den früheren Redakteur der *Münchner Post*, Genossen Calwer..."
3   Vgl. dazu Notiz im *Vorwärts*, 27. 1. 1892: "Richard Calwer während der Haft des Redakteur Illge Stellvertreter desselben am Halleschen *Volksblatt*..."
4   Mroßko, Kurt-Dietrich, a.a.O., gibt an, daß Calwer schon im September 1891 an den *Braunschweiger Volksfreund* kam. Zu der Zeit aber war er vertretungsweise Redakteur in Halle. Anfang 1892 dürfte er dann die Stelle in Braunschweig übernommen haben.
5   *MdVA*, Nr. 55, 16. 3. 1906: "Auch die *Wirtschaftliche Wochenschau* des Kollegen Calwer hat sich nicht allgemein Eingang zu verschaffen verstanden."
6   Stampfer, Friedrich, Erfahrungen und Bekenntnisse.

Cohen-Reuß, Emanuel Max, (1876–1969), gelernter Kaufmann, war Mitarbeiter des *Vorwärts,* der *Schwäbischen Tagwacht*[1] und der *Sozialistischen Monatshefte.* Als Beruf gibt er in späteren Jahren Journalist an.[2]

MdR	1912–1918
Redakteur	–
Freier Journalist	ab 1903
Verleger/Herausgeber	–

1   Brief von Cohen-Reuß an Keil vom 23. 11. 1914, Nachlaß Keil im AdSD, Bonn: „Zugleich sende ich Ihnen einen Beitrag für die Zeitung, da wir verabredet haben, ein jeder von uns solle, wie David bereits in der *Mainzer Volkszeitung* getan hat, die Tagung in einem mit Namen unterzeichneten Artikel vorbereiten helfen. Damit habe ich mich nicht für spätere Mitarbeit festgelegt, denn ich hoffe, daß am *Vorwärts* bald wieder Zustände eintreten werden, die es mir ermöglichen, dort wie früher vor dem Kriege mitzuarbeiten."
2   Im Fragebogen für Delegierte und Gastdelegierte zum SPD-Parteitag 1948 in Düsseldorf gibt Cohen-Reuß als Berufsbezeichnung Journalist an. Nach 1945 war er Pariser Korrespondent für den Berliner *Telegraf* und Vorsitzender der Pariser Vereinigung der in Frankreich ansässigen Sozialisten und Journalisten. Diese Unterlagen befinden sich in der Personalia-Akte Cohen-Reuß im AdSD, Bonn.

Cohn, Oskar (1869–1934) hatte Jura studiert und in diesem Fach promoviert. Er arbeitete als selbständiger Rechtsanwalt in Berlin.

MdR	1912–1920 (USPD)
Redakteur	–
Freier Journalist	–
Verleger/Herausgeber	–

Cramer, Balthasar (1851–1923) war gelernter Zimmermann und betrieb eine Gastwirtschaft in Darmstadt. 1910 trat er aus der Partei aus.

MdR	1898–1906
Redakteur	–
Freier Journalist	–
Verleger/Herausgeber	–

---

1 *Schwäbische Tagwacht,* 5. 11. 1910, Notiz über Cramers Austritt aus der Partei.

David, Eduard (1863–1930), als Sohn eines höheren Beamten in Ediger an der Mosel geboren, studierte Germanistik, Geschichte und Philosophie und schloß sein Studium mit der Promotion ab. Vor Abitur und Studium hatte er in Berlin eine dreijährige kaufmännische Lehre absolviert.[1] Nach dem Studium übernimmt er eine Oberlehrerstelle am Gießener Gymnasium und verfaßt unter Pseudonym Beiträge für sozialdemokratische Zeitungen.[2] 1893 ist er Mitbegründer der *Mitteldeutschen Sonntagszeitung;*[3] 1894 gibt er seine Tätigkeit als Lehrer auf und wird Redakteur der von ihm mitbegründeten Zeitung. Von 1896 bis 1897 ist er Redakteur der *Mainzer Volkszeitung;* nach seinem Ausscheiden aus der Redaktion bleibt er weiter ständiger Mitarbeiter der Mainzer Parteizeitung. Als freier Journalist ist er in der Folgezeit unter anderem tätig für den *Vorwärts,* die *Leipziger Volkszeitung,* die *Süddeutschen Monatshefte,* das *Offenbacher Abendblatt* und die *Sozialistischen Monatshefte.*[5] In Berlin gründet er ein eigenes Korrespondenz-Büro, das eine *Sozialstatistische Korrespondenz* zweimal wöchentlich für die Parteizeitungen herausgibt.[6] Weiter ist David Mitarbeiter der *Leitartikel-Korrespondenz,*[7] die in Dresden erscheint und ab 1915 ständiger Mitarbeiter der *Glocke.*[8]

MdR	1903–1930
Redakteur	1894–1897
Freier Journalist	ca. 1890–1894, 1897 bis Mitte der 20er Jahre
Verleger/Herausgeber	ca. ab 1910

---

1 Personalia-Akte David im AdSD, Bonn.
2 Vgl. dazu Schwieger, Gerd, Zwischen Obstruktion und Kooperation. S. 3.
3 Vgl. dazu Scheidemann, Philipp, Memoiren Bd. 1, S. 63.
4 Vgl. dazu Adelung, Bernhard, Sein und Werden. S. 89 und 110.
5 Briefe von David an Vollmar, Nachlaß Vollmar im AdSD, Bonn, Nr. 435.
6 Handbuch Arbeiterpresse 1914, S. 153. Das Korrespondenzbüro läuft unter dem Namen seiner Frau. Der Abonnementspreis der Korrespondenz beträgt monatlich 20 Mark. Teilabdrucke läßt er sich mit vier Pfennig pro Zeile honorieren.
7 Das Kriegstagebuch des Reichstagsabgeordneten Eduard David 1914–1918, S. 3.
8 Vgl. dazu Sigel, Robert, Die Lensch-Cunow-Haenisch-Gruppe, S. 62.

Davidsohn, Georg (1872–1942), Sohn eines Buchhalters, studierte und promovierte zum Dr. phil. 1903 ruft er die Zeitschrift *Der abstinente Arbeiter* mit der Kinderbeilage *Der klare Quell* ins Leben, die er bis 1933 redigiert. Am 29. 10. 1905 wird er Redakteur des Zentralorgans *Vorwärts*.[1] 1922 redigiert er das Organ der USPD, die *Freiheit*.

MdR	1912–1920
Redakteur	1903–1933
Freier Journalist	–
Verleger/Herausgeber	1903–1933

---

1 Bernstein, Eduard, Geschichte der Berliner Arbeiterbewegung, Bd. 3, S. 164 und Protokoll Parteitag 1906 in Mannheim, S. 47.

Deichmann, Karl (1863–1940) arbeitete als Zigarrenmacher und war dann Gewerkschaftssekretär in Bremen.

MdR	1912–1920
Redakteur	–
Freier Journalist	–
Verleger/Herausgeber	–

Demmler, Georg Adolf (1804–1886), Sohn eines Schornsteinfegers, studierte an der Berliner Bauakademie, wurde 1837 Hofbaumeister und 1841 Hofbaurat in Schwerin. Wegen seiner Beteiligung an der demokratischen Bewegung 1848 wurde er 1851 ohne Pension aus den Hofdiensten entlassen.[1] 1869 schreibt er für den *Volksstaat* einige Berichte,[2] 1876 wird mit seiner finanziellen und idellen Unterstützung der *Mecklenburgische Arbeiter-Freund* in Rostock gegründet.[3]

MdR	1877–1878
Redakteur	–
Freier Journalist	1869
Verleger/Herausgeber	ab 1876

---

1 Stegmann, C. und Hubo, C., Handbuch des Sozialismus, S. 147.
2 Wilhelm Liebknecht. Briefwechsel mit deutschen Sozialdemokraten. S. 264.
3 *MdVA*, Nr. 126, 3. 7. 1914, S. 6: „Sozialdemokratische Presse in Deutschland."

Dietz, Johann Heinrich Wilhelm (1843–1922) war gelernter Buchdrucker; 1874 übernahm er die Leitung der Druckerei des *Hamburg-Altonaer-Volksblattes*. 1880 leitet er kurze Zeit die Redaktion der *Gerichtszeitung*,[1] Nachfolgezeitung des infolge des Sozialistengesetz verbotenen *Hamburg-Altonaer Volksblatts*. 1879 gründet er das satirische Monatsblatt *Der* *wahre Jacob*, den er von 1885 bis 1887 in Stuttgart redigiert;[2] im November 1887 erscheint in der Hamburger Druckerei von Dietz das *Illustrierte Unterhaltungsblatt für das Volk* unter der Redaktion von Dietz in Stuttgart,[3] wird aber nach vier Monaten wieder verboten. 1888 redigiert er die Zeitschrift *Der Gesellschafter*, die in seinem Stuttgarter Verlag erscheint.[4] Ab 1883 fungierte er als Herausgeber der *Neuen Zeit*, die er mitbegründet hatte. Seinen besonderen Platz in der Parteigeschichte der SPD erlangte Dietz aber als Begründer und Organisator des sozialdemokratischen Verlagsgeschäftes.[5]

MdR	1881–1918
Redakteur	1880, 1885–1888
Freier Journalist	–
Verleger/Herausgeber	1879–1922

1 Jensen, Jürgen, Presse und politische Polizei, S. 106.
2 Vgl. dazu Blos, Wilhelm, Denkwürdigkeiten, Bd. 2, S. 69 und: Die SPD in Baden-Württemberg, S. 358.
3 Jensen, Jürgen, Presse und politische Partei, S. 149.
4 SPD in Baden-Württemberg, S. 358.
5 Vgl. dazu Kampffmeyer, Paul, Heinrich Dietz. „Heinrich Dietz", in: *Neue Zeit*, Nr. 1, 1913, Bd. 1.

Dittmann, Wilhelm (1874–1954), als Sohn eines Stellmachers in Eutin geboren, erlernte das Tischlerhandwerk. Von 1899 bis 1902 ist er Redakteur der *Norddeutschen Volksstimme* in Bremerhaven; von 1902 bis 1904 redigiert er die *Bergische Arbeiterstimme* in Solingen.[1] Danach geht er bis 1909 als Parteisekretär nach Frankfurt/Main. Im Juni 1909 wird er leitender Redakteur des Solinger Parteiblattes;[2] diese Stelle bekleidet er bis 1917. 1922 ist er Mitredakteur des USPD-Organes, die *Freiheit*.

MdR	1912–1918, 1920–1933 (USPD/SPD)
Redakteur	1899–1904, 1909–1917, 1922
Freier Journalist	–
Verleger/Herausgeber	–

1 Dittmann, Wilhelm, Erinnerungen. Wie alles kam. Deutschlands Weg seit 1914. Maschinengeschriebenes, unveröffentlichtes Manuskript im Nachlaß Dittmann, AdSD, Bonn.
2 MdVA, Nr. 83, 11. Juni 1909, S. 4.

Dreesbach, August (1844–1906) wurde als Sohn eines Schmiedes in Düsseldorf geboren und absolvierte eine Schreinerlehre. 1872 wurde er von ADAV als „stabiler Agitator" mit einer festen Entlohnung angestellt.[1] Als Ende September 1877 das *Pfälzisch-Badische Volksblatt* zum ersten Mal in Mannheim erscheint, zeichnet Dreesbach als verantwortlicher Redakteur.[2] Als 1878 die Zeitung verboten wird, sichert er sich seine

Existenz mit der Gründung eines Spezereigeschäftes in Mannheim.[3] Er ist Mitbegründer der am 1. Mai 1890 zum ersten Mal erscheinenden *Mannheimer Volksstimme*. Er betrieb sein Geschäft weiter, spielte aber „nebenbei" Redakteur der Parteizeitung.[4] 1893 wird er Geschäftsdirektor der Mannheimer Aktiendruckerei;[5] bis zu seinem Tode hatte er diese Stellung inne. Auch als Direktor hatte er weiterhin Artikel für die *Volksstimme* verfaßt.

MdR	1890–1893, 1898–1906
Redakteur	1877–1878, 1890–1893
Freier Journalist	1893–1906
Verleger/Herausgeber	–

---

1 Badische Biographien, Teil 5, S. 277 ff.
2 SPD in Baden-Württemberg, S. 356.
3 Stegmann/Hugo, Handbuch des Sozialismus, S. 160.
4 Schneider, Erich, Die Anfänge der sozialistischen Bewegung, S. 130 f.
5 Schadt, Jörg, Die sozialdemokratische Partei in Baden S. 143.
   MdVA, Nr. 63, 11. 12. 1906.

Ebert, Friedrich (1871–1925), als Sohn eines Schneidermeisters in Heidelberg geboren, erlernte das Sattlerhandwerk. Der spätere erste Präsident der Deutschen Republik war Anfang der neunziger Jahre Mitglied der Presskommission, die für die *Bremer Bürgerzeitung* zuständig war.[1] Von März 1893 bis April 1894 arbeitet er als Lokalberichterstatter für das Bremer Parteiblatt.[2] Danach eröffnet er eine Gaststätte in Bremen. Als Parteisekretär und Mitglied des Vorstandes der Partei richtete er sein Hauptaugenmerk auf die Arbeit der Parteipresse.[3]

MdR	1912–1919
Redakteur	1893–1894
Freier Journalist	–
Verleger/Herausgeber	–

---

1 Vgl. dazu Ebert, Friedrich, Schriften, 36.
2 Moring, Karl-Ernst, Die sozialdemokratische Partei in Bremen, S. 57.
3 Vgl. dazu Eberts Beitrag auf dem Parteitag 1907 in Essen. Ebert, Friedrich, a.a.O., S. 262 ff.

Ehrhart, Franz Josef (1853–1908), geboren in Eschbach bei Landau, war Tapezierer von Beruf.[1] 1878 fungiert er als Herausgeber des *Pfälzisch-Badischen Wochenblattes* in Mannheim. Das Sozialistengesetz verschlägt ihn nach England; dort ist er im Januar 1879 Mitbegründer des Exilorgans *Freiheit,* das in London erscheint.[2] Nach Deutschland zurückgekehrt, initiiert er die Gründung der *Mannheimer Volksstimme*;[3] in den neunziger Jahren ist er der Hauptmitarbeiter der *Pfälzischen Post* in Ludwigshafen.[4]

MdR	1898–1908
Redakteur	–
Freier Journalist	ab 1890
Verleger/Herausgeber	1878

1 Vgl. dazu Fischer, Edmund, Franz Joseph Ehrhart, in: *Sozialistische Monatshefte*, Nr. 18/ 19, 1908. Ehrhart soll das uneheliche Kind einer Dienstmagd gewesen sein.
2 Vgl. dazu Rocker, Rudolf, Johann Most, S. 64.
3 Schneider, Erich, Die Anfänge der sozialistischen Bewegung, S. 117: „Dreesbach und Ehrhart waren die eigentlichen Gründer."
4 Ebenda, S. 131. Vgl. auch Nachruf auf Ehrhart im Protokoll Parteitag 1908 in Nürnberg, S. 64.

Eichhorn, Emil (1863–1925), Sohn eines Strumpfwirkers, absolvierte eine Mechanikerlehre. Schon Mitte der achtziger Jahre beginnt er seine journalistische Tätigkeit mit der freien Mitarbeit an sozialdemokratischen Zeitungen.[1] Von 1893 bis 1900 ist er Redakteur der *Sächsischen Arbeiter-Zeitung* in Dresden.[2] von 1900 bis 1904 Chefredakteur der *Mannheimer Volksstimme*. Danach ist er Parteisekretär in Baden und Mitarbeiter diverser Parteizeitungen.[3] Von 1908 bis 1917 ist er Leiter des sozialdemokratischen Pressebüros[4] in Berlin und richtet nach der Spaltung der Partei im Jahre 1917 den *Unabhängigen Zeitungsdienst* ein.

MdR	1903–1912, 1919–1925 (USPD/SPD)
Redakteur	1893–1904, 1908– ca. 1920
Freier Journalist	1885–1893, 1904–1908
Verleger/Herausgeber	ab 1917

1 Personalia-Akte Eichhorn im AdSD, Bonn.
2 Vgl. dazu Ratz, Ursula, Georg Ledebour, S. 40.
3 Vgl. dazu Aufforderung in den *MdVA*, Nr. 42, 14. 9. 1904: „Die Redaktionen der Partei- und Gewerkschaftsblätter werden gebeten, bei Bedarf an Mitarbeitern nachstehende Schriftsteller zu berücksichtigen." Eichhorn ist unter den Schriftstellern aufgeführt. Für die *MdVA* schreibt er in der Folgezeit des öfteren Beiträge.
4 Unterlagen darüber in der Personalia-Akte Eichhorn, AdSD, Bonn und Handbuch Arbeiterpresse 1914, S. 261.

von Elm, Adolph (1857–1916), als Sohn eines Zigarrenmachers in Hamburg geboren, wurde selbst Zigarrenmacher. Als freier Mitarbeiter arbeitete er für diverse Parteizeitungen, unter anderen für den *Vorwärts* und die *Sozialistischen Monatshefte*.[1]

MdR	1894–1907
Redakteur	–
Freier Journalist	ca. ab 1890
Verleger/Herausgeber	–

1 Vgl. u.a. *Vorwärts* vom 16. 11. 1893.

Emmel, Joseph Leopold (1863–1919), gelernter Schlosser, arbeitete Anfang der neunziger Jahre als Agitator der Partei im Saargebiet.[1] 1902 wird er Geschäftsführer der *Volkszeitung* in Mülhausen,[2] im Krieg leitet er die Redaktion.[3] Anfang 1919 wird er Parteiredakteur in Apolda.[4]

MdR	1907–1918
Redakteur	1914–1919
Freier Journalist	–
Verleger/Herausgeber	–

1 Bebel Briefwechsel, Brief an Engels vom 29. 9. 1892, S. 594.
2 Handbuch Arbeiterpresse 1914, S. 478.
3 Siehe Stellungsgesuch in den *MdVA*, Nr. 178, 1.1. 1919: „Die Besetzung Elsaß-Lothringens durch die Franzosen mit ihren Begleiterscheinungen hat mich aus meinem bisherigen Tätigkeitsgebiet gerissen. Die letzten fünfzehn Jahre war ich neben meiner agitatorischen und parlamentarischen Tätigkeit an dem Mülhauser Parteiorgan beschäftigt. Während des Krieges leitete ich die Redaktion. Eine neue geeignete Tätigkeit – am liebsten in einer Redaktion – suchend, erbitte ich Nachrichten an L. Emmel."
4 Vgl. Notiz in den *MdVA*, Nr. 179, 1. 2. 1919: „Kollege Emmel vom Straßburger Parteiblatt (?) hat die Redaktion des neuen mehrheitssozialistischen Parteiblatts in Apolda übernommen."

Erdmann, August (1862–1938), als Sohn eines Anstreichers in Iserlohn geboren, studierte erst Naturwissenschaften in Bonn, Berlin und Leipzig und promovierte dann 1885 zum Dr. phil. Nach dem Studium redigierte er die Holzarbeiterzeitung;[1] 1895 bis 1896 ist er Redakteur der Elberfelder *Freien Presse*.[2] Von März 1896 bis Juli 1906 leitet er das politische Ressort der *Rheinischen Zeitung* in Köln. Von 1906 bis 1908 ist er Mitarbeiter der *Sozialdemokratischen Parteikorrespondenz*. Danach ist er als freier Mitarbeiter für die Parteipresse tätig.

MdR	1912–1918
Redakteur	1885–1906
Freier Journalist	1906–?
Verleger/Herausgeber	–

1 Personalia-Akte Erdmann im AdSD, Bonn.
2 Handbuch Arbeiterpresse 1914, S. 99.

Ewald, Karl Friedrich Ferdinand (1846–?) war Gründer und Verleger der Berliner *Arbeiter-Zeitung,* die am 31. 12. 1882 zum ersten Mal erschien, aber nach 21 Nummern verboten wurde.[1] Von 1884 an ist er Expeditionsleiter des *Berliner Volksblattes*;[2] von 1890 bis 1897 zeichnet er als verantwortlicher Redakteur für die *Brandenburger Zeitung*.[3] Danach lebte er als Privatier in Berlin.

MdR	1913–1918
Redakteur	1890–1897
Freier Journalist	–
Verleger/Herausgeber	1882

---

1. Eduard Bernstein, Geschichte der Berliner Arbeiterbewegung, Bd. 2, S. 98 und Müller, Theodor, Die Geschichte der Breslauer Sozialdemokratie, Bd. 2, S. 89.
2. Blos, Wilhelm, Denkwürdigkeiten, Bd. 2, S. 110.
3. Handbuch Arbeiterpresse 1914, S. 89, und Notizen im *Vorwärts* 13. 1. 1892: „Der Redakteur Ewald von der *Brandenburger Zeitung* hat am Montag eine 14tätige Gefängnißstrafe (angetreten)." *Vorwärts*, 8. 4. 1892: „Redakteur Ewald von der *Brandenburger Zeitung*..."

Faber, Emil (1861–?) war Schuhmachermeister in Frankfurt an der Oder

MdR	1910–1912
Redakteur	–
Freier Journalist	–
Verleger/Herausgeber	–

Emmel, Joseph Leopold (1863–1919), gelernter Schlosser, arbeitete Anfang der neunziger Jahre als Agitator der Partei im Saargebiet.[1] 1902 wird er Geschäftsführer der *Volkszeitung* in Mülhausen,[2] im Krieg leitet er die Redaktion.[3] Anfang 1919 wird er Parteiredakteur in Apolda.[4]

MdR	1912–1930
Redakteur	1891– Mitte der 20er Jahre
Freier Journalist	–
Verleger/Herausgeber	–

---

1. Handbuch Arbeiterpresse 1927, S. 506.

Feuerstein, Franz Wilhelm (1866–1939) war gelernter Buchdrucker; von 1902 bis zur Jahreswende 1903/1904 war er Redakteur der *Schwäbischen Tagwacht* in Stuttgart und zuständig für den lokalen Teil und die „Korrespondenzen aus dem Lande".[1] Nach seinem Ausscheiden aus der Redaktion ist er weiter als freier Mitarbeiter für diverse Parteizeitungen tätig.

MdR	1912–1918, 1920–1924
Redakteur	1902–1904
Freier Journalist	ab 1904
Verleger/Herausgeber	–

---

1. Keil, Wilhelm, Erlebnisse, Bd. 1, S. 194 und 197.

Fischer, Edmund (1864–1925), in Darmstadt als „Proletarierkind"[1] geboren, war von Beruf Holzbildhauer. 1892 redigiert er die *Volksstimme* in Frankfurt,[2] von 1893 bis 1898 ist er Redakteur an der *Sächsischen Arbeiter-Zeitung* in Dresden.[3] Von 1898 bis 1906 besorgt er die Redaktion für die Weber-Zeitung *Armer Teufel aus der Oberlausitz* und für den Freiberger *Armen Konrad.* Nebenbei ist er ständiger Mitarbeiter der *Sozialistischen Monatshefte* und anderer Parteizeitungen.[4] Ab 1914 gibt er in Dresden eine eigene Leitartikel-Korrespondenz heraus.[5]

MdR   1898–1907, 1912–1918
Redakteur   1892–1906
Freier Journalist   ab 1906
Verleger/Herausgeber   ab 1914

---

1 Osterroth, Franz, Biographisches Lexikon, Bd. 1, S. 82.
2 Notiz im *Vorwärts* vom 6. 1. 1893: „Genosse Edmund Fischer, seither in Frankfurt a. M. als Mitarbeiter der *Volksstimme* tätig gewesen, ist zu Neujahr in Dresden in die Redaktion der *Sächsischen Arbeiter-Zeitung* eingetreten."
3 Handbuch Arbeiterpresse 1914, S. 341.
4 Vgl. dazu Brief von Heilmann (Redakteur der *Chemnitzer Volksstimme*) an Keil vom 19. 4. 1911, Nachlaß Keil im AdSD, Bonn: „Unser Mitarbeiteretat ist durch Eisner und Edmund Fischer etwas stark belastet…" Und Aufforderung in den *MdVA*, Nr. 42, 14. 9. 1904: „Die Redaktionen der Partei- und Gewerkschaftsblätter werden gebeten, bei Bedarf an Mitarbeitern nachstehende Schriftsteller zu berücksichtigen." Edmund Fischer ist mitaufgeführt.
5 Vgl. dazu Kriegstagebuch von Eduard David, Eintrag vom 29. 7. 1914, S. 3.

Fischer, Gustav (1866–1925), Buchdrucker von Beruf, war Gewerkschaftsangestellter in Hannover.

MdR   1912–1924
Redakteur   –
Freier Journalist   –
Verleger/Herausgeber   –

Fischer, Richard (1855–1926), in Kaufbeuren geboren, war Schriftsetzer von Beruf. 1875 ist er Setzer[1] und wohl auch Redakteur der *Chemnitzer Freien Presse;*[2] 1876 ist er redaktioneller Mitarbeiter des täglich erscheinenden *Volkswillen* in Augsburg. 1878 redigiert er sechs Wochen lang die *Berliner Freie Presse.*[3] Während des Sozialistengesetzes arbeitet Fischer in der Züricher und später in der Londoner Druckerei des *Sozialdemokrat* als Metteur.[4] Nach dem Fall des Sozialistengesetzes ist er Gelegenheitsmitarbeiter[5] des *Vorwärts* und übernimmt 1893 die Geschäftsführung der *Vorwärts* Druckerei und des Verlages.[6] Viele der im *Vorwärts*-Verlag erscheinenden Schriften und Zeitschriften-Beilagen redigiert Fischer selbst.[7] 1914 ist er Vorsitzender der Presskommission, die für das Saalfelder *Volksblatt* zuständig ist.[8]

170

MdR	1893–1898, 1899–1926
Redakteur	1875–1877, 1878
Freier Journalist	ab 1890
Verleger/Herausgeber	–

---

1 Vgl. dazu Heilmann, Ernst, Geschichte der Arbeiterbewegung in Chemnitz, S. 97. Setzer der *Chemnitzer Freien Presse,* der „aber zur politischen Tätigkeit von Vahlteich erst wiederholt gedrängt werden mußte."
2 Fischer, Richard, Wie ich Redakteur wurde im: *Vorwärts,* 13. 5. 1927, Beilage. „. . . und bald darauf war es mir möglich, nach Chemnitz zu reisen, wo ich dann als etwas gereifterer Mann (. . .) zum Redakteur des dortigen Parteiblattes gewählt wurde."
3 Bernstein, Eduard, Geschichte der Berliner Arbeiterbewegung, Bd. 1, S. 360.
4 Vgl. Bartel/Schröder/Seeber/Wolter, Der *Sozialdemokrat* 1879–1890, S. 60.
5 Bernstein, Eduard, a.a.O., Bd. 3, S. 404.
6 Vgl. dazu *Berliner Stimme,* 10. 8. 1963: „Richard Fischer Schöpfer und Gestalter der größten Arbeiterdruckerei des Kontinents."
7 Vgl. Protokoll Parteitag 1900 in Mainz, S. 114. Dietz: „Er (R. Fischer) muß, soweit mir bekannt ist die Redaktion der Maizeitung machen, die Redaktion der Freien Stunden ec.; er hat auch die ganze Verlagsredaktion nebst allen Korrekturen.
8 Handbuch Arbeiterpresse 1914, S. 121.

Förster, Carl Hermann (1853–1912), geboren in Zinna, war Zigarrenmacher in Hamburg.

MdR	1890–1907, 1912
Redakteur	–
Freier Journalist	–
Verleger/Herausgeber	–

Försterling, Friedrich Wilhelm Emil (1827–1872) war Kupferschmiedemeister in Dresden.

MdR	1867–1870
Redakteur	–
Freier Journalist	–
Verleger/Herausgeber	–

Fräßdorf, Karl Julius (1857–1932), gelernter Töpfer, war ab 1902 Vorsitzender der Dresdener Ortskrankenkasse[1] und gründete 1909 die Pirnaer *Volkszeitung.*[2]

MdR	1903–1907
Redakteur	–
Freier Journalist	–
Verleger/Herausgeber	ab 1909

---

1 Personalia-Akte Fräßdorf im AdSD, Bonn.
2 Handbuch Arbeiterpresse 1914, S. 119.

Frank, Ludwig (1874–1914), Sohn eines Kaufmannes, studierte in Freiburg Rechtswissenschaft und Volkswirtschaft und schloß sein Studium 1899 mit der Promotion ab. Schon während seines Studiums schrieb er für das Unterhaltungsblatt der Partei, *Der wahre Jacob,* Märchen und Geschichten.[1] Nach dem Studium läßt er sich in Mannheim als Rechtsanwalt nieder und wird freier Mitarbeiter von diversen Parteizeitungen und bürgerlichen Zeitschriften. Er schreibt für die *Neue Zeit,* für die demokratische Zeitschrift *März,* die Heuss redigierte, für die *Gesellschaft* und für *Pan.*[2] Die Mannheimer *Volksstimme* versorgt er bis zu seinem Tode regelmäßig mit Artikeln. 1905 gründet Frank die Zeitschrift *Junge Garde,* das Organ des Verbandes junger Arbeiter. Bis zu ihrer Einstellung im Jahre 1908 hat Frank die Zeitschrift redigiert „und schrieb sie am Anfang beinahe allein"[3].

MdR	1907–1914
Redakteur	1905–1908
Freier Journalist	1899–1914
Verleger/Herausgeber	1905–1908

---

1 Vgl. dazu Haebler, Rolf Gustav, In Memoriam Ludwig Frank, S. 17.
2 Ebenda, S. 18.
4 Frank, Ludwig, Aufsätze, Reden und Briefe, S. 33, Hedwig Wachenheim in der Einleitung.

Fritzsche, Friedrich Wilhelm (1825–1905), Zigarrenmacher in Leipzig, gründet 1866 das Organ des deutschen Zigarrenarbeitervereins, den *Botschafter,* den er bis 1879 in Berlin einmal wöchentlich herausgibt und den er selbst redigiert. 1879 wird der *Botschafter* verboten und Fritzsche aus Berlin ausgewiesen.[2] In Leipzig ruft er eine neue Tabakarbeiter-Zeitung ins Leben, den *Wanderer,* den er nur kurze Zeit redigiert. 1881 wandert er nach Amerika aus.

MdR	1868–1871, 1877–1881
Redakteur	1866–1880
Freier Journalist	–
Verleger/Herausgeber	1866–1880

---

1 Bernstein, Eduard, Geschichte der Berliner Arbeiterbewegung Bd. 1, S. 167 und *Neuer Vorwärts,* 1. 5. 1953, Sonderbeilage zum 90jährigen Parteijubiläum: „Lassalle und seine Mitarbeiter. Mitbegründer und führende Funktionäre der ersten deutschen Arbeiterpartei." und Blos, Wilhelm, Denkwürdigkeiten, Bd. 1, S. 228.
2 Auer, Ignaz, Nach zehn Jahren. In der im Anhang aufgeführten Liste aller Ausgewiesenen aus Berlin ist Fritzsche mit der Berufsbezeichnung Redakteur angegeben.

Frohme, Karl Franz Egon (1850–1933), Sohn eines Handwerkmeisters, absolvierte eine Maschinenbauerlehre. Schon früh tritt er journalistisch als Mitarbeiter des *Social-Demokrat* und später des *Neuen Social-Demo-*

krat in Erscheinung.[1] Nach dem Einigungskongreß von Gotha 1875 gründet Frohme den Frankfurter *Volksfreund* und redigiert ihn bis zum Erlaß des Sozialistengesetzes.[2] Ende 1878 gründet er eine Reihe kurzlebiger Zeitungen, darunter die *Hoffnung, Hausfreund* und *Justitia*,[3] die er in Frankfurt herausgab und redigierte. Während des Sozialistengesetzes ist er Mitarbeiter der *Deutschen Metallarbeiter-Zeitung*, des *Grundstein*, Verbandsorgan der Bauarbeiter, und des *Berliner Volksblatt*. Anfang der achtziger Jahre ist er Mitarbeiter der Hamburger *Gerichtszeitung*. 1887 wird er Mitarbeiter des *Hamburger Echos*, von 1890 bis 1914 ist er Redakteur des *Echos*.[5]

MdR   1881–1924
Redakteur   1875–1880, 1890–1914
Freier Journalist   ab 1870, 1880–1890
Verleger/Herausgeber   1875–1880

---

1 Vgl. dazu Deutsche Arbeiterdichtung, Bd. 1, o. J., S. 45.
2 Für die Zeit um 1875 existieren bezüglich der sozialdemokratischen Presse in Frankfurt recht widersprüchliche Angaben, die sich zweifelsfrei nicht mehr aufklären lassen. Insgesamt werden drei Organe genannt: *Frankfurter Volksfreund, Frankfurter Volksstimme* und *Volksfreund*. Nach Auskunft von Heribert Klas, Münster, der die frühe Arbeiterpresse zum Forschungsgegenstand hat, dürfte es um diese Zeit nur zwei Parteizeitungen in Frankfurt gegeben haben: Frohme gründet am 1. 4. 1876 den *Volksfreund* und war vorher am Blos'schen *Frankfurter Volksfreund* tätig.
   Vgl. dazu Blos, Wilhelm, Denkwürdigkeiten, Bd. 1, S. 181. Über den *Volksfreund* in Frankfurt: „Nach dem Vereinigungskongreß von Gotha tat ihn Karl Frohme wieder auf und er lebte bis zum Sozialistengesetz."
3 Vgl. dazu Höhn, Reinhard, Die vaterlandslosen Gesellen, S. XLIX.
4 Jensen, Jürgen, Presse und politische Polizei, S. 180.
5 MdVA, Nr. 335, 1. 3. 1933, S. 5.

Fuchs, Richard (1873–?) war Holzbildhauer von Beruf und wurde später Krankenkassenbeamter.

MdR   1912–1918
Redakteur   –
Freier Journalist   –
Verleger/Herausgeber   –

Geck, Ernst Adolf (1854–1942), Sohn eines Gastwirts, studierte an der Technischen Hochschule in Karlsruhe das Bauingenieurwesen, verläßt die Hochschule aber ohne Examen. 1879 wird er Parteisekretär der Deutschen Volkspartei in Frankfurt. Im April 1881 übernimmt er die Redaktion des im Jahre 1878 gegründeten demokratischen *Rheinboten* in Offenburg und kauft im folgenden Jahr Verlag und Druckerei auf.[1] Im Jahre 1882 wird er Mitglied der sozialdemokratischen Partei und benennt den *Rheinboten* in *Volksfreund* um. 1887 wird die Zeitung verboten; unter dem Titel *Parlaments- und Gerichtszeitung* erscheint sie bald aufs

Neue; wieder kurze Zeit später heißt der alte *Volksfreund* dann *Offenburger Nachrichten*. 1889 wird der Titel abermals geändert: Das *Südwestdeutsche Volksblatt* existiert bis zum Fall des Sozialistengesetzes.[2] 1890 wird die Zeitung wieder zum *Volksfreund*. Geck war von 1881 bis 1899, als die Zeitung von der sozialdemokratischen Landesorganisation aufgekauft wird, Redakteur der Zeitung. Von 1899 an redigiert Geck die Zeitung *D'r Alt Offeburger* und von 1907 bis 1909 besorgt er die Redaktion des wöchentlich einmal erscheinenden *Offenburger Volksblatts*.

MdR   1898–1912, 1920–1924 (USPD)
Redakteur   1881–1909
Freier Journalist   –
Verleger/Herausgeber   1882–1899

---

1 Vgl. dazu Schadt, Jörg, Die sozialdemokratische Partei in Baden, S. 107.
2 Engelberg, Ernst, Revolutionäre Politik, S. VI: „...und hielt eine legale Zeitung, den *Volksfreund* gegen alle Tücken der polizeilichen Verfolgung aufrecht."
3 SPD in Baden-Württemberg, S. 356.

Geck, Oskar (1867–1928), Neffe von Ernst Adolf Geck, studierte Jura und Staatswirtschaft. Nach dem Studium ist er Mitarbeiter sozialdemokratischer Zeitungen und Korrespondent größerer Parteiblätter.[1] 1901 wird er Lokalredakteur der *Mannheimer Volksstimme,*[2] übernimmt wenig später die Leitung des Blattes und bleibt Chefredakteur der *Volksstimme* bis zu seinem Tode.[3]

MdR   1914–1928 (USPD/SPD)
Redakteur   1901–1928
Freier Journalist   vor 1901
Verleger/Herausgeber   –

---

1 Personalia-Akte Oskar Geck im AdSD, Bonn.
2 Hundert Jahre SPD in Mannheim, S. 64.
3 Handbuch Arbeiterpresse 1927, S. 65.

Geib, August (1842–1879), geboren in der Rheinpfalz, absolvierte eine Kaufmannslehre. 1864 läßt er sich in Hamburg als Buchhändler und Leihbibliothekar nieder. 1869 arbeitet er am Zentralorgan der Eisenacher, dem *Volksstaat* mit,[1] 1871 redigiert er den *Hamburg-Altonaer Volksfreund,* der aber nur einige Monate existierte.[2] 1873 ist er Mitverfasser[3] einiger Artikel für den *Volksstaat* und ab 1877 Mitarbeiter der sozialistischen Revue *Zukunft,* die in Berlin erscheint. Von November 1878 bis zu seinem Tode ist er Redakteur der Hamburger *Gerichtszeitung*.

MdR   1874–1877
Redakteur   1871, 1878–1879
Freier Journalist   1869, 1873, 1877–1879
Verleger/Herausgeber   –

---

1 Wilhelm Liebknecht. Briefwechsel mit deutschen Sozialdemokraten, S. 276; Geib an Liebknecht am 30. 11. 1869: „Vorstehendes, lieber Freund, können Sie im *Volksstaat* benutzen.
2 Laufenberg, H., Geschichte der Arbeiterbewegung in Hamburg, S. 475.
3 Blos, Wilhelm, Denkwürdigkeiten, Bd. 1, S. 153: „Als ihr Verfasser galt der Schriftsetzer
   Karl Hillmann; der wirkliche Urheber aber war August Geib.“

Geiser, Bruno (1846–1898) hatte Chemie studiert und wurde am 8. Juli 1873 Redakteur des *Zeitgeistes* in München.[1] Von 1874 bis 1876 redigiert er zusätzlich die *Lesehalle des Zeitgeistes.* Von 1875 bis 1876 ist er Redakteur des *Volksstaats* in Leipzig. Von 1877 bis 1886 redigiert er das illustrierte Unterhaltungsblatt *Die neue Welt,* das Dietz erst in Hamburg, dann in Stuttgart herausgibt. Geisers Schwiegervater Wilhelm Liebknecht ist Mitredakteur der *Neuen Welt.* Vom 1. 1. 1886 an ist er fester Mitarbeiter der neugegründeten *Breslauer Volksstimme.*[2] Von 1887 bis 1889 ist er Redakteur der *Schlesischen Nachrichten* in Breslau.[3] 1889 wird ihm diese Stelle gekündigt. Geiser gründet sofort ein Konkurrenzorgan, die *Wahrheit,* die er aber nur bis Ende 1889 halten kann.[4] Weiter gibt er in Breslau eine Halbmonatsschrift heraus, *Staat und Bürger, wie sie sind und wie sie sein sollen,* von der insgesamt nur 15 Nummern erscheinen. Nach Fall des Sozialistengesetzes wird er – von seinem Schwiegervater protegiert – Mitarbeiter des *Vorwärts,*[5] sehr zum Unwillen der Parteileitung.[6] Ende 1897 wird er von der Partei als Pressearchivar eingestellt.[7]

MdR   1881–1887
Redakteur   1873–1889
Freier Journalist   1890 bis Mitte der neunziger Jahre
Verleger/Herausgeber   1889

---

1 Harrer, Charlotte, Geschichte der Münchener Tagespresse, S. 134.
2 Müller, Theodor, Geschichte der Breslauer Sozialdemokratie, Bd. 2, S. 171.
3 Koszyk, Kurt, Die Presse der Schlesischen Sozialdemokratie S. 239.
4 Ebenda, S. 239.
5 Vgl. dazu Ratz, Ursula, Georg Ledebour, S. 35. Geiser ist einer der Leitartikler des
   Vorwärts.
6 Bebel Briefwechsel. Brief an Engels vom 27. 1. 1892, S. 498: „...respektiert er (Liebknecht)
   doch nicht einmal wichtigere Abmachungen, zu deren Respektierung er verpflichtet ist. So
   hat er uns wieder seinen Schwiegersohn in den *Vorw(ärts)* geschmuggelt, obwohl in seiner
   Gegenwart Anfang November beschlossen worden war, daß er nicht mitarbeiten dürfe.“
7 Vgl. dazu Eintragung Schoenlanks in sein Tagebuch vom März 1897. Mayer, Paul, Bruno
   Schoenlank, S. 106 ff.

Gerisch, Alwin (1857–1922), geboren in Sachsen und Maschinenbauer von Beruf, übernimmt in den neunziger Jahren als Mitglied des Parteivorstandes nominell diverse Parteiverlage. Ab 22. 12. 1893 zeichnet er für Druck und Verlag der *Rheinisch-Westfälischen Arbeiter-Zeitung* in Dortmund verantwortlich,[1] weiter ist er Miteigentümer des *Volkswacht*-Verlages in Bielefeld und Verleger der *Pfälzischen Post* in Ludwigshafen.[2] Auch journalistisch war er hin und wieder für die Parteipresse tätig.[3]

MdR	1894–1898, 1903–1907
Redakteur	–
Freier Journalist	1916
Verleger/Herausgeber	1893–1922

---

1 Vgl. dazu Koszyk, Kurt, Anfänge und frühe Entwicklung, S. 82.
2 *MdVA*, Nr. 98, 9. 12. 1910, S. 4, Anzeige.
3 Im Juli 1916 werden fünf Artikel von Gerisch in der Dortmunder *Arbeiter-Zeitung* veröffentlicht. Vgl. auch die Memoiren von Gerisch: Ger, A., Erzgebirgisches Volk, S. 158.

Geyer, Friedrich August Karl (1853–1937), als Sohn eines Fleischermeisters in Sachsen geboren, war ursprünglich Zigarrenmacher von Beruf. Von 1890 bis 1895 ist er Redakteur für das Ressort „sächsische Landesangelegenheiten" des *Wähler* in Leipzig.[1] Als Schoenlank 1895 aus dem *Wähler* die *Leipziger Volkszeitung* macht, bleibt Geyer noch wenige Monate in der Redaktion und übernimmt dann die Redaktion des Fachorgans der Tabakarbeiter; den *Tabak-Arbeiter* redigiert er bis 1918.

MdR	1886–1887, 1890–1924 (USPD)
Redakteur	1890–1918
Freier Journalist	–
Verleger/Herausgeber	–

---

1 Mayer, Paul, Bruno Schoenlank, S. 70.

Giebel, Carl (1878–1930), Sohn eines Zimmermannes, war zum Bürogehilfen ausgebildet worden. 1904 wird er Gewerkschaftssekretär in Düsseldorf und ist später als Verbandsvorsitzender für die Gewerkschaft tätig.

MdR	1912–1928
Redakteur	–
Freier Journalist	–
Verleger/Herausgeber	–

Göhre, Paul (1864–1928) war, bevor er 1900 der sozialdemokratischen Partei beitrat, protestantischer Pfarrer. In den neunziger Jahren war er Mitredakteur der *Christlichen Welt,*[1] in der er auch seine aufsehenerregende Sozialreportage „Drei Monate Fabrikarbeiter und Handwerksbursche" zum ersten Mal veröffentlicht. Als Mitglied der Partei schreibt er für Parteizeitungen und bürgerliche Blätter.[3]

MdR	1903, 1910–1918
Redakteur	in den neunziger Jahren
Freier Journalist	ca. ab 1900
Verleger/Herausgeber	–

---

1 Personalia-Akte Göhre im AdSD, Bonn.
2 *Christliche Welt,* Nr. 4, 1890.
3 Wegen seiner Mitarbeit an bürgerlichen Zeitungen wird Göhre auf dem Parteitag 1903 in Dresden gerügt. Vgl. dazu Protokoll 158 ff.

Goldstein, Hermann (1852–1909), Kaufmann von Beruf, redigierte in den siebziger Jahren vertretungsweise den *Dresdener Volksboten.* Anfang der neunziger Jahre wird er Redakteur des *Sächsischen Volksblattes*[2] in Zwickau und hat diese Stellung bis zu seinem Tode inne.[3]

MdR	1903–1909
Redakteur	in den siebziger Jahren, ab 1891–1909
Freier Journalist	–
Verleger/Herausgeber	–

---

1 Handbuch Arbeiterpresse 1914, S. 96. Goldstein redigierte immer dann das Blatt, wenn der Redakteur Kayser im Gefängnis saß.
2 Vgl. Notiz im *Vorwärts,* 1. 2. 1893: „Hermann Goldstein, (...) jetzt am *Sächsischen Volksblatt* in Zwickau."
3 Heilmann, Ernst, Geschichte der Arbeiterbewegung in Chemnitz, S. 287.

Gradnauer, Georg (1866–1946), als Sohn eines Kaufmannes in Magdeburg geboren, studierte in Genf, Berlin, Marburg und Halle Philosophie und Geschichte und schloß sein Studium mit der Promotion ab. Von 1890 bis 1896 ist er Redakteur der *Sächsischen Arbeiter-Zeitung* in Dresden,[1] wird 1896 an das Zentralorgan *Vorwärts* berufen und ist an dieser Zeitung bis 1905 für das Ressort „Auswärtige Politik" zuständig.[2] Nach seiner Entlassung aus dem *Vorwärts* geht er zurück an die *Sächsische Arbeiter-Zeitung* und wird mit deren Umbenennung in *Dresdener Volkszeitung* im Jahre 1908 Chefredakteur dieses Parteiblattes. Diese Stellung hat er bis November 1918 inne.[3]

MdR   1898–1907, 1912–1919, 1920–1924
Redakteur   1890–1918
Freier Journalist   –
Verleger/Herausgeber   –

---

1 Handbuch Arbeiterpresse 1914, S. 97.
2 Adler Briefwechsel. Bebel an Adler am 30. 6. 1905, S. 458: „Gradnauer der die ausw. Politik jetzt bearbeitet..."
3 Notiz in den *MdVA*, Nr. 176, 1. 11. 1918, S. 7: „Aus der *Dresdener Volkszeitung* scheidet deren langjähriger leitender Redakteur, Kollege Gradnauer, aus, um in Berlin im Verlag für Sozialwissenschaft die Leitung des Buchverlages zu übernehmen."

Grenz, Ernst (1855–1921), Former von Beruf, war von 1895 an „Einkassierer"[1] für die *Leipziger Volkszeitung.*

MdR   1903–1907, 1912–1918
Redakteur   –
Freier Journalist   –
Verleger/Herausgeber   –

---

1 Handbuch Arbeiterpresse 1914, S. 454.

Grillenberger, Karl (1848–1897), als Sohn eines Lehrers in Zirndorf geboren, erlernte das Schlosserhandwerk. Ab 1872 ist er regelmäßiger Mitarbeiter des *Fürther Demokratischen Wochenblattes* und versieht im gleichen Jahr für einen Monat die Redaktionsgeschäfte, als der Redakteur inhaftiert wird.[1] Von März 1873 arbeitet er als Redakteur bei dieser Zeitung. Im Oktober 1874 wird das *Fürther Demokratische Wochenblatt* von den Eisenachern übernommen und kurze Zeit später in *Sozialdemokratisches Wochenblatt* umbenannt. Im Oktober 1874 wird der Titel abermals geändert: der *Nürnberg-Fürther Sozialdemokrat* erscheint jetzt dreimal wöchentlich. Zusätzlich redigiert Grillenberger dann ab 1876 den *Würzburger Volksfreund,* der in Nürnberg hergestellt wird, und die monatlich einmal erscheinenden *Neuesten Nachrichten.* Nach Erlaß des Sozialistengesetzes wird der *Nürnberg-Fürther Sozialdemokrat,* der seit Oktober 1877 täglich erscheint, in *Fränkische Tagespost* umbenannt, die als eine der wenigen sozialdemokratischen Zeitungen die Zeit des Sozialistengesetzes ohne Verbot übersteht. 1883 ist Grillenberger Mitbegründer der *Deutschen Metallarbeiter-Zeitung,* ruft 1887 das *Bayerische Wochenblatt* ins Leben und gründet im gleichen Jahr noch die *Gerichtszeitung* und das Wochenblatt *Arbeiterchronik.* Von Bebel als Geschäftemacher[2] bezichtigt, verkauft er Anfang 1895 die *Fränkische Tagespost* mit der Druckerei an Oertel, behält den Posten des Chefredakteurs aber bis zu seinem Tode.

MdR	1881–1897
Redakteur	1873–1897
Freier Journalist	1872
Verleger/Herausgeber	1883–1895

---

1 Gärtner, Georg, Karl Grillenberger. S. 65 ff.
2 Hirschfelder, Heinrich, Die bayerische Sozialdemokratie, S. 466.

Grünberg, Carl Friedrich (1847–1906), von Beruf Weber, wird im Handbuch der Reichstage als „Fabrikant" in Hartha aufgeführt.[1]

MdR	1902–1906
Redakteur	–
Freier Journalist	–
Verleger/Herausgeber	–

---

1 Hirsch, Max, MdR, S. 331.

Haase, Hugo (1863–1919), als Sohn eines Schuhmachers in Allenstein/ Ostpreußen geboren, studierte Jura und arbeitete als selbständiger Rechtsanwalt erst in Königsberg, dann in Berlin. Nach der Jahrhundertwende ist er als Berichterstatter[1] für das *Volksblatt* in Mülhausen tätig und ist als Mitarbeiter auch für andere Parteizeitungen engagiert.[2] Nach Ausbruch des 1. Weltkrieges findet er sich jeden Tag in der Redaktion des *Vorwärts* ein,[3] um zum einen juristische Ratschläge wegen der neuen Zensurbestimmungen zu geben und um zum anderen auch die inhaltliche Gestaltung des *Vorwärts* mitzubestimmen.[4]

MdR	1897–1907, 1912–1919 (USPD)
Redakteur	–
Freier Journalist	ab 1900
Verleger/Herausgeber	–

---

1 Handbuch Arbeiterpresse 1914, S. 115.
2 Adler Briefwechsel. Kautsky an Adler am 26. 6. 1913, S. 574: „...weder ein glänzender Schriftsteller, noch ein hinreißender Redner."
3 Vgl. dazu Scheidemann, Philipp, Memoiren, Bd. 1, S. 267.
4 Ebenda.

Haberland, Carl (1863–1938), geboren in Wurzen/Sachsen, war von Beruf Schneider. Von 1901 bis 1906 ist er Angestellter bei der *Freien Presse* in Elberfeld.[1] Danach ist er als Parteisekretär in Düsseldorf tätig.

MdR   1906–1907, 1911–1918
Redakteur   –
Freier Journalist   –
Verleger/Herausgeber   –

---

1   Handbuch Arbeiterpresse 1927, S. 292.

Harm, Friedrich (1844–1905), geboren in Leezen/Holstein, war Weber von Beruf. 1885 gründet er die Elberfelder *Freie Presse,*[1] deren Redaktion er 1886 übernimmt.[2] Bis Ende 1887 redigiert er die *Freie Presse* und fungiert dann als Verleger der Zeitung.[3] Bis zu seinem Tode ist er zusätzlich auch Expeditionsleiter der *Freien Presse.*[4]

MdR   1884–1898
Redakteur   1886–1887
Freier Journalist   –
Verleger/Herausgeber   1887–1905

---

1   Handbuch Arbeiterpresse 1914, S. 99.
2   Koszyk, Kurt, Anfänge und frühe Entwicklung, S. 37.
3   Deutscher Litteratur-Kalender auf das Jahr 1889, S. 568.
4   Personalia-Akte Harm im AdSD, Bonn. *Vorwärts,* 14. 10. 1955: „Ein Kampfgefährte August Bebels."

Hartmann, Georg Wilhelm (1842–1909) war Schuhmacher von Beruf und betrieb später in Hamburg eine Gaststätte. 1882 zieht er sich aus der Partei zurück.[1]

MdR   1880–1881
Redakteur   –
Freier Journalist   –
Verleger/Herausgeber   –

---

1   Höhn, Reinhard, Vaterlandslose Gesellen, S. 98 ff.: Dokument Nr. 7, Berlin 12. 1. 1882.

Hasenclever, Wilhelm (1837–1889) besuchte das Gymnasium bis zur Sekunda und wurde dann Lohgerber. 1862 wird er Redakteur der demokratischen *Westfälischen Volkszeitung* in Hagen.[1] Um die Jahreswende 1869/70 zieht er nach Berlin und wird Mitarbeiter des *Social-Demokrat.*[2] Mit Hasselmann zusammen redigiert er von 1871 bis 1875 den *Neuen Social-Demokrat.* Nach dem Einigungskongreß von Gotha 1875 wird er in die Redaktion des neugegründeten *Hamburg-Altonaer Volksblattes* berufen,[3] verläßt aber Hamburg schon nach kurzer Zeit, um mit Wilhelm

Liebknecht zusammen die Redaktion des Zentralorgans *Vorwärts* zu übernehmen. Nach Inkrafttreten des Sozialistengesetzes gründet er das humoristisch-satirische Wochenblatt *Das Lämplein*, das aber 1880 verboten wurde. Mit Liebknecht zusammen redigiert er bis Ende 1881 den *Reichsbürger für Leipzig und Umgebung*, gründet 1882 mit Bebel und Liebknecht zusammen die Zeitung *Haus und Welt*,[4] die aber kurz darauf verboten wird. Danach ist er Redakteur des *Gewerkschafter*,[5] Vorläufer des *Tabakarbeiter* und ist ab 1884 in der Redaktion des neugegründeten *Berliner Volksblatts*.[6] Kurze Zeit später scheidet er aus der Redaktion aus, bleibt aber weiter Leitartikler des *Volksblattes*.[7] Weiter ist er auch Mitarbeiter der demokratischen *Volkszeitung* in Berlin bis zu seinem Tode.[8]

MdR	1869–1871, 1874–1878, 1879–1888
Redakteur	1862–1884
Freier Journalist	1884–1889
Verleger/Herausgeber	1879–1880, 1882

1 Personalia-Akte Hasenclever im AdSD, Bonn. Marx spricht zwar von einem Blatt in Krefeld (Marx/Engels Briefwechsel, Bd. 34, S. 54, Marx an Engels am 23. 7. 1877), Blos von einem Blatt in Halver (Blos, Wilhelm, Denkwürdigkeiten, Bd. 1, S. 225), das Hasenclever redigiert haben soll.
2 Bernstein, Eduard, Geschichte der Berliner Arbeiterbewegung, Bd. 1, S. 207.
3 Blos, Wilhelm, Denkwürdigkeiten, Bd. 1, S. 196.
4 Höhn, Reinhard, Vaterlandslose Gesellen, S. 123, Dokument Nr. 8. Berlin, 14. 6. 1882, Polizeipräsidium, Journ. Nr. 2117.
5 Bruhns, Julius, Es klingt, S. 64.
6 Blos, Wilhelm, Denkwürdigkeiten, Bd. 1, S. 109.
7 Bernstein, Eduard, a.a.O., Bd. 2, S. 227.
8 Ebenda, S. 146 und Ratz, Ursula, Georg Ledebour, S. 28.

Hasenzahl, Ludwig (1876–1950) war Elfenbeinschnitzer in Erbach und wurde 1922 aus der Partei ausgeschlossen.

MdR	1912–1920
Redakteur	–
Freier Journalist	–
Verleger/Herausgeber	–

Hasselmann, Wilhelm (1844–1916), Sohn eines Leinenhändlers, studierte Chemie in Göttingen und Berlin. In Berlin macht er 1866 die Bekanntschaft Schweitzers, der ihn bald darauf als Hilfskraft in die Redaktion des *Social-Demokrat* holt.[1] Hasselmann gibt sein Studium auf und übernimmt, als Schweitzer eine längere Haftstrafe antreten muß, ganz die Redaktion des *Social-Demokrat*.[2] Von 1871 bis 1875 redigiert er mit Hasenclever zusammen den *Neuen Social-Demokrat*. Am 1. 1. 1876 wird er Redakteur der neugegründeten *Berliner Freien Presse*, und ab Juli dieses Jahres gibt er in seinem Wahlkreis Barmen die täglich erscheinende *Bergische Volksstimme* heraus, die er auch mitredigiert.[3] *Berliner Freie Presse* wie die *Bergische Volksstimme* fallen dem Sozialistengesetz zum Opfer. In Berlin gründet Hasselmann im November 1878 das Unterhaltungsblatt *Glück auf* und im gleichen Monat noch die Zeitung *Berlin, Organ für die Interessen der Reichshauptstadt*. Noch ein drittes Blatt ruft er in Berlin ins Leben – die *Berliner Allgemeine Zeitung* –, bevor er aus Berlin ausgewiesen wird. Ab Dezember 1878 erscheint *Glück auf* in Hamburg; dieses Blatt existiert drei Jahre.[4] Am 23. 3. 1879 kommt die von Hasselmann gegründete und redigierte *Deutsche Zeitung* zum ersten Mal heraus; sie erscheint zweimal wöchentlich mit der Sonntagsbeilage *Glück auf*.[5] In der Folgezeit gründet er weitere Blätter, meistens Kopfblätter der *Deutschen Zeitung*, so im September 1879 die *Schleswig-Holsteinische Volkszeitung*, im Januar 1880 die *Neue Bremer Freie Zeitung*, im März 1880 die *Hamburg-Altonaer Hafenzeitung*, die wenig später zum *Hamburg-Altonaer Freien Volksblatt* wird. Zusätzlich gründet er noch das einmal wöchentlich erscheinende humoristische Blatt *Seeschlange*.

Auf dem Wydener Kongress 1880 wird Hasselmann aus der Partei ausgeschlossen;[6] schon vor diesem Beschluß war Hasselmann nach London übersiedelt, wo er zeitweise Mitarbeiter der *Freiheit* war. Anfang der achtziger Jahre wandert er nach Amerika aus, gründet dort noch einmal eine Zeitung, die *Amerikanische Arbeiterzeitung*, die am 2. 1. 1886 zum ersten Mal erscheint, sich aber nur knapp sechs Monate halten kann.

MdR   1874–1877
Redakteur   1866–1880, 1886
Freier Journalist   –
Verleger/Herausgeber   1876–1880

---

1 Mehring, Franz, Geschichte der deutschen Sozialdemokratie, Bd. 2, S. 299.
2 *Social-Demokrat*, Nr. 80, 10. 7. 68. Schweitzer gibt bekannt, daß Hasselmann während seiner Abwesenheit sein Stellvertreter in der Redaktion sei.
3 Bers, Günther, Wilhelm Hasselmann, S. 25.
4 Jensen, Jürgen, Presse und politische Polizei, S. 73.
5 Laufenburg, H., Geschichte der Arbeiterbewegung in Hamburg, Bd. 2, S. 55 ff.
6 Vgl. Protokoll Parteikongreß 1880 in Wyden, S. 31. Auers Fazit, daß es Hasselmanns „ganzes Bestreben sowohl im Privatkreise wie in dem von ihm herausgegebenen Blättern gewesen sei, Unfrieden in der Partei zu stiften."

Haupt, Wilhelm (1869–?), von Beruf Schuhmacher, war von April 1899 an Expediteur der *Magdeburger Volksstimme*.[1] An dieser Zeitung scheint er auch eine Zeitlang verantwortlicher Redakteur gewesen zu sein, weil er 1901 eine achtmonatige Gefängnisstrafe antreten mußte, die ihm der Abdruck einiger Witze in der *Magdeburger Volksstimme* eingebracht hatte.[2]

MdR   1912–1913
Redakteur   ab ca. 1900–?
Freier Journalist   –
Verleger/Herausgeber   –

---

1 Handbuch Arbeiterpresse 1914, S. 468.
2 *Schlesische Volkswacht*, Nr. 30, 5. 2. 1901.

Heine, August (1842–?), geboren in Halberstadt und von Beruf Hutmacher, war von 1871 an Redakteur der Halberstädter *Volkszeitung,* später redigierte er die Halberstädter *Freie Presse* und von 1883 bis 1884 die Halberstädter *Sonntagszeitung.*[1]

MdR   1884–1887, 1890–1893
Redakteur   1871–1884
Freier Journalist   –
Verleger/Herausgeber   –

---

1   Stegmann/Hugo, Handbuch des Sozialismus, S. 315.

Heine, Wolfgang (1861–1944), in Posen als Sohn eines Gymnasialdirektors geboren, studierte Jura und ließ sich als Rechtsanwalt in Berlin nieder. Heine war ständiger Mitarbeiter der *Sozialistischen Monatshefte;*[1] er schrieb auch für bürgerliche Zeitungen wie das *Berliner Tagblatt* und die *Vossische Zeitung.*[2] In Heinrich Brauns Zeitschrift *Die neue Gesellschaft* gehörte er zum Redaktionsausschuß.[3]

MdR   1898–1920
Redakteur   –
Freier Journalist   ab 1900
Verleger/Herausgeber   –

---

1   Vgl. Protokoll Parteitag 1901 in Lübeck, S. 195.
2   Heine, Wolfgang, „Grober Unfug", in: *Vossische Zeitung,* 21. 12. 1902.
3   Braun-Vogelstein, Julie, Ein Menschenleben, S. 268.

Hengsbach, Klemens (1857–?), Tischler von Beruf, war seit 1906 Firmenträger der *Niederrheinischen Arbeiterzeitung*[1] in Duisburg und ab 1912 Inseratenvertreter der *Rheinischen Zeitung,* Köln.[2]

MdR   1907–1912
Redakteur   –
Freier Journalist   –
Verleger/Herausgeber   –

---

1   Handbuch Arbeiterpresse 1914, S. 444. In der Bibliographie, Die Presse der deutschen Sozialdemokratie von Kurt Koszyk und Gerhard Eisfeld, wird Hengsbach als Redakteur der *Niederrheinischen Arbeiterzeitung* aufgeführt. Eine Redakteurstätigkeit Hengsbachs ließ sich aber bei Durchsicht der einschlägigen Handbücher nicht feststellen.
2   Handbuch Arbeiterpresse 1914, S. 444.

Henke, Alfred (1868–1946), Sohn eines Zigarrenmachers, ergriff den gleichen Beruf wie sein Vater. Seine journalistische Laufbahn beginnt er Ende der neunziger Jahre als Berichterstatter für das *Hamburger Echo.*[1] Im April 1901 wird er als dritter Redakteur für die *Bremer Bürger-Zeitung* eingestellt;[2] er ist für den Lokalteil und das Ressort „Gewerkschaftliche Angelegenheiten" zuständig. Im November 1906 wird er Chefredakteur des Bremer Parteiblattes und hat diese Stellung bis zu seinem Ausschluß aus der Reichstagsfraktion im Jahre 1916 inne. 1918 bemächtigt sich der Arbeiter- und Soldatenrat der Stadt Bremen der *Bürger-Zeitung* und setzt Henke wieder als Chefredakteur ein. Drei Monate nur hat er die neue alte Stellung inne, dann fällt die Zeitung nach dem Sieg der Reichswehr wieder den Mehrheitssozialisten zu. Henke gründet die *Bremer Arbeiter-Zeitung,* die 1922 mit der *Bürger-Zeitung* fusioniert; die neue Zeitung heißt *Bremische Volkszeitung.* Von September 1919 an redigiert Henke die USPD-Zeitschrift *Die sozialistische Gemeinde.*[3]

MdR	1912–1932 (USPD/SPD)
Redakteur	1901–1916, 1918–?
Freier Journalist	vor 1901
Verleger/Herausgeber	ab 1918

---

1 *Bremer Bürgerzeitung,* 18. 2. 1956, „Alfred Henke zum Gedächtnis."
2 Moring, Karl-Ernst, Sozialdemokratische Partei in Bremen, S. 74.
3 Notiz in den *MdVA,* Nr. 186, 1. 9. 1919, S. 6.

Herbert, Fritz (1860–?), Schriftsetzer von Beruf, redigierte von 1885 bis 1903 den Stettiner *Volksboten.*[1] Im Juni 1911 trat er abermals in die Redaktion des *Volksboten* ein und blieb bis nach 1914 in dieser Stellung.[2]

MdR	1893–1898, 1903–1907
Redakteur	1885–1903, 1911–1914
Freier Journalist	–
Verleger/Herausgeber	–

---

1 Handbuch Arbeiterpresse 1914, S. 523.
2 Ebenda.

Herzfeld, Joseph (1853–1933), Sohn eines Fabrikanten, studierte Jura und schloß sein Studium mit der Promotion ab. Danach ließ er sich in Halensee als Rechtsanwalt nieder.

MdR	1898–1907, 1912–1918, 1920–1924 (USPD)
Redakteur	–
Freier Journalist	–
Verleger/Herausgeber	–

Hickel, Charles (1848–?), in Bischweiler/Elsaß geboren und Bauschreiner von Beruf, betrieb ein Tischlergeschäft in Mülhausen.

MdR	1890–1893
Redakteur	–
Freier Journalist	–
Verleger/Herausgeber	–

Hierl, Michael (1868–1933), Feingoldschläger von Beruf, war Gewerkschaftssekretär.

MdR	1912–1920
Redakteur	–
Freier Journalist	–
Verleger/Herausgeber	–

Hildenbrand, Karl (1864–1935), in Knittlingen bei Maulbronn geboren, war von Beruf Schriftsetzer. 1895 wird er Redakteur der *Schwäbischen Tagwacht* in Stuttgart und betreut bis 1902 das Ressort „Württembergische Landespolitik".[1] Nach Ausscheiden aus der Redaktion gründet er ein Zigarrengeschäft, schreibt aber weiter für die *Tagwacht*[2] und besorgt die Redaktion zweier Wochenblätter.[3] In den Folgejahren wird er Mitarbeiter diverser Parteiblätter.[4]

MdR	1903–1932
Redakteur	1895–1902
Freier Journalist	ab 1902
Verleger/Herausgeber	–

---

1 Keil, Wilhelm, Erlebnisse, Bd. 1, S. 154.
2 Vgl. dazu Matthias, Erich, Die Reichstagsfraktion, S. 119. Protokoll der Fraktionssitzung vom 17. 2. 1904: „Als Verfasser der Schippelnotiz in der *Schwäbischen Tagwacht* hat sich Kollege Hildenbrand genannt..."
3 Keil, Wilhelm, a.a.O. S. 195.
4 Kriegstagebuch von Eduard David S. 156. Eintragung vom 29. 1. 1916: „Karl Hildenbrand im Archiv. (...) Ich ersuche ihn, Artikel gegen K(arl) K(autsky) zu schreiben..."

Hoch, Gustav (1862–1942), geboren in Danzig, absolvierte erst eine Kaufmannslehre, machte dann Abitur und studierte in Berlin, Königsberg und Zürich Volkswirtschaft, Geschichte und Philosophie. Anfang der neunziger Jahre wird er Redakteur der Frankfurter *Volksstimme*,[1] bei der er bis 1894 bleibt. Von 1893 bis 1919 redigiert er die *Deutsche Dachdecker-Zeitung*[2] und arbeitet nebenbei für andere Gewerkschafts- und Parteiblätter.[3] 1910 redigiert er die Rubrik „Gesetzgebung und Verwaltung" des *Correspondenzblattes*.

MdR   1898–1903, 1907–1933
Redakteur   1891–1919
Freier Journalist   –
Verleger/Herausgeber   –

---

1   Vgl. Notiz im *Vorwärts*, 18. 12. 1891: „Gustav Hoch verließ am 15. Dezember das Kölner
    Gefängniß. (...) Er trat wieder in die Redaktion der *Frankfurter Volksstimme* ein." Und
    Protokoll Parteitag 1892 in Berlin, S. 98, Beitrag von Hoch: „Wir beide sind angestellt als
    Redakteure am dortigen Blatte (in Frankfurt)...„
2   Personalia-Akte Hoch im AdSD, Bonn.
3   Notiz in den *MdVA*, Nr. 42, 14. 9. 1904: „Die Redaktionen der Partei- und Gewerkschafts-
    blätter werden gebeten, bei Bedarf an Mitarbeitern nachstehende Schriftsteller zu berück-
    sichtigen." Gustav Hoch ist mit aufgeführt.

Hoffmann, Adolph (1858–1930), Pflegesohn eines Tuchmachers, war von
Beruf Graveur und Vergolder. Von 1890 bis 1893 redigiert er den *Volksboten*[1] in Zeitz und das *Volksblatt* in Halle. Danach gründete er den A.
Hoffmann Verlag in Berlin, in dem er hauptsächlich Propagandaliteratur
und Theaterstücke verlegte. 1921/22 ist er Herausgeber des Mitteilungs-
blattes der kommunistischen Arbeitsgemeinschaft.

MdR   1904–1907, 1920–1924 (USPD)
Redakteur   1890–1893
Freier Journalist   –
Verleger/Herausgeber   ab 1893, 1921/22

---

1   Handbuch Arbeiterpresse 1914, S. 126 und Notiz im *Vorwärts*, 20. 2. 1892: „...wurde dem
    Redakteur A. Hoffmann des Zeitzer *Volksboten*..."

Hoffmann, Johannes (1867–1930), als Sohn eines Landwirts in Ibbesheim
bei Landau geboren, war von 1887 bis 1908 Volksschullehrer in Kaisers-
lautern.

MdR   1912–1930
Redakteur   –
Freier Journalist   –
Verleger/Herausgeber   –

Hofmann, Franz Hermann Theodor (1852–1903) war Zigarrenfabrikant in
Chemnitz.

MdR   1892–1903
Redakteur   –
Freier Journalist   –
Verleger/Herausgeber   –

186

Hofmann, Max Arthur (1863–1944), Buchdrucker von Beruf, gründet 1890 das *Thüringer Volksblatt,* 1904 wird es in *Volksblatt,* Saalfeld umbenannt, und ist Geschäftsführer und Verleger des Blattes.[1] 1819 wird er unter der Berufsbezeichnung Redakteur in den MdVA aufgeführt. Erst 1927 ist er nachweislich auch Redakteur des *Volksblattes* in Saalfeld.

MdR   1903–1907, 1912–1924
Redakteur   ab 1927
Freier Journalist   –
Verleger/Herausgeber   1890–1933 (?)

---

1   Handbuch Arbeiterpresse 1914, S. 121 und 514.
2   *MdVA*, Nr. 180, 1. 3. 1919.

Hofrichter, Adolf Gustav (1857–1916), geboren in Danzig und von Beruf Schlosser, war von 1892 bis 1894 Verlagsangestellter der *Rheinischen Zeitung* in Köln;[1] von März 1894 bis Januar 1901 ist er Lokalredakteur dieser Zeitung.[2] Danach ist er Parteisekretär und Vorsitzender der Presskommission, die für die *Rheinische Zeitung* zuständig ist.[3]

MdR   1912–1916
Redakteur   1894–1901
Freier Journalist   –
Verleger/Herausgeber   –

Horn, Georg (1841–1919), geboren in Fabrikschlaichach/Bayern, war Glasarbeiter. Von 1876 bis 1878 redigiert er das Glasarbeiterfachblatt *Neue Glashütte,* das er gegründet hat.[1] Ab 1885 ist er Verleger und Redakteur des neuen Organs der Glasarbeiter, des *Fachgenossen.* 1907 scheidet er aus der Redaktion aus, bleibt aber ständiger Mitarbeiter der Fachzeitung.

MdR   1896–1918 (USPD)
Redakteur   1876–1878, 1885–1907
Freier Journalist   ab 1907
Verleger/Herausgeber   1885–?

---

1   Handbuch Arbeiterpresse 1914, S. 342.

Huber, Josef (1860–1940), als Sohn eines Briefträgers in Oggersheim geboren, war Schriftsetzer von Beruf. Von 1893 bis 1909 war er Buchdruckereibesitzer, danach Parteisekretär in Ludwigshafen.

MdR	1909–1912
Redakteur	–
Freier Journalist	–
Verleger/Herausgeber	–

Hue, Otto (1868–1922), als Sohn eines Walzmeisters in Hörde/Westfalen geboren, absolvierte eine Schlosserlehre. 1894 wird er Redakteur der *Berg- und Hüttenarbeiterzeitung,*[1] Bochum. Das Zentralorgan des Bergarbeiterverbandes redigiert er bis zu seinem Tode. 1895 redigiert er aushilfsweise die *Rheinisch-Westfälische Arbeiterzeitung.*[2] Ab 1895 ist er auch Mitarbeiter der *Neuen Zeit;* von 1897 an schreibt er für die *Sozialistischen Monatshefte.* Weiter arbeitet er noch am *Correspondenzblatt* mit.

MdR	1903–1912, 1919–1922
Redakteur	1894–1895
Freier Journalist	ab 1895
Verleger/Herausgeber	–

---

1 Vgl. dazu Severing, Carl, Mein Lebensweg, Bd. 1: S. 159 und Osterroth, Nikolaus, Otto Hue. S. 11.
2 Koszyk, Kurt, Anfänge und Frühe Entwicklung, S. 87.

Hüttmann, Heinrich (1868–1928), geboren in Schönwalde und Maurer von Beruf, war von 1901 an Gewerkschaftssekretär in Frankfurt-M.

MdR	1912–1918, 1921–1928 (USPD/SPD)
Redakteur	–
Freier Journalist	–
Verleger/Herausgeber	–

Hugel, Karl (1865–1937), Schneidermeister von Beruf, war Geschäftsführer der *Fränkischen Volkstribüne,* Bayreuth.[1]

MdR	1912–1918
Redakteur	–
Freier Journalist	–
Verleger/Herausgeber	–

---

1 Handbuch Arbeiterpresse 1914, S. 252.

Jäckel, Hermann (1869–1928), von Beruf Weber und Spinner, war von 1892 bis 1902 Mitglied der Presskommission des *Sächsischen Volksblatts* in Zwickau, danach von 1902 bis 1904 Redakteur dieser Parteizeitung.[1]

188

Danach war er als Vorsitzender des Textilarbeiterverbandes in der Gewerkschaft tätig.

MdR	1912–1918, 1920–1924 (USPD)
Redakteur	1902–1904
Freier Journalist	–
Verleger/Herausgeber	–

---

1 Handbuch Arbeiterpresse 1914, S. 127, 271.

Joest, Franz (1851–?) war Fabrikant in Mainz.

MdR	1890–1896
Redakteur	–
Freier Journalist	–
Verleger/Herausgeber	–

Kaden, Wilhelm, August (1850–1930), Zigarrenmacher von Beruf, war in den siebziger Jahren Redakteur der *Chemnitzer Freien Presse* und fungierte ab 1889 als Herausgeber der *Sächsischen Arbeiter-Zeitung* in Dresden.

MdR	1898–1913
Redakteur	in den siebziger Jahren
Freier Journalist	–
Verleger/Herausgeber	ab 1889

Käppler, Hermann (1863–1926), geboren in Großenhain/Sachsen und von Beruf Müller, redigierte von 1889 bis 1898 den Altenburger *Wähler,*[1] 1899 ist er als Vertreter der Gewerkschaftsredakteure bei den konstituierenden Verhandlungen des Vereins Arbeiterpresse dabei.[2] 1914 ist er Vorsitzender der Presskommission, die für die *Altenburger Volkszeitung* zuständig ist;[3] 1819 wird er unter der Berufsbezeichnung Redakteur in den *MdVA* angeführt.[4]

MdR	1912–1924
Redakteur	1889–1898
Freier Journalist	–
Verleger/Herausgeber	–

---

1 Handbuch Arbeiterpresse 1914, S. 83 und Notiz im *Vorwärts,* 1. 7. 1894.
2 *MdVA,* Nr. 100, 3. 5. 1911, S. 2.
3 Handbuch Arbeiterpresse 1914, S. 272.
4 *MdVA,* Nr. 180, 1. 3. 1919.

Kapell, August (1844–?), Zimmerer von Beruf, ist ab 1871 festbesoldeter Kassierer und Agitator der Berliner Gruppe des ADAV[1] und zeichnet 1873 als verantwortlicher Redakteur des *Neuen Social-Demokrat.*[2] Nach dem Einigungskongreß in Gotha zieht er nach Hamburg und ist sporadischer Mitarbeiter des *Hamburg-Altonaer Volksblattes.*[3] 1880 bis 1881 ist er Mitarbeiter der Hamburger *Gerichtszeitung,*[4] zieht sich dann aber aus der Partei zurück[5] und betreibt eine Gaststätte in Hamburg[6] und dann später eine in Breslau.[7]

MdR	1877–1878
Redakteur	1873
Freier Journalist	1880–1881
Verleger/Herausgeber	–

1 Bernstein, Eduard, Geschichte der Berliner Arbeiterbewegung, Bd. 1, S. 237.
2 *Neuer Social-Demokrat,* Nr. 29, 9. 3. 1873: „Ein Prozeß gegen den verantwortlichen Redakteur des *Neuen Social-Demokrat,* August Kapell, wegen Majestätsbeleidigung fand Donnerstag statt." Kapell dürfte „Sitzredakteur" gewesen sein.
3 Blos, Wilhelm, Zur Geschichte der sozialdemokratischen Presse, Teil 5 in: MdVA, Nr. 89, 4. 12. 1909, S. 5.
4 Jensen, Jürgen, Presse und politische Polizei, S. 107.
5 Höhn, Reinhard, Vaterlandslose Gesellen, S. 98 ff., Dokument Nr. 7, Berlin 12. 1. 1882, Polizeipräsidium, Journ. Nr. 2117.
6 Laufenberg, H., Geschichte der Arbeiterbewegung in Hamburg, Bd. 2, S. 211.
7 Müller, Theodor, Geschichte der Breslauer Sozialdemokratie, Bd. 2, S. 306.

Kayser, Max (1853–1888), geboren in Tarnowitz und Handlungsgehilfe von Beruf, wird 1871 Redakteur der *Demokratischen Zeitung* in Berlin.[1] 1873 redigiert er die Mainzer *Volksstimme*[2] und kommt 1874 als Redakteur an den *Dresdener Volksboten.*[3] 1877 löst ihn Vollmar ab und Kayser wird Mitarbeiter der sozialistischen Revue *Zukunft* in Berlin und der *Chemnitzer Freien Presse.*[4] Anfang der achtziger Jahre ist er Redakteur des *Schlesischen Erzählers* in Breslau,[5] ab 1882 ist er Herausgeber und Redakteur des *Sächsischen Wochenblattes.*[6]

MdR	1878–1887
Redakteur	1871–1887
Freier Journalist	–
Verleger/Herausgeber	1882–1888

1 Eduard Bernstein, Geschichte der Berliner Arbeiterbewegung, Bd. 1, S. 228.
2 Protokoll Vereinstag der SDAP 1874 in Coburg, S. 87 und Blos, Wilhelm, Denkwürdigkeiten, Bd. 1, S. 173.
3 Vaterlandslose Gesellen, S. 57.
4 Heilmann, Ernst, Geschichte der Arbeiterbewegung in Chemnitz, S. 101.
5 Müller, Theodor, Geschichte der Breslauer Sozialdemokratie Bd. 2, S. 38 ff.
6 Heß, Ulrich, Louis Viereck, S. 16 ff.

Keil, Wilhelm (1870–1968), Sohn eines Schneiders, absolvierte eine Drechslerlehre. Früh schon beginnt er, als freier Mitarbeiter für Gewerkschaftszeitungen und Parteiblätter zu schreiben.[1] 1890 ist er als Berichterstatter für die *Mannheimer Volksstimme* tätig, 1894 wird er badischer Korrespondent der *Leipziger Volkszeitung*.[2] 1896 tritt er als Hilfskraft in die Redaktion der *Schwäbischen Tagwacht* in Stuttgart ein und wird im Mai 1897 Leiter des Lokalteils und des Feuilletons der schwäbischen Parteizeitung. Im Frühjahr 1902 wird er Chefredakteur der *Tagwacht* und bleibt in dieser Stellung bis 1930. Nach dem Ausscheiden aus der Redaktion ist er weiter als Mitarbeiter für die *Tagwacht* tätig.

MdR	1910–1932
Redakteur	1896–1930
Freier Journalist	1890–1896, ab 1930
Verleger/Herausgeber	–

---

1 Keil, Wilhelm, Erlebnisse, Bd. 1, S. 77 ff. Unter anderem schreibt er Artikel für die Drechslerzeitung.
2 Ebenda, S. 140 ff.

Klees, Wilhelm Karl Ernst (1841–1922) war Zigarrenfabrikant in Magdeburg.

MdR	1893–1903
Redakteur	–
Freier Journalist	–
Verleger/Herausgeber	–

Kloß, Carl August (1847–1909), Schreiner von Beruf, war Gewerkschaftsfunktionär in Württemberg.

MdR	1898–1903
Redakteur	–
Freier Journalist	–
Verleger/Herausgeber	–

König, Max August (1868–1941), geboren in Halle und von Beruf Schmied, war von 1898 bis 1901 Expedient des Bochumer *Volksblatts.* 1901 wird er Redakteur des *Volksblattes,* da sein Vorgänger für längere Zeit ins Gefängnis muß.[2] Bis April 1902 redigiert er die Zeitung; von 1905 an ist er Redakteur der monatlich erscheinenden Zeitschriften *Die Wahrheit* und der *Frauen-Zeitung* in Dortmund.[3]

MdR   1912–1928
Redakteur   1901–1902, ab 1905
Freier Journalist   –
Verleger/Herausgeber   –

---

1 Handbuch Arbeiterpresse 1914, S. 338.
2 Koszyk, Kurt, Anfänge und frühe Entwicklung, S. 112.
3 Handbuch Arbeiterpresse 1914, S. 95.

Körsten, Alwin (1856–1924), Kunstgießer von Beruf, war Gewerkschaftssekretär.

MdR   1903–1907, 1912–1924
Redakteur   –
Freier Journalist   –
Verleger/Herausgeber   –

Kräcker, Julius (1839–1888), Arbeitersohn und von Beruf Sattler und Wagenbauer, ist 1876 Mitbegründer des schlesischen Parteiorgans *Die Wahrheit*; er ist Buchhalter dieser täglich erscheinenden Zeitung, arbeitet aber auch als Redakteur mit.[1] 1877 ruft er die Königsberger *Freie Presse* ins Leben. Nach Erlaß des Sozialistengesetzes wird die *Wahrheit* verboten; die nur kurz existierende Nachfolgezeitung *Breslauer Tageblatt* redigiert Kräcker. Im Dezember 1878 gründet er den *Schlesischen Courier*, der aber nach einer Nummer ebenfalls verboten wird. Danach ist er Redakteur des *Schlesischen Erzählers*[2] und der Beilage der Breslauer *Gerichtszeitung*, des *Klatschers*.[3] Im April 1880 wird der *Erzähler* verboten, 1881 die *Gerichtszeitung*; Kräcker betreibt daraufhin ein Zigarrengeschäft in Breslau bis zu seinem Tode.

MdR   1881–1888
Redakteur   1878–1881
Freier Journalist   –
Verleger/Herausgeber 1878

---

1 Müller, Theodor, Geschichte der Breslauer Sozialdemokratie, Bd. 1, S. 201.
2 Apitzsch, Friedrich, Die deutsche Tagespresse, S. 34.
3 Müller, Theodor, a.a.O., Bd. 2, S. 58.

Krätzig, Hermann (1871–?), geboren in Schobergrund/Schlesien und Handweber von Beruf, redigierte von Oktober 1906 bis 1918 das Verbandsorgan der Textilarbeiter, den *Textilarbeiter*.[1]

MdR   1912–1933
Redakteur   1906–1918
Freier Journalist   –
Verleger/Herausgeber   –

---

1 Handbuch Arbeiterpresse 1927, S. 173.

Kühn, August (1846–1916), von Beruf Schneider, war von 1890 an Geschäftsführer und Verleger des *Proletariers aus dem Eulengebirge* in Oberlangenbielau.[1]

MdR   1889–1890, 1893–1898, 1903–1907, 1912–1916
Redakteur   –
Freier Journalist   –
Verleger/Herausgeber   ab 1890

---

1 Handbuch Arbeiterpresse 1914, S. 495.

Kunert, Fritz (1850–1931), Volksschullehrer von Beruf, kam im Oktober 1889 als Redakteur zu den *Schlesischen Nachrichten*[1] und blieb bis Ende 1891 bei der 1890 in *Schlesische Volkswacht* umbenannten Zeitung.[2] Von 1894 bis 1917 ist er Sekretär der *Vorwärts*-Redaktion, weist sich aber im Handbuch der Reichstage als Schriftsteller aus.[3]

MdR   1890–1893, 1896–1907, 1909–1924 (USPD)
Redakteur   1889–1891
Freier Journalist   –
Verleger/Herausgeber   –

---

1 Müller, Theodor, Geschichte der Breslauer Sozialdemokratie, Bd. 2, S. 337.
2 Löbe, Paul, Erinnerungen, S. 29.
3 Vgl. dazu Hirsch, Max, MdR, S. 379.

Kuntze, Alexander Adalbert (1861–?) war Schlosser und Lagerist in Stettin.

MdR   1910–1912, 1919–1924
Redakteur   –
Freier Journalist   –
Verleger/Herausgeber   –

Landsberg, Otto (1869–1957), als Sohn eines Tierarztes in Rybik/Oberschlesien geboren, studierte Rechtswissenschaften in Berlin und ließ sich nach dem Studium als Rechtsanwalt nieder. Für Parteipresse und Gewerkschaftsblätter schrieb er hin und wieder Artikel zu juristischen Fragen.[1]

MdR   1912–1920, 1924–1933
Redakteur   –
Freier Journalist   ca. ab 1910
Verleger/Herausgeber   –

---

1 Vgl. dazu *MdVA*, Nr. 304, August 1930.

Leber, Hermann Carl Gustav (1860–?), geboren in Ohlau und von Beruf Schlosser, war in den zwanziger Jahren Gesellschafter der Thüringischen Verlagsanstalt, in der das *Volk* für Jena und die *Werra-Wacht* für Meiningen hergestellt wurden.[1]

MdR   1910–1912
Redakteur   –
Freier Journalist   –
Verleger/Herausgeber   –

---

1 Handbuch Arbeiterpresse 1927, S. 589.

Ledebour, Georg (1850–1947), als Sohn eines Beamten in Hannover geboren, absolvierte eine Kaufmannslehre, arbeitete aber dann als Privatlehrer. 1878 zieht er nach England und arbeitet dort als Berichterstatter für einige Berliner Zeitungen;[1] 1884 kommt er nach Deutschland zurück und wird Redakteur der *Demokratischen Blätter,* die in Berlin erscheinen. Von Januar 1886 bis Juli 1887 fungiert er als Herausgeber dieser Zeitschrift. Anfang 1889 wird er politischer Redakteur der demokratischen Berliner *Volkszeitung;* diese Stelle wird ihm am 1. 4. 1891 gekündigt.[2] Ab Herbst 1891 schreibt Ledebour Leitartikel und Beiträge für das Zentralorgan *Vorwärts,* von 1893 bis 1894 ist er Mitarbeiter des *Sozialpolitischen Centralblatts* Heinrich Brauns. 1894 erhält er eine feste Anstellung als zweiter politischer Redakteur am *Vorwärts;* am 1. 7. 1896 kündigt er diese Stellung. Nach seiner Kündigung ist er weiter als freier Mitarbeiter des *Vorwärts* tätig. Ende 1898 geht er als Chefredakteur an die *Sächsische Arbeiter-Zeitung* in Dresden, scheidet aber nach zwanzig

194

Monaten aus dieser Zeitung wieder aus. In der Folgezeit ist er als freier Journalist für diverse Parteizeitungen tätig;[3] von 1922 an gibt er das Organ der USPD, den *Klassenkampf* heraus.

MdR   1900–1918, 1920–1924 (USPD)
Redakteur   1884–1891, 1894–1896, 1898–1900
Freier Journalist   1878–1884, 1891–1894, ab 1900
Verleger/Herausgeber   1886–1887, ab 1922

---

1 Georg Ledebour. Mensch und Kämpfer, S. 17.
2 Ratz, Ursula, Georg Ledebour, S. 29.
3 Handbuch Arbeiterpresse 1914, S. 155. Ledebour inseriert sich als Korrespondent:
   „Wöchentlich durchschnittlich ein Leitartikel. Preis nach Vereinbarung."

Legien, Carl (1861–1920), als Sohn eines Steueraufsehers in Marienburg/ Westpreußen geboren, war Drechsler von Beruf. Ende der achtziger Jahre wird er Mitarbeiter der *Fachzeitung für Drechsler* in Hamburg;[1] von 1891 bis 1900 redigiert er das *Correspondenzblatt der Generalkommission der Gewerkschaften.* Auch als Vorsitzender des Allgemeinen Deutschen Gewerkschaftsbundes schreibt er weiter Artikel für Gewerkschaftszeitungen und Parteiblätter.[2]

MdR   1893–1898, 1903–1920
Redakteur   1891–1900
Freier Journalist   vor 1891, ab 1900
Verleger/Herausgeber   –

---

1 Vgl. dazu Leipart, Th., Carl Legien, Ein Gedenkbuch.
2 Legien, Carl, Die Arbeiterpresse und die Gewerkschaften, in: *Königsberger Volkszeitung*,
   1. 6. 1918.

Lehmann, Gustav Adolph (1855–?), von Beruf Tischler, wird ab Oktober 1890 Redakteur der *Westfälischen Freien Presse*,[1] muß aber schon im September 1891 eine siebenmonatige Haftstrafe antreten. Danach ist er Expedient dieser Zeitung, die ab 1. 10. 1892 als *Rheinisch-Westfälische Arbeiter-Zeitung* erscheint. Lehmann wird Leiter der für Druck und Verlag gegründeten Westfälischen Volksdruckerei. 1899 beschließt die Presskommission die Kündigung Lehmanns;[2] er scheidet als Leiter der Volksdruckerei aus und wird ab Mai 1899 Aquisiteur der *Mannheimer Volksstimme*.[3] Als er 1907 in den Reichstag gewählt wird, kündigt ihm der Aufsichtsrat der Mannheimer Aktiendruckerei seine Buchhalterstelle, offeriert ihm aber gleichzeitig die Anstellung als Berichterstatter für die *Volksstimme*.[4]

MdR	1907–1912
Redakteur	1890–1891
Freier Journalist	ab 1907
Verleger/Herausgeber	–

---

1 Koszyk, Kurt, Anfänge und frühe Entwicklung, S. 54.
2 Ebenda, S. 114.
3 Handbuch Arbeiterpresse 1914, S. 473.
4 Matthias, Erich, Die Reichstagsfraktion, S. 182. Protokoll der Fraktionssitzung vom 13. 3. 1907: Der Fraktionsvorstand intervenierte in Mannheim wegen des zu niedrigen Gehaltes des künftigen Berichterstatters Lehmann. Ohne Erfolg. Lehmann wurde deswegen von der Diäten-Beitragszahlung an die Parteikasse freigestellt.

Lensch, Paul (1873–1926), als Sohn eines Oberregierungsrates in Potsdam geboren, studierte in Berlin und Straßburg Nationalökonomie und schloß sein Studium 1900 mit der Promotion ab. Im gleichen Jahr geht er als Redakteur zur *Freien Presse für Elsaß-Lothringen,* die in Straßburg erscheint. Während seines Studiums in Straßburg war er wiederholt für die *Freie Presse* tätig gewesen.[1] 1902 ruft ihn die *Leipziger Volkszeitung;* er betreut das politische Ressort bis 1908;[2] von 1908 bis 1913 ist er Chefredakteur dieser Zeitung. Ab 1915 ist er Mitherausgeber und Redakteur der *Sozialdemokratischen Artikel-Korrespondenz,* die zweimal wöchentlich bis 1917 in Berlin erscheint. Ab 1915 ist er auch ständiger Mitarbeiter der *Glocke,* der wöchentlich erscheinenden Zeitschrift des rechten Flügels der Partei. Nach dem Krieg wird Lensch Chefredakteur der übernationalen *Deutschen Allgemeinen Zeitung.*[3]

MdR	1912–1918
Redakteur	1900–in die zwanziger Jahre
Freier Journalist	vor 1900
Verleger/Herausgeber	ab 1915

---

1 Sigel, Robert, Die Lensch-Cunow-Haenisch-Gruppe, S. 21.
2 MdVA, Nr. 260, 1. 12. 1926: „Paul Lensch. Erinnerungen an einen Journalisten."
3 Scheidemann, Philipp, Memoiren, Bd. 1, S. 254.

Lesche, Friedrich (1863–1933), in Göttingen geboren und Tischler von Beruf, war Geschäftsführer der Volksfürsorge in Hamburg.

MdR	1903–1907, 1919–1924
Redakteur	–
Freier Journalist	–
Verleger/Herausgeber	–

Leutert, Paul (1862–?), geboren in Waldheim/Sachsen, war Malermeister in Apolda.

MdR   1912–1918
Redakteur   –
Freier Journalist   –
Verleger/Herausgeber   –

Liebknecht, Karl (1871–1919), Sohn von Wilhelm Liebknecht, studierte Rechtswissenschaften, promovierte zum Dr. jur. und ließ sich als Rechtsanwalt in Berlin nieder. Er ist Mitarbeiter diverser Parteizeitungen und gibt im Frühjahr 1915 mit Rosa Luxemburg die Zeitschrift *Die Internationale* heraus. Diese wird aber sofort nach ihrem Erscheinen verboten.

MdR   1912–1917
Redakteur   –
Freier Journalist   ca. ab 1900
Verleger/Herausgeber   ab 1915

Liebknecht, Wilhelm (1826–1900), als Sohn eines hessischen Registrators in Gießen geboren, studierte Theologie, Philosophie und Philologie. 1848 schloß er sich den freiheitlich gesinnten Studenten an, wurde deswegen polizeilich verfolgt und wanderte in die Schweiz aus. In Zürich arbeitete er als Lehrer und wird Korrespondent der *Mannheimer Abendzeitung.*[1] Anfang der fünfziger Jahre verlegt Liebknecht sein Exil nach London und ist dort als Korrespondent für die Cottasche *Allgemeine Zeitung* und für das *Morgenblatt für den gebildeten Leser* tätig.[2]
1862 kehrt er nach Deutschland zurück und wird Redakteur der *Norddeutschen Allgemeinen Zeitung;* als Bismarck Einfluß auf das Blatt gewinnt, kündigt er seine Stellung.[3] Danach ist er bis 1866 Mitarbeiter der Leipziger *Mitteldeutschen Volkszeitung;* er schreibt Artikel für den *Oberrheinischen Kurier,* Freiburg, für die *Tagespost* in Graz, für das Mannheimer *Deutsche Wochenblatt* und für die *Frankfurter Zeitung.*[4] Von 1868 bis 1869 redigiert er das *Demokratische Wochenblatt* in Leipzig; ist kurz auch Redakteur am *Social-Demokrat,* verläßt aber wegen Interessengegensätze das Blatt.[5] 1869 wird er Chefredakteur des neugegründeten Zentralorgans der Eisenacher, des *Volksstaats.*
1876 übernimmt er mit Hasenclever die Redaktion des neuen Zentralorgans der vereinigten Parteien. Als der *Vorwärts* 1878 verboten wird, gründet er mit Hasenclever die Zeitschrift *Reichsbürger für Leipzig und Umgebung,* die bis Ende 1881 existiert. Für das Exilorgan *Sozialdemokrat* ist Liebknecht als ständiger Mitarbeiter tätig, führt als Interimsredakteur Ende 1881 auch kurz die Redaktion.[6] 1882 gründet er mit Bebel und Hasenclever die Zeitschrift *Haus und Welt,* die aber nur kurze Zeit bestehen kann.[7] Während des Sozialistengesetzes widmet er sich haupt-

sächlich der Redaktion der Zeitschrift *Neue Welt*, die im Dietzschen Verlag erscheint. Nach Fall des Sozialistengesetzes wird er Chefredakteur des neuen *Vorwärts* und hat diesen Posten bis zu seinem Tode inne.

MdR   1867–1871, 1874–1887, 1888–1900
Redakteur   1862–1864, 1868–1900
Freier Journalist   1848–1862, 1864–1868
Verleger/Herausgeber   1882

---

1 Liebknecht, Wilhelm, Erinnerungen, S. 98.
2 Vgl. dazu Lindner, Bernd, Die publizistische Tätigkeit Wilhelm Liebknechts, und Harrer, Charlotte, Geschichte der Münchener Tagespresse, S. 93.
3 Liebknecht, Wilhelm, Erinnerungen, S. 24 ff. Dazu Bebel, August, Aus meinem Leben, Bd. 1, S. 126: „Wie Liebknecht gelegentlich öffentlich erklärte, hat ihm Lassalle noch ein Jahr nach seinem Austritt aus der *Norddeutschen Allgemeinen Zeitung* einen Vorwurf daraus gemacht, daß er seine Stellung aufgab."
4 Bebel, August, Aus meinem Leben, Bd. 1, S. 126 und Wilhelm Liebknecht. Briefwechsel mit deutschen Sozialdemokraten, S. 278. Brief von Leopold Sonnemann (Verleger und Chefredakteur der *Frankfurter Zeitung*) an Liebknecht vom 3. 12. 1869.
5 Dazu auch: Wilhelm Liebknecht. Leitartikel und Beiträge in der Osnabrücker Zeitung 1864–1866; Mayer, Gustav, Johann Baptist von Schweitzer, S. 120 ff.
6 Vgl. Bernstein Briefwechsel, S. 33. Brief an Engels vom 9. 9. 1881.
7 Höhn, Reinhard, Vaterlandslose Gesellen, S. 123, Dokument Nr. 8, Berlin 14. 6. 1882, Polizeipräsidium, Journal Nr. 2117.

Lindemann, Hugo (1867–1950), geboren in Südbrasilien, studierte in Göttingen, Bonn, München und Kiel Nationalökonomie und schloß sein Studium mit der Promotion ab. Während des Sozialistengesetzes war er viereinhalb Jahre als freier Wissenschaftler in England tätig und verfaßte in dieser Zeit zahlreiche Artikel für „illegale deutsche sozialistische Zeitschriften und Zeitungen".[1] Nach Deutschland zurückgekehrt, gründet er das *Kommunalpolitische Jahrbuch,* das er auch redigiert. Weiter gründet er noch die Zeitschrift *Kommunale Praxis* und ist ständiger Mitarbeiter der *Schwäbischen Tagwacht* in Stuttgart und übernimmt vertretungshalber auch manchmal die Redaktion der schwäbischen Parteizeitung.[2] Als Kautsky Ende der neunziger Jahre seinen Chefredakteursposten an der *Neuen Zeit* aufgeben will, da ihm eine Kandidatur in Österreich angeboten worden war, will Bebel Lindemann als Nachfolger auf diesem Posten.[3] Kautsky bleibt jedoch in Deutschland. Lindemann ist weiterhin als freier Mitarbeiter für die Parteipresse tätig.[4]

MdR   1903–1907
Redakteur   ab Mitte der siebziger Jahre bis ca. 1890
Freier Journalist   ab 1890
Verleger/Herausgeber   in den siebziger Jahren

---

1 Personalia-Akte Lindemann im AdSD, Bonn.
2 Keil, Wilhelm, Erlebnisse, Bd. 1, S. 237.
3 Adler Briefwechsel, S. 251.
4 *Schwäbische Tagwacht,* 17. 8. 1907.

Lipinski, Richard (1867–1936), geboren in Danzig und von Beruf Handlungsgehilfe, ist von 1891 bis 1901 Redakteur des Leipziger *Wählers,* der 1894 zur *Leipziger Volkszeitung* wurde. 1900 ist Lipinski einer der Mitbegründer des Vereins Arbeiterpresse. Nach seinem Ausscheiden aus der Redaktion der *Leipziger Volkszeitung* ist er als freier Journalist tätig;[1] von 1906 bis Oktober 1907 redigiert er die *MdVA.* Während des Krieges gründet er den Lipinski-Verlag in Leipzig und beschäftigt sich hauptsächlich mit der Herausgabe von Theaterstücken.[2]

MdR	1903–1907, 1920–1933 (USPD/SPD)
Redakteur	1891–1901, 1906–1907
Freier Journalist	1901–1906, ab 1907
Verleger/Herausgeber	–

1   *MdVA,* Nr. 42, 14. 8. 1904. Notiz: „Die Redaktionen der Partei- und Gewerkschaftsblätter werden gebeten, bei Bedarf an Mitarbeitern nachstehende Schriftsteller zu berücksichtigen." Lipinski ist mitaufgeführt.
2   Vgl. dazu Anzeige in den *MdVA,* Nr. 188, 1. 11. 1919: „Manuskripte von Theaterstücken, Einakter, humoristisch-satyrischen oder ernsten sozialen Inhalts erwirbt Verlag Rich. Lipinski, Leipzig."

Lütgenau, Franz (1857–1931) hatte studiert und promoviert. Anfang der neunziger Jahre wurde er Mitarbeiter ostdeutscher Blätter, vor allem der *Posener Zeitung.*[1] Am 2. 9. 1893 wird er Redakteur der *Rheinisch-Westfälischen Arbeiter-Zeitung* in Dortmund. Als er 1895 in den Reichstag gewählt wird, scheidet er aus der Redaktion aus, redigiert aber weiter die feuilletonistische Beilage der Zeitung *Die Leuchte* und schreibt Leitartikel für die *Rheinisch-Westfälische Arbeiter-Zeitung.*[2] Im Oktober 1898 wird ihm gekündigt; auf dem Parteitag 1899 wird er aus der Partei ausgeschlossen.[3] Danach ist er am bürgerlichen *Dortmunder Tageblatt* als Redakteur tätig.

MdR	1895–1898
Redakteur	1893–1898, ab 1899
Freier Journalist	1890–1893
Verleger/Herausgeber	–

1   Koszyk, Kurt, Anfänge und frühe Entwicklung, S. 82.
2   Ebenda, S. 88.
3   Man warf Lütgenau Veruntreuung von Parteigeldern vor.

Mahlke, Heinrich (1851–?) war Schneidermeister in Flensburg.

MdR	1903–1907
Redakteur	–
Freier Journalist	–
Verleger/Herausgeber	–

Meerfeld, Jean (1871–1956), als Sohn eines Gärtners in Euskirchen geboren, war Sattler von Beruf. Ab 1894 ist er freier Mitarbeiter der *Rheinischen Zeitung* in Köln,[1] tritt am 1.1. 1901 in die Redaktion dieser Zeitung ein und wird 1906 Chefredakteur der *Rheinischen Zeitung.*[2] Diese Stellung hat er bis nach dem Kriege inne, ist aber auch eifriger Mitarbeiter von Gewerkschaftszeitungen und anderen Parteiblättern.[3]

MdR	1917–1924
Redakteur	1901–ca. 1920
Freier Journalist	1894–1901
Verleger/Herausgeber	–

1 Personalia-Akte Meerfeld im AdSD, Bonn.
2 Handbuch Arbeiterpresse 1914, S. 109 und 446.
3 Im *Correspondenzblatt der Generalkommission der Gewerkschaften Deutschlands* sind eine Reihe von Artikeln Meerfelds erschienen, vgl. dazu *Correspondenzblatt,* Nr. 5, Februar 1906, Nr. 9, März 1906, Nr.30, Juli 1906.

Meier, Richard Hugo (1878–1933), geboren in Arnsfeld/Erzgebirge und Bierbrauer von Beruf, war Verbandssekretär in Berlin.

MdR	1918–1924, 1932–1933
Redakteur	–
Freier Journalist	–
Verleger/Herausgeber	–

Meist, Carl Julius (1856–1908), Holzarbeiter von Beruf, gründet 1885 ein Zigarrengeschäft in Köln, das er bis zu seinem Tode betreibt.

MdR	1893–1895, 1903–1907
Redakteur	–
Freier Journalist	–
Verleger/Herausgeber	–

Meister, Heinrich Ernst August (1842–1906), als Sohn eines Organisten und Pianisten in Hildesheim geboren, absolviert eine Buchbinderlehre und läßt sich 1860 als Zigarrenmacher in Bremen nieder. In den neunziger Jahren fungiert er als Verleger des *Volkswille* in Hannover und ist nominell Eigentümer des hannoverischen Parteiverlages.[1]

MdR	1884–1906
Redakteur	–
Freier Journalist	–
Verleger/Herausgeber	in den neunziger Jahren

1 Vgl. dazu Nekrolog in *MdVA,* Nr. 56, 25.4. 1906: „Seit ungefähr einem Jahre ist Meister auch Mitglied der Unterstützungsvereinigung geworden, nachdem ihm als Verleger der Zeitung von den Parteigenossen eine Entschädigung gewährt wurde." und *MdVA,* Nr. 99, 27.2. 1911, S. 6: „Verlag des *Volkswille* E. A. H. Meister + Co, Hannover."

Mende, Fritz (1834–1879) war Vertreter der Hatzfeld-Gruppe, die sich nach dem Tod von Lassalle gebildet hatte.

MdR   1869–1871
Redakteur   –
Freier Journalist   –
Verleger/Herausgeber   –

Metzger, Friedrich Wilhelm (1848–1914), geboren in Ketzin und von Beruf Klempner, redigierte vor dem Sozialistengesetz das Verbandsorgan der Metallarbeiter, den *Boten*.[1] 1884 kam er als Leiter der Lokalredaktion zur Hamburger *Bürgerzeitung*. Diese Stellung hat er bis 1887 inne, danach wird er festangestellter Berichterstatter des *Hamburger Echos* bis kurz vor seinem Tode.[2]

MdR   1890–1914
Redakteur   in den siebziger Jahren, 1884–1913
Freier Journalist   –
Verleger/Herausgeber   –

---

1   Jensen, Jürgen, Presse und politische Polizei, S. 125.
2   Handbuch Arbeiterpresse 1914, S. 406.

Möller, Heinrich (1850–1902), Bergmann von Beruf, redigiert 1889 die *Bergarbeiter-Zeitung*.[1]

MdR   1893–1898
Redakteur   1889
Freier Journalist   –
Verleger/Herausgeber   –

---

1   Personalia-Akte Möller im AdSD, Bonn.

Molkenbuhr, Hermann (1851–1927), als Sohn eines Schneidermeisters in Wedel/Holstein geboren, war von Beruf Zigarrenmacher. 1875 ist er einer der Mitbegründer des *Hamburg-Altonaer Volksblattes;* während des Sozialistengesetzes arbeitet er vier Jahre als Zigarrenmacher in Amerika. 1891 wird er Redakteur des *Hamburger Echos;* bis 1904 ist er in der Redaktion des Hamburger Parteiblattes tätig. Von 1905 bis 1907 redigiert er das *Volksblatt* in Halle und tritt dann erst 1916 wieder journalistisch in Erscheinung, als Mitarbeiter der *Sozialdemokratischen Artikel-Korrespondenz*.[1]

MdR   1890–1924
Redakteur   1891–1907
Freier Journalist   ab 1916
Verleger/Herausgeber –

---

1   Koszyk, Kurt, Zwischen Kaiserreich und Diktatur, S. 229, Fußnote.

Most, Johann Josef (1846–1906), als Sohn eines kleinen Beamten in Augsburg geboren; war kurze Zeit Fabrikarbeiter und wandte sich dann der sozialistischen Agitation zu. 1867 gründet er während einer Haftstrafe im Gefängnis seine erste Zeitschrift, den *Nußknacker,* die er in seiner Zelle herstellte und redigierte.[1]
1871 wird er als Redakteur an die *Chemnitzer Freie Presse* berufen;[2] Ende 1873 übernimmt er die *Volksstimme* in Mainz.[3] 1874 wird er abermals für längere Zeit inhaftiert, schreibt aber im Gefängnis Artikel für den *Volksstaat,* die Zeitschrift *Neue Welt* und für die *Waage.*[4] Nach seiner Freilassung im Juni 1876 geht er als Redakteur an die neugegründete *Berliner Freie Presse.*[5] Von 1877 an arbeitet er noch zusätzlich an der sozialistischen Revue *Zukunft* mit und ist weiter Mitarbeiter der *Neuen Welt* und der russischen Revue *Slowo.*[6]
Nach Erlaß des Sozialistengesetzes wird Most aus Berlin ausgewiesen und emigriert nach England. In London gründet er dann im Januar 1879 die Zeitschrift *Freiheit,* die er auch redigiert.[7] Auf dem Wydener Kongreß 1880 wird Most aus der Partei ausgeschlossen; der Kurswechsel der *Freiheit* hin zum Anarchismus und Mosts Polemiken gegen die deutsche Parteiführung waren die Gründe für den Ausschluß. Mitte der achtziger Jahre zieht er mit seiner *Freiheit* von London nach New York um und gibt sie in Amerika bis zu seinem Tode heraus.

MdR   1874–1878
Redakteur   1867, 1871–1878, 1879–1906
Freier Journalist   –
Verleger/Herausgeber 1879–1906

---

1   Most, John, Memoiren, S. 70. 1870 gründet er in Wien eine weitere *Gefängnis-Zeitschrift,* den *Kriminalanzeiger. Organ für hochverräterische Interessen.*
2   Heilmann, Ernst, Geschichte der Arbeiterbewegung in Chemnitz, S. 62.
3   Johann Most. Ein Sozialist in Deutschland, S. 94.
4   Ebenda, S. 105.
5   Bernstein, Eduard, Ignaz Auer, S. 29.
6   Rocker, Rudolf, Johann Most, S. 45.
7   Ebenda, S. 64 ff.

Motteler, Julius (1838–1907) war gelernter Tuchmacher und ausgebildeter Kaufmann. 1869 gründet er die Crimmitschauer Genossenschaftsdruckerei, die ab 1870 den *Bürger- und Bauernfreund* herausgibt.[1] Von

1874 an ist er Leiter der Genossenschaftsdruckerei in Leipzig. Hin und wieder schreibt er Artikel für die Arbeiterzeitung;[2] 1877 wird ihm die Redakteursstelle an der Zeitschrift *Fackel* angeboten; er scheint aber nicht interessiert gewesen zu sein.[3] Nach Erlaß des Sozialistengesetzes geht er nach München, wo er an der Zeitschrift *Zeitgeist* mitarbeitete und für andere „kleine Parteiblätter" tätig war.[4] Dann wird er nach Zürich als Expeditionsleiter für den neugegründeten *Sozialdemokrat* gerufen; als „roter Feldpostmeister" geht er in die Geschichte der Sozialdemokratie ein: Mit immer neuen Tricks und viel Raffinesse gelang es ihm immer wieder, das Exilorgan nach Deutschland einzuschmuggeln und zu vertreiben.[5] Zusätzlich redigiert er recht witzig den „Briefkasten der Expedition", der seinen festen Platz auf der letzten Seite des *Sozialdemokrat* bekommt. Mit dem Exilorgan zieht Motteler 1888 nach London um; nach Fall des Sozialistengesetzes bleibt er in England – er kann wegen drohender Strafverfolgung erst 1901 zurück nach Deutschland und ist als Korrespondent für die *Schwäbische Tagwacht,* Stuttgart und den *Wahren Jakob* tätig.[6] Nach Deutschland zurückgekehrt, wird er Geschäftsführer der *Leipziger Volkszeitung.* Diesen Posten hat er bis zu seinem Tode inne.

MdR   1874–1878, 1903–1907
Redakteur   –
Freier Journalist   1878–1880, 1890–1901
Verleger/Herausgeber –

---

1   Engelberg, Ernst, Revolutionäre Politik, S. 172 ff.
2   Bartel/Schröder/Seeber/Wolter, Der Sozialdemokrat, S. 58.
3   Wilhelm Liebknecht. Briefwechsel mit deutschen Sozialdemokraten, S. 762. Auer an Liebknecht am 31.7. 1877: „Als Redacteur für die *Fackel* haben wir Motteler im Auge, ob derselbe annehmen wird, ist eine andere Frage, geantwortet hat er trotz zweimaliger Anfrage nicht."
4   Stegmann/Hugo, Handbuch des Sozialismus, S. 538.
5   Vgl. dazu Pospiech, Friedrich, Julius Motteler und Engelberg, Ernst, Revolutionäre Politik, 1959.
6   *Vorwärts,* Sondernummer September 1978, S. 66. Da er von der journalistischen Arbeit nicht leben kann, zahlt ihm die Partei zusätzlich eine monatliche Unterstützung.

Müller, Hermann (1876–1931), als Sohn eines Fabrikdirektors in Mannheim geboren, absolvierte eine kaufmännische Lehre. Ende der neunziger Jahre kommt er als Handlungsgehilfe nach Breslau und wird bald Mitarbeiter der *Schlesischen Volkswacht.*[1] Von 1899 bis 1906 ist er Lokalredakteur der Görlitzer *Volkszeitung,* einem Kopfblatt der *Volkswacht.*[2] 1906 wird er in den Parteivorstand berufen, wo man ihm das Dezernat für die Parteipresse überträgt. 1907 initiiert er die Gründung eines parteieigenen Nachrichtenbüros.[3] Müller arbeitet weiter auch als Journalist für die Parteipresse. Während des Weltkrieges wird er Ende 1916 vom Parteivorstand als „Zensor" in der *Vorwärts*-Redaktion eingesetzt.[4]

MdR   1916–1931
Redakteur   1899–1906
Freier Journalist   vor 1899, nach 1906
Verleger/Herausgeber   –

1   MdVA, Nr. 312, 14. ?. 1931: „Hermann Müller und die Presse."
2   Koszyk, Kurt, Die Presse der schlesischen Sozialdemokratie, S. 241.
3   Vorwärts, 21. 3. 1931: „Hermann Müller."
4   Stampfer, Friedrich, Erfahrungen, S. 205.

Nitzschke, August Ernst (1855–?) war Weber und Gastwirt.

MdR   1903–1907
Redakteur   –
Freier Journalist   –
Verleger/Herausgeber   –

Noske, Gustav (1868–1946), als Sohn eines Webers in Brandenburg/ Havel geboren, war Korbmacher von Beruf. 1890 wird er Mitglied der Presskommission, die für das *Märkische Volksblatt* in Brandenburg zuständig ist. Von 1891 bis 1897 ist er Redakteur[1] an dieser Zeitung und wechselt dann über zur *Volkstribüne* in Königsberg. Das ostpreußische Parteiblatt redigiert er bis 1902 und besorgt zusätzlich die Redaktionsarbeiten für den einmal monatlich erscheinenden *Ostpreußischen Landbote.* 1902 kommt er als leitender Redakteur an die *Chemnitzer Volksstimme;*[2] er hat diese Stellung bis zum Kriegsausbruch inne. 1914 geht er im Auftrag der sozialdemokratischen Parlamentskorrespondenz als Kriegsberichterstatter an die Front.[3]

MdR   1906–1920
Redakteur   1891–1914
Freier Journalist   ab 1914
Verleger/Herausgeber   –

1   Noske, Gustav, Erlebtes, S. 14 ff.
2   Heilmann, Ernst, Geschichte der Arbeiterbewegung in Chemnitz, S. 275.
3   Noske, Gustav, a.a.O., S. 44 ff.

Oertel, Carl Michael (1866–1900), als Sohn eines Kaufmanns in Forchheim geboren, absolvierte eine kaufmännische Lehre und kommt 1887 als Buchhalter zur *Fränkischen Tagespost.*[1] Am 1. 1. 1895 verkauft Grillenberger die *Tagespost* an Oertel. Oertel hatte schon zu Lebzeiten Grillenbergers am redaktionellen Geschehen Anteil genommen;[2] nach dem Tod Grillenbergers bewilligt er als Eigentümer der Zeitung der Redaktion einen in der Parteipresse unüblich hohen Etat: Die Redaktion konnte

Korrespondenzen direkt aus den Hauptstädten Westeuropas beziehen.[3]
Kurz vor seinem Tod „okkupiert" die örtliche Parteileitung die *Fränkische Tagespost* und senkt den Redaktionsetat auf ein „lächerlich geringes Minimum"[4].

MdR   1897–1900
Redakteur   –
Freier Journalist   –
Verleger/Herausgeber   1895–1899

---

1 Gärtner, Georg, Karl Grillenberger, S. 122.
2 Ebenda, S. 131.
3 Scheidemann Philipp, Memoiren, Bd. 1, S. 79.
4 Ebenda. Scheidemann schildert auch die Umstände, die zu der „Enteignung" Oertels führten. Erst nach dem Tode Grillenbergers 1897 erfuhr die Nürnberger Parteigruppe, daß Oertel der Eigentümer der *Fränkischen Tagespost* geworden war. Was man dem abgöttisch verehrten Grillenberger nachsah – Eigentümer eines gutgehenden Betriebes zu sein – wurde Oertel zum Vorwurf gemacht. „Besitzer des Parteiblatts, Mitglied des Reichstages und Mitglied des Landtags? ‚Das koscht di d's Blättle', hatte ihm der aus Württemberg stammende Parteisekretär Konrad Hermann, der gern in den Landtag gewählt werden wollte, ins Gesicht gesagt."

Peirotes, Jacques (1869–1935), als Sohn eines Schreinermeisters im Elsaß geboren, war Schriftsetzer von Beruf. Am 1. 10. 1901 wird er Redakteur der *Freien Presse für Elsaß-Lothringen*[1] in Straßburg und betreut die Ressorts Politik, Handelspolitik und das Feuilleton bis zur Okkupation Elsaß-Lothringens im 1. Weltkrieg. 1919 wird er Bürgermeister von Straßburg.[2]

MdR   1912–1918
Redakteur   1901–1916
Freier Journalist   –
Verleger/Herausgeber   –

---

1 Handbuch Arbeiterpresse 1914, S. 526.
2 Personalia-Akte Peirotes im AdSD, Bonn.

Peus, Heinrich Wilhelm (1862–1937), als Sohn eines Tischlermeisters in Elberfeld geboren, studierte Theologie, Geschichte und Nationalökonomie. Nach dem Studium arbeitet er als freier Mitarbeiter[1] für die Parteipresse und gründet am 2. 11. 1891 das *Volksblatt für Anhalt* in Dessau,[2] das er bis zum Verbot 1933 als Chefredakteur leitet. Zusätzlich gab er noch eine Zeitschrift in der Weltsprache Ido heraus, den *Internaciona Socialisto* und ist ab 1915 Mitarbeiter der Zeitschrift *Glocke*.

MdR	1896–1898, 1900–1907, 1912–1918, 1928–1930
Redakteur	1891–1933
Freier Journalist	vor 1891
Verleger/Herausgeber	–

1 Noske, Gustav, Erlebtes, S. 13.
2 Handbuch Arbeiterpresse 1914, S. 337.
3 Sigel, Robert, Die Lensch-Cunow-Haenisch-Gruppe, S. 62.

Pfannkuch, Wilhelm (1841–1923), als Sohn eines Arbeiters in Kassel geboren, war Tischler von Beruf. 1877 redigiert er das *Kasseler Volksblatt*,[1] während des Sozialistengesetzes betreibt er einen Zigarrenladen und ist ab 1886 Mitarbeiter des neugegründeten *Volksfreund* in Kassel.[2] Von 1892 bis 1893 ist er Redakteur der *Neuen Tischlerzeitung* in Hamburg, wird 1894 in den Vorstand der SPD gewählt, bleibt aber ständiger Mitarbeiter der *Tischlerzeitung,* später des *Zimmerers.*[3]

MdR	1884–1887, 1898–1907, 1912–1920
Redakteur	1877, 1892–1893
Freier Journalist	1866, ab 1894
Verleger/Herausgeber	–

1 Höhn, Reinhard, Vaterlandslose Gesellen, S. XLVII.
2 Scheidemann, Philipp, Memoiren, Bd. 1, S. 51: „In diesem Laden (Zigarrengeschäft) rang Pfannkuch sich hin und wieder einen Artikel für unser Blatt ab."
3 Handbuch Arbeiterpresse 1914, S. 147.

Pinkau, Johann Karl (1859–1922) war Lithograph und Photograph in Leipzig.

MdR	1906–1907, 1912–1922
Redakteur	–
Freier Journalist	–
Verleger/Herausgeber	–

Quarck, Max (1860–1930), als Sohn eines Landgerichtsrates in Rudolphstadt/Thüringen geboren, studierte Rechtswissenschaften und schloß sein Studium mit der Promotion ab. 1883 wird er als Referendar in den Staatsdienst übernommen, aber schon 1886 wegen des Vorwurfes der Umsturzbestrebungen wieder entlassen. 1884 erscheint sein erster Artikel in der *Neuen Zeit,* in den Folgejahren wird er ständiger Mitarbeiter dieser Zeitschrift.[1] Von 1886 bis 1887 ist er Redakteur der *Deutschen Zeitung* in Wien,[2] geht 1887 an die *Frankfurter Zeitung* und betreut das Ressort „Wirtschaft" bis 1891.[3] Von 1891 an gibt er in Frankfurt die

Kaufmännische Presse heraus, Organ des bürgerlichen Verbandes der kaufmännischen Vereine, die er bis 1895 redigiert.[4] In dieser Zeit ist er auch ständiger Mitarbeiter des *Vorwärts*.[5] 1895 übernimmt er die Redaktion der Frankfurter *Volksstimme*, die er bis 1917 leitet.[6]

MdR	1912–1920
Redakteur	1886–1917
Freier Journalist	1884–1886
Verleger/Herausgeber	1891–1895

1 1885 werden drei längere Beiträge Quarcks in der *Neuen Zeit* veröffentlicht.
2 Personalia-Akte Quarck im AdSD, Bonn.
3 Notiz in der *Frankfurter Zeitung*, 16. 6. 1891: „. . . daß Herr Dr. Quarck in Folge zu Tage getretener redaktioneller Meinungsverschiedenheiten am 1. Juli aus dem Verband der Redaktion der *Frankfurter Zeitung* scheiden wird."
4 Vgl. dazu Bebel Briefwechsel, S. 804. Bebel an Engels am 17. 7. 1895: „Quarck wird genötigt, aus dem Verband der kaufmännischen Vereine auszutreten und die Redaktion der kaufm(ännischen) Presse niederzulegen, sonst verliert er die Referentenstelle in der Kommission und vielleicht noch etwas mehr."
5 Im Nachlaß Quarck im AdSD, Bonn, befinden sich eine Reihe von Briefen Liebknechts an Quarck, die Quarcks Mitarbeitertätigkeit am *Vorwärts* zum Inhalt haben, z. B. Liebknecht an Quarck am 11. 2. 1893: „. . . den Artikel zur Umarbeitung zurückschicken. In bezug auf die Form (. . .) möchte ich Sie bitten, alle beleidigenden Ausdrücke zu vermeiden."
6 1897 trug Quarck sich mit dem Gedanken, an die *Fränkische Tagespost* in Nürnberg zu gehen. Nachlaß Quarck, Brief von Oertel an Quarck vom 27. 10. 1897: „Aus Ihrem Brief (. . .) erfahre ich mit Vergnügen, daß Sie bereit wären, zu uns zu kommen." Quarck bleibt aber in Frankfurt.

Quessel, Ludwig (1872–1931), in Königsberg geboren, absolvierte eine Uhrmacherlehre und studierte dann in Zürich Staatswissenschaften und promovierte in diesem Fach. Von 1894 ist er Mitglied der Presskommission, die für die Königsberger *Volkstribüne*, später *Volkszeitung*, zuständig ist.[1] Von 1903 bis 1904 ist er Redakteur dieser Zeitung, geht danach nach Stettin, wo er bis 1907 den täglich erscheinenden *Volksboten*[2] und den monatlich erscheinenden *Pommer*[3] redigiert. 1907 wird er Chefredakteur des *Hessischen Volksfreundes* in Darmstadt;[4] diese Stellung hat er bis Ende der zwanziger Jahre inne.[5] Ab 1915 ist er auch ständiger Mitarbeiter der Zeitschrift *Glocke*.[6]

MdR	1912–1924
Redakteur	1903–Ende der zwanziger Jahre
Freier Journalist	–
Verleger/Herausgeber	–

1 Matull, Wilhelm, Arbeiterpresse in Ost- und Westpreußen, in: Jahrbuch der Albertus-Universität zu Königsberg. Berlin XX, 1970, S. 93.
2 Notiz in der *Schwäbischen Tagwacht*, Stuttgart, 9. 10. 1907: „In die Redaktion des *Stettiner Volksboten* tritt an die Stelle des scheidenden Genossen Quessel . . ."
3 Handbuch Arbeiterpresse 1914, S. 122.
4 Ulrich, Carl, Erinnerungen des ersten hessischen Staatspräsidenten, S. 208.
5 Handbuch Arbeiterpresse 1927, S. 51.
6 Sigel, Robert, Die Lensch-Cunow-Haenisch-Gruppe, S. 62.

Rauch, Friedrich (1859–1948) arbeitete erst als Fabrikarbeiter und wurde ab 1.10. 1890 Redakteur des *Volkswille*[1] in Hannover und war bis in die zwanziger Jahre Redakteur des hannoverschen Parteiblattes.[2]

MdR	1912–1920
Redakteur	1890–in die zwanziger Jahre
Freier Journalist	–
Verleger/Herausgeber	–

1 Handbuch Arbeiterpresse 1914, S.422; Notiz in der *Schlesischen Volkswacht,* Nr. 6, 8. 1. 1901: „In einem Ermittlungsverfahren gegen ‚Unbekannt' wurde in Hannover Genosse Rauch, der Redakteur des dortigen Parteiblattes vor dem Untersuchungsrichter unter Eid vernommen."
2 *MdVA,* Nr. 180, 1. 3. 1919, Rauch ist immer noch Redakteur in Hannover.

Raute, Gustav Karl (1859–1946) war Zigarrenmacher in Eilenburg.

MdR	1912–1924 (USPD)
Redakteur	–
Freier Journalist	–
Verleger/Herausgeber	–

Reimer, Otto (1841–1892), Zigarrenarbeiter von Beruf, war ab 1. 1. 1876 Redakteur der *Berliner Freien Presse.*[1] Nach Erlaß des Sozialistengesetzes eröffnet er in Hamburg ein Zigarrengeschäft, wandert aber schon im November 1880 nach Amerika aus.[2] Ende der achtziger Jahre kehrte er nach Deutschland zurück und ist bis zu seinem Selbstmord Mitarbeiter des *Hamburger Echos.*[3]

MdR	1874–1877
Redakteur	1876–1878, 1889–1892
Freier Journalist	–
Verleger/Herausgeber	–

1 Bernstein, Eduard, Geschichte der Berliner Arbeiterbewegung, Bd. 1, S. 305.
2 Laufenburg, H., Geschichte der Arbeiterbewegung in Hamburg, Bd. 2, S. 213.
3 Vgl. dazu Nekrolog im *Vorwärts,* 3. 3. 1892.

Reincke, Peter Adolf (1818–1887) war praktischer Arzt in Berlin.

MdR	1867–1868
Redakteur	–
Freier Journalist	–
Verleger/Herausgeber	–

Reinders, Klaas Peter (1847–1879), geboren in Emden/Friesland, war Tischler von Beruf. 1876 gründet er mit Kräcker die schlesische Parteizeitung *Die Wahrheit* und wird Leiter der Redaktionskommission, die für dieses Blatt zuständig ist.[1] 1877 zeichnet Reinders als verantwortlicher Redakteur der *Wahrheit*[2] und ist 1878 Expedient des Breslauer Parteiblattes.

MdR	1878–1879
Redakteur	1877
Freier Journalist	–
Verleger/Herausgeber	1876–1877

1 Koszyk, Kurt, Die Presse der schlesischen Sozialdemokratie, S. 237.
2 Müller, Theodor, Die Geschichte der Breslauer Sozialdemokratie, Bd. 1, S. 186.

Reißhaus, Hermann Paul (1855–1921) betrieb eine Schneiderei in Erfurt.

MdR	1893–1907, 1912–1921
Redakteur	–
Freier Journalist	–
Verleger/Herausgeber	–

Rittinghausen, Moritz (1814–1890), Schriftsteller von Beruf,[1] arbeitete 1848/49 in Köln an der Marxschen *Neuen Rheinischen Zeitung* mit.[2] Ab 1870 gibt er die *Sozial-Demokratischen Abhandlungen* heraus.[3] 1884 zieht er sich nach Auseinandersetzungen in der Fraktion aus der aktiven Politik zurück.

MdR	1877–1878, 1881–1884
Redakteur	1848–1849
Freier Journalist	–
Verleger/Herausgeber	ab 1870

1 Hirsch, Max, MdR, S. 438.
2 Blos, Wilhelm, Denkwürdigkeiten, Bd. 1, S. 225.
3 Notiz im *Volksstaat*, Nr. 11, 5. 2. 1870: „Unser greiser Parteigenosse, M. Rittinghausen in Cöln (...) giebt jetzt *sozial-demokratische Abhandlungen* heraus."

Rödiger, Hugo Carl (1850–?), Holzbildhauer von Beruf, war 1884 kurze Zeit Redakteur des *Berliner Volksblattes,*[1] wurde aber aus Berlin ausgewiesen. Danach gründet er den Verlag Hugo Rödiger[2] in Gera und ist als Redakteur der in seinem Verlag hergestellten *Reußischen Tribüne* tätig.[3]

MdR	1884–1887
Redakteur	1884, in den neunziger Jahren
Freier Journalist	–
Verleger/Herausgeber	in den neunziger Jahren

1 Blos, Wilhelm, a. a. O., Bd. 2, S. 110.
2 Harrer, Charlotte, die Geschichte der Münchener Tagespresse, S. 136.
3 Handbuch Arbeiterpresse 1914, S. 103.

Rosenow, Emil (1871–1904), als Sohn eines Handwerksmeisters in Köln geboren, absolvierte eine kaufmännische Lehre im Buchhandel. Als 15jähriger Buchhandlungslehrling gibt er eine humoristische Wochenschrift heraus, die er selbst verfaßte.[1] Mit 18 wird er Lokalkorrespondent der Elberfelder *Freien Presse.* Von 1892 an ist er Redakteur des Chemnitzer *Beobachters;*[2] 1899 verläßt er Chemnitz und übernimmt den Posten eines leitenden Redakteurs an der *Rheinisch-Westfälischen Arbeiterzeitung* in Dortmund.[3] Bis 1. 2. 1900 bleibt er in Dortmund und ist danach als freier Journalist tätig.

MdR	1898–1904
Redakteur	1892–1900
Freier Journalist	1889–1892, ab 1900
Verleger/Herausgeber	–

1 Personalia-Akte Rosenow im AdSD, Bonn.
2 Heilmann, Ernst, Geschichte der Arbeiterbewegung in Chemnitz, S. 233.
3 Koszyk, Kurt, Anfänge und frühe Entwicklung, S. 114.

Rühle, Otto (1874–1943), Sohn eines Eisenbahnbeamten, war Lehrer von Beruf. 1896 in einen Prozeß verwickelt, kann er als Folge seinen Beruf nicht mehr ausüben. Er wird Redakteur der *Märkischen Volksstimme* in Forst i. L. bis 1898;[1] danach redigiert er bis 1901 die Parteiblätter in Zwickau und Zeitz. 1901 wechselt er zur Chemnitzer *Volksstimme,* verläßt Chemnitz aber schon nach einem Jahr wieder, um den Posten eines leitenden Redakteurs am Harburger *Volksblatt* zu übernehmen.[2] Bis 1906 ist er in Harburg tätig und geht dann an die *Schlesische Volkswacht* nach Breslau.[3] Zusätzlich gibt er eine Korrespondenz heraus, die Artikel zu Erziehungsfragen den Parteiblättern offeriert.[4] 1914 redigiert er die *Volkszeitung* in Pirna. Ab 1925 gibt er eine eigene Zeitschrift heraus, *Das proletarische Kind.*

210

MdR	1912–1918 (bkF)
Redakteur	1896–1916
Freier Journalist	–
Verleger/Herausgeber	1906, ab 1925

---

1 Deutscher Litteratur-Kalender auf das Jahr 1897, S. 1107.
2 Heilmann, Ernst, Geschichte der Arbeiterbewegung in Chemnitz, S. 275.
3 Maneck, Horst, Otto Rühles bildungspolitisches und pädagogisches Wirken, S. 78.
4 MdVA, Nr. 55, 16. 3. 1906.

Ryssel, Karl (1869–1933) war Tischler und Amtshauptmann in Leipzig.

MdR	1914–1918, 1920–1924 (USPD)
Redakteur	–
Freier Journalist	–
Verleger/Herausgeber	–

Sabor, Adolf (1841–1907), Lehrer von Beruf, war Anfang der siebziger Jahre Mitarbeiter des *Frankfurter Beobachter;*[1] mit der *Frankfurter Zeitung* stand er ebenfalls in Verbindung.[2]

MdR	1884–1890
Redakteur	–
Freier Journalist	Anfang der siebziger Jahre
Verleger/Herausgeber	–

---

1 Wilhelm Liebknecht. Briefwechsel mit deutschen Sozialdemokraten, S. 490. Blos an Liebknecht am 17. 5. 1873: „Sabor ist Mitarbeiter des *Frankfurter Beobachter.* Welchen Theil er redigiert, konnte ich nicht erfahren."
2 Protokoll Parteitag 1876 in Gotha, S. 49: „Herr Sabor, welcher bis vor Kurzem in steter Verbindung mit den Redakteuren der *Frankfurter Zeitung* gestanden..."

Sachse, Hermann Gottfried (1862–1942), als Sohn eines Holzhändlers in Zwickau geboren, war Bergmann von Beruf. Ab 1902 ist er Vorsitzender des Verbandes der Bergarbeiter Deutschlands. Artikel von ihm werden in der *Neuen Zeit* und in Gewerkschaftsblättern veröffentlicht.[1]

MdR	1898–1920
Redakteur	–
Freier Journalist	ab 1902
Verleger/Herausgeber	–

---

1 Handbuch Arbeiterpresse 1914, S. 304.

Scheidemann, Philipp (1865–1939), Sohn eines selbständigen Handwerksmeisters, absolvierte eine Bruchdruckerlehre. 1886 wird er Redakteur des in Kassel erscheinenden *Volksfreunds;*[1] als das Parteiblatt ein Jahr später verboten wird, geht Scheidemann an die demokratisch-freisinnige *Kasseler Zeitung.* Ab 1888 arbeitet er in Marburg als Buchdrucker und ist nebenberuflich als freier Mitarbeiter für das neugegründete Kasseler *Volksblatt* und die *Hessische Landeszeitung* tätig. Von 1895 an ist er Redakteur der *Mitteldeutschen Sonntagszeitung* in Gießen; im April 1900 wird er Chefredakteur der *Fränkischen Tagespost* in Nürnberg und wechselt 1902 zum *Offenbacher Abendblatt* über, wo er ebenfalls den Posten eines leitenden Redakteurs bekleidet. 1904 wird er von der Parteileitung nach Kassel versetzt, um das *Kasseler Volksblatt* „hochzubringen"[2]. Als Scheidemann 1911 in den Parteivorstand gewählt wird, gibt er seine Redakteursstelle in Kassel auf. Im September 1916 wird er Mitarbeiter der *Sozialdemokratischen Artikel-Korrespondenz.*[3]

MdR	1903–1933
Redakteur	1886–1888, 1895–1911
Freier Journalist	1888–1895, ab 1916
Verleger/Herausgeber	–

---

1 Scheidemann, Philipp, Memoiren, Bd. 1, S. 50 ff.
2 Ebenda, S. 90.
3 Koszyk, Kurt, Zwischen Kaiserreich und Diktatur, S. 229, Fußnote.

Schippel, Max (1859–1928) studierte in Leipzig, Berlin und Basel Volkswirtschaft und Staatswissenschaften und schloß sein Studium 1884 mit der Promotion ab. Ende August 1886 tritt er in die Redaktion des *Berliner Volksblatts* ein,[1] ab Juli 1887 ist er Redakteur des Wochenblattes *Berliner Volkstribüne.* Bis 1890 fungiert er auch als Herausgeber dieser Zeitung und ist dazu Mitarbeiter der *Neuen Zeit.* 1894 wird er Redakteur des neugegründeten sozialdemokratischen Wochenblatts *Der Sozialdemokrat,* das es aber nur auf zwei Jahrgänge bringt. Um die Jahrhundertwende wird er Fachredakteur bei den *Sozialistischen Monatsheften;* abwechselnd mit Calwer ist er für die Gebiete „Wirtschaft" und „Politik" zuständig;[2] weiter ist er Mitarbeiter der Chemnitzer *Volksstimme*[3] und redigiert von April 1909 bis Ende 1910 die Rubrik „Wirtschaftliche Rundschau" des *Correspondenzblattes.*

MdR	1890–1905
Redakteur	1886–1896, ca. 1900–1910
Freier Journalist	1896–1900, 1b1910
Verleger/Herausgeber	1887–1890

---

1 Bernstein, Eduard, Geschichte der Berliner Arbeiterbewegung, Bd. 2, S. 128.
2 Mroßko, Kurt-Dietrich, Richard Calwer, S. 373.
3 Protokoll Parteitag 1904 in Bremen, S. 219.

Schlegel, Louis (1858–1929) war Gastwirt in Esslingen.

MdR   1899–1907
Redakteur   –
Freier Journalist   –
Verleger/Herausgeber   –

Schmalfeldt, Johann Heinrich (1850–1938), Zigarrenmacher von Beruf, wurde 1906 Firmenträger der Bremer Buchdruckerei und Verlagsanstalt, die die *Bremer Bürger-Zeitung* herstellte, und Mitglied der Presskommission, die für die *Bürger-Zeitung* zuständig war.[1]

MdR   1903–1907
Redakteur   –
Freier Journalist   –
Verleger/Herausgeber   –

---

1 Moring, Karl-Ernst, Sozialdemokratische Partei in Bremen, S. 89.

Schmidt, Albert (1858–1904), Buchdrucker von Beruf, redigierte ab 1887 das Leipziger *Volksblatt*,[1] war dann Redakteur an der *Wurzener Zeitung*[2] und kam am 1. 1. 1891 an die Burgstädter *Volksstimme*.[3] Ende der neunziger Jahre wechselte er nach Magdeburg zur *Volksstimme* über, für die er wohl bis zu seinem Tode als Redakteur tätig war.

MdR   1890–1899, 1903–1904
Redakteur   1887–1904
Freier Journalist   –
Verleger/Herausgeber   –

---

1 Apitzsch, Friedrich, Deutsche Tagespresse, S. 40.
   Stegmann/Hugo, Handbuch des Sozialismus, S. 739.
2 Heilmann, Ernst, Geschichte der Arbeiterbewegung in Chemnitz, S. 271 ff. und Notiz im *Vorwärts*, 12. 1. 1892: „Gehaussucht in den Redaktions- und Expeditionsräumen der Burgstädter *Volksstimme* nach dem Manuskript eines Artikels, wegen dessen Abdruck Reichstagsabgeordneter Albert Schmidt zu 6 Monaten Gefängnis verurteilt worden ist."
3 Stampfer, Friedrich, Erfahrungen, S. 62; Notiz in der *Schlesischen Volkswacht*, Nr. 104, 6. 5. 1901: „Die Hälfte seiner Strafe verbüßt hat jetzt unser Parteigenosse Albert Schmidt, der wegen Majestätsbeleidigung als Redakteur der *Magdeburger Volksstimme*..."

Schmidt, Richard (1871–1945), von Beruf Töpfer, war vom 1.4. 1908 an Redakteur der *Volkszeitung* in Meißen.[1]

MdR	1912–1930
Redakteur	ab 1908
Freier Journalist	–
Verleger/Herausgeber	–

---

1 Handbuch Arbeiterpresse 1914, S. 475.

Schmidt, Robert (1864–1943), Sohn eines Tischlers und von Beruf Klaviermacher, war von 1894 bis 1903 Redakteur des Zentralorgans *Vorwärts* in Berlin;[1] von 1905 an redigierte er die *MdVA* und verfaßte zahlreiche Artikel für das Vereinsblatt. Von Januar bis April 1908 betreut er die Rubrik „Sozialpolitik" bei den *Sozialistischen Monatsheften* und ist später als Gewerkschaftssekretär tätig.

MdR	1893–1898, 1903–1930
Redakteur	1894–1903, 1905–1908
Freier Journalist	–
Verleger/Herausgeber	–

---

1 Handbuch Arbeiterpresse 1914, S. 288; Bernstein, Eduard, Geschichte der Berliner Arbeiterbewegung, Bd. 3, S. 180.

Schmidt, Wilhelm Heinrich (1851–1907), geboren in Frankfurt/Main und Lithograph von Beruf, war einer der Mitbegründer der Frankfurter *Volksstimme*[1] und von 1891 an Redakteur dieser Parteizeitung;[2] bis zu seinem Tode 1907 hat er diesen Posten inne. Schmidt gehörte auch zu den Initiatoren des Vereins Arbeiterpresse.

MdR	1890–1907
Redakteur	1891–1907
Freier Journalist	–
Verleger/Herausgeber	–

---

1 *MdVA,* Nr. 68, 9.9. 1907.
2 Nekrolog in der *Schwäbischen Tagwacht,* Stuttgart, 26.8. 1907; Handbuch Arbeiterpresse 1914, S. 102; Notiz im *Vorwärts,* 30.9. 1893: ... wurde der Redakteur der *Frankfurter Volksstimme,* W. Schmidt..."

Schmitt, Franz (1862–1932), von Beruf Optiker, war seit 1907 Parteisekretär in München.

MdR 1912–1918
Redakteur –
Freier Journalist –
Verleger/Herausgeber –

Schoenlank, Bruno (1859–1901), Sohn eines israelitischen Lehrers und Kantors, studierte in Berlin, Leipzig, Kiel und Halle Philologie und schließt sein Studium 1882 mit der Promotion ab. 1883 läßt er sich in München nieder und wird Redakteur der Viereck-Blätter *Süddeutsche Post, Thüringer Wald-Post, Königsberger Volksblatt* und *Rheinisches Wochenblatt.*[1] Zusätzlich ist er der Münchener Korrespondent für den Züricher *Sozialdemokrat.* Anfang 1885 überwirft sich Schoenlank mit Viereck und arbeitet von da an zeitweilig am *Bayerischen Landboten* in München mit. Außerdem beginnt er 1885 mit seiner Mitarbeiterschaft an der *Neuen Zeit.*[2] Im gleichen Jahr noch siedelt er nach Nürnberg über und wird Mitarbeiter der *Fränkischen Tagespost* und der *Arbeiterchronik.*[3] Weiter schreibt er für den *Wahren Jacob* und die *Gleichheit* in Wien. Ab 1889 ist er Mitarbeiter der *Berliner Volkszeitung,* die der freisinnigen Partei nahestand.[4] 1890 zieht er nach Berlin und wird für kurze Zeit Redakteur des *Sozialpolitischen Centralblatts,* das Heinrich Braun herausgab und mitredigierte. Am 1. 3. 1892 erhält er eine feste Anstellung als Redakteur am *Vorwärts,* erkrankt aber zwei Monate nach Stellungsantritt so schwer, daß er beurlaubt werden muß.[5] Erst Anfang 1893 erscheint er wieder in der *Vorwärts*-Redaktion, reicht aber im Juni dieses Jahres seine Kündigung ein, weil er eine Reichstagskandidatur angenommen hatte. Ende 1894 wird Schoenlank als Chefredakteur an die *Leipziger Volkszeitung* berufen; diese Stellung hat er bis zu seinem Tode inne.

MdR 1893–1901
Redakteur 1883–1893, 1894–1901
Freier Journalist 1893–1894
Verleger/Herausgeber –

---

1 Mayer, Paul, Bruno Schoenlank, S. 21 ff.
2 Ende 1889 kündigt er diese Mitarbeitertätigkeit, weil Kautsky einen Artikel von ihm nicht veröffentlichen wollte. Vgl. dazu Adler Briefwechsel, S. 106 ff. Kautsky an Adler am 15. 10. 1892: „Seitdem hat er keine Zeile mehr für uns geschrieben. Wir haben's überlebt."
3 Gärtner, Georg, Karl Grillenberger, S. 122 und 162.
4 Bernstein, Eduard, Geschichte der Berliner Arbeiterbewegung, Bd. 2, S. 146.
5 Bebel Briefwechsel. Bebel an Engels am 12. 10. 1892, S. 602: „Schoenlank haben wir auf einige Monate von der Redaktion suspendiert, damit er in eine Heilanstalt geht; er muß mal eine ordentliche Kur durchmachen."

Schöpflin, Georg Johann (1869–1954), als Sohn eines Bauern in Titisee/Schwarzwald geboren, war von Beruf Bürstenmacher. 1895 kommt er als Volontär an das Zentralorgan *Vorwärts*[1] und wird im gleichen Jahr noch Redakteur des *Volksfreund* in Frankfurt an der Oder. 1897 wechselt er zur Burgstädter *Volksstimme* über,[2] 1899 wird die Burgstädter *Volksstimme* mit dem Chemnitzer *Beobachter* zur *Chemnitzer Volksstimme* verschmolzen – Schöpflin bleibt Redakteur der neuen alten Parteizeitung bis 1902. Dann übernimmt er die Redaktion der neugegründeten *Volkszeitung für das Muldenthal*[3] in Leipzig und wird Parlamentsberichterstatter für die *Leipziger Volkszeitung*. 1909 wird er Redakteur der *Märkischen Volksstimme* in Cottbus. Von 1914 bis 1918 bearbeitet er die *Sozialdemokratische Parteikorrespondenz*, ist von 1918 bis 1919 Redakteur des *Sächsischen Volksblattes* in Zwickau und geht im August 1919 als Chefredakteur an den Karlsruher *Volksfreund*.[4] Diese Stellung hat er bis zum Verbot der Zeitung 1933 inne.

MdR	1903–1907, 1909–1932
Redakteur	1895–1933
Freier Journalist	–
Verleger/Herausgeber	–

---

1 Personalia-Akte Schöpflin im AdSD, Bonn.
2 Heilmann, Ernst, Geschichte der Arbeiterbewegung in Chemnitz, S. 272.
3 Ebenda. S. 275.
4 *MdVA*, Nr. 185, 1. 8. 1919, S. 6: „Rundschau".

Schraps, Reinhold (1833–?), Rechtsanwalt in Zwickau, unterstützt ab 1885 den Glauchauer *Beobachter*, ein dreimal wöchentlich erscheinendes demokratisches Blatt.[1]

MdR	1867–1874
Redakteur	–
Freier Journalist	–
Verleger/Herausgeber	–

---

1 Heilmann, Ernst, Geschichte der Arbeiterbewegung in Chemnitz, S. 199.

Schultze, Karl Friedrich Wilhelm (1858–1897), Schlosser von Beruf, betrieb ein Zigarrengeschäft.

MdR	1890–1897
Redakteur	–
Freier Journalist	–
Verleger/Herausgeber	–

Schulz, Heinrich (1872–1932), Sohn eines Werkmeisters, war Lehrer von Beruf. Im Juni 1897 kommt er als Redakteur an die *Thüringer Tribüne* in Erfurt, wechselt 1901 zur *Magdeburger Volksstimme* über und kommt 1902 als Chefredakteur an die *Bremer Bürger-Zeitung*.[1] Ende 1906 gibt er seine Stellung auf, da er als Lehrer an die neugegründete Parteischule gerufen wurde; unter anderem unterrichtet er junge Parteigenossen in Zeitungstechnik.[2] Von 1911 an ist er stellvertretender Vorsitzender des Vereins Arbeiterpresse;[3] für das Vereinsblatt verfaßt er kontinuierlich Beiträge. Ab 1916 ist er Mitherausgeber der *Sozialdemokratischen Artikel-Korrespondenz;* im Mai 1917 redigiert er vertretungsweise die Frauenzeitschrift *Gleichheit* in Stuttgart.

MdR	1912–1930
Redakteur	1897–1906, 1917
Freier Journalist	ab 1911
Verleger/Herausgeber	ab 1916

1 Moring, Karl-Ernst, Sozialdemokratische Partei in Bremen, S. 69.
2 Protokoll Parteitag 1907 in Essen, S. 91.
3 *MdVA,* Nr. 103, 9. 11. 1911.

Schulze, Ernst (1855–?) war Tischlermeister in Cossebaude.

MdR	1903–1907
Redakteur	–
Freier Journalist	–
Verleger/Herausgeber	–

Schumacher, Georg (1844–1917), geboren in Köln und von Beruf Gerber, redigierte von 1876 bis 1878 die *Kölner Freie Presse*.[1] Nach Erlaß des Sozialistengesetzes arbeitet er kurz in der Redaktion der von Hasselmann herausgegebenen *Bergischen Volksstimme*[2] in Solingen mit und läßt sich 1879 als Lederhändler in dieser Stadt nieder. 1890 wird er Redakteur an der wiederbelebten *Bergischen Volksstimme;* 1902 muß er wegen innerparteilicher Querelen diese Stellung aufgeben und lebt bis 1905 als freier Journalist in Köln.[3] 1905 übernimmt er eine Redakteursstelle am Bochumer *Volksblatt.*

MdR	1884–1898
Redakteur	1876–1879, 1890–1902, ab 1905
Freier Journalist	1902–1905
Verleger/Herausgeber	–

1 Bebel Briefwechsel, S. 243.
2 Bers, Günther, Wilhelm Hasselmann, S. 33.
3 Scheidemann, Philipp, Memoiren, Bd. 1, S. 154: „Verärgert und verbittert ist Schumacher später nach Köln gezogen, wo er, zeitweilig von der SPD unterstützt, sich kümmerlich durch schriftstellerische Tätigkeit über Wasser hielt."

Schumann, Oswald (1865–1939), Handelsarbeiter von Beruf, war Gewerkschaftssekretär in Berlin.

MdR   1912–1932
Redakteur   –
Freier Journalist   –
Verleger/Herausgeber   –

Schwartz, Johann Carl Theodor (1841–1922), als Sohn eines Arbeiters in Lübeck geboren, war Former von Beruf. Von 1865 bis 1886 fährt er als Leichtmatrose und Schiffskoch zur See, redigiert von 1891 bis 1895 das Verbandsblatt der Former *Glück auf* und ist danach Geschäftsführer des *Lübecker Boten.*

MdR   1890–1893, 1898–1918 (USPD)
Redakteur   1891–1895
Freier Journalist   –
Verleger/Herausgeber   –

Von Schweitzer, Johann Baptist (1843–1875) hatte Rechtswissenschaften studiert und promoviert. Er ist Eigentümer und Redakteur des *Social-Demokrat,* der am 4. 1. 1865 zum ersten Mal erscheint und bis zum Rücktritt Schweitzers als Präsident des ADAV im Jahre 1871 bestehen-bleibt. 1870 gründet er noch die Wochenzeitung *Agitator,* die aber bald nach seinem Ausscheiden aus der Politik ebenfalls von der Bildfläche verschwindet.[1] Bis zu seinem Tode ist Schweitzer als Theaterstücke-Schreiber tätig.[2]

MdR   1867–1871
Redakteur   1865–1871
Freier Journalist   –
Verleger/Herausgeber   1865–1871

---

1 Blos, Wilhelm, Geschichte der sozialdemokratischen Presse, in: *MdVA,* Nr. 83, 11. 6. 1909.
2 Mayer, Gustav, Johann Baptist von Schweitzer, S. 409.

Segitz, Martin (1853–1927), geboren in Fürth und Zinngießer von Beruf, gründet 1884 mit Grillenberger und Scherm die *Metallarbeiterzeitung.* 1888 wird er Expediteur der Fürther *Bürgerzeitung,* ein Jahr später Redakteur[1] dieser Zeitung und wird 1891 in die Redaktion der *Fränkischen Tagespost* übernommen. Am 1. 11. 1894 verläßt er die Nürnberger Redaktion, da er seine neue Stellung als Arbeitersekretär antritt. Er bleibt aber weiter ständiger Mitarbeiter der *Fränkischen Tagespost.*[2] Ab

Februar 1910 ist er wieder festangestellter Redakteur der Nürnberger Parteizeitung;[3] er bearbeitet das Ressort „Bayern"[4] bis in die zwanziger Jahre.[5]

MdR	1898–1903, 1912–1918
Redakteur	1889–1894, 1910–in die zwanziger Jahren
Freier Journalist	ab 1894
Verleger/Herausgeber	–

1 Gärtner, Georg, Die Nürnberger Arbeiterbewegung, S. 162.
2 Scheidemann, Philipp, Memoiren, Bd. 1, S., S. 79.
3 MdVA, Nr. 93, 9. 6. 1910: „In die Redaktion der Fränkischen Tagespost trat am 1. Februar der Genosse Landtagsabgeordnete Segitz ein."
4 Handbuch Arbeiterpresse 1914, S. 117.
5 Im Nachlaß Vollmar im AdSD, Bonn, befinden sich eine Reihe von Briefen Segitz' an Vollmar, die den Briefkopf Fränkische Tagespost aufweisen (bis 1922).

Seifert, Julius Heinrich (1848–1909), geboren in Zwickau und Schuhmacher von Beruf, war vor 1893 Verleger der *Reußischen Volkszeitung.*[1]

MdR	1890–1903
Redakteur	–
Freier Journalist	–
Verleger/Herausgeber	vor 1893

1 Notiz im Vorwärts, 27. 9. 1893: „... des früheren Verlegers der Reuß. Volksztg. Julius Seifert..."

Severing, Carl (1875–1952), als Sohn eines Zigarrenarbeiters in Herford geboren, absolvierte eine Schlosserlehre. Ab 1892 ist er Mitarbeiter der Bielefelder *Volkswacht,*[1] schreibt nach der Jahrhundertwende für die *Sozialistischen Monatshefte* und wird im April 1912 Redakteur der *Volkswacht* in Bielefeld;[2] diese Stellung hat er bis nach dem Kriege inne.

MdR	1907–1912, 1919–1933
Redakteur	1912–1919
Freier Journalist	ab 1892
Verleger/Herausgeber	–

1 Severing, Carl, Mein Lebensweg, Bd. 1, S. 26; Nachlaß Severing im AdSD, Bonn; Severing, Carl, Wie ich zur Volkswacht kam, in: Volkswacht, Bielefeld, 1. 7. 1910.
2 Notiz im Vorwärts, 10. 3. 1912.

Silberschmidt, Hermann Ernst (1866–1927), von Beruf Maurer, war Gewerkschaftssekretär in Berlin.

MdR   1912–1927
Redakteur   –
Freier Journalist   –
Verleger/Herausgeber   –

Simon, Josef (1865–1949), als Sohn eines Schäfers in Unterfranken geboren, war Schumacher von Beruf. Ab 1900 war er Vorsitzender des Zentralverbandes der Schuhmacher Deutschlands.

MdR   1912–1919, 1920–1932 (USPD)
Redakteur   –
Freier Journalist   –
Verleger/Herausgeber   –

Sindermann, Karl Ernst (1868–1922), geboren in Baumgarten/Schlesien und Buchdrucker von Beruf, war ab 1898 Buchhalter der Parteidruckerei Kaden + Co in Dresden.[1]

MdR   1903–1907
Redakteur   –
Freier Journalist   –
Verleger/Herausgeber   –

---

1   Handbuch der Arbeiterpresse 1914, S. 245.

Singer, Paul (1844–1911), Sohn eines Kaufmanns, wurde ebenfalls Kaufmann und war mit seinem Bruder Eigentümer einer Kleiderfabrik. 1871 ermöglicht er als Geldgeber die Gründung der *Demokratischen Zeitung* in Berlin und wird Vorsitzender des Verwaltungsrats dieser Zeitung. Ab 1875 unterstützt er finanziell und beratend die genossenschaftliche Allgemeine Deutsche Assoziations-Buchdruckerei, die seit dem 1. 1. 1876 die Tageszeitung *Berliner Freie Presse* herausgibt. Nach dem Erlaß des Sozialistengesetzes ist er maßgeblich an der Gründung des *Sozialdemokrat* beteiligt; weiter organisierte er das spezielle Vertriebssystem des Exilorgans, das Motteler dann übernahm und perfektionierte. 1884 stellt er für die Gründung des *Berliner Volksblatts* das Kapital zur Verfügung und legt die Konzeption der Zeitung fest.[1] Auf dem ersten regulären Parteitag nach dem Sozialistengesetz wird Singer zum Vorsitzenden der Gesamtpartei gewählt. Das *Berliner Volksblatt* wird unter dem Titel *Vorwärts* wieder Zentralorgan; als Leiter der Presskommission und als

Parteichef ist ihm vor allem in Personalangelegenheiten freie Hand gegeben.[2] Singer erschien fast täglich in der Redaktion des Vorwärts[3] und verfaßte zahlreiche Artikel für das Zentralorgan.[4]

MdR   1884–1911
Redakteur   –
Freier Journalist   ab 1890
Verleger/Herausgeber   1871–1878, 1884–1890

---

1 Vorwärts, 26. 4. 1916: „Der Vorwärts im Organisationsstatut."
2 Bruno Schoenlank darüber in seinem Tagebuch, in: Mayer, Paul, Bruno Schoenlank, S. 111, 114 und 117 ff.
3 Vorwärts, 1. 2. 1911, Nachruf auf Paul Singer.
4 Adler Briefwechsel, S. 280. Singer an Adler am 5. 12. 1898: „Nimm aus beifolgenden von mir geschriebenen Artikeln des Vorwärts heraus was Dir paßt." und Bernstein, Eduard, Geschichte der Berliner Arbeiterbewegung, Bd. 3, S. 404.

Sperka, Karl (1853–1932), in Breslau geboren und Handschuhmacher von Beruf, war Fabrikant in Stuttgart und lange Jahre SPD-Landesvorsitzender in Württemberg.

MdR   1903–1907
Redakteur   –
Freier Journalist   –
Verleger/Herausgeber   –

Spiegel, Karl Michael (1868–1932), in Hilden geboren und Klempner von Beruf, war von 1905 bis 1920 Mitglied der Agitations-Kommission der Partei für das Rheinland und Westfalen und als Bezirksleiter in der Gewerkschaft tätig.

MdR   1912–1918, 1922–1924, 1928–1930
Redakteur   –
Freier Journalist   –
Verleger/Herausgeber   –

Stadthagen, Arthur (1857–1917), Sohn eines Akademikers und Rechtsanwalt von Beruf, war Anfang der neunziger Jahre Redakteur des Leipziger Wählers,[1] von 1893 in der Rechtsauskunftsstelle der Vorwärts-Redaktion tätig und wird im Oktober 1905 Redakteur des Vorwärts[2] für das Ressort „Soziales und Geschichtliches".[3] Bis zum Vorwärts-Konflikt im Jahre 1916 bleibt er Redakteur des Zentralorgans.[4]

221

MdR	1890–1917 (USPD)
Redakteur	ca. ab 1890–1916
Freier Journalist	–
Verleger/Herausgeber	–

---

1 Protokoll Parteitag 1898 in Stuttgart, S. 120.
2 Protokoll Parteitag 1906 in Mannheim, S. 47.
3 Handbuch Arbeiterpresse 1914, S. 85.
4 Nachlaß Giebel im AdSD, Bonn: „Zum *Vorwärts*-Konflikt", November 1916.

Stahl, Emil Theodor (1879–1956), Handelshilfsarbeiter, gründet 1919 für den Bezirk Brandenburg das *Volksblatt für Spandau und das Havelland*.[1]

MdR	1917–1920
Redakteur	–
Freier Journalist	–
Verleger/Herausgeber	ab 1919

---

1 Personalia-Akte Stahl im AdSD, Bonn.

Stolle, Karl Wilhelm (1842–1918), bei Crimmitschau geboren und Gärtner von Beruf, gründet 1870 den *Crimmitschauer Bürger- und Bauernfreund*, den er bis Januar 1879 verlegt und redigiert.[1] Danach läßt er sich als Gastwirt in Gesau nieder.

MdR	1881–1887, 1890–1918 (USPD)
Redakteur	1870–1879
Freier Journalist	–
Verleger/Herausgeber	1870–1879

---

1 Blos, Wilhelm, Geschichte der sozialdemokratischen Presse, in: *MdVA*, Nr. 83, 11. 6. 1909.

Stolten, Johannes Ernst Otto (1853–1928), als Sohn eines Schlossermeisters in Hamburg geboren, ist ebenfalls Schlosser von Beruf. Mitte der achtziger Jahre wird er Redakteur[1] der Hamburger *Bürgerzeitung* und ist ab Oktober 1887 leitender Redakteur der Nachfolgezeitung *Hamburger Echo*.[2] Diese Stellung hat er bis zu seinem Tode im Jahre 1928 inne.[3]

MdR	1913–1924
Redakteur	ca. ab 1885–1928
Freier Journalist	–
Verleger/Herausgeber	–

---

1 Jensen, Jürgen, Presse und politische Polizei, S. 139.
2 Laufenberg, H. Geschichte der Arbeiterbewegung in Hamburg, Bd. 2, S. 559.
3 *MdVA*, Nr. 274, 1. 2. 1928, S. 2.

Stubbe, Heinrich (1864–1941), Tischler von Beruf, war von 1894 bis 1904 Geschäftsführer der *Holzarbeiterzeitung;*[1] von 1906 an ist er SPD-Landesvorsitzender in Hamburg.

MdR	1915–1918
Redakteur	–
Freier Journalist	–
Verleger/Herausgeber	–

---

1 Handbuch Arbeiterpresse 1927, S. 374.

Stücklen, Daniel (1869–1935), in Nürnberg geboren und Feingoldschläger von Beruf, war von 1891 bis 1893 Mitglied der Parteileitung der ungarischen Sozialdemokratie und Redakteur der *Arbeiterpresse* in Budapest.[1] Von 1893 bis 1898 redigiert er das *Hofer Volksblatt,*[2] wechselt dann über zur *Altenburger Volkszeitung,* deren Redaktion er bis 1905 leitet. Im Oktober 1905 wird er Chefredakteur der *Rheinisch-Westfälischen Arbeiter-Zeitung* in Dortmund;[3] im November 1906 siedelt er nach Berlin über, da er als Redakteur an die *Sozialdemokratische Partei-Korrespondenz* berufen worden war. 1908 übernimmt er das neugegründete parteieigene Pressebüro,[4] in dem er bis 1915 arbeitet.

MdR	1903–1932
Redakteur	1891–1915
Freier Journalist	–
Verleger/Herausgeber	–

---

1 Personalia-Akte Stücklen im AdSD, Bonn.
2 Bayerisches Hauptstaatsarchiv München, MJu 17386, Bl. XI: Anklage gegen Redakteur Stücklen vom *Hofer Volksblatt.* 1895 ändert die Zeitung ihren Titel in *Oberfränkische Volkszeitung.* Auszug aus dem Strafregister Stücklens; demnach war er von 1893 bis 1898 in Hof.
3 Koszyk, Kurt, Anfänge und frühe Entwicklung, S. 125.
4 Protokoll Parteitag 1913 in Jena, S. 272 ff.

Südekum, Albert (1871–1943), Sohn eines Hotelbesitzers, studierte in Genf, München, Berlin und Kiel Staatswissenschaften und schloß sein Studium mit der Promotion ab. Nach seinem Studium 1894 ist er kurze Zeit Redakteur des *Vorwärts* in Berlin und wird Ende 1895 von Schoenlank an die *Leipziger Volkszeitung* geholt.[1] Von Oktober 1898 bis 1900 ist er Chefredakteur der *Fränkischen Tagespost* in Nürnberg;[2] danach ist er bis 1903 Redakteur der *Sächsischen Arbeiter-Zeitung* in Dresden. Von 1901 an hatte er zusätzlich schon die Zeitschrift *Kommunale Praxis* redigiert;[3] ab 1903 widmet er sich ausschließlich dieser Zeitschrift für Kommunalpolitik und Gemeindesozialismus, die ab 1907 wöchentlich erscheint. Weiter ist er Mitarbeiter diverser Parteizeitungen.[4]

MdR   1900–1918
Redakteur   1894–ca. 1918
Freier Journalist   –
Verleger/Herausgeber   ab 1901

---

1 Stampfer, Friedrich, Erfahrungen, S. 39.
2 Scheidemann, Philipp, Memoiren, Bd. 1, S. 79; Gärtner, Georg, Die Nürnberger Arbeiterbewegung, S. 169.
3 Nachlaß Vollmar im AdSD, Bonn. Briefe Südekums an Vollmar (Nr. 2072).
4 Nachlaß Quarck im AdSD, Bonn. Briefe Südekums an Quarck; Südekum schreibt Artikel für die *Volksstimme* in Frankfurt, die Quarck redigiert.

Taubadel, Paul (1875–?), Maurer von Beruf, war von 1906 bis zu ihrem Verbot 1933 Redakteur der *Görlitzer Volkszeitung*.[1]

MdR   1912–1932
Redakteur   1906–1933
Freier Journalist   –
Verleger/Herausgeber   –

---

1 Handbuch Arbeiterpresse 1927, S. 340.

Thiele, Adolf (1853–1925), Volksschullehrer von Beruf, war Anfang der neunziger Jahre Redakteur der *Wurzener Zeitung*,[1] wechselte dann über zur *Schlesischen Volkswacht*[2] und wird Ende der neunziger Jahre Chefredakteur des *Haller Volksblatts*.[3] 1900 gehört er zu den Mitbegründern des Vereins Arbeiterpresse. Bis etwa 1912 bleibt er in seiner Stellung in Halle; danach ist er als freier Journalist tätig.

MdR	1898–1907, 1912–1920
Redakteur	Anfang der neunziger Jahre bis 1912
Freier Journalist	ab 1912
Verleger/Herausgeber	–

---

1 Notiz im *Vorwärts* 9. 6. 1892 und 24. 7. 1894.
2 Löbe, Paul, Erinnerungen, S. 29.
3 Thiele muß wohl schon vor 1897 Chefredakteur des *Haller Volksblatts* geworden sein, denn 1966 wurde in Halle ein Blechbehälter gefunden, mit einer Nummer des *Vorwärts,* des *Wahren Jacob* und Ausschnitte aus dem *Haller Volksblatt;* dazu ein Brief von Thiele, datiert vom 23. 6. 1897, betitelt: „Der Traum von einer besseren Gesellschaft", in: Personalia-Akte Thiele im AdSD, Bonn.

Thöne, Georg (1867–1945), von Beruf Maurer, war seit 1907 Parteisekretär in Kassel.

MdR	1912–1924
Redakteur	–
Freier Journalist	–
Verleger/Herausgeber	–

Tutzauer, Franz August Adolf (1852–1908), Tischler von Beruf, war von 1885 bis 1888 Redakteur des *Berliner Volksblatts;*[1] 1890 wird er Redakteur des *Vorwärts,*[2] betrieb aber nebenbei sein Möbelgeschäft weiter.[3]

MdR	1890–1907
Redakteur	1885–1888, ab 1890
Freier Journalist	–
Verleger/Herausgeber	–

---

1 Stegmann/Hugo, Handbuch des Sozialismus, S. 827.
2 Bernstein, Eduard, Geschichte der Berliner Arbeiterbewegung, Bd. 3, S. 14.
3 Reichstagsrede von Tutzauer im *Vorwärts,* 22. 1. 1893: „Die Möbelhändler, zu denen ich selbst gehöre..."

Uhlig, Otto (1872–1950), von Beruf Buchdrucker, redigierte von 1908 bis 1911 die *Zittauer Volkszeitung*[1] und wird 1919 Chefredakteur der *Neuen Zittauer Volkszeitung.*[2]

MdR	1918
Redakteur	1908–1911, ab 1919
Freier Journalist	–
Verleger/Herausgeber	–

---

1 Handbuch Arbeiterpresse 1914, S. 346.
2 Personalia-Akte Uhlig im AdSD, Bonn.

Ulrich, Carl (1853–1933), als Sohn eines Schuhmachers in Braunschweig geboren, absolvierte eine Schlosserlehre. Von 1875 bis 1878 ist er Redakteur der *Neuen Offenbacher Tageszeitung*.[1] Während des Sozialistengesetzes betreibt er einen Spezereiladen.[2] Ab 1886 erscheint das neugegründete *Offenbacher Abendblatt*. Ulrich wird Leiter der Druckerei und kauft 1890 den Betrieb auf. Von da an fungiert er als Verleger und Herausgeber des *Offenbacher Abendblattes* und schreibt auch ab und zu Beiträge für die Zeitung.

MdR	1890–1903, 1907–1930
Redakteur	1875–1878
Freier Journalist	–
Verleger/Herausgeber	ab 1890

---

1 Ulrich, Carl, Wie ich Redakteur wurde, in: *Offenbacher Abendblatt*, 11. 8. 1900.
2 Ulrich, Carl, Erinnerungen des ersten hessischen Staatspräsidenten, S. 81.

Vahlteich, Carl Julius (1839–1915), Schuhmacher von Beruf, ist Ende der sechziger Jahre Mitarbeiter der Zeitschrift *Reform*.[1] 1870 übernimmt er die Redaktion des *Crimmitschauer Bürger- und Bauernfreundes* und kommt im Juli 1872 als Redakteur an die *Chemnitzer Freie Presse*.[2] Er ist Mitarbeiter der *Frankfurter Zeitung;*[3] als ihm aber diese Zeitung eine Korrespondentenstelle anbietet, untersagt ihm der Parteiausschuß die Annahme.[4] Nach dem Verbot der *Chemnitzer Freien Presse* 1878 redigiert er die Nachfolgezeitung *Chemnitzer Beobachter;*[5] diese wird nach achtzehn Nummern ebenfalls verboten. Danach wird er Geschäftsführer der Leipziger Druckerei; weitere Zeitungsverbote rauben ihm seine Existenzgrundlage, und er entschließt sich zur Auswanderung nach Amerika im Jahre 1881. Ab 1901 ist er Redakteur der *New Yorker Volkszeitung* und geht später als Redakteur an ein Chicagoer Parteiblatt.[6]

MdR	1874–1877, 1878–1881
Redakteur	1870–1879, ab 1901
Freier Journalist	vor 1870
Verleger/Herausgeber	–

---

1 Wilhelm Liebknecht. Briefwechsel mit deutschen Sozialdemokraten, S. 186, Vahlteich an Liebknecht am 6. 9. 1866.
2 Heilmann, Ernst, Geschichte der Arbeiterbewegung in Chemnitz, S. 84.
3 Protokoll Parteitag 1876 in Gotha, S. 54.
4 Marx/Engels Werke, Bd. 34, S. 156. Engels an Bracke am 11. 10. 1875: „Zweitens erzählte Sonnemann, den Marx bei der Durchreise sah, er habe Vahlteich die Korrespondenz für die *Frankfurter Zeitung* angeboten, aber der Ausschuß habe Vahlteich die Annahme verboten."
5 Heilmann, Ernst, a. a. O., S. 141.
6 Personalia-Akte Vahlteich im AdSD, Bonn.

Viereck, Louis (1851–1922), unehelicher Sohn einer Berliner Schauspielerin,[1] studierte erst Medizin, dann Rechtswissenschaft und war Referendar am Berliner Kammergericht. Einem drohenden Disziplinarverfahren wegen unerlaubter Agitation kommt Viereck durch sein freiwilliges Ausscheiden aus dem Staatsdienst zuvor.[2]

Viereck wurde Mitarbeiter der *Berliner Freien Presse* und der sozialistischen Revue *Zukunft* von 1877 bis 1878.[3] Nach dem Verbot der *Freien Presse* schreibt er Beiträge für die Nachfolgezeitung *Berliner Nachrichten*. Im Februar 1879 wird Viereck, unter dem Verdacht stehend, eine freisinnige Zeitung gründen zu wollen, aus Berlin ausgewiesen. Ab August 1879 übernimmt er die Leitung der Leipziger Associations-Druckerei; zuvor war er wohl Mitarbeiter des *Leipziger Volksblatts*. Er beteiligt sich an den organisatorischen Vorbereitungen für die Gründung eines Zentralorgans im Ausland; Ende 1880 geht er für längere Zeit nach Amerika, um für die deutsche Partei Gelder zu sammeln. Ende 1881 kehrt er nach Deutschland zurück und läßt sich in München nieder. Im Dezember 1881 übernimmt er die *Süddeutsche Post* und gründet dazu das *Münchener Extrablatt und Gerichtszeitung* sowie das humoristische Wochenblatt *Süddeutscher Postillon*. Ab April 1884 erscheint die für das Harzgebiet bestimmte *Harzer Post*, ab Mai 1884 die *Thüringer Wald-Post* und das *Königsberger Volksblatt*. Redaktions-, Druck- und Verlagsort dieser Zeitungen war München. Noch im gleichen Monat gründet Viereck die Gewerkschaftszeitung *Recht auf Arbeit*, im Juni 1884 kommt noch die *Rheinische Zeitung* dazu.

Im Mai 1884 wird die *Süddeutsche Post* verboten, im Juni des gleichen Jahres das *Königsberger Volksblatt*; daraufhin ruft Viereck die *Politische Wochenschrift für das Deutsche Volk* ins Leben, die aber nur ein Vierteljahr existiert. Nach dem Verbot der *Harzer Post* und dem *Münchner Extrablatt und Gerichtszeitung* im Januar 1885 gründet Viereck das *Deutsche Wochenblatt* und die *Münchner Abendzeitung und Lokalanzeiger*. Im August 1886 kommt noch das *Neue Volksblatt* dazu, das für Sachsen und das Magdeburger Gebiet bestimmt war. Aber bis Ende 1886 werden alle Zeitungen Vierecks ausschließlich des *Recht auf Arbeit* verboten. Ab 1. Januar 1888 gibt Viereck – er hatte sich inzwischen mit der Partei überworfen[4] – die *Münchner Post* und die Wochenzeitungen *Arbeiterzeitung, Reform* und *Manufakturarbeiterzeitung* neu heraus.

Im Dezember 1889 verkauft er alle Zeitungen bis auf sein Naturheilkunde-Magazin *Die Gesundheit,* das er Ende 1888 gegründet hatte und selbst redigierte. Im September 1891 stellt *Die Gesundheit* ihr Erscheinen ein; daraufhin gibt Viereck die *Wörishofener Blätter* heraus, eine Zeitung für die Kneipp-Anhänger. 1894 siedelt er nach Berlin über und gibt dort die Naturheilkunde-Fachzeitschriften *Menschenfreund* und *Hygienische Korrespondenz* heraus; 1896 wandert er nach Amerika aus.

In Amerika ist Viereck als Sonderkorrespondent für das *Berliner Tageblatt* tätig und gründet 1906 die Zeitung *Der deutsche Vorkämpfer*, die 1910 in der *Rundschau zweier Welten*, dann in *The Fatherland* und im *American Monthly* ihre Fortsetzung fand. 1910 kommt er nach Deutschland zurück und betätigt sich von Berlin aus als Korrespondent für die mittlerweile von seinem Sohn übernommene *Rundschau zweier Welten.*

MdR   1884–1887
Redakteur   1888–1896
Freier Journalist   1877–1879, 1896–1922
Verleger/Herausgeber   1881–1896, 1906–1910

1 Der Vater Vierecks soll Kaiser Wilhelm I. gewesen sein. Vgl. dazu Werner, Emil, Aus der Geschichte der *Münchner Post,* in: 100 Jahre Sozialdemokraten in München.
2 Heß, Ulrich, Louis Viereck, S. 4.
3 Die Arbeits-Biographie Vierecks stützt sich im wesentlichen auf Heß, Ulrich, Louis Viereck und Harrer, Charlotte, Die Geschichte der Münchener Tagespresse.
4 Protokoll Parteitag 1887 in St. Gallen, S. 47 ff. Der Parteikongreß empfahl den Parteiorganisationen, Viereck nicht mehr mit Parteiaufgaben zu betrauen und seiner „spekulativen Ausbeutung der Arbeiterpresse streng entgegenzutreten."

Vogtherr, Ewald (1859–1923), von Beruf Kaufmann, war von 1900 bis 1911 Mitglied der Presskommission, die für die *Dresdener Volkszeitung* zuständig war,[1] danach ist er Herausgeber der Wochenschrift *Die Geistesfreiheit* und der Halbmonatsschrift *Der Freidenker.*[2] Nach dem Krieg war er in Braunschweig Redakteur eines USPD-Blattes.[3] Das Handbuch der Reichstage weist ihn als Schriftsteller aus.[4]

MdR   1893–1898, 1912–1918, 1920–1923 (USPD)
Redakteur   ab 1918
Freier Journalist   –
Verleger/Herausgeber   ab 1911

1 Handbuch Arbeiterpresse 1914, S. 346.
2 Kürschners Deutscher Literaturkalender 1914, S. 1854.
3 Personalia-Akte Vogtherr im AdSD, Bonn.
4 Hirsch, Max, MdR, S. 487.

Von Vollmar, Georg Heinrich (1850–1922), Sohn eines „Königlich Geheimen Registrators", war Offizier; eine Verletzung, die er sich im Deutsch-Französischen Krieg zuzieht, setzt dieser Laufbahn ein Ende, und· er studiert Geschichte und Nationalökonomie. 1873 wird er Mitarbeiter der *Frankfurter Zeitung*[1] und Korrespondent der *Süddeutschen Post* in München.[2] 1876 wird er Mitarbeiter des noch bestehenden *Volksstaat;*[3] am 1. 4. 1877 tritt er seine erste Redakteursstelle am *Dresdener Volksboten* an.[4] Seine Tätigkeit in Dresden endet mit einer zehnmonatigen Haftstrafe; während er im Gefängnis sitzt, tritt das Sozialistengesetz in Kraft, und der *Volksbote* wird verboten.
Im September 1879 wird Vollmar Redakteur des neugegründeten Züricher *Sozialdemokrat;* zum 1. 1. 1881 kündigt er diese Stellung wieder.[5] Nach einem längeren Auslandsaufenthalt in der Schweiz und Frankreich

– aus Furcht vor einer möglichen Strafverfolgung kommt er nur zu den Reichstagssessionen nach Deutschland – läßt er sich 1884 in München nieder. 1885 arbeitet er zeitweilig am *Bayerischen Landboten* mit; im März 1886 gründet er die *Bayerische Volksstimme,* die schon drei Monate später verboten wird.[6] Ab 1890 gibt Vollmar die *Münchener Post* heraus;[7] etwa drei Monate lang redigiert er selbst die Zeitung, fungiert danach nur noch als Herausgeber. Ab Mitte der neunziger Jahre ist er nur noch selten journalistisch tätig[8] – er bleibt aber gefragter Journalist. 1912 bittet Alfred Kerr ihn um Mitarbeit an seiner Zeitschrift *Pan;* 1913 fragt Kurt Tucholsky an, ob Vollmar bereit sei, an seiner Zeitschrift *Orion* mitzuwirken.[9]

MdR	1881–1887, 1890–1918
Redakteur	1877–1881, 1890
Freier Journalist	1873–1877, 1885–ca. 1895
Verleger/Herausgeber	ab 1890

---

1 Nachlaß Vollmar im AdSD, Bonn: Abrechnung Sonnemanns für gelieferte Artikel in den Jahren 1873–1875.
2 Ebenda. Briefe von Kröber an Vollmar 1873 bis 1876.
3 Wilhelm Liebknecht. Briefwechsel mit deutschen Sozialdemokraten, S. 706 ff. Liebknecht an Vollmar am 11. 9. 1876.
4 Kampffmeyer, Paul, Georg von Vollmar, S. 10.
5 Bebel, Briefwechsel, S. 96. Bebel an Engels am 4. 12. 1880: „V(ollmar) hat seinen Posten am Blatt gekündigt und will zum 1. Januar die Stelle aufgeben."
6 Hirschfelder, Heinrich, Die bayerische Sozialdemokratie, Bd. 2, S. 414.
7 Stegmann/Hugo, Handbuch des Sozialismus, S. 838.
8 Vollmar schreibt Artikel für die Zeitschrift *Gesellschaft* und die *Sozialistischen Monatshefte.*
9 Nachlaß Vollmar im AdSD, Bonn.

Weill, Georg (1882–?), geboren in Straßburg und Dr. rer. pol., war von 1906 bis 1910 Redakteur der *Fränkischen Tagespost* in Nürnberg;[1] er bearbeitete den bayerischen Teil und das Feuilleton. Danach ist er in Straßburg und ab 1912 in Berlin redacteur correspondant der französischen Zeitung *Humanité.*[2]

MdR	1912–1915
Redakteur	1906–1910
Freier Journalist	ab 1912
Verleger/Herausgeber	–

---

1 Gärtner, Georg, Die Nürnberger Arbeiterbewegung, S. 194; *MdVA,* Nr. 89, 4. 12. 1909, S. 6: „Der politische Redakteur der *Fränkischen Tagespost,* Genosse Dr. Weill, verläßt am 1. Januar 1910 die Redaktion unseres Nürnberger Parteiorgans..."
2 Handbuch Arbeiterpresse 1914, S. 295.

Wels, Otto (1873–1939), als Sohn eines Gastwirts in Berlin geboren und Tapezierer von Beruf, ist Ende der neunziger Jahre Mitglied der Pressekommission, die für den *Vorwärts* zuständig ist und ab 1906 deren Vorsitzender.[1] 1916 gibt er die Zeitschrift *Fackel* wieder neu heraus,[2] die er nach dem Kriege weiter redigiert. Zudem wird er noch Redakteur des *Märkischen Landboten.*[3]

MdR	1912–1933
Redakteur	ab 1916
Freier Journalist	–
Verleger/Herausgeber	ab 1916

1 Stampfer, Friedrich, Erfahrungen, S. 109.
2 Kriegstagebuch von Eduard David, S. 155. Eintragung vom 24. 1. 1916: „Wiederherausgabe der *Fackel* durch Wels als Gegengift gegen den *Vorwärts.*"
3 Handbuch Arbeiterpresse 1927, S. 208.

Wendel, Hermann (1884–1936), als Sohn eines Postbeamten in Metz geboren, studierte Philosophie in München, bricht sein Studium 1906 ab und wird Redakteur der *Chemnitzer Volksstimme.*[1] Während seines Studiums war er Mitarbeiter der *Sächsischen Arbeiter-Zeitung* in Dresden gewesen. 1907 wechselt er in die Redaktion der *Leipziger Volkszeitung* über, kommt 1908 zur Frankfurter *Volksstimme,* an der er bis 1913 beschäftigt ist und vertretungsweise den Chefredakteursposten einnimmt.[2] Danach ist er in Berlin als „Dreiviertelredakteur" beim *Vorwärts* tätig.[3]

MdR	1912–1918
Redakteur	1906–1916
Freier Journalist	vor 1906
Verleger/Herausgeber	–

1 Personalia-Akte Wendel im AdSD, Bonn.
2 Nachlaß Quarck im AdSD, Bonn. Brief von Südekum an Quarck vom 7. 4. 1909: „Übrigens glaube ich mich durch unsere langjährigen freundschaftlichen Beziehungen nicht nur berechtigt, sondern sogar verpflichtet zu dem Hinweis, dass mir die politische Führung der Volksstimme in der letzten Zeit gänzlich unverständlich geworden ist. Ich kann ja begreifen, dass Sie nach den schweren letzten Jahren ein gewisses Ruhebedürfnis empfinden, aber ob es richtig ist, einem jungen Mann, wie den H. W. (Hermann Wendel) so viel Zügelfreiheit zu geben, das möchte ich denn doch ernstlich bezweifeln."
3 Personalia-Akte Wendel im AdSD, Bonn.

Wiemer, Philipp (1849–?), Schlosser von Beruf, wurde 1876 als „dauernder Agitator" von der Chemnitzer Parteiorganisation angestellt;[1] er ist von da an auch Mitarbeiter der *Chemnitzer Freien Presse* bis 1878 und Redakteur der nur kurz existierenden Nachfolgezeitung *Chemnitzer Beobachter.*[2]

MdR	1878–1881, 1884–1887
Redakteur	1878
Freier Journalist	1876–1878
Verleger/Herausgeber	–

---

1 Heilmann, Ernst, Geschichte der Arbeiterbewegung in Chemnitz, S. 98.
2 Ebenda, S. 141.

Wissel, Rudolf Karl (1869–1962), Sohn eines Obersteuermannes, war Maschinenbauer von Beruf. In den neunziger Jahren ist er freier Mitarbeiter des *Vorwärts,* der *Leipziger Volkszeitung* und des *Hamburger Echos.*[1] Von 1900 bis 1912 ist er als Redakteur für die Rubrik „Wirtschaft" bei den *Sozialistischen Monatsheften* zuständig. Für das Zentralorgan *Vorwärts* redigiert er die Sparte „Sozialpolitik" und ist von 1906 bis 1923 Redakteur der Rechtsbeilage des *Correspondenzblattes.* Hauptberuflich war Wissel von 1901 an als Arbeitersekretär tätig; von 1908 bis 1920 war er Leiter des Zentralarbeitersekretariats in Lübeck.[2]

MdR	1918–1933
Redakteur	1900–1923
Freier Journalist	vor 1900
Verleger/Herausgeber	–

---

1 Schneider, Michael, Rudolf Wissel, in: Vierteljahreszeitschrift für Sozialrecht, Bd. 4, Heft 1/2, Berlin 1878.
2 Personalia-Akte Wissel im AdSD, Bonn.

Wurm, Emanuel (1857–1920), als Sohn eines Kaufmanns in Breslau geboren, hatte Chemie studiert. Nach dem Studium arbeitet er in seinem Beruf bis Mitte der achtziger Jahre. Danach ist er Redakteur des Fachblattes für die Spiritus-Industrie in Wien.[1] Von 1890 bis 1893 ist er Redakteur des *Volkswille* in Hannover. Danach wird er ständiger Mitarbeiter der *Neuen Zeit* und wird 1902 Redakteur dieser Zeitschrift.[2] Diesen Posten hat er bis 1917 inne, schreibt aber nebenbei noch Beiträge für die Gewerkschafts- und Parteipresse.[3] Von 1907 bis 1917 war er Vorsitzender des Vereins Arbeiterpresse.

MdR   1890–1907, 1912–1920 (USPD)
Redakteur   ca. ab 1885–1893, 1902–1917
Freier Journalist   1893–1902
Verleger/Herausgeber   –

---

1 Personalia-Akte Wurm im AdSD, Bonn.
2 Protokoll Parteitag 1902 in München, S. 256.
3 Notiz in den *MdVA*, Nr. 42, 14. 9. 1904: „Die Redaktionen der Partei- und Gewerkschaftsblätter werden gebeten, bei Bedarf an Mitarbeitern nachstehende Schriftsteller zu berücksichtigen." Wurm ist in der Schriftsteller-Liste aufgeführt.

Zietsch, Fritz (1877–1913), Porzellanmaler von Beruf, war von 1900 bis
1903 Redakteur des *Saalfelder Volksblattes*.[1] Von 1903 bis zu seinem
Tode redigierte er das Verbandsblatt der Porzellanarbeiter, die *Ameise*.[2]

MdR   1909–1912
Redakteur   1900–1913
Freier Journalist   –
Verleger/Herausgeber   –

---

1 Nachruf auf Zietsch im Protokoll Parteitag 1913 in Jena, S. 50.
2 Handbuch Arbeiterpresse 1914, S. 141.

Zubeil, Fritz Karl (1848–1926), Tischler von Beruf, betreibt in den neunziger Jahren eine Gaststätte in Berlin.[1] 1899 wird er Expedient des Zentralorgans *Vorwärts* und hat diese Stellung bis 1917 inne.[2]

MdR   1893–1926 (USPD)
Redakteur   –
Freier Journalist   –
Verleger/Herausgeber   –

---

1 Bernstein, Eduard, Geschichte der Berliner Arbeiterbewegung, Bd. 3, S. 212.
2 Protokoll Parteitag 1900 in Mainz, S. 25.

Quellen- und Literaturverzeichnis

A. Ungedruckte Quellen

1. Archiv der Sozialen Demokratie (AdSD), Bonn
   - Nachlässe: Dittmann, Giebel, Henke, Kampffmeyer, Keil, Molkenbuhr, Quarck, Schoenlank, Severing
   - Personalarchiv: Sammlung „Personalia"
   - Nachlässe aus dem Bestand des Internationaal Institut voor Sociale Geschiedenis, Amsterdam auf Mikrofilm im AdSD: Vollmar und Kleine Korrespondenz.
2. Bayerisches Hauptstaatsarchiv, München
   - Akten des Bayerischen Ministeriums des Innern
   - Akten des Bayerischen Ministeriums der Justiz

B. Gedruckte Materialien

1. Briefwechsel und Briefpublikationen

Adler, Victor: Briefwechsel mit August Bebel und Karl Kautsky, sowie Briefe von und an Ignaz Auer, Eduard Bernstein, Adolf Braun, Heinrich Dietz, Friedrich Ebert, Wilhelm Liebknecht, Hermann Müller und Paul Singer, gesammelt und erläutert von Friedrich Adler, Wien 1954.

August Bebel: Briefwechsel mit Friedrich Engels, hrsg. von Werner Blumenberg, London/The Hague/Paris 1965.

Bernstein, Eduard: Briefwechsel mit Friedrich Engels, hrsg. von Helmut Hirsch, Assen 1970.

Eckert, Georg: Aus den Anfängen der Braunschweiger Arbeiterbewegung. Unveröffentlichte Briefe Wilhelm Brackes, Braunschweig 1955.

Frank, Ludwig: Aufsätze, Reden und Briefe, ausgewählt und eingeleitet von Hedwig Wachenheim, Berlin o. J.

Jacoby, Johann: Briefwechsel 1816–1849, hrsg. von Edmund Silberner, Hannover 1974.

Jacoby, Johann: Briefwechsel 1850–1877, hrsg. von Edmund Silberner, Hannover 1978.

Liebknecht, Karl: Gedanke und Tat. Schriften, Reden, Briefe zur Theorie und Praxis der Politik, hrsg. von Ossip K. Flechtheim, Frankfurt/Berlin/Wien 1976.

Liebknecht, Wilhelm: Briefwechsel mit deutschen Sozialdemokraten, hrsg. von Georg Eckert, Assen 1973.

Liebknecht, Wilhelm: Briefwechsel mit Karl Marx und Friedrich Engels, hrsg. von Georg Eckert, The Hague 1963.

Karl Marx/Friedrich Engels: Briefwechsel in: Marx/Engels Werke, Bd. 27–39, Berlin (Ost), ab 1964.

2. Dokumentationen und Quellenpublikationen

Archivalische Forschungen zur Geschichte der deutschen Arbeiterbewegung, hrsg. von Leo Stern, Berlin (Ost) ab 1954.

Auer, Ignaz: Nach zehn Jahren. Material und Glossen zur Geschichte des Sozialistengesetzes, Nürnberg 1913.

Bismarck und die preußisch-deutsche Politik 1871-1890. Dokumente, hrsg. von Michael Stürmer, München 1970.

Das Kriegstagebuch des Reichstagsabgeordneten Eduard David 1914-1918, in Verbindung mit Erich Matthias bearbeitet von Susanne Miller, Düsseldorf 1966.

Dokumente und Materialien zur Geschichte der deutschen Arbeiterbewegung, hrsg. vom Institut für Marxismus und Leninismus beim ZK der SED, 3 Bde., Berlin (Ost) 1958.

Höhn, Reinhard: Die vaterlandslosen Gesellen. Der Sozialismus im Lichte der Geheimberichte der preußischen Polizei 1878-1914, Bd. 1. Köln/Opladen 1964.

Julikrise und Kriegsausbruch 1914, hrsg. von Immanuel Geiss, 2 Bde., Hannover 1963.

Der Leipziger Hochverratsprozeß vom Jahre 1872, hrsg. von Karl-Heinz Leidigkeit, Berlin (Ost) 1960.

Die Reichstagsfraktion der deutschen Sozialdemokratie 1898-1918, bearbeitet von Erich Matthias und Eberhard Pikart. Düsseldorf 1966.

Zum *Vorwärts*-Konflikt. Eine Darstellung auf Grund der vorliegenden Dokumente und Protokolle, hrsg. vom Parteivorstand, Berlin 1916.

3. Protokolle

Die ersten deutschen Sozialisten-Kongresse. Urkunden aus der Jugendzeit der deutschen Sozialdemokratie, hrsg. von der *Frankfurter Volksstimme,* Frankfurt/M 1906.

Protokolle der sozialdemokratischen Arbeiterpartei: Eisenach 1869, Stuttgart 1870, Dresden 1871, Mainz 1872, Eisenach 1873, Coburg 1874, Gotha 1875, Gotha 1876, Gotha 1877, Wyden 1880, Kopenhagen 1883, St. Gallen 1887. 2 Bde., Glashütten/Bonn-Bad Godesberg 1971 – (Neudruck).

Protokoll über die Verhandlungen des Parteitages der Sozialdemokratischen Partei Deutschlands: Halle 1890, Erfurt 1891, Berlin 1892, Köln 1893, Frankfurt/M 1894, Breslau 1895, Gotha 1896, Hamburg 1897, Stuttgart 1898, Hannover 1899, Mainz 1900, Lübeck 1901, München 1902, Dresden 1903, Bremen 1904, Jena 1905, Mannheim 1906, Essen 1907, Nürnberg 1908, Leipzig 1909, Magdeburg 1910, Jena 1911, Chemnitz 1912, Jena 1913, Würzburg 1917. Berlin ab 1890.

Protokoll über die Verhandlungen der Vereinstage der deutschen Arbeitervereine: 1. Vereinstag 1863 in Frankfurt/M, 2. Vereinstag 1864 in Leipzig, 3. Vereinstag 1865 in Stuttgart, 5. Vereinstag 1868 in Leipzig. Frankfurt 1863, Frankfurt 1865, Nürnberg 1865 und Leipzig 1868.

Protokoll der Reichskonferenz der Sozialdemokratischen Partei Deutschlands 1916, Berlin 1916.

Stenographische Berichte über die Verhandlungen des Deutschen Reichstages, Berlin ab 1871.

234

4. Bibliographien, Chroniken, Handbücher und Nachschlagewerke

Allgemeine deutsche Biographie, Leipzig ab 1906.

Biographisches Lexikon, hrsg. vom Institut für Marxismus und Leninismus beim ZK der SED, Berlin (Ost) 1970.

Dahms, Gustav: Das litterarische Berlin. Illustriertes Handbuch der Presse in der Reichshauptstadt. Berlin 1895.

Deutscher Litteratur-Kalender, hrsg. von Joseph Kürschner, Berlin/Stuttgart ab 1889.

Dowe, Dieter: Bibliographie zur Geschichte der deutschen Arbeiterbewegung, sozialistischen und kommunistischen Bewegung von den Anfängen bis 1963 unter Berücksichtigung der politischen, wirtschaftlichen und sozialen Rahmenbedingungen, Bonn-Bad Godesberg 1976.

Eberlein, Alfred: Die Presse der Arbeiterklasse und der sozialen Bewegungen, 4 Bde., Berlin (Ost) 1968/69.

Emig, Dieter/Zimmermann, Rüdiger: Arbeiterbewegung in Deutschland. Ein Dissertationsverzeichnis, Berlin 1977.

Franzmeyer, Fritz: Presse-Dissertationen an deutschen Hochschulen 1885-1938, Leipzig 1940.

Handbuch für sozialdemokratische Wähler. Der Reichstag 1893-98, hrsg. vom sozialdemokratischen Parteivorstand, Berlin 1898.

Handbuch für sozialdemokratische Wähler. Der Reichstag 1898-1903, hrsg. vom sozialdemokratischen Parteivorstand, Berlin 1903.

Handbuch für sozialdemokratische Wähler anläßlich der Reichstagsauflösung 1906, hrsg. vom sozialdemokratischen Parteivorstand, Berlin 1907.

Handbuch für sozialdemokratische Wähler. Der Reichstag 1907-1911, hrsg. vom sozialdemokratischen Parteivorstand, Berlin 1911.

Handbuch des Vereins Arbeiterpresse, hrsg. vom Vorstand des Vereins Arbeiterpresse, 3. Jg. (1914), Berlin 1914 und 4. Jg. (1927), Berlin 1927.

Heine, Friedrich: Die Presse der deutschen Sozialdemokratie. Eine Bibliographie, Hannover 1966.

Hübner, Heinrich (Hrsg.): Deutscher Zeitungs-Katalog, Leipzig 1862.

Koszyk, Kurt (Mitarbeiter Gerhard Eisfeld): Die Presse der deutschen Sozialdemokratie. Eine Bibliographie, Hannover 1966.

Lexikon der deutschen Dichter und Prosaisten vom Beginn des 19. Jahrhunderts bis zur Gegenwart, bearbeitet vom Franz Brümmer, Leipzig o. J.

Lexikon sozialistischer deutscher Literatur, s'Gravenhage 1973.

Osterroth, Franz: Biographisches Lexikon des Sozialismus, Bd. 1, Hannover 1960.

Osterroth, Franz/Schuster, Dieter: Chronik der deutschen Sozialdemokratie, Hannover 1963.

Programme der deutschen Sozialdemokratie, Hannover 1963.

Programmatische Dokumente der deutschen Sozialdemokratie, hrsg. von Dieter Dowe und Kurt Klotzbach, Berlin–Bonn Bad Godesberg 1973.

Stegmann, C./Hugo, C.: Handbuch des Sozialismus, Zürich 1897.

Steinberg, Hans-Josef: Die deutsche sozialistische Arbeiterbewegung bis 1914. Eine bibliographische Einführung, Frankfurt/M 1979.

Schraepler, Ernst: August Bebel-Bibliographie, Düsseldorf 1962.

Schröder, Wilhelm: Handbuch der sozialdemokratischen Parteitage, Bd. 1, 1863-1909, München 1910; Bd. 2 1909-1913, München 1915.

Schulthess: Europäischer Geschichtskalender.

Schwarz, Max: MdR. Biographisches Handbuch der Reichstage, Hannover 1965.

Vaterlandslose Gesellen. Kurze Biographien der verstorbenen hervorragenden Sozialisten des 19. Jahrhunderts, Stuttgart 1901.

5. Zeitungen und Zeitschriften

Archiv für die Geschichte des Sozialismus und der Arbeiterbewegung, (Grünberg-Archiv), Leipzig 1910/11 ff.

Correspondenzblatt der Generalkommission der Gewerkschaften Deutschlands, 1891-1918.

Hamburger Echo, 1892-1918.

Mitteilungen des Vereins Arbeiterpresse (MdVA), hrsg. von Richard Lipinski/Robert Schmidt. Juni 1905 ff.

Neue Zeit. Wochenschrift der Sozialdemokratie, hrsg. von Karl Kautsky. 1883 ff.

Neuer Social-Demokrat, 2. 7. 1871-31. 12.1875.

Schwäbische Tagwacht, Stuttgart 1890-1918.

Social-Demokrat, 15. 12. 1864-13. 7. 1870.

Sozialdemokrat. Organ der Sozialdemokratie deutscher Zunge, Zürich 1879-1888, London 1888-1890.

Der sozialistische Akademiker, 1. 1. 1895-15. 12. 1895.

Sozialistische Monatshefte. Internationale Revue des Sozialismus, hrsg. von Josef Bloch 1897 ff.

Volksstimme Frankfurt/M, 1905–1918.

Volkswacht für Schlesien, Posen und die Nachbargebiete, 1895–1901.

Vorwärts, 1876–1878 und ab 1890 ff.

Volksstaat, 1869–1876.

In den verschiedenen Nachlässen Ausschnitte und einzelne Nummern folgender Blätter:
Berliner Volksblatt
Bremer Bürgerzeitung
Chemnitzer Volksstimme
Correspondent
Demokratisches Wochenblatt
Fränkische Tagespost
Leipziger Volkszeitung
Magdeburger Volksstimme
Münchener Post
Offenbacher Abendblatt
Rheinisch-Westfälische Arbeiterzeitung
Volkswacht Bielefeld

6. Werkausgaben und Reden

Dittmann, Wilhelm: Belagerungszustand, Zensur und Schutzhaft vor dem Reichstage. Drei Reden, Leipzig 1917.

Ebert, Friedrich: Schriften, Aufzeichnungen, Reden, 2 Bde., Dresden 1926.

236

Frank, Ludwig: Aufsätze, Reden und Briefe, ausgewählt und eingeleitet von Hedwig Wachenheim, Berlin o. J.

Lassalle, Ferdinand: Reden und Schriften, hrsg. von Friedrich Jenaczek, München 1970.

Liebknecht, Karl: Gedanke und Tag. Schriften, Reden, Briefe zur Theorie und Praxis der Politik, hrsg. von Ossip K. Flechtheim, Frankfurt/Berlin/Wien 1976.

Mehring, Franz: Politische Publizistik, Bd. 1 1891–1904, Berlin 1964; Bd. 2 1905–1918, Berlin 1966.

Schweitzer, Johann Baptist von: Politische Aufsätze und Reden, hrsg. von Franz Mehring, Berlin 1912.

Vollmar, Georg von: Reden und Schriften zur Reformpolitik, ausgewählt und eingeleitet von Willy Albrecht, Berlin/Bonn-Bad Godesberg 1977.

7. Autobiographisches und biographisches Material, Memoiren

Adamy, Kurt: Wilhelm Liebknecht 1826–1900. Daten aus seinem Leben und seiner politischen Tätigkeit, Potsdam 1976.

Adelung, Bernhard: Sein und Werden, Offenbach 1976.

Adolph, Hans J.: Otto Wels und die Politik der deutschen Sozialdemokratie 1894–1939. Berlin 1971.

Bartel, Walter: Karl Liebknecht, Leipzig 1974.

Bebel, August: Aus meinem Leben, 3 Bde., Berlin 1930.

Belli, Joseph: Die rote Feldpost unterm Sozialistengesetz. Mit einer Einleitung: Erinnerungen aus meinen Kinder-, Lehr- und Wanderjahren, Stuttgart 1919.

Berndt, Helga: Biographische Skizzen von Leipziger Arbeiterfunktionären. Eine Dokumentation zum 100. Jahrestag des Sozialistengesetzes 1878–1890, Vaduz 1979.

Bernstein, Eduard: Ignaz Auer. Eine Gedenkschrift, Berlin 1907.

Bernstein, Eduard: Kindheit und Jugendjahre, Berlin 1926.

Bernstein, Eduard: Sozialdemokratische Lehrjahre, Berlin 1928.

Bernstein, Eduard: Aus den Jahren meines Exils, Berlin 1918.

Bernstein, Eduard: Entwicklungsgang eines Sozialisten, Leipzig 1930.

Bers, Günther: Wilhelm Hasselmann 1844–1916. Sozialrevolutionärer Agitator und Abgeordneter des Deutschen Reichstages, Köln 1973.

Blos, Wilhelm: Denkwürdigkeiten eines Sozialdemokraten, 2 Bde., München 1914/19.

Blumenberg, Werner: Kämpfer für die Freiheit, Berlin/Bonn-Bad Godesberg 1963.

Bock, Wilhelm: Im Dienste der Freiheit. Freud und Leid aus sechs Jahrzehnten Kampf und Aufstieg, Berlin 1927.

Brandes, Alwin, Leben und Wirken eines Gewerkschaftsführers, Berlin 1949.

Braun, Lily: Memoiren einer Sozialistin, Bd. 1: Lehrjahre, Bd. 2: Kampfjahre, München o. J.

Braun-Vogelstein, Julie: Ein Menschenleben. Heinrich Braun und sein Schicksal, Tübingen 1932.

Bruhns, Julius: Es klingt im Sturm ein altes Lied. Aus der Jugendzeit der Sozialdemokratie, Stuttgart/Berlin 1921.

Bücher, Karl: Lebenserinnerungen, Bd. 1, Tübingen 1919.

Calkins, Kenneth R.: Hugo Haase. Demokrat und Revolutionär, Berlin 1976.

Czisnik, Ulrich: Gustav Noske. Ein sozialdemokratischer Staatsmann, Göttingen/ Zürich/Frankfurt 1970.

Drahn, Ernst: Johann Most. Eine Bio-Bibliographie, Berlin 1925.

Eckert, Georg: Wilhelm Bracke und die Anfänge der Braunschweiger Arbeiterbewegung, Braunschweig 1957.

Eisner, Kurt: Wilhelm Liebknecht. Sein Leben und Wirken, Berlin 1906.

Emmerich, Wolfgang: Proletarische Lebensläufe. Autobiographische Dokumente zur Entstehung der zweiten Kultur Deutschlands, Bd 1, Reinbeck 1975.

Felden, Emil: Eines Menschen Weg. Ein Fritz Ebert-Roman, Bremen 1927.

Franck, Sebastian: Soziologie der Freiheit. Otto Rühles Auffassung vom Sozialismus, Ulm 1952.

Gärtner, Georg: Karl Grillenberger. Lebensbild eines Kämpfers für Volksrecht und Volksfreiheit, Nürnberg 1930.

Gemkow, Heinrich: Paul Singer. Ein bedeutender Führer der deutschen Arbeiterbewegung, Berlin (Ost) 1957.

Ger, A. (=Karl Alwin Gerisch): Erzgebirgisches Volk. Erinnerungen, Berlin 1918.

Göhre, Paul: Wie ein Pfarrer Sozialdemokrat wurde, Berlin 1909.

Göhre, Paul: Drei Monate Fabrikarbeiter und Handwerksbursche. Sozialreportage eines Pfarrers um die Jahrhundertwende, hrsg. von Joachim Brenning und Christian Gremmels, Gütersloh 1978.

Grünebaum, S.: Ludwig Frank. Ein Beitrag zur Entwicklung der deutschen Sozialdemokratie, Heidelberg 1924.

Haase, Hugo: Sein Leben und Wirken, hrsg. von Ernst Haase, Berlin-Frohnau 1929.

Haebler, Rolf Gustav: In Memoriam Ludwig Frank. Stadtverordneter in Mannheim. Abgeordneter des Badischen Landtages. Mitglied des Deutschen Reichstages, Mannheim 1954.

Heß, Ulrich: Louis Viereck und seine Münchner Blätter für Arbeiter 1882–1889, Dortmund 1961.

Hirsch, Helmut: August Bebel in Selbstzeugnissen und Bilddokumenten, Reinbek 1973.

Hoffmann, Adolph: Hoffmanns Erzählungen. Gesammelte ernste und heitere Erinnerungen aus sozialistengesetzlicher Zeit, Berlin 1929.

Hoffmann, Adolph: Episoden und Zwischenrufe aus der Parlaments- und Ministerzeit, Berlin 1924.

Jansen, Reinhard: Georg von Vollmar. Eine politische Biographie, Düsseldorf 1958.

Kampffmeyer, Paul: Fritz Ebert. Ein Lebensbild, Berlin 1923.

Kampffmeyer, Paul: Heinrich Dietz. Ein kultureller Bahnbrecher, Berlin/Stuttgart 1922.

Kampffmeyer, Paul: Georg von Vollmar, München 1930.

Keil, Wilhelm: Erlebnisse eines Sozialdemokraten, 2 Bde., Stuttgart 1947/48.

Das Kriegstagebuch des Reichstagsabgeordneten Eduard David 1914–1918. In Verbindung mit Erich Matthias bearbeitet von Susanne Miller, Düsseldorf 1966.

Kühn, Otto: Erinnerungen aus sozialistengesetzlicher Zeit Dresdens. Ein Wort des Dankes an die Alten. Ein Mahnruf an die Jungen, Dresden o. J.

Ledebour, Georg, Mensch und Kämpfer, zusammengestellt von Minna Ledebour, Zürich 1954.

Leidigkeit, Karl-Heinz: Wilhelm Liebknecht und August Bebel in der deutschen Arbeiterbewegung 1862–1869, Berlin (Ost) 1957.

Leipart, Th.: Carl Legien. Ein Gedenkbuch, Berlin 1929.

Liebknecht, Wilhelm: Erinnerungen eines Soldaten der Revolution. Zusammengestellt und eingeleitet von Heinrich Gemkow, Berlin (Ost) 1976.

Liebknecht, Wilhelm: Leitartikel und Beiträge in der Osnabrücker Zeitung 1864–1866, hrsg. von Georg Eckert, Hildesheim 1975.

Liebknecht, Wilhelm: Kleine politische Schriften, hrsg. von Wolfgang Schröder, Frankfurt 1976.

Löbe, Paul: Erinnerungen eines Reichstagspräsidenten, Berlin 1949.

Maneck, Horst: Otto Rühles bildungspolitisches und pädagogisches Wirken in der Zeit von der Jahrhundertwende bis zum Jahre 1916, Diss. paed. Dresden, 1976.

Mann, Hans-Joachim: Wilhelm und Anna Blos, Stuttgart 1976.

Mayer, Gustav: Erinnerungen. Vom Journalisten zum Historiker der deutschen Arbeiterbewegung, Zürich/Wien 1949.

Mayer, Gustav: Johann Baptist von Schweitzer und die Sozialdemokratie. Ein Beitrag zur Geschichte der deutschen Arbeiterbewegung, Jena 1909.

Mayer, Paul: Bruno Schoenlank 1859–1901. Reformer der sozialdemokratischen Tagespresse, Hannover 1971.

Most, John (=Johann): Memoiren. Erlebtes, Erforschtes und Erdachtes, New York 1903.

Most, Johann: Ein Sozialist in Deutschland, hrsg. von Dieter Kühn, München 1974.

Mroßko, Kurt-Dietrich: Richard Calwer, Stuttgart 1972.

Na'aman, Shlomo: Lassalle, Hannover 1970.

Noske, Gustav: Wie ich wurde, Berlin 1919.

Noske, Gustav: Erlebtes aus Aufstieg und Niedergang einer Demokratie, Offenbach 1947.

Osterroth, Nikolaus: Otto Hue. Sein Leben und Wirken, Bochum 1922.

Osterroth, Nikolaus: Vom Beter zum Kämpfer, Berlin 1920.

Peters, Max: Friedrich Ebert. Erster Präsident der Deutschen Republik. Sein Werden und Wirken, Berlin 1950.

Pospiech, Friedrich: Julius Motteler. Der „Rote Feldpostmeister", Esslingen 1977.

Ratz, Ursula: Georg Ledebour 1850–1947. Weg und Wirken eines sozialistischen Politikers, Berlin 1969.

Rocker, Rudolf: Johann Most. Das Leben eines Rebellen, Berlin 1929.

Quarck, Max: Zur Naturgeschichte der *Frankfurter Zeitung* und der bürgerlichen Demokratie. Redaktionserlebnisse, Frankfurt/M 1896.

Scharlau, Winfried B./Zeman, Zbynek A.: Freibeuter der Revolution. Parvus-Helphand. Eine politische Biographie, Köln 1964.

Saenger, Fritz: Verborgene Fäden. Erinnerungen und Bemerkungen eines Journalisten, Bonn 1978.

Scheidemann, Philipp, Memoiren eines Sozialdemokraten, 2 Bde., Dresden 1928.

Schneider, Michael: Sozialpolitische Portraits. Rudolf Wissell 1869–1962. Sonderdruck aus der *Vierteljahresschrift für Sozialrecht,* Bd. VI, H. ½ 1978, Berlin 1978.

Schoepflin, Georg: Johann Heinrich Wilhelm Dietz. Der Schöpfer und Organisator des sozialistischen Verlagsgeschäftes zum 25. Todestag, 28. 8. 1947, Berlin 1947.

Schröder, Hans Christoph: Gustav Noske und die Kolonialpolitik des Deutschen Kaiserreiches, Berlin/Bonn 1979.

Schumann, Harry: Karl Liebknecht. Ein Stück unpolitischer Weltanschauung, Dresden 1923.

Schumann, Harry: Karl Liebknecht. Ein unpolitisches Bild seiner Persönlichkeit, Dresden 1919.

Schwieger, Gerd: Zwischen Obstruktion und Kooperation. Eduard David und die SPD im Kriege, Phil. Diss. Kiel 1970.

Seidel, Jutta: Wilhelm Bracke. Vom Lassalleaner zum Marxisten, Berlin (Ost) 1966.

Severing, Carl: Mein Lebensweg, 2 Bde., Köln 1950.

Severing, Carl: 1919/1920 im Wetter- und Watterwinkel. Aufzeichnungen und Erinnerungen, Bielefeld 1927.

Sigel, Robert: Die Lensch-Cunow-Haenisch-Gruppe. Eine Studie zum rechten Flügel der SPD im Ersten Weltkrieg, Berlin 1976.

Silex, Karl: Sx. Mit Kommentar. Lebensbericht eines Journalisten, Frankfurt/M 1968.

Stampfer, Friedrich: Erfahrungen und Bekenntnisse. Aufzeichnungen aus meinem Leben, Köln 1957.

Stössinger, Felix: Das System Noske. Eine politische und satyrische Abrechnung, Berlin 1920.

Tschubinski, Wadim: Wilhelm Liebknecht. Eine Biographie, Berlin (Ost) 1973.

Ufermann, Paul: Alwin Brandes, Berlin o. J.

Ulrich, Carl: Erinnerungen des ersten hessischen Staatspräsidenten, hrsg. von Ludwig Bergsträsser, Offenbach 1953.

Vaterlandslose Gesellen. Kurze Biographien der verstorbenen hervorragenden Sozialisten des 19. Jahrhunderts, Stuttgart 1901.

Weitershaus, Friedrich Wilhelm: Wilhelm Liebknecht. Das unruhige Leben eines Sozialdemokraten, Giessen 1976.

Wendel, Hermann: Kämpfer und Künder, Berlin 1928.

Wendel, Hermann: Jugenderinnerungen eines Metzgers, Stuttgart 1934.

Wendel, Hermann: August Bebel. Ein Lebensbild für deutsche Arbeiter, Berlin 1913.

8. Literatur

Abendroth, Wolfgang: Aufstieg und Krise der deutschen Sozialdemokratie, Frankfurt/M 1964.

Abendroth, Wolfgang: Sozialgeschichte der europäischen Arbeiterbewegung, Frankfurt/M 1965.

Albrecht, Ernst: Die Arbeiterbewegung im Kreise Zerbst, Bd. 1: 1871–1914, Zerbst 1958.

Anders, Karl: Die ersten hundert Jahre, Hannover 1963.

Apitzsch, Friedrich: Die deutsche Tagespresse unter dem Einfluß des Sozialistengesetzes, Phil, Diss. Leipzig 1928.

Auerbach, Walter: Presse und Gruppenbewußtsein. Vorarbeit zur Geschichte der deutschen Arbeiterpresse, Phil. Diss. Köln/Leipzig 1931.

Aufermann, Jörg/Bohrmann, Hans/Sülzer, Rolf (Hrsg.): Gesellschaftliche Kommunikation und Information, 2 Bde., Frankfurt/M 1973.

Balser, Frolinde: Sozialdemokratie 1848/49–1863. Die erste deutsche Arbeiterorganisation „Allgemeine Arbeiterverbrüderung" nach der Revolution. 2 Bde., Stuttgart 1962.

Bartel, Horst/Schröder, Wolfgang/Seeber, Gustav/Wolter, Heinz: Der *Sozialdemokrat* 1879–1890, Berlin (Ost) 1975.

Bartel, Walter: Die Linken in der deutschen Sozialdemokratie im Kampf gegen Militarismus und Krieg, Berlin (Ost) 1958.

Baumert, Dieter Paul: Die Entstehung des deutschen Journalismus. Eine sozialgeschichtliche Studie, München/Leipzig 1928.

Beier, Gerhard: Schwarze Kunst und Klassenkampf. Geschichte der Industriegewerkschaft Druck und Papier und ihrer Vorläufer seit dem Beginn der modernen Arbeiterbewegung, Bd. 1, Frankfurt/Wien/Zürich 1967.

Berger, Richard: Fraktionsspaltung und Parteikrise in der deutschen Sozialdemokratie. Tatsachen und Tendenzen, Mönchengladbach 1916.

Bergsträsser, Ludwig: Geschichte der politischen Parteien in Deutschland, München 1960.

Bernstein, Eduard: Die Geschichte der Berliner Arbeiterbewegung. Ein Kapitel zur Geschichte der deutschen Sozialdemokratie, 3 Bde., Berlin 1907.

Bernstein, Eduard: Parlamentarismus und Sozialdemokratie, Berlin 1906.

Bernstein, Eduard: Von der Sekte zur Partei. Die deutsche Sozialdemokratie einst und jetzt, Jena 1911.

Bernstein, Eduard: Der Revisionismus in der Sozialdemokratie. Amsterdam 1909.

Blos, Wilhelm: Unsere Preßzustände, Leipzig 1875.

Blühm, Elger/Engelsing, Rolf: Die Zeitung. Deutsche Urteile und Dokumente von den Anfängen bis zur Gegenwart, Bremen 1967.

Bollenbeck, Georg: Zur Theorie und Geschichte der frühen Arbeiterlebenserinnerungen, Diss. Siegen 1976.

Braun, Adolf: Die Gewerkschaften vor dem Kriege, Berlin 1925.

Brügel, Friedrich: Aus den Anfängen der deutschen sozialistischen Presse, Wien 1929.

Brunöhler, Kurt: Der Redakteur der mittleren und größeren Tageszeitungen im Reichsgebiet von 1800–1848, Leipzig 1933.

Christ-Gmelin, Maja: Die württembergische Sozialdemokratie 1890–1914. Ein Beitrag zur Geschichte des Reformismus und Revisionismus in der deutschen Sozialdemokratie, Phil. Diss. Stuttgart 1975.

Conert, Hansgeorg: Die politischen Grundrichtungen innerhalb der deutschen Sozialdemokratie vor dem Ersten Weltkrieg, Offenbach 1973.

Cunow, Heinrich: Partei-Zusammenbruch? Ein offenes Wort zum inneren Parteistreit, Berlin 1915.

David, Eduard: Referentenführer. Eine Anleitung zum Erwerb des für die sozialdemokratische Agitationstätigkeit nötigen Wissens und Könnens, Berlin 1908.

Döhn, Lothar: Politik und Interesse, Meisenheim/Glan 1967.

Domann, Peter: Sozialdemokratie und Kaisertum unter Wilhelm II. Die Auseinandersetzung der Partei mit dem monarchischen System, seinen gesellschafts- und verfassungspolitischen Voraussetzungen, Wiesbaden 1974.

Dovifat, Emil (Hrsg.): Handbuch der Publizistik, 2 Bde., Berlin 1969.

Dovifat, Emil: Zeitungslehre, 2 Bde., Berlin 1967.

Dovifat, Emil: Rede und Redner. Ihr Wesen und ihre politische Macht, Leipzig 1937.

Dröge, Franz/Weißenborn, Rainer/Haft, Henning: Wirkungen der Massenkommunikation, Münster 1969.

Eckert, Georg (Hrsg.): 1863–1963. Hundert Jahre deutsche Sozialdemokratie, Hannover 1963.

Eckert, Georg: Die Braunschweiger Arbeiterbewegung unter dem Sozialistengesetz, Teil 1: 1878–1884, Braunschweig 1961.

Eckstein, Gustav: Die deutsche Sozialdemokratie während des Weltkrieges, Zürich 1917.

Elsässer, Konrad: Die badische Sozialdemokratie 1890–1914. Zum Zusammenhang von Bildung und Organisation, Marburg 1978.

Engelberg, Ernst: Revolutionäre Politik und Rote Feldpost 1878–1890, Berlin (Ost) 1959.

Engelberg, Ernst: Deutschland von 1849–1871, Berlin (Ost) 1965.

Engelsing, Rolf: Massenpublikum und Journalistentum im 19. Jahrhundert in Nordwestdeutschland, Berlin 1966.

Engelsing, Rolf: Analphabetentum und Lektüre. Zur Sozialgeschichte des Lesens in Deutschland zwischen feudaler und industrieller Gesellschaft, Stuttgart 1973.

Engelsing, Rolf: Zur Sozialgeschichte deutscher Mittel- und Unterschichten, Göttingen 1974.

Die Entwicklungsgeschichte der großen politischen Parteien in Deutschland, Bonn 1922.

Ernst, Otto: Asmus Sempers Jugendland, Roman, Leipzig o. J.

d'Ester, Karl: Die Presse und ihre Leute im Spiegel der Dichtung. Eine Ernte aus drei Jahrhunderten, Würzburg 1941.

Feldmann, Friedrich: Geschichte des Ortsvereins Hannover der sozialdemokratischen Partei Deutschlands vom Gründungsjahr 1864–1933, Hannover 1952.

Fischer, Fritz: Der Griff nach der Weltmacht, Düsseldorf 1961.

Fischer, Heinz-Dietrich (Hrsg.): Deutsche Publizisten des 15. bis 20. Jahrhunderts, München/Berlin 1971.

Fricke, Dieter: Die deutsche Arbeiterbewegung 1869–1890. Ihre Organisation und Tätigkeit, Leipzig 1964.

Fricke, Dieter: Zur Organisation und Tätigkeit der deutschen Arbeiterbewegung (1890–1914), Leipzig 1962.

Fülberth, Georg: Proletarische Partei und bürgerliche Literatur, Neuwied/Berlin 1972.

242

Fülberth, Georg/Harrer, Jürgen: Die deutsche Sozialdemokratie 1890–1933, Darmstadt/Neuwied 1974.

Gärtner, Georg: Die Nürnberger Arbeiterbewegung 1868–1908, Nürnberg o. J.

Gerber, Claus-Peter/Stosberg, Manfred: Die Massenmedien und die Organisation politischer Interessen, Bielefeld 1969.

Gerisch, A.: Das Grundübel, Dortmund o. J.

Geschichte der deutschen Arbeiterbewegung, hrsg. vom Institut für Marxismus und Leninismus beim ZK der SED, 8 Bde., Berlin (Ost) ab 1966.

Grebing, Helga: Geschichte der deutschen Parteien, Wiesbaden 1962.

Griep, Günter: Die Entwicklung der deutschen Gewerkschaftsbewegung vom Fall des Sozialistengesetzes bis zum Ausbruch des Ersten Weltkrieges, Berlin (Ost) 1960.

Groh, Dieter: Negative Integration und revolutionärer Attentismus. Die deutsche Sozialdemokratie am Vorabend des Ersten Weltkrieges, Frankfurt/M 1973.

Groth, Otto: Die unerkannte Kulturmacht, 6 Bde., Berlin 1960–1966.

Groth, Otto: Die Zeitung, 2 Bde., Mannheim/Berlin/Leipzig 1929.

Groth, Otto: Die Geschichte der deutschen Zeitungswissenschaft. Probleme und Methoden, München 1948.

Habermas, Jürgen: Strukturwandel der Öffentlichkeit, Neuwied 1965.

Haenisch, Konrad: Zur Lage der Partei, Hamburg 1916.

Harrer, Charlotte: Die Geschichte der Münchener Tagespresse 1870–1890, Würzburg 1940.

Heilmann, E.: Geschichte der Arbeiterbewegung in Chemnitz und dem Erzgebirge, Chemnitz o. J.

Held, A.: Die deutsche Arbeiterpresse der Gegenwart, Leipzig 1873.

Hellfaier, Karl-Alexander: Die deutsche Sozialdemokratie während des Sozialistengesetzes 1878–1890. Ein Beitrag zur Geschichte ihrer illegalen Organisations- und Agitationsformen, Berlin (Ost) 1958.

Herberts, Hermann: Zur Geschichte der SPD in Wuppertal. Ein Beitrag zum Hundertjahr-Jubiläum 1963, Wuppertal-Elberfeld 1963.

Hirsch, Carl: Die Parteipresse, ihre Bedeutung und Organisation, Leipzig 1876.

Hirschfeld, Paul: Die Freien Gewerkschaften in Deutschland. Ihre Verbreitung und Entwicklung 1896–1906, Jena 1908.

Hirschfelder, Heinrich: Die bayerische Sozialdemokratie 1864–1914, 2 Bde., Erlangen 1979.

Hoffmann, Dirk-Robert: Sozialismus und Literatur. Literatur als Mittel politisierender Beeinflussung im Literaturbetrieb der sozialistisch organisierten Arbeiterklasse des deutschen Kaiserreiches, Phil. Diss. Münster 1975.

Hue, Otto: Neutrale oder parteiische Gewerkschaften, Bochum 1900.

Hundert Jahre Gesetz gegen die Sozialdemokraten, Sonderausgabe des *Vorwärts*, Bonn September 1978.

Hundert Jahre SPD in Mannheim, Mannheim 1967.

Hundert Jahre SPD in Baden-Württemberg, Stuttgart 1963.

Hundert Jahre SPD in Karlsruhe, Karlsruhe 1977.

Hundert Jahre Sozialdemokraten in München, München 1969.

Hundert Jahre *Vorwärts*, Sondernummer, Bonn 7. 10. 1976.

Jantke, Carl: Der vierte Stand. Die gestaltenden Kräfte der deutschen Arbeiterbewegung im 19. Jahrhundert, Freiburg 1955.

Jensen, Jürgen: Presse und politische Polizei. Hamburgs Zeitungen unter dem Sozialistengesetz 1878–1890, Hannover 1966.

Kampffmeyer, Paul: Die Sozialdemokratie im Lichte der Kulturgeschichte. Eine Führung durch die sozialdemokratische Bewegung und Literatur, Berlin 1907.

Kampffmeyer, Paul: Unter dem Sozialistengesetz, Berlin 1928.

Kampffmeyer, Paul/Altmann, Bruno: Vor dem Sozialistengesetz. Krisenjahre des Obrigkeitsstaates, Berlin 1928.

Kampffmeyer, Paul: Der Sozialdemokratische Pressedienst. Eine Betrachtung über die Entwicklung, den Ausbau und die Aufgaben des sozialdemokratischen Pressedienstes, Berlin 1929.

Kantorowicz, Ludwig: Die sozialdemokratische Presse Deutschlands. Eine soziologische Studie, Tübingen 1922.

Kaul, Georg: Geschichte der Sozialdemokratie in Offenbach a. M., Teil 1: Entstehung und Entwicklung des Offenbacher Abendblattes, Offenbach 1925.

Kautsky, Karl: Parlamentarismus und Demokratie, Stuttgart 1911.

Kautsky, Karl: Sozialisten und Krieg, Prag 1937.

Kautsky, Karl: Taktische Strömungen in der deutschen Sozialdemokratie, Berlin 1911.

Kautsky, Karl: Der Weg zur Macht. Anhang: Kautskys Kontroverse mit dem Parteivorstand 1909, hrsg. von Georg Fülberth, Frankfurt/M 1972.

Kirchner, Joachim: Das deutsche Zeitschriftenwesen. Seine Geschichte und seine Probleme, 2 Bde., Wiesbaden 1958/62.

Klaus, Georg: Sprache der Politik, Berlin (Ost) 1971.

Kloth, Emil: Dittmanns Enthüllungsschwindel nach Eingeständnis seiner Genossen, Berlin 1926.

Kohli, Martin (Hrsg.): Soziologie des Lebenslaufes, Darmstadt 1978.

Koszyk, Kurt: Anfänge und frühe Entwicklung der sozialdemokratischen Presse im Ruhrgebiet (1875–1908), Dortmund 1953.

Koszyk, Kurt: Zwischen Kaiserreich und Diktatur. Die sozialdemokratische Presse von 1914–1933, Heidelberg 1958.

Koszyk, Kurt: Deutsche Presse im 19. Jahrhundert, Berlin 1966.

Kraft, Emil: 80 Jahre Arbeiterbewegung zwischen Meer und Moor. Ein Beitrag zur Geschichte der politischen Bewegungen in Weser-Ems, Wilhelmshaven 1952.

Kuczynski, Jürgen: Darstellung der Lage der Arbeiter in Deutschland 1849–1917/18, 3 Bde., Berlin (Ost) 1962/67.

Kuczynski, Jürgen: Der Ausbruch des Ersten Weltkrieges und die deutsche Sozialdemokratie. Chronik und Analyse, Berlin (Ost) 1957

Langenbucher, Wolfgang R.: Kommunikation als Beruf, Habil.-Schrift, München 1973.

Langenbucher, Wolfgang R. (Hrsg.): Zur Theorie der politischen Kommunikation, München 1974.

Laufenberg, H.: Geschichte der Arbeiterbewegung in Hamburg, Altona und Umgebung, 2 Bde., Hamburg 1911/1931.

Legien, Carl: Die deutsche Gewerkschaftsbewegung, Berlin 1901.

Leopoldt, Adolf: Rote Chronik der Kreise Zeitz, Weißenfels. Naumburg, Zeitz 1931.

Lenin, W. I.: Über die Presse, Prag 1970.

Liebknecht, Wilhelm: Über die politische Stellung der Sozialdemokratie, insbesondere mit Bezug auf den Reichstag, London 1889.

Liebknecht, Wilhelm: Wissen ist Macht– Macht ist Wissen, Leipzig 1873.

Lipinski, Richard: Die Sozialdemokratie von ihren Anfängen bis zur Gegenwart, 2 Bde., Berlin 1927/28.

Lipinski, Richard: Die Geschichte der sozialistischen Arbeiterbewegung in Leipzig, Bd. 1, Leipzig 1931.

Loreck, Jochen: Wie man früher Sozialdemokrat wurde, Bonn-Bad Godesberg 1977.

Lucas, Erhard: Die Sozialdemokratie in Bremen während des Ersten Weltkrieges, Bremen 1969.

Luthe, Heinz Otto: Interpersonale Kommunikation und Beeinflussung. Beitrag zu einer soziologischen Theorie der Kommunikation, Stuttgart 1968.

Maerker, Rudolf/Krause, Peter: Sozialismus ist das Ziel. Dokumente und Zeugnisse aus der Geschichte der Sozialdemokratie 1863–1933, München 1973.

Matthies, Marie: Journalisten in eigener Sache. Zur Geschichte des Reichsverbandes der deutschen Presse, Berlin 1969.

Mayer, Gustav: Arbeiterbewegung und Obrigkeitsstaat, hrsg. von Hans-Ulrich Wehler, Bonn-Bad Godesberg 1972.

Mehring, Franz: Geschichte der deutschen Sozialdemokratie, 4 Bde., Stuttgart 1921.

Mendelssohn, Peter de: Zeitungsstadt Berlin. Menschen und Mächte in der Geschichte der deutschen Presse, Berlin 1953.

Michels, Robert: Zur Soziologie des Parteiwesens in der modernen Demokratie, hrsg. von Werner Conze, Stuttgart 1970.

Miller, Susanne: Burgfrieden und Klassenkampf. Die deutsche Sozialdemokratie im 1. Weltkieg, Düsseldorf 1974.

Mittmann, Ursula: Fraktion und Partei. Ein Vergleich von Zentrum und Sozialdemokratie im Kaiserreich, Düsseldorf 1976.

Mommsen, Hans (Hrsg.): Sozialdemokratie zwischen Klassenbewegung und Volkspartei, Frankfurt/M 1974.

Monning, Josef: Die Geschichte der Duisburger Presse von 1870 bis zum Ausbruch des Weltkrieges, Phil. Diss. Würzburg 1937.

Moring, Karl-Ernst: Die Sozialdemokratische Partei in Bremen 1890–1914, Hannover 1968.

Müller, Dirk H.: Idealismus und Revolution. Zur Opposition der Jungen gegen den Sozialdemokratischen Parteivorstand 1890 bis 1894, Berlin 1975.

Müller, Hans: Der Klassenkampf in der deutschen Sozialdemokratie, Zürich 1892.

Müller, Theodor: Die Geschichte der Breslauer Sozialdemokratie, 2 Bde., Breslau 1925.

Münchow, Ursula: Frühe deutsche Arbeiterautobiographien, Berlin (Ost) 1973.

Münster, Hans Amadeus: Geschichte der deutschen Presse in ihren Grundzügen dargestellt, Leipzig 1941.

Muser, Gerhard: Statistische Untersuchungen über die Zeitungen Deutschlands 1855–1914, Leipzig 1918.

Neumann, Bernd: Identität und Rollenzwang. Zur Theorie der Autobiographie, Frankfurt/M 1970.

Nipperdey, Thomas: Die Organisation der deutschen Parteien vor 1918, Düsseldorf 1961.

Osterroth, Franz: Hundert Jahre Sozialdemokratie in Schleswig-Holstein, Kiel 1963.

Pack, Wolfgang: Das parlamentarische Ringen um das Sozialistengesetz Bismarcks 1878–1890, Düsseldorf 1961.

Paetzold, Ulrich/Schmidt, Hendrik (Hrsg.): Solidarität gegen Abhängigkeit. Mediengewerkschaft, Darmstadt/Neuwied 1973.

Die deutschen Parteien vor 1918, hrsg. von G. A. Ritter, Köln 1973.

Potthoff, Heinrich: Die Sozialdemokratie von den Anfängen bis 1945, Bonn-Bad Godesberg 1974.

Prakke, Henk u. a.: Kommunikation der Gesellschaft, Münster 1968.

Praktischer Journalismus. Ein Lehr- und Lesebuch, hrsg. von der Deutschen Journalistenschule München, München 1963.

Regling, Heinz Volkmar: Die Anfänge des Sozialismus in Schleswig-Holstein, Neumünster 1965.

Reulecke, Jürgen (Hrsg.): Arbeiterbewegung an Rhein und Ruhr. Beiträge zur Geschichte der Arbeiterbewegung in Rheinland-Westfalen, Wuppertal 1974.

Rhinehart, Luke: The Dice Man, Roman, London 1971.

Riem, G.: Aus der Geschichte der Dresdner Arbeiterbewegung, Dresden o. J.

Ritter, Gerhard A.: Die Arbeiterbewegung im Wilhelminischen Reich 1890 bis 1900, Berlin 1963.

Rosenberg, Hans: Große Depression und Bismarckzeit, Berlin 1967.

Rosenthal, Heinz: Die Anfänge der Arbeiterbewegung in Solingen 1849–1868, Solingen 1953.

Rückel, Gert: Die *Fränkische Tagespost*. Geschichte einer Parteizeitung, Nürnberg 1964.

Sänger, Jochen: Die Arbeiterbewegung in Rheda. Vom Rhedaer Kreis bis zur SPD heute, Rheda-Wiedenbrück 1975.

Schadt, Jörg: Die sozialdemokratische Partei in Baden von den Anfängen bis zur Jahrhundertwende 1868–1900, Hannover 1971.

Schadt, Jörg/Schmierer, Wolfgang (Hrsg.): Die SPD in Baden-Württemberg und ihre Geschichte, Stuttgart/Berlin/Köln/Mainz 1979.

Schmierer, Wolfgang: Von der Arbeiterbildung zur Arbeiterpolitik. Die Anfänge der Arbeiterbewegung in Württemberg 1862/63–1878, Hannover 1970.

Schmitz, Heinrich Karl: Anfänge und Entwicklung der Arbeiterbewegung im Raum Düsseldorf, Hannover 1968.

Schneider, Erich: Die Anfänge der sozialistischen Bewegung in der Rheinpfalz 1864–1899, Phil. Diss. Mainz 1956.

Schoen, Curt: Der *Vorwärts* und die Kriegserklärung, Berlin 1929.

Schröder, Hans-Josef: Sozialismus und Imperialismus, Hannover 1966.

Schröder, Wilhelm: Geschichte der sozialdemokratischen Parteiorganisation in Deutschland, Dresden 1912.

Schult, Johannes: Geschichte der Hamburger Arbeiter 1890–1919, Hannover 1967.

246

Schulz, Ursula (Hrsg.): Die Deutsche Arbeiterbewegung 1848 bis 1919 in Augenzeugenberichten, Düsseldorf 1968.

Schuster, Dieter: Die deutsche Gewerkschaftsbewegung, Hannover 1966.

Sechzig Jahre *Leipziger Volkszeitung*, Leipzig 1954.

Stegmann, Dirk: Die Erben Bismarcks. Parteien und Verbände in der Spätphase des Wilhelminischen Deutschlands. Sammlungspolitik 1897–1918, Köln 1970.

Steinberg, Hans-Josef: Sozialismus und deutsche Sozialdemokratie. Zur Ideologie der Partei vor dem 1. Weltkrieg, Hannover 1967.

Stephan, Cora: „Genossen, wir dürfen uns nicht von der Geduld hinreissen lassen!" Aus der Urgeschichte der Sozialdemokratie 1862–1878, Frankfurt/M 1977.

Streich, Gustav: Hundert Jahre SPD in Essen 1876–1976, Essen 1976.

Stürmer, Michael (Hrsg.): Das kaiserliche Deutschland. Politik und Gesellschaft 1870–1918, Düsseldorf 1970.

Stürmer, Michael: Regierung und Reichstag im Bismarckstaat 1871–1880. Cäsarismus oder Parlamentarismus, Düsseldorf 1975.

Tenfelde, Klaus: Sozialgeschichte der Bergarbeiterschaft an der Ruhr im 19. Jahrhundert, Bonn-Bad Godesberg 1977.

Thiele, Hans-Achim: Verantwortlicher Redakteur, Immunität und Pressenotverordnungen, Mannheim/Berlin/Leipzig 1932.

Thienst, Fritz: Aus der Geschichte der Arbeiterbewegung in den Unterweserorten, Wesermünde/Bremerhaven o. J.

Tormin, Walter: Geschichte der deutschen Parteien seit 1848, Stuttgart/Berlin/Köln/Mainz 1966.

Varain, Hans-Josef: Freie Gewerkschaften, Sozialdemokratie und Staat. Die Politik der Generalkommission unter der Führung Carl Legiens 1890–1920, Düsseldorf 1956.

Vollmar, Georg von: Über die nächsten Aufgaben der deutschen Sozialdemokratie, München 1891.

Vorwärts illustriert: Hamburg – eine Stadt der Arbeiterbewegung. Sondernummer, Bonn 1977.

Wachenheim, Hedwig: Die deutsche Arbeiterbewegung 1844–1914, Köln/Opladen 1967.

Weber, Max: Gesammelte politische Schriften, München 1921.

Wehler, Hans-Ulrich (Hrsg.): Moderne deutsche Sozialgeschichte, Köln/Berlin 1966.

Wehler, Hans-Ulrich (Hrsg.): Das deutsche Kaiserreich 1871–1918, Göttingen 1973.

Wehler, Hans-Ulrich: Krisenherde des Kaiserreiches 1871–1918. Studien zur deutschen Sozial- und Verfassungsgeschichte, Göttingen 1970.

Wehler, Hans-Ulrich: Sozialdemokratie und Nationalstaat, Göttingen 1971.

Wittwer, Max: Das deutsche Zeitungswesen in seiner neueren Entwicklung, Phil. Diss. Halle 1914.

Wrede, Richard/von Reinfels, Hans: Das geistige Berlin, Berlin 1897.

Zwischen Römer und Revolution. 1869–1969: Hundert Jahre Sozialdemokraten in Frankfurt am Main, Frankfurt/M 1965.

9. Artikel und Aufsätze von den und über die behandelten Reichstagsabgeordneten

Auer, Ignaz: Partei und Gewerkschaft, in: *Sozialistische Monatshefte* (SM), 1902, S. 3–9.

Auer, Ignaz: Zum sozialdemokratischen Parteitag in Dresden, in: *SM*, 1903, S. 635–641.

(über Ignaz Auer) „Wächter über die Einheit der Partei", in: *Vorwärts* (V), 25. 4. 52.

Bebel, August: Wilhelm Liebknecht, in: *Neue Welt* (NW), 1910, Dezember, S. 251–252.

Bebel, August: Jean Baptist von Schweitzer, in: *Neue Zeit* (NZ), 1911/12, Bd. 1, S. 180–187.

Bebel, August: Das offzielle Parteiorgan, in: *Berliner Volksblatt*, 13. 9. 1890.

Bebel, August: Mein Schlußwort, in: *NZ*, 1897/98, Bd. 1, S. 400 ff.

Bernstein, Eduard: Von der deutsch-österreichischen Parteipresse, in: *NZ*, 1905/06, Bd. 2, S. 868–873.

Bernstein, Eduard: Der Freisinn und unsere Presse, in: *SM*, 1908, S. 930–936.

Bernstein, Eduard: Das Recht des sozialdemokratischen Schriftstellers, in: *SM*, 1909, S. 1090–1095.

Bernstein, Eduard: Was hat die sozialdemokratische Presse während des Krieges zu tun? in: *Leipziger Volkszeitung* (LV), 3. 11. 1914.

Bernstein, Eduard: Sozialdemokratische Presse und europäischer Krieg, in: *LV*, 14. 11. 1914.

Bernstein, Eduard: Zum Ausgang des Prozesses der Vorwärts-Redaktion, in: *LV*, 26. 3. 1917.

Bernstein, Eduard: Die Demokratie in der Sozialdemokratie, in: *SM*, 1908, S. 1106–1114.

Bernstein, Eduard: Der Wahlkampf und das Mandat, in: *SM*, 1907, S. 183–193.

Bernstein, Eduard: Vom Wert des Parlamentarismus, in: *SM*, 1904, S. 423–428.

Beyer, Georg: Paul Lensch. Erinnerung an einen Journalisten, in: *MdVA*, Nr. 260, Dezember 1926.

Block, Hans: Der Reformator der sozialdemokratischen Presse, in: Sondernummer der *LV* zum 25. Todestage von Bruno Schoenlank, 30. 10. 1926.

Blos, Wilhelm: Sozialistengesetzliche Erinnerungen, in: *NW*, 1905, S. 139–140.

Blos, Wilhelm: Zur Geschichte der sozialdemokratischen Presse, in: *MdVA*, Juni 1909, Juli 1909, Oktober 1909 und Dezember 1909.

Blos, Wilhelm: An der Wiege des *Vorwärts*, in: *V*, 28. 1. 1917.

Blos, Wilhelm: Die Anfänge unserer Parteipresse, in: *NZ*, 1918/19, Bd. 1, S. 131–136 und 156–161.

Blos, Wilhelm: Die sozialdemokratische Presse in Deutschland, in: Handbuch des Vereins Arbeiterpresse, Berlin 1914, S. 15–24.

Bock, Wilhelm: Die Gewerkschaftspresse, in: *V*, 7. 9. 1877.

(über Alwin Brandes) „80 Jahre" in: *Sozialdemokrat*, 11. 6. 1946.

(über Heinrich Braun) „Ein Apostel der neuen Zeit", in: *Neuer Vorwärts*, 19. 11. 1954.

Bruhns, Julius: Die Organisation der Partei, in: *SM*, 1904, S. 708–713.

248

(über Otto Büchner) „Otto Büchner 87 Jahre alt", in: *Neues Deutschland*, 7. 2. 1952.

Calwer, Richard: Die socialdemokratische Presse, in: *SM*, 1901, S. 699–704.

Calwer, Richard: Disziplin und Meinungsfreiheit, in: *SM*, 1906, S. 36–40.

Calwer, Richard: Der Akademiker in der Sozialdemokratie, in: *SM*, 1901, Mai.

Calwer, Richard: Der Hochverratsprozeß Liebknechts, in: *SM*, 1907, S. 954–957.

David, Eduard: Wie ich Carl Ulrich kennen lernte, in: *Offenbacher Abendblatt*, 30. 1. 1928.

David, Eduard: Die Eroberung der politischen Macht, in: *SM*, 1904, S. 9–18, 114–120, 199–207.

Davidsohn, Georg: Chef vom Dienst? in: *MdVA*, 1918, Juli.

Dietz, Heinrich: Antwort auf die „mahnende Erinnerung" von Karl Kautsky, in: *NZ*, 1916, Bd. 2, S. 138–143.

Eichhorn, Emil: Der Berichterstatterdienst für das Pressebureau, in: *MdVA*, April 1909.

Eichhorn, Emil: Korrespondenzbüro oder Vermehrung der Redaktionskräfte, in: *MdVA*, März 1910.

Eichhorn, Emil: Das Pressebureau und seine Leistungen, in: *MdVA*, November 1913.

Eichhorn, Emil: Die Sozialdemokratie in Sachsen, in: *SM*, 1898, S. 312–316.

von Elm, Adolph: Der Vorwärtskonflikt und die Partei, in: *SM*, 1906, S. 26–35.

von Elm, Adolph: Die Revisionisten an der Arbeit, in: *SM*, 1904, S. 26–34.

von Elm, Adolph: Zur Frage der Neutralisierung der Gewerkschaften, in: *NZ*, 1900, Bd. 1, S. 361 ff.

Erdmann, August: Die Sozialdemokratie im Rheinland, in: *SM*, 1898, S. 361–366.

Fischer, Edmund: Franz Joseph Ehrhart, in: *SM*, 1908, Nr. 18/19.

Fischer, Edmund: Freiheit, Demokratie, Disziplin, in: *SM*, 1904, S. 463–468.

Fischer, Edmund: Sozialdemokratie und Staat, in: *NZ*, 1915/16, Bd. 1, S. 372 ff.

Fischer, Richard: Wie ich Redakteur wurde, in: *V*, (Beilage), 13. 5. 1927.

Flechtheim, Ossip K.: Eine Erinnerung an Karl Liebknecht, in: *Neue Politik*, 1976, H. 1, S. 44–52.

(über Ludwig Frank) „Ein großer Vorkämpfer", in: *Badische Allgemeine Zeitung*, 26. 5. 1954.

Geib, August: Unsere gewerkschaftliche Presse, in: *V*, 10. 8. 1877.

Göhre, Paul: In eigener Sache, in: *V*, 24. 4. 1901.

Gradnauer, Georg: Parteipresse und Krieg, in: *Glocke*, 1915/16, S. 452–464.

Gradnauer, Georg: Die Behandlung politischer Sünder in den Gefängnissen, in: *MdVA*, November 1911.

Haenisch, Konrad: Emanuel Wurm zum Gedächtnis, in: *MdVA*, Mai 1920.

(über Friedrich Harm) „Ein Kampfgefährte August Bebels", in: *V*, 14. 10. 1955.

Haselier, Günther: Adolf Geck als Politiker und Mensch im Spiegel seines Nachlasses, in: *Zeitschrift für die Geschichte des Oberrheins*, 1967, S. 331–430.

Heid, Ludger: Der Gerber von der Feder. Wilhelm Hasenclever und sein Duisburger Wahlkreis in der Zeit des Norddeutschen Bundes 1869/70, in: Revolution und Demokratie in Geschichte und Literatur, hrsg. von Julius Schoeps und Imanuel Geiss, Duisburg 1979.

Heine, Wolfgang: Der *Vorwärts* und die Berliner Genossen, in: *Neue Gesellschaft*, 1905, Bd. 1, S. 378 ff.

Heine, Wolfgang: Notwendige Reformen zum Presserecht, in: *SM*, 1901, S. 243–252.

Heine, Wolfgang: Demokratische Randbemerkungen zum Fall Göhre, in: *SM*, 1904, S. 281–291.

Heine, Wolfgang: Disziplin, Organisation, Einheit, in: *SM*, 1908, S. 1258–1263.

Heine, Wolfgang: Grober Unfug, in: *Vossische Zeitung*, 21. 12. 1902.

Heinrich, Ernst: Machiavelli und die Sozialdemokratie (über J. B. von Schweitzer), in: *Frankfurter Rundschau*, 26. 7. 1975.

(über Alfred Henke) „Alfred Henke zum Gedächtnis", in: *Bremer Bürgerzeitung*, 18. 2. 1956.

Hoch, Gustav: Aufgaben der Parteipresse, in: *NZ*, 1913/14, Bd. 1, S. 189–192.

(über Adolph Hoffmann) „Der schlagfertige Redner", in: *Telegraf*, 5. 1. 1956.

Jaeckh, Gustav: Nachruf auf Bruno Schoenlank, in: *SM*, 1901.

Kampffmeyer, Paul: Bruno Schoenlank zum Gedächtnis, in: *MdVA*, Oktober 1926.

Katzenstein, Simon: Ein Mann der Arbeit. Zur Erinnerung an Max Quarck, in: *V*, 23. 1. 1930.

Kautsky, Karl: Heinrich Dietz, in: *NZ*, 1913, Bd. 1.

Kautsky, Karl: Johann Most, in: *Glocke*, 1924, Bd. 1, S. 545–564.

Keil, Wilhelm: Allen Stürmern der Zeit getrotzt. Ursprung und Schicksal der *Schwäbischen Tagwacht*, in: *50 Jahre Verlag Schwäbische Tagwacht*, 25. 7. 1959.

Keil, Wilhelm: Neue Werbemethoden, in: *MdVA*, Februar 1928.

„Lassalle und seine Mitarbeiter. Mitbegründer und führende Funktionäre der ersten deutschen Arbeiterpartei." Sonderbeilage zum 90jährigen Parteijubiläum des *Neuen Vorwärts*, 1. 5. 1953.

Landsberg, Otto: Das Recht des Nachdrucks, in: *MdVA*, August 1930.

Laufenberg, Heinrich: Die Politik J. B. von Schweitzers und die Sozialdemokratie, in: *NZ*, 1911/12, Bd. 1, S. 693–704, 731–739.

Legien, Carl: Das „Blättchen" (1891–1900), in: *Correspondenzblatt* (C), Januar 1916.

Legien, Carl: Die Arbeiterpresse und die Gewerkschaften, in: *Königsberger Volkszeitung*, 1. 6. 1918.

Liebknecht, Wilhelm: Brief aus Berlin, in: *NZ*, 1890/91, Bd. 1, S. 710 ff.

Liebknecht, Wilhelm: Fraktion über Parteitag? in: *NZ*, 1898, Bd. 1, S. 290 ff.

Lipinski, Richard: Wie der Verein Arbeiterpresse wurde, in: *MdVA*, Juni 1931.

Lipinski, Richard: Die Unterstützungsvereinigung, in: *MdVA*, Mai 1912.

Mayer, Paul: Revolutionär und Künstler. Erinnerungen an Paul Ledebour, in: *V*, 10. 10. 1958.

Meerfeld, Jean: Gewerkschaften und Tagespresse, in: *C*, Februar 1906.

Meerfeld, Jean: Leipziger Volkszeitung contra Buchdrucker-Korrespondent, in: *C*, März 1906.

Meerfeld, Jean: Zur Preßpolemik der *Leipziger Volkszeitung* contra *Buchdrucker-Korrespondent*, in: *C*, März 1906.

250

Meerfeld, Jean: Parteipresse gegen die lokalistischen Zersplitterungsversuche, in: C, Juli 1906.

Meerfeld, Jean: Gegen die Agitation der Sozialdemokratie, in: Grenzbote, Leipzig, 1906, H. 60, S. 1–6.

Mehring, Franz: Schweitzers Anfänge, in: NZ, 1911/12, Bd. 2, S. 985 ff.

Mehring, Franz: Johann Jacoby und die wissenschaftlichen Sozialisten, in: Archiv für die Geschichte des Sozialismus und der Arbeiterbewegung, Leipzig, Bd. 1, 1911, S. 449–457.

(über Julius Motteler) „Julius Motteler zum Gedächtnis", in: NZ, 1907/08, Bd. 1.

(über Hermann Müller) „Hermann Müller", in: V, 21. 3. 1931.

Oschilewski, Walther G.: Reformator der sozialistischen Presse. Zum 50. Todestag von Bruno Schoenlank, in: Neuer Vorwärts, 26. 10. 1951.

Peus, Heinrich: Die socialdemokratische Presse und das Genossenschaftswesen, in: SM, 1902, Bd. 2, S. 858–861.

Peus, Heinrich: Zentralisation unserer Presse, in: Glocke, 1916/17, H. 2.

(über Wilhelm Pfannkuch) „Wilhelm Pfannkuch", in: Casseler Volksblatt, 26. 11. 1921.

Prager, Eugen: Hermann Müller und die Presse, in: MdVA, April 1931.

Quarck, Max: Die erste Frankfurter Arbeiterzeitung, in: Archiv für die Geschichte des Sozialismus und der Arbeiterbewegung, Leipzig 1925.

Radandt, Hans: Neue Dokumente über die Rolle Albert Südekums, in: Zeitschrift für Geschichtswissenschaft, Berlin 1956, H. 4, S. 757–765.

(über Emil Rosenow) „Politiker und Denker", in: Neuer Vorwärts, 5. 2. 1954.

Scheidemann, Philipp: Die kleine Parteipresse und das Pressebureau, in: MdVA, April 1909.

Schippel, Max: Die Sprengungsaufrufe und die Parteipresse, in: SM, 1915, S. 636–639.

Schippel, Max: Ignaz Auer, in: SM, 1904, Bd. 2, S. 596–599.

(über Max Schippel) „Max Schippel", in: SM, 1928, Bd. 2, S. 587.

Schmidt, Robert: Die Generalversammlung des Vereins Arbeiterpresse, in: MdVA, Oktober 1917.

Schmidt, Robert: Die Unterstützungsvereinigung in neuer Gestalt, in: MdVA, Mai 1924.

Schmidt, Robert: Ignaz Auer und die Gewerkschaften, in: SM, 1907, Bd. 1, S. 351–355.

Schulz, Heinrich: Der Redaktionsetat, in: MdVA, Oktober 1907.

Schulz, Heinrich: Der 4. August, in: Glocke, 1916, Bd. 2, S. 725–733.

Schulz, Heinrich: Rekrutenschule oder proletarische Notwendigkeit, in: NZ, 1916, Bd. 2, S. 102–107.

Schulze, Volker: Paul Singer – sozialdemokratischer Politiker und Verleger, in: Publizistik, 1974, H. 2.

(über J. B. von Schweitzer) „Der Nachfolger Lassalles", in: Neuer Vorwärts, 28. 7. 1950.

Severing, Carl: Wie ich zur Volkswacht kam, in: Volkswacht, Bielefeld 1. 7. 1910.

Severing, Carl: Die Presse der Zukunft, in: Rheinische Vierteljahresblätter, 1916, S. 338–347.

251

Severing, Carl: Von der Freiheit der Presse, in: *Deutsche Presse*, Mai 1926, S. 15–16.

Singer, Paul: Zum Bebelschen Vorschlag, in: *NZ*, 1897/98, Bd. 1, S. 324 ff.

Südekum, Albert: Redakteurskonferenz oder außerordentlicher Parteitag, in: *Neue Gesellschaft*, 1907, Bd. 3, S. 246–247.

Südekum, Albert: Die sozialdemokratische Parteipresse, in: *Das Forum*, München, 1914, H. 4, S. 234–238.

Thiele, Adolf: Meinungsfabriken, in: *MdVA*, März 1906.

Thiele, Adolf: Zur Förderung unserer Expeditionen, in: *MdVA*, Mai 1906.

Thiele, Adolf: Zur Berichterstattung über die Generalversammlung der Gewerkschaften, in: *MdVA*, Mai 1906.

Thiele, Adolf: Nr. 100, in: *MdVA*, Mai 1911.

Ulrich, Carl: Wie ich Redakteur wurde, in: *Offenbacher Abendblatt*, 11. 8. 1900.

(über Louis Viereck) „Ein Hohenzoller als SPD-MdR", in: *V*, 1. 11. 1961.

(über Ewald Vogtherr) „Ewald Vogtherr", in: *V*, 14. 2. 1923.

Weber, Max: Zur Rechtfertigung Göhres, in: *Christliche Welt*, 1892, H. 6.

Wels, Otto: Die *Vorwärts*-Buchdruckerei, in: *MdVA*, Mai 1928, Sonderausgabe, S. 10–13.

Wurm, Emanuel: Zum Jahresbericht des Vereins Arbeiterpresse, in: *MdVA*, August 1908.

Wurm, Emanuel: Redaktionen und freie Schriftsteller, in: *MdVA*, Oktober 1910.

10. Artikel und Aufsätze

Beier, Gerhard: Das Problem der Arbeiteraristokratie im 19. und 20. Jahrhundert. Zur Sozialgeschichte einer umstrittenen Kategorie, in: Herkunft und Mandat, Beiträge zur Führungsproblematik in der Arbeiterbewegung, Köln 1976.

Beyer, Marga: Wilhelm Liebknechts Kampf gegen den Opportunismus im letzten Jahrzehnt seines Lebens, in: Beiträge zur Geschichte der Arbeiterbewegung, 1976, Bd. 1, S. 92–101.

Diederich, Franz: 25 Jahre Arbeiterzeitung, in: *Rheinisch-Westfälische Arbeiterzeitung*, 1. 10. 1915.

Dovifat, Emil: Die publizistische Persönlichkeit. Charakter, Begabung und Schicksal, in: *Die Gazette*, 1956, H. 2, S. 157–173.

Fabris, Hans Heinz: Der Politiker als Kommunikator, in: Zur Theorie der politischen Kommunikation, hrsg. von Wolfgang R. Langenbucher, München 1974.

Fabris, Hans Heinz: Das Selbstbild von Redakteuren bei Tageszeitungen. Eine explorative Studie über Einstellungen und Verhaltensweisen von Redakteuren dreier Tageszeitungen in Salzburg, in: Arbeitsberichte des Instituts für Publizistik und Kommunikationstheorie der Universität Salzburg, hrsg. von Günter Kieslich, Salzburg 1971, H. 2.

Hirschfeld, Dieter, Bemerkungen zur Soziologie der journalistischen Intelligenz, in: Solidarität gegen Abhängigkeit. Mediengewerkschaft, hrsg. von Ulrich Paetzold und Hendrik Schmidt, Darmstadt/Neuwied 1973.

Koszyk, Kurt: Die Presse der schlesischen Sozialdemokratie, in: Jahrbuch der schlesischen Friedrich-Wilhelms-Universität zu Breslau, Würzburg 1960, Bd. 5, S. 235–249.

Laschnitza, Annelies: Zur Biographie als Genre in der Geschichtswissenschaft der DDR über die Geschichte der Partei und der Arbeiterbewegung, in: Beiträge zur Geschichte der Arbeiterbewegung, 1979, Bd. 4, S. 494–509.

Milatz, Alfred: Reichstagswahlen und Mandatsverteilung 1871–1918. Ein Beitrag zu Problemen des absoluten Mehrheitswahlrechtes, in: Gesellschaft, Parlament und Regierung. Zur Geschichte des Parlamentarismus in Deutschland, hrsg. von Gerhard A. Ritter, Düsseldorf 1974.

Matull, Wilhelm: Arbeiterpresse in Ost- und Westpreußen, in: Jahrbuch der Albertus-Universität zu Königsberg, Berlin 1970, Bd. 20, S. 84–106.

Neuhaus, Giesela: August Bebel als Korrespondent der *Gleichheit* und der *Arbeiterzeitung* in Wien, in: Beiträge zur Geschichte der Arbeiterbewegung, 1978, Bd. 5, S. 707–718.

Oschilewski, Walther G.: Eine Zeitung schreibt Geschichte. Hundert Jahre *Vorwärts*, in: *Die Neue Gesellschaft,* 1976, H. 10, S. 788–791.

Pierenkämper, Franz: Eine Anregung, in: *MdVA,* Januar 1911.

Rabold, Emil: Zur Ausbildung der Redakteure, in: *MdVA,* März 1914.

Rüdiger, Ruth: Briefe von August Geib an Wilhelm Liebknecht aus dem Jahre 1879, in: Beiträge zur Geschichte der Arbeiterbewegung, 1978, Bd. 5, S. 684–691.

Schmid, Carlo: Der Abgeordnete zwischen Partei und Parlament, in: *Die Neue Gesellschaft,* 1959, H. 6, S. 439–444.

Schmid, Carlo: Politiker und Journalist, in: *Die Neue Gesellschaft,* 1964, H. 4, S. 318–320.

Schröder, Wilhelm Heinz: Probleme und Methoden der quantitativen Analyse von kollektiven Biographien. Das Beispiel der sozialdemokratischen Reichtagskandidaten 1898–1912, in: Quantitative Methoden in der historisch-sozialwissenschaftlichen Forschung, Stuttgart 1977, Bd. 3, S. 88–125.

Schröder, Wilhelm Heinz: Die Sozialstruktur der sozialdemokratischen Reichstagskandidaten 1898–1912, in: Herkunft und Mandat. Beiträge zur Führungsproblematik in der Arbeiterbewegung, Köln 1976.

Werner, Emil: Aus der Geschichte der *Münchener Post,* in: Hundert Jahre Sozialdemokraten in München, München 1969.

Abkürzungsverzeichnis

ADAV   Allgemeiner Deutscher Arbeiterverein
AdSD   Archiv der Sozialen Demokratie
bkF   bei keiner Fraktion
LV   Leipziger Volkszeitung
MdR   Mitglied des Reichstages
MdVA   Mitteilungen des Vereins Arbeiterpresse
MSPD   Sozialdemokratische Partei Deutschlands, Mehrheitspartei
NW   Neue Welt
NZ   Neue Zeit
SDAP   Sozialistische Deutsche Arbeiterpartei
SM   Sozialistische Monatshefte
SPD   Sozialdemokratische Partei Deutschlands
USPD   Unabhängige Sozialdemokratische Partei Deutschlands
V   Vorwärts

Personenregister

Kursiv gesetzte Seitenzahlen verweisen auf die Biographien im Anhang.

Zeitungs- und Zeitschriftenregister